青铜时代

插图珍藏本

王小波 作品

湖南文艺出版社
HUNAN LITERATURE AND ART PUBLISHING HOUSE

博集天卷
CS-BOOKY

图书在版编目（CIP）数据

青铜时代 / 王小波著 . — 长沙 : 湖南文艺出版社 , 2016.3
ISBN 978-7-5404-7484-3

Ⅰ . ①青… Ⅱ . ①王… Ⅲ . ①长篇小说—中国—当代 Ⅳ . ① I247.5

中国版本图书馆 CIP 数据核字（2016）第 035301 号

上架建议：名家·经典

青铜时代

著　　者：王小波
出 版 人：刘清华
责任编辑：薛　健　刘诗哲
监　　制：毛闽峰　李　娜
特约编辑：张宇宏
封面设计：仙境设计
内文排版：百朗文化
出版发行：湖南文艺出版社
　　　　　（长沙市雨花区东二环一段 508 号　邮编：410014）
网　　址：www.hnwy.net
印　　刷：北京鹏润伟业印刷有限公司
经　　销：新华书店
开　　本：880mm×1270mm　1/32
字　　数：525 千字
印　　张：20.5
版　　次：2016 年 3 月第 1 版
印　　次：2017 年 1 月第 2 次印刷
书　　号：ISBN 978-7-5404-7484-3
定　　价：45.00 元

质量监督电话：010-59096394
团购电话：010-59320018

【写在前面】

《黄金时代》《白银时代》和《青铜时代》是王小波作品的精华。

记得他曾经说过："《黄金时代》（他指的是中篇小说《黄金时代》）是我的宠儿。"

"时代三部曲"表面上是王小波作品的合集，每部之间似乎没有什么联系，但其实是有一个逻辑顺序的。这个逻辑顺序就是：《黄金时代》中的小说写现实世界；《白银时代》中的小说写未来世界；《青铜时代》写的故事都发生在过去。

1997年王小波离去时，他的文字骤然显现在读者面前。

对于当时的阅读热潮，有人颇有微词，他们认为这是"炒作"的效果，或是因为他的猝然离世。总之，一些人以为"王小波热"是偶然的。

但是在我内心深处，我知道它不是的。

王小波的文学修养、才能和成就在中国文学史上是极其珍贵的，他的文本的价值将随着时间的推移而显现。年青一代仍然在读他的作品，"王小波热"并没有过去。后人还将阅读他的作品。

也许这就是"不朽"吧。

朽与不朽是最严酷的评价标准。没有人，能做任何事，去影响它一丝一毫。

朽与不朽也不会因任何人的情感、愿望、"炒作"，而改变一丝一毫。

从内心深处，我隐秘地希望王小波是不朽的。

李银河

2003 年 9 月 2 日于曼谷

目录 Contents

序：我的师承·

　　我终于有了勇气来谈谈我在文学上的师承。小时候，有一次我哥哥给我念过查良铮先生译的《青铜骑士》：

> 我爱你，彼得兴建的大城，
> 我爱你严肃整齐的面容，
> 涅瓦河的水流多么庄严，
> 大理石铺在它的两岸……

　　他还告诉我说，这是雍容华贵的英雄体诗，是最好的文字。相比之下，另一位先生译的《青铜骑士》就不够好：

> 我爱你彼得的营造
> 我爱你庄严的外貌……

　　现在我明白，后一位先生准是东北人，他的译诗带有二人转的调子，和查先生的译诗相比，高下立判。那一年我十五岁，就懂得了什么样的文字才能叫作好。

到了将近四十岁时，我读到了王道乾先生译的《情人》，又知道了小说可以达到什么样的文字境界。道乾先生曾是诗人，后来做了翻译家，文字功夫炉火纯青。他一生坎坷，晚年的译笔沉痛之极。请听听《情人》开头的一段：

> 我已经老了。有一天，在一处公共场所的大厅里，有一个男人向我走来，他主动介绍自己，他对我说："我认识你，我永远记得你。那时候，你还很年轻，人人都说你美，现在，我是特为来告诉你，对我来说，我觉得现在你比年轻的时候更美，那时你是年轻女人，与你那时的面貌相比，我更爱你现在备受摧残的面容。"

这也是王先生一生的写照。杜拉斯的文章好，但王先生译笔也好，无限沧桑尽在其中。查先生和王先生对我的帮助，比中国近代一切著作家对我帮助的总和还要大。现代文学的其他知识，可以很容易地学到。但假如没有像查先生和王先生这样的人，最好的中国文学语言就无处去学。除了这两位先生，别的翻译家也用最好的文学语言写作，比方说，德国诗选里有这样的译诗：

> 朝雾初升，落叶飘零
> 让我们把美酒满斟！

带有一种永难忘记的韵律，这就是诗啊。对于这些先生，我何止是尊敬他们——我爱他们。他们对现代汉语的把握和感觉，至今无人可比。一个人能对自己的母语做这样的贡献，也算不虚此生。

　　道乾先生和良铮先生都曾是才华横溢的诗人，后来，因为他们杰出的文学素质和自尊，都不能写作，只能当翻译家。就是这样，他们还是留下了黄钟大吕似的文字。文字是用来读，用来听，不是用来看的——要看不如去看小人书。不懂这一点，就只能写出充满噪声的文字垃圾。思想、语言、文字，是一体的，假如念起来乱糟糟，意思也不会好——这是最简单的真理，但假如没有前辈来告诉我，我怎么会知道啊。有时我也写点不负责任的粗糙文字，以后重读时，惭愧得无地自容，真想自己脱了裤子请道乾先生打我两棍。孟子曾说，无耻之耻，无耻矣。现在我在文学上是个有廉耻的人，都是多亏了这些先生的教诲。对我来说，他们的作品是比鞭子还有力量的鞭策。提醒现在的年轻人，记住他们的名字，读他们译的书，是我的责任。

　　现在的人会说，王先生和查先生都是翻译家。翻译家和著作家在文学史上是不能相提并论的。这话也对，但总要看看写的是什么样的东西。我觉得我们国家的文学次序是彻底颠倒了的：末流的作品有一流的名声，一流的作品却默默无闻。最让人痛心的是，最好的作品并没有写出来。这些作品理应由查良铮先生、王道乾先生在壮年时写出来的，现在成了巴比伦的空中花园了……以他们二位年轻时的抱负，晚年的余晖，在中年时如有现在的环境，写不出好作品是不可能的。可惜良铮先生、道乾先生都不在了……

　　回想我年轻时，偷偷地读到过傅雷、汝龙等先生的散文译笔，这些文字都是好的。但是最好的，还是诗人们的译笔；是他们发现了现代汉语的韵律。没有这种韵律，就不会有文学。最重要的是：在中国，已经有了一种纯正完美的现代文学语言，剩下的事只是学习，这已经是很容易的事了。我们不需要用难听的方言，也不必用艰涩、缺少表现力的文字来写作。作家们为什么现在还爱用劣等的文字来写作，非我所能知道。但若因此忽略前辈翻译家对文学的贡献，又何止是不公道。

正如法国新小说的前驱们指出的那样，小说正向诗的方向改变着自己。米兰·昆德拉说，小说应该像音乐。有位意大利朋友告诉我说，卡尔维诺的小说读起来极为悦耳，像一串清脆的珠子撒落于地。我既不懂法文，也不懂意大利文，但我能够听到小说的韵律。这要归功于诗人留下的遗产。

我一直想承认我的文学师承是这样一条鲜为人知的线索。这是给我脸上贴金。但就是在道乾先生、良铮先生都已故世之后，我也没有勇气写这样的文章。因为假如自己写得不好，就是给他们脸上抹黑。假如中国现代文学尚有可取之处，它的根源就在那些已故的翻译家身上。我们年轻时都知道，想要读好文字就要去读译著，因为最好的作者在搞翻译。这是我们的不传之秘。随着道乾先生逝世，我已不知哪位在世的作者能写如此好的文字，但是他们的书还在，可以成为学习文学的范本。我最终写出了这些，不是因为我的书已经写得好了，而是因为，不把这个秘密说出来，对现在的年轻人是不公道的。没有人告诉他们这些，只按名声来理解文学，就会不知道什么是坏，什么是好。

说　明

　　《红线传》，杨巨元作，初见于袁郊《甘泽谣》，《太平广记》一百九十五卷载；述潞州节度使薛嵩家有青衣红线通经史，嵩用为内记室；魏博节度使田承嗣欲夺嵩地，薛嵩惶恐无计，红线挺身而出，为之排忧解难之事。《虬髯客》，杜光庭作，收《太平广记》一百九十三卷，述隋越国公杨素家有持红拂的歌妓张氏，识李靖于风尘之中，与之私遁之事。《无双传》，薛调作，收《太平广记》四百八十六卷，述王仙客与表妹刘无双相恋，后遇兵变，刘父受伪命被诛，无双没入宫中，王仙客求人营救之事。这三篇唐传奇脍炙人口，历代选本均选。读者自会发现，我的这三篇小说，和它们也有一些关系。

王小波

万寿寺·

第一章

【一】

1

　　莫迪阿诺在《暗店街》里写道："我的过去一片朦胧……"这本书就放在窗台上，是本小册子，黑黄两色的封面，纸很糙，清晨微红色的阳光正照在它身上。病房里住了很多病人，不知它是谁的，我观察了许久，觉得它像是件无主之物，把它拿到手里来看；但心中惕惕，随时准备把它还回去。过了很久也没人来要，我就把它据为己有。过了一会儿，我才骤然领悟到：这本书原来是我的。这世界上原来还有属于我的东西——说起来平淡无奇，但我确实没想到。病房里弥漫着水果味、米饭味、汗臭味，还有煮熟的芹菜味。在这个拥挤、闭塞、气味很坏的地方，我迎来了黎明。我的过去一片朦胧……

病房里有一面很大的玻璃窗。每天早上，阳光穿过不平整的窗玻璃，在对面墙上留下火红的水平条纹；躺在这样的光线里，有如漂浮在熔岩之中。本来，我躺在这张红彤彤的床上，看那本书，感到心满意足。事情忽然急转而下，大夫找我去，说道，你可以出院了。医院缺少床位，多少病人该住院却进不来——听他的意思，好像我该为此负责似的。我想要告诉他，我是出于无奈（别人用汽车撞了我的头）才住到这里的，但他不像要听我说话的样子；所以只好就这样了。

此后，我来到大街上，推着一辆崭新的自行车，不知该到哪里去。一种巨大的恐慌，就如一团灰雾，笼罩着我——这团雾像个巨大的灰毛老鼠，骑在我头上。早晨城里也有一层雾，空气很坏。我自己也带着医院里的馊味。我总觉得空气应该是清新的，弥漫着苦涩的花香——如此看来，《暗店街》还在我脑中作祟……

莫迪阿诺的主人公失去了记忆。毫无疑问，我现在就是失去了记忆。和他不同的是，我有张工作证，上面有工作单位的地址，循着这个线索，我来到了"西郊万寿寺"的门前。门洞上方有"敕建万寿寺"的字样，而我又不是和尚……这座寺院已经彻底破旧了。房檐下的檩条百孔千疮，成了雨燕筑巢的地方，燕子屎把房前屋后都变成了白色的地带，只在门前留下了黑色的通道。这个地带对人来说是个禁区。不管谁走到里面，所有的燕巢边上都会出现燕子的屁股，然后他就在缤纷的燕粪里，变成一个面粉工人。燕子粪的样子和挤出的儿童牙膏类似。院子里有几棵白皮松，还有几棵老得不成样子的柏树。这一切似曾相识……我总觉得上班的地点不该这样的老旧。顺便说一句，工作证上并无家庭住址，假如有的话，我会回家去的，我对家更感兴趣……万寿寺门前的泥地里混杂着砖石，掘地三尺也未必能挖干净。我在寺门前逡巡了很久，心里忐忑不安，进退两难。直到有一个胖胖的女人经过。她从我身边走过时抛下了一句：进来呀，愣着干啥。这几天我总在愣着，没觉得有什么不对。但既然别人这么说，愣着显然是不对的。于是我就进去了。

出院以前，我把《暗店街》放在厕所的抽水马桶边上。根据我的狭隘经验，人坐在这个地方才有最强的阅读欲望。现在我后悔了，想要回医院去取。但转念一想，又打消了这个主意。把一本读过的书留给别人，本是做了一件善事；但我很怀疑自己真有这么善良。本来我在医院里住得好好的，就是因为看了这本书，才遇到现在的灾难。我对别的丧失记忆的人有种强烈的愿望，想让他们也倒点霉——丧失了记忆又不自知，那才是人生最快乐的时光……

对于眼前这座灰蒙蒙的城市，我的看法是：我既可以生活在这里，也可以生活在别处；可以生活在眼前这座水泥城里，走在水泥的大道上，呼吸着尘雾；也可以生活在一座石头城市里，走在一条龟背似的石头大街上，呼吸着路边的紫丁香。在我眼前的，既可以是这层白内障似的、磨砂灯泡似的空气，也可以是黑色透明的、像鬼火一样流动着的空气。人可以迈开腿走路，也可以乘风而去。也许你觉得这样想是没有道理的，但你不曾失去过记忆——在我衣服口袋里，有一张工作证，棕色的塑料皮上烙着一层布纹，里面有个男人在黑白相片里往外看着。说实在的，我不知道他是谁。但是，既然出现在我口袋里，除我之外，大概也不会是别人了。也许，就是这张证件注定了我必须生活在此时此地。

2

早上，我从医院出来，进了万寿寺，踏着满地枯黄的松针，走进了配殿。我真想把鞋脱下来，用赤脚亲近这些松针。古老的榆树，矮小的冬青丛，都让我感到似曾相识；令人遗憾的是，这里有股可疑的气味，与茅厕相似，让人不想多闻。配殿里有个隔出来的小房间，房间里有张桌子，桌子上堆着写在旧稿纸上的手稿。这些东西带着熟悉的气息迎面而来——过去的我带着重重叠叠的身影，飘扬在空中。用不着别人告诉，我就知道，这是我的房间、我的桌子、我的手稿。这是因为，除了穿在身上的灰色衣服，这世界上总该有些属于我的东西——除了有些东西，还要有地方吃饭，有地方睡觉，这些在目前都不紧要。目前最要紧的是，有个容身的地方。坐在桌子后面，我心里安定多了。我面前还放了一个故事。除了开始阅读，我别无选择了。

"晚唐时，薛嵩在湘西当节度使。前往驻地时，带去了他的铁枪。"故事就这样开始了。这个故事用黑墨水写在我面前的稿纸上，笔迹坚挺有力。这种纸是稻草做的，呈棕黄色，稍稍一折就会断裂，散发着轻微的霉味。我面前的桌子上有不少这样的纸，卷成一捆捆的，用橡皮筋扎住。随手打开一卷，恰恰是故事的开始。走进万寿寺之前，我没想到会有这么多故事。可以写几个字来对照一下，然后就可认定是不是我写了这些故事。但我觉得没有必要。在医院里醒来时，我左手的食指和中指上，都有黑色的墨迹。这说明我一直用黑墨水来写字。在我桌子上，有一个笔筒，里面放满了蘸水钢笔，笔尖朝上，像一丛龙舌兰的样子；笔筒边上放着一瓶中华牌绘图墨水。坐在这个桌子面前，我想到：假如我不是这个故事的作者，也不会有别人了；虽然我一点不记得这个故事。这些稿子放在这里，就如医院窗台上的《暗店街》。假如我不来认领，就永无人来认领。这世界上之所以会有无主的东西，就是因为有人失去了记忆。

手稿上写道：盛夏时节，在湘西的红土丘陵上，是一片肃杀景象；草木凋零，不是因为秋风的摧残，却是因为酷暑。此时山坡上的野草是一片黄色，就连水边的野芋头的三片叶子，都分向三个方向倒下来；空气好像热水迎面浇来。山坡上还刮着干热的风。把一只杀好去毛的鸡皮上涂上盐，用竹竿挑到风里去吹上半天，晚上再在牛粪火里烤烤，就可以吃了。这种鸡有一种臭烘烘的香气。除了风，吃腐肉的鸟也在天上飞，因为死尸的臭味在酷热中上升，在高空可以闻到。除了鸟，还有吃大粪的蜣螂，它们一改常态，嗡嗡地飞了起来，在山坡上寻找臭味。除了蜣螂，还有薛嵩，他手持铁枪，出来挑柴火。其他的生灵都躲在树林里纳凉。远远看去，被烤热的空气在翻腾，好像一锅透明的粥，这片山坡就在粥里煮着——这故事开始时就是这样。

在医院里，我那张床就很热，我一天到晚都像在锅里煮着，但我什么都不记得，也就什么都不抱怨，连个热字都说不出，只觉得很快乐。我不明白，热有什么可抱怨的呢？这篇稿子带有异己的气味。今天早上我遇到了很多东西：北京城、万寿寺、工作证、办公室，我都接受下来了。现在是这篇手稿——我很坚决地想要拒绝它。是我写的才能要，不是我写的——要它干啥？

手稿上继续写道：薛嵩穿着竹笋壳做的凉鞋，披散着头发，把铁枪扛在肩上，用一把新鲜的竹篾条拴在腰上，把龟头吊起来，除此之外，身上一无所有。现在正是盛夏时节。假如是严冬，景象就有所不同：此时湘西的草坡上一片白色的霜，直到中午时节，霜才开始融化，到下午四点以后，又开始结冻，这样就把整个山坡冻成了一片冰，绿色的草都被冻在冰下，好像被罩在透明的薄膜里——原稿就是这样的，但我总怀疑热带地方会有这样冷——薛嵩穿着棉袍子出来，肩上扛着缠了草绳的铁枪——如果不缠草绳子，就会粘手。他还是出来挑柴火。春秋两季他也要出来挑柴火——因为要吃饭就得挑柴火——并且总是扛着他的大铁枪。

我依稀记得，自己写到过薛嵩，每次总是从红土丘陵的正午写起，因为红土丘陵和正午有一种上古的气氛，这种气氛让我入了迷。此处地形崎岖，空旷无人，独自外出时会感到寂寞：在山坡上走着走着，忽然觉得天低了下来，连蓝天带白云都从天顶扣下来，天地之间因而变得扁平。再过一会儿，天地就会变成一口大碗，薛嵩独自一人走在碗底。他觉得自己就如一只捣臼里的蚂蚁，马上就会被粉碎，情不自禁地丢掉了柴捆，倒在地上打起滚来。滚完以后，再挑起柴来走路，走进草木茂盛的寨子，钻进空无一人、黑暗的竹楼。此时寂寞不再像一种暧昧的癫狂，而是变成了体内的刺痛。后来，薛嵩难于忍受，就去抢了红线为妻。这样他就不会被寂寞穿透，也不会被寂寞粉碎。如果感到寂寞，就把红线抱在怀里，就如胃疼的人需要一个暖水袋。如果这样解释薛嵩，一切都进行得很快。但这样的写法太过直接，红线在此时出现也为时过早。这就是只写红土丘陵和薛嵩的不利之处。所以这个故事到这里截止，从下一页开始，又换了一种写法。

读到薛嵩走在红土丘陵上，我似乎看到他站在苍穹之下，蓝天、白云在他四周低垂下来，好似一粒凸起的大眼球。这个景象使我感到亲切，仿佛我也见到过。只可惜由此再想不到别的了。因此，薛嵩就担着柴火很快地走了过去，正如枪尖刺在一块坚硬的石头上，轻飘飘地滑过了……如你所见，这种模糊的记忆和手稿合拍。看来这稿子是我写的。

既然已经有了一个属于我的故事，把《暗店街》送给别人也不可惜。但我不知道谁是薛嵩，也不知道谁是红线；正如我不知道谁是莫迪阿诺，谁是居伊·罗朗。我更不知道自己是谁。

3

正午时分的山坡上，罩着一层蓝黝黝的烟雾。走在这种烟雾里，就是皮肤白皙的人也会立刻变得黝黑，就是牙色焦黄的人也会立刻牙齿洁白，头发笔直的人也会变得有点卷发——手稿上这样写，仿佛嫌天还不够热——薛嵩在山坡上走，渐渐感到肩上的铁枪变得滚烫，好像是刚从熔炉里取出来。这根铁棍他是准备做扁担用的，除了烫手之外，它还有一种不便之处——那东西有三十多斤重，用来做扁担很不适用。但是他决不肯把任何扁担扛在肩上。在铁枪的顶端，有个不大锋利的枪头，还有一把染红了的麻絮。如果你不知道这是枪缨，一定会把这杆枪的性质看错，以为它不是一件兵器，而是一根墩布。在他的肚脐前面，一根竹篾条，好像吊了个大蘑菇。他就这样走下山坡，去找他的柴捆。

薛嵩的身体颀长、健壮，把它裸露出来时，他缺少平常心。当他赤身裸体走在原野上时，那个把把总是有点肿胀，不是平常的模样；所以他小心翼翼地避开一切低洼的地方。低洼的地方会有水塘，里面满是浓绿色的水。一边被各种各样的脚印搅成黑色的污泥，另一边长满了水芋头、野慈姑，张开了肥厚的绿叶，开着七零八落的白花。只听哗啦一声水响，叶子中间冒出一个女孩的头来。她直截了当地往薛嵩胯下看来，然后哈哈笑着说：瞧你那个模样！要不要帮帮你的忙？成熟男性的这种羞辱，总是薛嵩的噩梦。等他谢绝了帮忙之后，那女孩就沉下水去。在混浊的水面上，只剩下一根掏空的芦苇竖着，还有一缕黑色的头发。在亚热带的旱季，最浑的水里也是凉快的。薛嵩发了一会儿愣，又到山脊上走着，找到了自己的柴火捆，用长枪把它们串成一串，挑回家来，蜣螂也是这样把粪球滚回家。此时他被夹在一串柴捆中间，像一只蜣螂在爬。他被柴火挤得迈不开步子，只能小步走着，好像一个穿筒裙的女人。假如有一阵狂风吹来，他就和柴捆一起在山坡上滚起来。故事虽然发生在中古，但因为地方偏僻，有些上古的景象。

我对这个故事有种特殊的感应，仿佛我就是薛嵩，赤身裸体走进湘西的炎热，就如走入一座灼热的砖窑；铁枪太过沉重，嵌进了肩上的肉。至于腰间的篾条，它太过紧迫，带着粗糙勒进了阴茎的两侧——这好像很有趣。更有趣的是有个苗族小姑娘从水里钻出来要帮我的忙。但作者对这故事不是全然满意，他说：这是因为薛嵩是孤零零的一个人。孤零零一个人的故事必定殊为无趣，所以这个故事又重新开始道：晚唐时节，薛嵩曾住在长安城里。

长安城是一座大得不得了的城市，周围围着灰色的砖墙。墙上有一些圆顶的城门洞，经常有一群群灰色的驴驮着粮食和柴草走进城里来。一早一晚，城市上空笼罩着灰色的雾，在这个地方买不到漂白布，最白的布买到手里，凑到眼前一看，就会发现它是灰的。这种景象使薛嵩感到郁闷，久而久之，他变得嗓音低沉。在冷天里他呵出一口白气，定睛一看，发现它也是灰的。这样，这个故事就有了一个灰色的开始，这种色调和中古这个时代一致。在中古时，人们用灶灰来染布，妇女用草灰当粉来用，所以到处都是灰色的。薛嵩总想做点不同凡响的事情。比方说，写些道德文章，以便成为圣人；发表些政治上的宏论，以便成为名臣；为大唐朝开辟疆土，成为一代名将。他总觉得后一件事情比较容易，自己也比较在行。这当然是毫无根据的狂想……

后来，薛嵩买到了一纸任命，到湘西来做节度使。节度使是晚唐时最大的官职，有些节度使比皇帝还要大。薛嵩觉得自己中了头彩，就变卖了自己的万贯家财，买了仪仗、马匹和兵器，雇佣了一批士兵，离开了那座灰砖砌成的大城，到这红土山坡上建功立业。后来，他在这片红土山坡上栽了树，种了竹子，建立了寨子，为了纪念自己在长安城里那座豪华住宅，他把自己的竹楼盖成了三重檐的式样，这个式样的特点是雨季一来就漏得厉害。他还给自己造了一座后园，在园里挖了一个池塘，就这样住下去；遇到了旱季里的好天气，就把长了绿霉的衣甲拿出来晒。过了一些年，薛嵩和他的兵都老了。薛嵩开始怀念那座灰色的长安城，但他总也不会忘记建功立业的雄心。

与此同时，我坐在万寿寺的配殿里，头顶上还有一块豆腐干大小的伤疤。这块疤正在收缩，使我的头皮紧绷绷。我和薛嵩之间有千年之隔，又有千里之隔。如果硬要说我们之间有什么关系，实在难以想象。但我总要把自己往薛嵩身上想——除了他，我不知还有什么可供我来想象：过去我可能到过热带地方，见过三重檐的竹楼，还给自己挖过一个池塘；我在那里怀念眼前这座灰色的北京城，并且总不能忘记自己建功立业的决心——这样想并非无理。但假如我真的这样想过，就是个蠢东西。

过去某个时候，薛嵩的故事是在长安城里开始的，到了湘西的红土山坡上，才和现在的开始会合。这就使现在的薛嵩多了一个灰色的回忆，除此之外，还多了一些雇佣兵。我觉得这样很好，人多一点热闹。

薛嵩部下的雇佣兵在找到雇主之前是一伙无赖，坐在长安城外晒太阳——从早上起来，就坐在城门口，要等很久才能等到太阳。这样看来，太阳好像很宝贵，但现在去晒，肯定要起痱子。长安城门口有一排排的长条凳，上面坐满了这种人，脚下放着一块牌子，写着：愿去南方当兵，愿去北方当兵，或者是愿去任何地方当兵；在这行字下面是索要的安家费。薛嵩既然付得起买官的钱，也就付得起雇佣兵的安家费。当然，这些钱不能白给，当场就要请刺字匠在这些兵脸上刺字，在左颊上刺下"凤凰军"，在右颊上刺下"亲军营"。这些刺下的字就是薛嵩和他们的契约。有了这六个字做保证，薛嵩觉得有了一批自己人，再不是孤零零的。不幸的是这个刺字匠和这些兵认识，所以把字迹刺得很浅，还没等走到湘西，那些字迹就都不见了，于是薛嵩又觉得自己还是孤零零的一个人了。

在这种情况下，薛嵩当然觉得自己钱花得不值，想要请人来在士兵脸上补刺，但那些兵都不干，并且以哗变相威胁。此时薛嵩干出了一件不雅的事情：他把裤子脱了下来，请他们看他的屁股。薛嵩为了和士兵同甘共苦，并且表示扎根湘西的决心，也请刺字匠刺了两行字，左边的是"凤凰军"，右边的是"节度使"。但他以为自己是朝廷大员，这些字不能刺在脸上，所以刺在了屁股上。不幸的是，屁股上的字也不能打动那些雇佣兵。而且这两行字刺得非常之深，一辈子都掉不了。所以，这会是薛嵩的终身笑柄。那些兵看了这些字就往上面吐吐沫。我觉得自己能够看到那两行字，是扁扁的隶书，就像写在象棋子上的字。而且我有一种难以抑制的冲动，想要脱下裤子，看看自己的屁股。之所以没有这样办，是因为这间房子里没有镜子。另外，这间房子也不够僻静。假如有人撞见我做这个举动，我就不好解释自己的行为……

4

有一段时间，薛嵩的屁股甚为白皙，那些黑字嵌在肉里，好像是黑芝麻摆成的。现在薛嵩虽然已经晒黑，但那些字还是很清楚。他只好拿墨把屁股上的字涂掉。在那个赤裸裸的红土山坡上，一切都一览无余，长着一个黑屁股，看上去的确可笑；但总比当个屁股上有字的节度使要好些。薛嵩还给每个兵都出了甲杖钱，足够他们买副铁甲，但是他们买的全是假货，是木片涂墨做成的，穿在身上既轻便，又凉快。可惜的是路上淋了几场雨，就流起了黑汤，还露出了白色木头底。薛嵩说：穿木甲去打仗，你们可是拿自己的生命去开玩笑哪！但那些兵脸上露出了蒙娜·丽莎般的微笑。等薛嵩转过头去，那些兵就纵声大笑，拍着肚子说：打仗！谁说我们要去打仗！那些兵一听说打仗，就好像听到了天大的笑话。这说明，虽然他们是士兵，但不准备打仗。他们给自己盖房子、抢老婆却很在行。

雇佣兵最擅长的不是打仗，也不是盖房子和抢老婆，而是出卖；但薛嵩不知道这一点。统帅手下有了雇佣兵，就如一般人手里有了伪钞，最大的难题是把它打发掉。想要使这些人在战场上死掉，需要最高超的指挥艺术，很显然，这种艺术薛嵩并不具备。我听说有些节度使用骑兵押雇佣兵去打仗，但是不管用，那些人在战场上跑得比骑兵还快。还有些节度使用雇佣兵守寨子，把他们锁在栅栏上，但也不管用。敌方来打寨时，一个雇佣兵也见不到。因为他们像土拨鼠一样在脚下打了洞，一有危险就钻进洞里藏起来。所以最好把地面也夯实，灌上水泥，让他们打不动洞，但这样做太费工了。我还听说有些最精明的节度使手下有"长杆队"这样的兵种，由可靠的基干士兵组成，手持坚硬的木杆，杆端有铁索，锁住雇佣兵的脖子，用这种方式把雇佣兵推向阵前，只有在这种情况下，雇佣兵才会进入交战。长杆队的士兵还必须非常机警，因为稍不小心，就会变成自己被锁上长杆，被雇佣兵推向敌阵。除了不肯打仗，雇佣兵还很喜欢闹事：闹军饷、闹伙食、闹女人，等等。薛嵩率领着这支队伍刚刚到了湘西，就被人闹了一次，打出了满头的青紫块。具体地说，是一些圆圆的大包，全是中指的指节打出来的。被人敲了这么多的包，薛嵩会不会很疼，我不知道。因为我已把自己视为薛嵩，我很不喜欢这个情节。我还觉得让那些兵这样猖狂很不好。

薛嵩手下这伙雇佣兵从长安城跟薛嵩跋山涉水，到凤凰寨来。当时薛嵩骑在马上，手里拿着一张上面发下来的地图，注明了他管辖的疆域。结果他发现这片疆域是一片荒凉的红土山坡，至于凤凰寨的所在，竟是一个红土山包。总而言之，这是一片一文不值的荒地，犯不上倾家荡产去买。

那些雇佣兵见了这片山坡，鼓噪一声，就把薛嵩从马上拉了下来，拔掉他的头盔，在他头上大打凿栗。打完以后却都发起愣来，因为四方都是旷野——如前所述，这些人擅长出卖，但现在竟不知把薛嵩出卖给谁。因为没有买主，他们又给薛嵩戴上了头盔，把他扶上马去，听他的命令。薛嵩命令说：住下来。他们就住了下来，当然心里不是很开心，因为要开河挖渠，栽种树木，还要在山坳里种田。那些二流子从来没做过如此辛苦的工作，加之水土不服，到现在已经死了一半，还剩一半。我已经说过，让手下的雇佣兵死掉，是让所有节度使头疼的难题，所以薛嵩的这种成绩让大家都羡慕。正因为有了这种成绩，薛嵩不大受手下将士的尊重。假如没有这些成绩，也不可能受他们的尊重。这样，这个故事从灰色开始，现在又变成红色的了。

【二】

1

我在万寿寺里努力回忆。有关自己，所能想起的只是如下这些：我头上裹着绷带，在病房里乐呵呵地躺着时，有个护士告诉我说，我骑了一辆自行车，被一辆面包车撞倒了，这辆面包车在我头盖骨上撞了一个坑，使我昏迷不醒；我就乐呵呵地相信了。现在我才知道：这是别人告诉我的事，我自己并不记得；而且我不能人家说什么就听什么，最起码得问问那开车的为什么要撞我——所以，必须要自己有主见。有一段时间我怀疑自己是薛嵩，但眼前无疑是二十世纪。此时我在万寿寺里，火红的阳光正把对面的屋影压低，投在我面前的窗户纸上。我不该无缘无故来到这里，总得有个前因才对。

　　有关万寿寺，我的看法是：这地方不坏。院子古朴、宽敞，长满了我所喜欢的古树，院子打扫得很干净，但有一股令人疑惑的臭味，刺鼻子、刺眼睛。房子上装着古老的窗棂，上面糊着窗户纸。像这样的窗子，冬天恐怕要冷的，但那是冬天的事情。眼下的问题是：这是个什么地方，我到这里来干什么。虽然这是一座寺院，但没有僧人出现，我自己也不是和尚。这一切都漫无头绪，唯一的头绪是我被一辆面包车撞了。还有一个问题是：那个开面包车的人和我到底有何仇恨，要这样来害我……

　　据说，对方出了我的医药费，赔了我一辆崭新的自行车，还赔了一套新衣服，这件事就算了结了。出院之前，我对大夫说，我好像还失掉了记忆。他笑了一笑，说道：适可而止吧。然后毅然决然地给我开了半个月的病假条。这个大夫又白又胖，长着很长的鼻毛……我对他说的话、做的事一点都不懂。但我还是觉得，他不信任我。可能他受了开车的什么好处——想到了此处，我露出了微笑，觉得自己已经很奸诈了。

　　现在我猛然领悟，医生怀疑我之所以假称丧失记忆，是想让对方赔偿更多的东西。其实我没有这样想。我不想对方赔偿什么，不过是想打听一下我该做什么，到哪里去。为了证明我的诚意，我把病假条拿了出来，撕得粉碎。我想给自己倒点水喝，却发现暖瓶盛了一些污浊的冷水。然后，我坐了下来，疑虑重重地看着那个暖瓶，终于想到，这里既有暖瓶，肯定有地方能打到开水，于是起身拿了暖瓶出去，终于在角落里找到了那个小锅炉——取得了一个小小的胜利，感到很快乐。假如我不曾失掉记忆，就不能取得这个胜利，也不能得到这个快乐——所以，失掉记忆也不全然是坏事。总想着自己丧失了记忆，才全然是坏事。

　　现在，在万寿寺里，我读到这样的故事："过去有一天，薛嵩到山坡上去担柴，回寨的道路却不止一条。他的寨子是一片亚热带的林薮，盘踞在红土山坡上，如果从高空看去，这地方像个大旋涡，一圈圈长着大青树、木菠萝、山梨树，这些树呈现出成熟的绿色；在树之间长满了龙竹、苦竹、凤尾竹，这些竹子呈现出新嫩的绿色；在竹丛之间长满了仙人掌、霸王鞭、龙舌兰，这些林荫中的植物呈现出蓝色。在仙人掌之间长满了茅草，在茅草下面是绿色的苔藓，在苔藓下面是霉菌生长的所在。至于还有什么在霉菌下面生长，它们是什么颜色，我就看不到了。在林带里，盘旋着可供大队人马通行的红土大路，上面铺着米黄色的沙石。在大路两边，岔出无数单人行走的小路，这些小路跨沟越坎，穿进了林荫。小路两面有猪崽子走的路，有时是一道印满了蹄印的泥沟，有时是灌木丛上的缺口。在猪崽子走的路边，有蛇行的小道——在压弯的茅草上面蜿蜒的痕迹。在蛇行的小道边上，有蚂蚁的小道——蚁道绕开了绵密的草根。在蚁道的两侧，理当还有更细微的小道，但不是人眼可以看到的。薛嵩像一串活动的柴捆一样从大路上走过，越走近旋涡的中心，道路就越窄，两边的林荫也越逼近。最后出现在他面前的，是一道真正的壕沟，沟壁有卵石砌的护坡。在壕沟对面，有一道真正的营栅，是一排无头树组成的，树干上长出了密密层层的嫩枝条。壕沟正面是一道吊桥。这道吊桥是十六根梨树扎成的木排做成，由碗口粗的青藤吊着。不幸的是它是吊不起来的，因为梨树在壕沟两端都生了根。这些树还结了一些梨，但都结在了桥下面，不下到沟里就摘不到。"

我也不记得这片热带的林薮。但这不是别人告诉我的事情。这是我自己告诉我的事情。比之别样的事情，这件事更可相信。所以，我宁可相信以前有一个薛嵩担着柴捆从两面生根的吊桥上走过，也不相信我骑在自行车上被汽车撞倒了——虽然我头上有个很大的伤疤，但它也可以是被人打出来的——假如大夫受了打人凶手的好处，就会这样来骗我，帮他开脱罪责。这样一想，我又觉得自己还不够奸诈。奸诈这件事，只要开了头，就不会有够。

薛嵩挑着柴捆从吊桥上走了过去，在大青树的环抱之下，眼前是个小小的圆形广场。在阴暗的光线下，有座草棚，草棚下面，有个黑色大漆的案子，两端木架上放着薛嵩的铠甲、弓箭、仪仗等等破烂发霉的东西。这里是薛嵩心中的圣地。广场的侧面有夯土而成的台子，台上有木板房，这是薛嵩心目中的另一个圣地。这两个地方都是军队凝聚力的源泉，是凤凰寨的中枢。

他把柴捆卸在木板房的屋檐下，拉开纸糊的拉门，走了进去，坐在木头地板上，解开拴住龟头的竹篾。等了一会儿，不见有人来，就用手掌拍击起地板来了。假如我的故事如此开始，那天下午薛嵩没有回到自己家里，而是走到寨心去了。需要说明的是，这座木板房里住了一个营妓。看到此处，我也恍然大悟：原来，薛嵩手下是一帮无赖。没有女人的地方，无赖们怎么肯来呢。

薛嵩坐在寨中心的木板房子里，用手叩着地板，从屏风后面跑出一个女人来。她描眉画目，头上有一个歪歪倒倒的发髻，身上穿着紫花的麻纱裙子，匆匆忙忙束着腰带，脚下踏着木屐，跑到薛嵩面前匍匐在地，细声叫道："大人。"她愿意给薛嵩用黄泥的小炉子烧一点茶，但他拒绝了。她还愿意为薛嵩打扇，陪他坐一会儿，他也拒绝了。如前所述，薛嵩赤身裸体，像个野蛮人——虽然他已经把龟头从竹篾条上解下来了。这种装束使他决定使事情简单一些，所以他做了一个坚决的手势：左掌举平，掌心向下，朝前平伸着。这个女人平躺下来，岔开两腿，两手平摊，躺成一个大字形。于是薛嵩膝行前进，进到那女人的两腿之间，帮她除去脚上的木屐和袜子——她的脚因为总穿木屐，所以足趾变成了蟹爪形——并且解开她的腰带，让她身体的前半面袒露出来，她的身体当然像粉雕玉琢一样地白。至于模样，可能是这样：大腿有点过粗，腹部的皮有点松懈，乳房头上尖尖的，整个胸部是个 W 形，但也可能不是这样。薛嵩憋住一口气，插了进去，这仿佛是打开了语言的禁忌。那个女人开始和他聊起来：你怎么老不来呀？这么热的天，怎么还出来？等等。但薛嵩憋着气，一声都不吭。

这位妓女十分白皙：不但脸色白，连嘴唇都白。眉毛几近透明，只带有一点点淡黄色，浑身上下到处可以见到蓝色的血管，只是这些血管全都很粗，全都曲张着，好像打着滚。她好像笼罩在一团白雾里，显得比较年轻，实际上是个老太太。在凤凰寨的中心，一切都是绿色的：首先，一切都笼罩在一片绿荫之下；其次，到处长满了绿色的青苔；就是待在白色的纸门后面，浓绿的光线还是透过了窗子纸，沁到房子里来。在这间房子里，薛嵩黝黑的身体变成了青铜色，而妓女苍白的身体上好像布满了细碎的绿点，好像某一种磁砖——当然，这只是一种错觉，假如凑近了去看，却看不到任何的绿点。除此之外，空气也潮湿得像油一样，这使薛嵩感觉自己悬浮在绿油当中，一切都变得缓慢，甚至就要停止了。在这绿色的一团里，有一股浓郁的水草气。一切都归于沉寂，但真正沉寂下来时，又听到远处水牛在"哞哞"地叫，那种声音很沉重，很拖沓；近处的青蛙在"呱呱"地叫，这种声音很明亮，很紧凑。而那女人却一声不吭了。她还闭上了眼睛，好像一个死人。

整个凤凰寨泡在一片绿荫里，此地又是绿荫的中心。就是待在屋里，也感到了绿色的逼迫。薛嵩鹰钩鼻子斗鸡眼，披着一头长发，正在奋发有为的年纪。在做爱时他也想要有所作为——他在努力做着，想给对方一点好的感觉。所谓努力，就是忘掉了自己在干什么，只顾去做；与此同时，听着青蛙叫和水牛叫；但对方感觉如何，他一点都不知道。这就使他感觉自己像个奸尸犯。那女人长了一张刀一样的长脸，闭上眼以后，连一根睫毛都不动，我想，这应该可以叫作冷漠了。后来，她在铺板上挪动了一下头，整个发髻就一下滚落下来。原来这是个假头套。在假发下面她把头发剃光，留下了一头乌青的发楂。她急忙睁开眼睛，等到她从薛嵩的眼色里看出发髻掉了，这件事已经不可挽救。她伸出手去，把头套抓在手里，对薛嵩负疚地说道：没办法，天气热嘛。这话大有道理，在旱季里，气温总在三十七八度以上，总顶着个大发髻是要长痱子的。头套的好处是有人时戴上，没人的时候可以摘下来。薛嵩看到了一个又青又亮的和尚头，这种头有凉爽的好处。除此之外，他又发现她的小腿和身上的肤色不同，是古铜色的，而且有光泽。这说明她经常跑出去，光着腿在草丛里走过。这两件事使薛嵩感到沮丧，这样一个女人叫他感觉不习惯。他很快地疲软下来。那个老娼妓用粗哑的嗓子讲起话来：弄完了吗？快点起来吧，热死了！于是薛嵩说道：我就不热吗？然后就爬到一边去，傻愣愣地不知道自己干了些什么。与此同时，他感到心底在刺痛。

2

　　如果用灰色的眼光来看凤凰寨，它应该是座死气沉沉的兵营。在寨栅后面，是死气沉沉的寨墙，在寨墙后面，是棋盘似的道路和四四方方的帐篷，里面住着雇佣兵。在营盘的正中，住着那个老妓女，她像一个纸糊没胎的人形，既白，又干瘪。在她脸上，有两道牦牛尾巴做的假眉毛，尾梢从两鬓垂了下来。一开始，凤凰寨就是这样的，像一张灰色的棋盘上有一个孤零零的白色棋子。只可惜那些雇佣兵不满意，一切就发生了变化；这个故事除了红色，又带上了灰色以外的色彩。手稿的作者就这样横生起枝节来……

　　那个老营妓当初和这些雇佣兵一起来到凤凰寨，在前往湘西的行列里，她横骑在一匹瘦驴身上，头上束了一条三角巾，戴了一顶斗笠，脚下穿着束着裤脚的裤子，脸上敷了很厚的粉，一声不吭，也毫无表情。这女人长了一个尖下巴，眉心还有一颗痣。在行军的道路上，那些士兵轮流出列，跑到队尾去看她，然后就哈哈大笑，对她出言不逊，但她始终一声也不吭，保持了尊严。据说，薛嵩买下了湘西节度使的差使之后，也动了一番脑子，还向内行请教过。所有当过节度使的人一致认为，在边远地方统率雇佣军，必须有个好的营妓，她会是最重要的助手。为此薛嵩花重金礼聘了最有经验的营妓，就是这个老婆子。当然，走到路上听到那些雇佣兵起哄，薛嵩又怀疑自己被人骗了，钱花得不值。但那个女人什么都没说，她对自己很有信心。任凭尘土在她周围飞扬——假如有只苍蝇飞过来要落在她脸上，她才抬起一只手去撵它；一直来到红土山坡底下，她才从驴背上下来，坐在自己的行李上，看男人工作，自己一把手都不帮。顺便说一句，她做生意，也就是和男人干事时，也是这样：不该帮忙时绝不帮忙，需要帮忙时才帮忙。

后来，薛嵩率领着手下的士兵修好了寨子，也给她修好了房子，这女人就开始工作：按照营规，她要和节度使做爱，并且要接待全寨每一个出得起十文铜钱的人，不管他是官佐还是士兵，是癞痢还是秃子，都不能拒绝。一开始那帮无赖都不肯到她那里去，还都说自己不愿冒犯老太太。但后来发现再无别处可去，也就去了。这个女人埋头苦干，恪守营规，赢得了大家的尊敬。开头她每五天就要和全寨所有的人性交一次，这是十分繁重的工作，但她也赚了不少铜钱。顺便说一句，这种工作的繁重是文化意义上的，从身体意义上说就蛮不是这样，因为干那事时，她只是用头枕着双手躺着。虽然她也用这些铜钱向士兵们买柴买米，但总是赚的多，花的少。后来事情就到了这种地步，全寨子里的铜钱全被她赚了来，堆在自己的厢房里，这寨子里的铜钱又没有新的来源，所以她就过得十足舒服：

白天她躺在家里睡大觉，到了傍晚，她数出十文铜钱，找出寨里最强壮、最英俊的士兵，朝他买些柴或米；当夜就可以和他同床共枕，像神仙一样快活，并且把那十文钱又赚了回来。就如丘吉尔所说，这是她最美好的时刻，而且整个凤凰寨也因此变得井然有序。这位营妓从来不剪头发，也不到外面去。不管天气是多么炎热，屋里是多么乏味。由于她的努力，整个凤凰寨变成了长安城一样的灰色。

薛嵩和他的人在凤凰寨里住了好几年了，所以这里什么都有，有树木和荒草、竹林、水渠等等，有男人和女人，到处游逛的猪崽子、老水牛，还有一座座彼此远离的竹楼，这一点和一座苗寨没有什么区别；还有节度使、士兵、营妓，这一点又像座大军的营寨，或者说保留了一点营寨的残余。这就是说，老妓女营造的灰色已经散去，秩序已经荡然无存了。

在这个时刻，凤凰寨是一个树木、竹林、茅草组成的大旋涡，在它的中心，有座唐式的木板房子，里面住了一个妓女——这是合乎道理的：大军常驻的地方就该有妓女。在木板房子的周围，有营栅、吊桥等等。所以，只有在这个妓女身上时，薛嵩才觉得自己是大唐的节度使，这种感觉在别的地方是体会不到的。而这个妓女，如我所说，是个奶子尖尖的半老徐娘，假如真是这样的话，等到薛嵩坐起来时，她也坐了起来，戴好了假头套，拉拢了衣襟，就走到薛嵩身边坐下，帮他揉肩膀、擦汗，然后取过那根竹篾条，拴在他腰上，并且把他的龟头吊了起来；然后把纸拉门拉开，跪在门边，低下头去。薛嵩从屋子里走出去，默不作声地担起了柴担走开了。此时他的柴担已经轻了不少——有半数柴捆放在妓女的屋檐下了。

我写过，这个女人很可能不是半老徐娘。她是一个双腿修长、腰身纤细、乳房高耸的年轻姑娘。在这种情况下，她不会戴上假发、穿上衣服，更不会给薛嵩揉肩膀。用她自己的话来说：我这么年轻漂亮，何必要拍男人的马屁？她站起身来，溜溜达达地走到门口，从桑皮纸破了的地方往外看，与此同时，她还光着身子、秃着头；这颗头虽然剃出了青色，但在耳畔和脑后的发际，还留了好几绺长长的头发。这就使她看起来像个孩子……后来她猛地转过身来，用双手捧住自己的乳房，对薛嵩没头没脑地说，还能风流好几年，不是吗？然后就自顾自地走到屏风后面去了。与此同时，那件麻纱的裈子、假发、袜子和木屐等等，都委顿在地上，像是蛇蜕下的皮。薛嵩自己拴好了竹篾条，心中充满了愤懑，恶狠狠地走出门去，把那担柴全部挑走了。这个妓女的年龄不同，故事后来的发展也不同。在后一种情况下，薛嵩深恨这个妓女，老想找机会整她一顿；在前一个故事里就不是这样。如果打个比方的话，前一个故事就像一张或是一叠白纸，像纸一样单调、肃穆，了无生气；而后一个故事就像一个半生不熟的桃子。在世间各种水果中，我只对桃子有兴趣。而桃子的样子我还记得，那是一种颜色鲜艳的心形水果……

3

必须说明，"丘吉尔的战时演说"是原稿上的注。我现在不记得谁是丘吉尔，而且并不感到羞愧，我也不知道该不该为此感到羞愧——凤凰寨里原来只有一个奶袋尖尖的老妓女。现在多出一个年轻姑娘，这说明情况有了一些变化。现在凤凰寨里不但有一个老营妓，又来了一个新营妓。理由很简单，那些二流子兵对薛嵩说：老和一个老太太做爱没什么味道。薛嵩觉得这些兵说得对，就掏出最后的积蓄，又去请了一个妓女。这样一来，就背叛了原来的营妓，也背叛了自己。因为这个新来的女孩一下就摧毁了老妓女建立的经济学秩序。除此之外，她还常在日暮时分坐在走廊下面，左边乳房在一个士兵手里，右边乳房在另一个士兵手里，自己左右开弓吻着两个不同的男人，完全不守营规。这样一来，寨子里就变得乱糟糟。那些二流子常为了她争风吃醋打架，纪律荡然无存。就连薛嵩自己，也按捺不住要去找这个年轻的姑娘。因为在做爱时，她总是津津有味地吃着野李子，有时会猛然抱住他，用舌头把一粒李子送到他嘴里，然后又躺下来，小声说道："吃吧，甜的！"当然，这粒李子她已吃掉一半了。总之，这女孩很可爱。但薛嵩觉得找她对自己的道德修养有害。每次去过那里，他都有一种内疚、自责的心情。这就是他要揍她的原因。

在后一个故事里，那天晚上薛嵩击鼓召集他的士兵，在寨子中心升起一堆火来，把一个烧黑了的锅子吊到火焰上。这些兵披散着头发，是一些高高矮矮的汉子，有的腿短、有的头大、有的脸上有刀疤、有的上腹部高高地凸起来，聚在一起喝了一点淡淡的米酒，就借酒撒疯，把木板房里的姑娘拖出来，绑在大树上，轮流抽她的背，据说是惩罚她未经许可就剃去了头发。揍完以后又把她解下来，让她在火堆边上坐下，用新鲜的芭蕉树芯敷她的背，还骗她说：揍她是为她好。这个姑娘在火边坐得笔直——这是因为如果躬着身子，背上的伤口就会更疼——小声啜泣着，用手里攥着的麻纱手绢，轮流揩去左眼或右眼的泪。这块手绢她早就攥在手心里，这说明她早就知道用得着它。这个女孩跪在一捆干茅草上，雪白的脚掌朝外，足趾向前伸着，触到了地面，背上一条红、一条绿。红就无须解释，绿是因为他们用嫩树条来抽她的脊梁，有些树条上的叶子没有摘去。如前所述，她身子挺得笔直，头顶一片乌青，但是发际的软发很难剃掉，所以就一缕缕地留在那里，好像一种特别的发式。从身后看去，除了臀部稍过丰满之外，她像个男孩子，当然，从身前看来，就大不一样。最主要的区别有两个，其一是她胯下没有用竹篾条拧起来的一束茅草、嫩树条，如薛嵩所说，用"就便器材"吊起来的龟头；其二就是她胸前长了两个饱满的乳房，在心情紧张时，它们在胸前并紧，好像并排的两个拳头，现在就是这个样子。在疲惫或者精神涣散时，就向两侧散开；就如别人的眉头会在紧张时紧皱，在涣散时松开。这个女孩除了擦眼泪，还不时瞪薛嵩一眼，这说明她知道挨揍是因为薛嵩，更说明她一点也不相信挨揍是为了自己好。而薛嵩回避着她的目光，就像小孩子做了事情后回避父母。后来，小妓女从别人手里接过那个小漆碗，喝了碗里的茶——茶水里有火味，碗底还有茶叶，连叶带梗，像个表示和平的橄榄枝。喝下了这碗水，她的心情平静一点了。

到目前为止，我的故事里有一个长安来的纨绔子弟，有一伙雇佣兵，有一个老妓女，有一个小妓女，还有一个叫作红线的女孩，但她还没有出现。我隐约感到这个故事开头拖沓、线索纷乱，很难说出它隐喻着些什么。这个故事就这样放在这里吧。

【三】

1

我终于走出房子，站在院子中央，和进来的人打招呼。有很多人进来，我谁都不认识——我总得认识一些别人才对。在医院里，常从电视上看到有人这样做：站在大厅的门口，微笑着和进来的人握手——但病友们说这个样子是傻冒，所以我控制了自己，没把手伸出去，而是把它夹在腋下，就这样和别人打招呼；有点像在电视上见过的希特勒。不用别人说，我自己也觉得这样子有点怪。

现在似乎是上班的时节，每隔几分钟就有一个人进来。我没有手表，不知道是几点。但从太阳的高度来看，大概是十点钟。看来我是来得太早了。我对他们说：你早。他们也说：你早。多数人显得很冷淡，但不是对我有什么恶意，是因为这院子里的臭气。假如你正用手绢捂住口鼻，或者正屏住呼吸，大概也难以对别人表示好意。最后进来一个穿黄色连衣裙的女孩。她一见到我，就把白纱手绢从嘴上拿了下来，瞪大了眼睛说：你怎么出来了，你？这使我觉得自己是个诈尸的死人。这个姑娘圆脸，眼睛不瞪就很大。瞪了以后，连眼眶都快没有了。我觉得她很漂亮，又这样关心我，所以全部内脏都蠢蠢欲动。但她马上又转身朝门口看去，然后又回过头来说：她到医院去看你了，一会儿就来。我不禁问道：谁？她娇嗔地看了我一眼说：小黄嘛，还有谁。我谨慎地答道：是吗……但是，小黄是谁？她马上答道：讨厌，又来这一套了；然后用手绢罩住鼻子，从我身边走开。

　　我也转过身去，背对着恶臭，带着很多不解之谜走回自己屋里。有一位小黄就要来看我，这使我深为感动。遗憾的是，我不知道她是谁。那位黄衣姑娘说我"讨厌，又来这一套"，不知是什么意思。这是不是说，我经常失去记忆？假如真是这样，那就是说，有辆面包车老来撞我的脑袋——不知它和我有何仇恨。这只能说那辆车讨厌，怎么能说是我讨厌呢？

　　坐在凳子上，我又开始读旧日的手稿，同时把我的处境往好处想。在《暗店街》里，主人公费尽一生的精力来找自己的故事，这是多么不幸的遭遇。而我不费吹灰之力就找到了，这是多么幸运的遭遇。从已经读过的部分判断，我是个不坏的作者，我很能读得进去。但我也希望小黄早点到来……虽然我还不知他是谁，是男还是女。

　　在凤凰寨里，这个小妓女经常挨揍，因为此地是一所军营，驻了一些雇佣兵。为此应该经常惩办一些人，来建立节度使的权威。他对别人进行过一些尝试，但总是不成功。比方说：薛嵩在红土山坡上扎寨，虽然开了一些小片荒，但还是难以保障大家的口粮。好在大唐朝实行盐铁专卖，这样他就有了一些办法。每个月初，他都要开箱取出官印，写一纸公文，然后打发一个军吏、一个士兵，到山下的盐铁专卖点领军用盐，然后再用盐来和苗人换粮食。等到这两个人回来，薛嵩马上就击鼓升帐，亲自给食盐过磅，检查他们带回来的收据，然后就会发现军吏贪污。顺便说一句，军吏就是现在的司务长，由有威信的年长士兵担任。在理论上，他该是薛嵩的助手，实际上远不是这样。

等到查实了军吏贪污有据，薛嵩感到很兴奋：因为他总算有了机会去处置一个人。他跳了起来，大叫道：来人啊！给我把这贪污犯推出去，斩首示众！然后帐上帐下的士兵就哄堂大笑起来。薛嵩面红耳赤地说：你们笑什么？难道贪污犯不该杀头吗？那些人还接着笑。那个军吏本人说：节度使大人，我来告诉你吧。军吏不贪污，还叫作军吏吗？那些士兵随声附和道：是啊，是啊。薛嵩没有办法，只好说：不杀头，打五十军棍吧。那个军吏问：打谁？薛嵩答道：打你。军吏斩钉截铁地说：放屁！说完自顾自地走开了。薛嵩只好不打那个军吏，转过头去要打那个同去的士兵。那个兵也斩钉截铁地回答道：放屁！说完也转身走了。这使薛嵩很是痛苦，他只好问手下的士兵：现在打谁？那些兵一齐指向小妓女的房子，说道：打她！那个小妓女坐在自己家里，隔着纸拉门听外面升帐，听到这里，就连忙抓住麻纱手绢，嘴里嘟囔道：又要打我，真他妈的倒霉！后来她就被拖出去，扔在寨心的地下，然后又坐起来，从嘴里吐出个野李子的核来，问道：打几下？别人说，要打她五十军棍。她就高叫了起来：太多了！士兵们安慰她道：没关系，反正不真打。说完就把她拖翻在满是青苔的地面上，用藤棍打起来了。虽然薛嵩很重视礼仪，但他总是中途退场，因为他看不下去。这已经不是惩罚人的仪式，成了某种嬉戏。总而言之，自从到了凤凰寨，薛嵩没有杀过一个手下人，他只杀了一个刺客。他也没打过一个手下的人，除了那个小妓女。她每隔一段时间就要被从草房里拖出去打一顿，虽然不是真打。这使薛嵩感到自己的军务活动成了一种有组织的虐待狂，而且每次都是针对同一个对象。这让他自己都觉得不好意思了。

　　后来，有一些人在我门前探头探脑，问我怎么出院了；说完这些话，就一个个地走了。最后，有一个穿蓝布制服、戴蓝布制帽的人走到我房子里来，回避着我的注视，把一份白纸表格放在我桌子上，说道：小王，有空时把这表格再填一填。然后他就溜走了。这个人有点娘娘腔，长了一脸白胡子楂，有点面熟……稍一回忆，就想到今天早上在院子里见过他三四次。他总是溜着墙根走路。但根据我的经验，墙脚比院子中间臭得更厉害。所以这个人大概嗅觉不灵敏。虽然刚刚认识，但我觉得他是我们的领导。我的记忆没有了，直觉却很强烈。由这次直觉的爆发，我还知道了有领导这种角色。你看，我还不知道自己是谁，就知道了领导；不管多么苛刻的领导，对此也该满意了……

　　这份表格已经填过了，是用黑墨水填的，是我的笔迹。但不知为什么还要再填。经过仔细判读，我发现了他们为什么要把这表格给我送回来。在某一栏里，我写下了今年计划完成的三部书稿。其一是《中华冷兵器考》，有人在书名背后用红墨水打了一个问号。其二是《中华男子性器考》，后面有两个红墨水打上的问号。其三是《红线盗盒》（小说），下面被红墨水打了双线，后面还有四个字的评语："岂有此理！"这说明这样写报告是很不像话的，所以需要重写。但到底为什么这是很不像话的，我还有点不明白。这当然要加重我的焦虑……

　　有关我的办公室，需要仔细说明一下：这间房子用方砖漫地，但这些砖磨损得很厉害，露出了砖芯里粗糙的土块。我的办公桌是个古老的香案，由四叠方砖支撑着。案面上漆皮剥落之处露出了麻絮——在案子正中有一块裁得四四方方的黑胶垫。案上还有一瓶中华牌的绘图墨水，是黑色的。旁边的笔筒里插了一大把蘸水笔；还有个四四方方、笨头笨脑的木凳子放在案前，凳子上放了一个草编的垫子。桌上堆了很多旧稿纸，有些写满了字，有些还是空白。虽然有这些凌乱之处，但这间房子尚称整洁，因为每件家具都放得甚正，地面也清扫得甚为干净。可以看出使用这间房子的人有点古板，有点过于勤俭，又有点怪癖。此人填了一份很不像话的报告，这份报告又回到了我手里。我该怎么办，是个大问题。我急切地需要有个人来商量一下，所以就盼着小黄快来。我不知小黄是谁，所以又不知能和他（或她）商量些什么。

2

我忽然发现，我对自己所修的专业不是一无所知，这就是说，记忆没有完全失去——我所在的地方，是在长河边上。这条河是联系颐和园和北京内城的水道，老佛爷常常乘着画舫到颐和园去消夏。所谓老佛爷，不过是个黄脸老婆子。她之所以尊贵，是因为过去有一天有个男人，也就是皇帝本人，拖着一条射过精、疲软的鸡巴从她身上爬开。我们所说的就是历史，这根疲软的鸡巴，就是历史的脐带。皇帝在操老佛爷时和老佛爷在挨操时，肯定都没有平常心：这不是男女做爱，而是在创造历史。我对这件事很有兴趣，有机会要好好论它一论……因为那个老婆子需要有条河载她到颐和园游玩，在中途又要有个寺院歇脚，因此就有了这条河、这个寺院；在一百年后，这座寺院作为古建筑，归文物部门管理；而我们作为文史单位，凭了一点老关系，借了这个院子，赖在里面。这一切都和那根疲软了的鸡巴有某种关系。老佛爷对那根鸡巴，有过一种使之疲软的贡献，故而名垂青史。作为一个学历史的人，这条处处壅塞的黑水河，河上漂着的垃圾，寺院门上那暗淡、釉面剥落的黄琉璃瓦，那屋檐上垂落的荒草，都叫我想起了老佛爷，想到了历史那条疲软了的脐带。诚然，这条河有过刚刚疏浚完毕的时刻，这座寺院有过焕然一新的时刻，老佛爷也有过青春年少的时刻，那根脐带有过直愣愣、紧绷绷的时刻。但这些时刻都不是历史。历史疲惫、瘫软，而且面色焦黄，黄得就像那些陈旧的纸张一样。很显然，我现在说到的这些，绝不是今天才有的想法，但现在想起来依旧感到新奇。

现在总算说到了凤凰寨的男人为什么要把龟头吊起来：这是一种礼节，就如十七世纪那些帆缆战舰鸣礼炮。一条船向另一条船表示友好，把装好的炮都放掉，含义是：我不会用这些炮来打你。红土山坡上的男人把自己的龟头吊了起来，意在向对方表示，我不会用这东西来侵犯你。当然，放掉的炮可以再装上，吊起的龟头也可以放下来，但总是在表示了礼节之后。因为此地有一种上古的气氛，所以男人们对自己的龟头也是潦草行事，随便地一吊；它也就死气沉沉地待在那里，像一条死掉多年、泡在福尔马林里的老鲐鱼。

因为是大地方来的人，薛嵩对"就便器材"甚是考究，每天晚上都要砍一节嫩竹，把它破成一束竹条，浸到水塘里，使之更加柔软。这东西是一次性使用，撒尿或做爱时解下来，就要换一根新的。在家里时，薛嵩总是拿着那捆竹条，行坐皆不离手。出门时，他把它挂在铁枪上。用这种篾条吊着，它显得多少有点生气，虽然依然像条老鲐鱼，但死后的时间短了一些。后来他就用这束竹条抽了那小妓女的脊背。经过漫长的一天，竹条只剩了三四根，抽起人来特别疼。那女孩挨了一下，抽搐着从树干上扬起头来，说道：薛嵩！真狠哪你。这使薛嵩感到不好意思，差点把竹条扔掉，去捡根别人用过的柳条。但转念一想：我是为了她好，就继续用竹条抽下去。又抽了三四下，才走到一旁，把她让给别人。

这个女孩子面朝大树站着，双臂环抱着大树，手腕用就便器材捆在一起。这个就便器材是一把青芦苇，拧成绳子状；捆妇女儿童可以，捆男人就不把牢。在大树底下，有裸出地面的树根，还有青苔细泥。那女孩在树根和青苔上蹀步，状似在健身自行车上或跑步机上锻炼身体。薛嵩看着这一切，沉思着，忽然用竹条在自己腿上抽了一下——这种疼痛虽然厉害，但还不是无法忍受。然后他放了心，觉得自己还不算过分。如果我说，薛嵩在构思一篇名为"以就便器材刑责违纪人员的若干体会"的军事论文，就未免过分；但他的确是在想着一些什么；这如我也在考虑《中华男子性器考》应该怎么写……

后来有个兵报告说：打完了！还干点啥？薛嵩说：放了她！人们把她放开，她的手腕上有两条绿色的环形。她想到山涧里洗去，但别人劝止道：别去。着了露水，伤口要化脓。其实也没有什么伤口，但总要这么一说来表示关心。所以她就用麻纱手绢蘸了树叶上的露水，揩去了手腕上的绿印。此时她的大腿、腹部还有乳房上满是青苔和碎树皮；有个兵从地下拔了一把羊胡子草，帮她把这些擦去。她很快接过了那把草，说道：谢谢，自己来。总而言之，在她走到火堆边上自己座位上之前，很是忙碌了一阵，这个女孩是忙碌的中心。这种忙碌带有一点驾轻就熟的意味。此时薛嵩孤零零地坐在火堆边上，体会到了作为将帅和领袖的寂寞，心里默默地想到：我又把她揍了一顿。这样，这一章就有了一个灰色的开始。接下去它还要灰得更厉害。那天晚上，薛嵩揍着小妓女，心里却在想着老妓女。每抽一下，他都把头转向老妓女的木板房，想要看出她是否坐在纸门后面，透过门缝看这件事；但因为天色已暗，那房子里又没有点灯，所以他眼睛瞪得都要瞎了，还是什么都没看见。

3

　　如前所述，在凤凰寨的中心，有座夯土而成的平台。需要说明的是，这座高台的四周有卵石砌成的护坡，以防它被雨水淋垮；台上有座木板房，用树皮做房顶。树皮上早已生了青苔，正在长出青草来。在木板房子里住了一个妓女，或年老或年轻，或敬业或不敬业，或把男人叫作"官人""大人"，或叫作"喂，你！"这是个矛盾，所以在凤凰寨里，实际上有两个妓女——这么大的寨子，只有一个营妓是不够的。这就是说，寨里有两座木板房子、两个夯土的平台，并肩而立。这样解决矛盾，可称为高明。在这两座房子后面，有两个不同的花园，前一个妓女的园子里，有碎石铺成的小路，有一座小小的圆形水池，里面栽了一蓬印度睡莲。在长安城里，可以买到印度睡莲的种子，但要把它遥遥地带来。除了小径和水池，所有的地面都铺上了沙子，以抑制杂草。特别要指出的是，花园的一角有一口深不可测的枯井，为了防止井壁坍塌，还用石块砌住了，枯井上铺了一块有洞的厚木板，厚木板四面是个薄板钉成的小亭子。你可能已经想到，这是一种卫生设备，直言不讳地说，这是一个厕所。那位老妓女在其中便溺之时，可以听到地下遥远的回声。花园里当然还种了些花草，但已经不重要，总之，那老妓女得暇时，就收拾这座花园。而那位年轻姑娘的后园里长满了野芭蕉、高过头顶的茅草、乱麻秆、旱芦苇等等，有时她兴之所至，就拿刀来砍一砍，砍得东一片西一片，乱七八糟。更可怕的是她在这后园乱草里屙野屎。离后园较远处，有一棵笔直的木菠萝树，看来有三五十岁，长得非常之高。有一根藤子，或者是树皮绳，横跨荒园，一头拴在树干分杈，另一头拴在屋柱上。树上有个藤兜，只要没有人来，那女孩就顺着藤子爬到藤兜里睡懒觉。

　　对于这种区别，手稿里有种合理的解释：老妓女是先来的，在她到来之前，寨中并无妓女。薛嵩督率手下人等修好了房子，并且认真建了一座花园，迎接她的到来。小妓女是后来的，此时薛嵩等人已修了一座花园，有点怠倦。除此之外，他们是在老妓女的监视之下修筑房舍，太用心会有喜新厌旧的罪名。总而言之，先到或后到凤凰寨，待遇就会有些区别。当然，你若说我在影射先到或后到人世上，待遇会有区别，我也没有意见，因为一部小说在影射什么，作者并不知道。那天晚上因为不敬业而受责的是小妓女。但是薛嵩执意要把她绑到老妓女门前的树上抽。这说明，薛嵩还有更深的用意。

手稿中说，薛嵩他们打那女孩子的原因是：她剃了头，装了假头套。在这座寨子里，随便剃头是犯了营规。但那个老妓女也剃了头，就没人打她。他们打过了那女孩，又把她放开，让她坐在火堆边上。过了一些时候，她疼也疼过了，哭也哭过了，心情有所好转，就说：喂，你们！谁想玩玩？在座的有不少人有这种心情，就把目光投向薛嵩。薛嵩想，我没有理由反对。就点了点头。于是一个大兵转过身来，把后腰上竹篾条的扣对准她，说道："解开！"那女孩伸手去解，忽而又把手撤回来，在他背上猛击一下道：你刚还打过我哪！我干吗要给你"解开"！薛嵩暗暗摇头，从火堆边走开，心里想着：这女孩被打得还远远不够；但他对打她已经厌烦了。

不久之前，我在医院里从电视上看到一部旧纪录片。里面演到二战结束后，法国人怎么惩办和德国兵来往的法国姑娘——你可能已经知道了，他们把她们的头发剃光——在屋檐下有一把椅子，那些女孩子轮流坐上去，低下头来。坐上去之前是一些少女，站起来时就变成了成年的妇人。刮得发青的头皮比如云的乌发显得更成熟，带有更深的淫荡之意——那些女孩子全都很沉着地面对理发师的推子和摄影机，那样子仿佛是说：既然需要剃我们的头发，那就剃吧。那个小妓女对受鞭责也是这样一种态度：

既然需要打我的脊梁，那就打吧。她自己面对着一棵长满了青苔的树，那棵树又冷又滑，因为天气太热，却不讨厌。有些人打起来并不疼，只是麻酥酥的，很煽情。这时她把背伸向那鞭打者。有些人打起来火辣辣地疼，此时她抱紧这棵清凉的树……她喜欢这种区别。假如没有区别，生活也就没意思。虽然如此，被打时她还是要哭。这主要是因为她觉得，被打时不哭，是不对的。我很欣赏她的达观态度。但要问我什么叫作"对"，什么叫"不对"，我就一点也答不上来了。

我的故事又重新开始道：晚唐时节，薛嵩是个纨绔子弟，住在灰色、窒息的长安城里。后来，他受了一个老娼妇的蛊惑，到湘西去当节度使，打算在当地建立自己的绝对权威。但是权威这种东西，花钱是买不到的。薛嵩虽然花钱雇了很多兵，但他自己也知道，这些兵都不能指望。他觉得那个老妓女是可以指望的，但对这个看法的信心又不足。说来说去，他只能指望那个小妓女。这位小妓女提供了屁股和脊背，让他可以在上面抽打，同时自欺欺人地想着：这就是建功立业了。

我该讲一讲那位老娼妇的事。她曾经飘泊四海，最后在长安城里定居，住在一座四方形的砖亭子里。那座亭子虽然庞大，但只有四个小小的拱门，而且都像狗洞那样大小。人们说，她并不是出卖肉体，而是供给男人一种文化享受。因为不管谁进到那个亭子里，都会受到最隆重的接待、最恭敬的跪拜，她总要说嫖客不是寻常人，可以建功立业。至于她自己，也有一番建功立业的决心，所以跟着薛嵩来到了这不毛之地，打算在凤凰寨里做一番前无古人的事业。但是薛嵩什么功业也没有建立，只是经常在她门前鞭打一位小妓女。这个老女人坐在纸门后面听着，心里恨得痒痒，磨着牙齿小声唠叨着：姓薛的浑蛋！我知道你想打谁！早晚要叫你知道我的厉害……这就是说，老妓女提供高档次的文化服务，这种服务不包括挨打。薛嵩敢对她做这种档次很低的暗示，自然要招致愤怒。

4

现在我又回到生活里。我在一座寺院里，更准确地说，是在这座寺院的东厢房里，面前是一座被砖头垫高了的香案。在香案底下是一捆捆黄色的纸。时逢盛夏，可以闻到霉味、碱味，还有稻草味；而稻草正是发黄的纸的主要成分。透过打开的窗子，可以看到院子里的白皮松。当你走进这所院子，会看到青色的砖墙，墙上长满了青苔，油灰开裂的庭柱，肥大无比的白皮松——总而言之，是一座古老的庭院。相信你可以从中感觉到一种文化气氛。这就如在一千多年前，你走进那位老娼妇在长安城里的四角亭子。不管你从哪面进去，都要穿过一个又矮又长的门洞，然后直起身，仰望头顶深不可测的砖砌的穹顶。此时整个世界都压在你的头上，所以你也感到了这种文化气氛。在这个四方形的房间里，一共有四股低矮的自然光，照着人的下半截。后来，那个老娼妇匍匐着出现在光线里——她有一张涂得雪白的脸，脸上还有两条牦牛尾巴做的眉毛——声音低沉地说道：官人。不知你感觉怎样，反正薛嵩很感动。他到那个亭子里去过，感到自己变成了一个庄严肃穆的死人。我也不知那个老娼妇对他做了什么，反正从那亭子里出来，他就鬼迷心窍地想要建功立业，到荒蛮地方去做节度使，为大唐朝开辟疆土。考虑到当时薛嵩尚未长大成人，情况可能是这样的：那个老娼妇把他那个童稚型的男根握在手里，轻声说道：官人，你不是个等闲的人……因为我从没有被感动过，可能想得不对。但我以为，从来就不会感动，是我的一项大资本。不管什么样的老娼妇拿着我的男根说我不同凡响，我都不会相信；但我也承认，有很多人确实需要有个老娼妇拿着他的男根说这些话。这也是薛嵩迷恋她的原因。我影影绰绰记得有一回领导忘了史料的出处，偏巧我记得，顺嘴提示了一下。他很高兴，说道：小王是人才嘛。我也振奋了一小下，但马上就蔫掉了。

　　对于薛嵩被拿住男根的事，需要详加解释：当时他躺在了亭子的中心，此地阴暗、潮湿，与亭子这个名称不符。薛嵩摊开双手呈十字形，躺在亭子的中央，头、脚和两臂的方向，都通向一个门洞，薛嵩好像躺在了十字路口。你也可以说，他自己就是那个十字路口。而这个路口所连接的四条路都很长，那些路的顶端，各有一个泄入天光的门洞，好像针孔一样，仿佛通往无尽的天涯。无论他往哪边看，都能看到遥远的天光，而且听到水滴单调地从穹顶滴落，有一些滴到了远处，还有一些滴到了他身上。假如他往天顶上看，在一片黑暗之中，可以看到几只大得骇人的壁虎在顶上爬动，并能听到遥远的风声和车马声。就在这一片黑暗和寂静中，出现了那老娼妇的脸，那张脸像墙皮一样刷得雪白，上面有漆黑的两道扫帚眉。她用像墓穴一样冰凉的手拿住了薛嵩的男根，开始说话（"官人，你不是个等闲的人"，等等）。薛嵩不禁勃起如坚铁，并在那一瞬间长大成人了。我读着自己旧日的手稿，同时在脑子里进行批判。做这件事有何意义，我自己都不明白。我很不喜欢现在这个写法，主要是因为，我很不喜欢有个老妓女用冷冰冰的手来拿我的男根，这地方不是谁都能来碰的——虽然在这种情况下，我也会勃起如坚铁，但我还是不喜欢。真不知以前那个我是怎么想的。

第二章

【一】

1

　　我的故事还有一种开始，这个开始写在另一叠稿纸上。如前所述，香案上下堆了不少稿纸，假如写的都是开始，就会把我彻底搞糊涂——晚唐时，薛嵩在湘西的山坡上安营扎寨。起初，他在山坡上挖掘壕沟，立起了栅栏，但是只过了一个雨季，壕沟就被泥沙淤平，变成了一道环形的洼地，栅栏也被白蚁吃掉了。那些栽在山坡上的树干乍看起来，除了被雨水淋得死气沉沉，还是老样子；仔细一看，就看出它半是树，半是泥。碗口粗细的木头用手一推就会折断，和军事上用的障碍相差很远。因为白蚁藏在土里看不见，所以薛嵩认定，这山坡上最可恨的东西是雨水。

　　旱季里，薛嵩从远处砍来竹子，要在壕沟上面搭棚子，让它免遭雨水的袭击，来解决壕沟淤平的问题。等他把架子搭好，去搜集芭蕉叶子，要给棚子上顶时，白蚁又把竹子吃掉了。薛嵩这才想到，山坡上最可恶的原来是白蚁。于是，他就扛起了锄头，要把山坡上所有的白蚁窝都刨掉。这是个大受欢迎的决定，因为白蚁可以吃：成虫可以吃，蛹可以吃，卵也可以吃。特别是白蚁的蚁后，是一种十全大补的东西，但是白蚁的窝却被一层厚厚的硬土壳包着，很需要有人出力把它刨开。所以薛嵩扛着锄头在前面走，方圆三十里之内的苗族小孩全赶来跟在他身后，准备捡洋落——他们都知道，汉族人不知道怎样吃白蚁。而白蚁也动员起来，和薛嵩做斗争，斗争的武器是唾液。一分白蚁的唾液和十分土掺起来，就是很硬的土，一分唾液和三分土掺起来，就像是水泥，一分唾液掺一分土，就如钢铁一样坚不可摧。自然，假如纯用唾液来筑巢，那就像金刚石一样地硬，薛嵩连皮都刨不动。但是这样筑巢，白蚁的哈喇子就不够用了。

薛嵩用锄头刨蚁巢的外壁，白蚁在巢里听得清清楚楚，就拼命地吐吐沫筑墙；薛嵩的锄头声越近，它们就越拼命地吐，简直要把血都吐出来。所以薛嵩越刨，土就越硬；满手都起了血泡。最后他自己住手不刨了。白蚁用自己的意志和唾液保住了蚁巢，而那些苗族孩子看到薛嵩是这样地有始无终，都捡起地上的碎土块来打他，打得他落荒而逃。等到第二天早上，薛嵩又出现在红土坡上，扛着锄头，而那些苗族孩子又跟在他身后准备捡洋落。这件事周而复始，好像永无休止。这件事的要点是：一个黑黢黢的人，扛着锄头在红土山坡上奔走，搞不清他是被太阳晒黑的，还是被热风吹黑的。他想把所有的白蚁巢都刨掉，但是一个都没刨掉；还锛坏了很多锄头，打了很多血泡。事情为什么会是这样，薛嵩自己都不知道。

我清楚地记得那片亚热带的红土山坡，盛夏时节，土里的沙砾闪着白光——其中有像粗盐一样的石英颗粒，也有像蝉翼碎片般的云母。这种土壤像砂轮一样，把锄头磨得雪亮。新锄头分量很重，很难使，越用越锋利，分量也就越轻。它变得越来越小，越来越薄，最后在锄头把的顶端消失了。在烈日下挥锄时，汗水腌着脖子，脖子像火鸡一样变得通红。这是否说明我就是薛嵩？

在这个故事里，薛嵩在山坡上年复一年地忙碌，只留下了一些浅浅的土坑，还有一些被白蚁吃剩的半截柱子，雨季一到，这些柱子上长起了狗尿苔，越长越多，好像一些陆生的珊瑚。到雨季到来时，薛嵩急急忙忙地给自己搭了个小棚子来住，这种小棚子挡不住瓢泼大雨，所以里面总是湿漉漉的，而且雨下得丝毫不比外面小。久而久之，他脸上长了青苔，身上长满了霉斑，腿上得了风湿病，好像一棵沉在水底的死树。旱季一到，这个地方没有一棵树，又热得很，棚子里比外面似乎一点都不见凉快；薛嵩待在棚子里，两眼通红，心情很坏。一阵风吹来，棚子立刻塌掉，因为支棚子的竹子已经被白蚁吃了，只剩下一层皮来冒充竹子。此时我们才知道，棚子里比烈日下还是凉快一些。像这样下去，薛嵩要么在雨季里霉掉，要么在旱季里被晒爆，这个故事就讲不下去了。

后来有人告诉薛嵩，白蚁什么都吃，就是不吃活的草木。所以他就在壕沟边上种了一些带刺的植物，比方说，仙人掌、霸王鞭之类，在栅栏所在之处栽了几棵母竹，引山上下来的水一灌，很快就是葱茏一片——寨里寨外，到处是竹丛、灌木丛，底下沟渠纵横。从此，薛嵩被解脱了在山坡上刨蚁巢的苦刑。他就这样扎下了寨子，但它不像是大军的营寨，倒像一片亚热带的迷宫。从实用的角度来看，它的防御力量并不弱，因为在草丛和灌木丛里，有无数不请自来的蚂蚁窝和土蜂窝，还有数目不详的眼镜蛇在其中出没，除了猪崽子，谁也不敢钻灌木丛。但是薛嵩有一颗装满军事学术的脑袋，因为在"野战筑城"这一条目之下，出现了蚂蚁、土蜂，甚至猪崽子这样的字眼，薛嵩觉得自己彻底堕落了。既然已经堕落，再堕落一点也没有关系。所以他准许自己抢苗女为妻。

在我的手稿中，薛嵩抢老婆的始末记载得异常地简单明快：薛嵩身强力壮，胆大妄为；他在树林里遇上了红线，后者正在射小鸟。他喜欢这个脖子上系着红丝带的小姑娘，马上就把她抢走了。至于抢法，也是非常简单：一手抓脖子，一手钳腿，把她扛上了肩头，就这样扛走了。红线尽力挣了一下，感觉好像是撞上了一堵墙：薛嵩的力气大极了。红线想道：既然落到了这样的人手里，那就算了吧。她伏在薛嵩的肩头不动；在林间阴冷的潮气中，想着自己会遇到什么样的对待。这个讲法太过简单，这就是我不喜欢它的原因。

2

上古单调的色彩使我入迷。然而循这条道路，也就没有什么故事可写。在我的调色板上，总要加入一些近代人情的灰色——以上所述，是我现在对旧稿的一些观感——所以薛嵩抢红线的事，也不能那么简单：晚唐时，薛嵩到湘西做节度使，骑来了一匹白马，还带来了一伙雇佣兵。后来，他的马老了，这些士兵也想起家来。那匹马长了胡子，那些兵也经常哗变；薛嵩只好把缰绳从马嘴上解下来，放它到树林里自由走动，同时也放松了军纪，让那些雇佣兵去抢山上的苗女为妻。但他自己却洁身自好，继续用军纪约束自己。那些苗女的肤色像红土一样红，头发和眉毛因而特别黑。我好像也见过这样的苗女，并对她们怦然心动。

此后薛嵩在寨子里蹀步，走在篱笆间的小路上，忽然就会发现某家竹楼前面出现一个没见过的女人，正在劈柴或是捣米。这些篱笆是粗细的柴棒栽在地下，顶端长出了绿芽；那片红土的院子铺上了黄沙；那个陌生的女人肢体壮硕，穿着短短的蓑草裙子，见到薛嵩过来，站直了以后，转过身子，用手梳理头发。她把头发分作两下，从脸旁垂下来，遮住了乳房，转向薛嵩，和他搭话：苗女的眉毛像柳叶一样地宽，下颚宽广，嗓音浑厚有力——薛嵩也会讲些苗语，他们聊了起来。但就在这时，竹楼上响起了一声咳嗽，围廊上出现了一个男人，他是一个雇佣兵，是薛嵩的手下。他用敌意的眼神看着他们，那苗女就扔下薛嵩，去做她的工作。此时薛嵩只好像个穿了帮的贼那样走开，同时心里感到阵阵刺痛——要知道，他是节度使，在巡视自己的寨子啊。他继续向前走，浏览着各家的院子和里面的苗女，就像一个流浪汉看街边上的橱窗；同时也在回顾那个女人健壮的身体、浑厚的声音。最后他终于想到：别人都去抢老婆，假如自己不去抢一个，未免吃了亏。作为读者，我觉得这是个大快人心的决定。

有关薛嵩那匹长胡子的马，可以事先提到，这匹马原来是白色的，后来逐渐变绿。这是因为它总在树林里吃草，身上长满了青苔。后来，马儿禁不住蚊虫的叮咬，常到泥坑里打滚，又变得灰溜溜的。它既吃草，也吃树叶子，吃出了一个滚圆的大肚子，像产卵前的母蝈蝈，不像一匹马。因为总在潮湿的地面上行走，它的蹄子也裂开了。总在丛林中行走，需要有东西把眼前的枝条拨开，所以它也长出了犄角。你当然知道我说的是什么：这匹马逐渐变成了一头老水牛，而且也学会了"哞哞"地叫。在湘西，到处都是水牛，只要你看到一蓬茂盛的草木，里面准有几头老水牛在吃草，其中有一头是马变的。这匹马就此失踪了。据说它原是一匹西域来的宝马良驹，在马市上值很多钱。薛嵩的情形也可以事先提到：他原是长安城里的富户，擅长跑马、斗蟋蟀，长着雪白的肉体；后来被晒得鬼一样黑，擅长担柴、挑水，因为嚼起了槟榔，把满嘴的牙弄成像焦炭一样黑。凤凰寨里有不少这样的人物，其中有一个是薛嵩变的。但这是后来发生的事。当初发生的事是：薛嵩对凤凰寨里发生的变化——这变化之一就是他也要去抢一个老婆——虽然心生厌恶，但也无可奈何。

薛嵩准许自己的部下抢苗女为妻，后来他想到，假如他自己不也去抢上一个就算是吃了亏。这件事非常地重要，因为它标志着薛嵩长大成人。在此之前，他是个纨绔子弟，不懂吃亏是件坏事。在此之后，他既然已经抢了一个女人，尝到了甜头，就不能再这样说。事先他做了不少筹划和准备工作，但是对这种强盗行径还是觉得很不好意思，所以是一个人去的。对这件事，我感到激动。怀着一颗贼心，走进一片荒山，去猎取女人。这样的故事怎不叫人心花怒放……我可以看见那座荒山，土色有如铁矿石。也可以看到那些绿叶，鲜翠欲滴，就如蜡纸所做。我也可以听见自己的心在怦怦乱跳。我也可以看到那些女人，肤色暗红，长着圆滚滚的小肚子，小肚子下面是漆黑的毛……但是别的就一点也想不出，还得看看以前是怎么写的。

3

过去有一天，薛嵩赤身裸体地骑在那匹长胡子的光背马上，肩上扛着那条浑铁大枪，沿着红土小路，走进山上的树林。他在枪缨里藏了一把竹篾条，准备用它来捆抢到的女人，藏得很是牢靠，谁也看不出来。遇上了苗族的男人，他就红着脸对人家打招呼，此时他又觉得自己不是强盗，是个小偷。进山的道路不止一条，他走的是预先选好的一条，因为不少部落的人不分男女都有文身，有些文得蓝荧荧，有些文得黑乎乎，除此之外，有些寨子里的小姑娘从小就嚼槟榔，把牙齿嚼得像木炭一样。总而言之，这条选好的路避开了这些姑娘，因为假如是这样的姑娘，就不如不抢。进山的路他倒是蛮熟的，每次寨里没有粮食，他就带人到寨里来，用盐巴换军粮，以免别人贪污。但在路上常被人一棍子打晕，醒来以后只好独自灰溜溜地回去。身为朝廷命官被人打了闷棍不甚光彩，只好不声张，听任手下人贪污。但若我是他，就一定会戴顶钢盔。

走在这条路上，薛嵩遇到了不少苗族女人，有些太老，有些背着小孩子，都不是合适的赃物。一直走到苗寨边上，他才遇到了红线，这个女孩穿着一件蓑草的裙子，拿了一个弹弓在打小鸟。他打量了她半天，觉得这女孩长得蛮漂亮，尤其喜欢她那两条橄榄色的长腿，就决定了要抢她。薛嵩以前见过红线，只觉得她是个寻常的小姑娘；这是因为当时他没动抢的心。动了抢的心以后，看起人来就不一样。

薛嵩从马背上下来，鬼鬼祟祟地走到她身边，把长枪插在地下，假装看林间的小鸟，还用半生不熟的苗话和她瞎扯了几句。忽然间，他一把抓住她的脖子，并且从枪缨里抽出一根竹篾条来。这时薛嵩心情激动，已经达到了极点。当时雨季刚过，旱季刚到，树叶子上都是水，林子里闷得很。薛嵩的胸口也很闷。他还觉得自己没有平时有劲。在恐惧中，他一把捂住了红线的嘴，怕她叫出声来——这个地方离寨子太近了。与此同时，他也丧失了平常心，竹篾条拴着的东西胀得很大。奇怪的是，红线站在那里没有动，也没有使劲挣扎，只是脸和脖子都涨得通红。后来她猛地一扭脸说：你再这样捂着，我就要闷死了。薛嵩感到意外，就说：我是强盗，是色狼，还管你的死活吗？然后他又一把捂住红线的嘴。但是红线又挣开，说：这事你一点都不在行。捂嘴别捂鼻子——色狼也不是这种捂法！薛嵩说：对不起。就用正确——也就是色狼的方式捂住了她的嘴。他用两只手抓着她，就腾不出手来捆她，就这样僵持住了。实际上，薛嵩此时把红线搂在了怀里。但是天气热得很，不是热烈拥抱的恰当时刻。所以过了一会儿，红线就挣脱出来，说道：大热天的，你真讨厌！她上下打量了薛嵩一阵，就转过身去，先用手抿抿头发，然后把双手背过去说：捆吧。于是薛嵩把她捆了起来：用竹篾条绕在她的手腕上，再把竹篾条的两端拧在一起。据我所知，青竹篾条的性质和金属丝很近似。

因为当地盛行抢婚，所以红线对自己被抢一事相当镇定。不过，她总是第一次被抢，心情也相当激动，禁不住唠唠叨叨。首先她对薛嵩用篾条来捆她就相当不满，说道：你难道连条正经绳子都没有吗？这使薛嵩惭愧地说：我什么都学得会，就是学不会打绳子。红线评论道：你真笨蛋——还敢吹牛说自己是色狼呢。她还说：下次上山来抢老婆，你不如带个麻袋，把她盛在里面。过了一会儿，她又补充说：当然，我也不希望你再有下一次。此时薛嵩从枪缨里抽出第二根篾条，蹲下身去，红线又把双脚并在一起，让他把脚捆在一起。薛嵩说：我没有麻袋，只有蒲包，蒲包不结实，会把你掉出来。就这样，薛嵩把红线完全捆好了。后者打量着拴在脚上的竹篾条，跳了一下说：他妈的，怎么能这样对待我！此时发生了一件更糟的事：薛嵩要去牵马，想把红线放到马背上驮走，但是那马很不像话，自己跑掉了。薛嵩只好自己驮着红线在山路上跋涉，汗下如雨，还要忍受红线的唠叨：连匹马都没有？就这么扛着我？我的上帝啊，你算个什么男人！直到薛嵩威胁说要把她送回去，她才感到恐惧，把嘴闭上了。

后来，薛嵩就这样把红线扛进寨子，招来很多人看，都说他抢女人都抢不利索。薛嵩觉得自己很丢面子，闷闷不乐，性格发生了很大变化。他想让红线回到山上去，自己备好了麻袋、绳子，给马匹配好缰绳，再上山去抢一次。但红线不答应，她说自己是不小心才被抢来的，这样才有面子。假如第二次再被同一个男人抢到，那就太没面子了。她是酋长的女儿，面子是很重要的——甚至比命都重要。后来薛嵩让她学习汉族的礼节，自称小奴家、小贱人，把薛嵩叫作大老爷、大人之类，她都不大乐意，不过慢慢地也答应了。薛嵩在家里板起脸来，作威作福——这说明他当了一回抢女人的强盗以后，又想假装正经了。

4

有关薛嵩抢到红线的事，还有另一种说法是这样的：他不是在山上，而是在水边上逮住了她。这地方离凤凰寨很近，就在薛嵩家后面的小溪边上。红线在河里摸鱼，身上一丝不挂，只有拦腰一根绳子，拴着一个小小的鱼篓，就这样被薛嵩看到了。他很喜欢她的样子——她既没有文身，也不嚼槟榔——就从树丛里跳出来，大叫一声：抢婚！红线端详了他一阵，叹了一口气，爬上岸来，从腰间解下鱼篓，转过身去，低下头来说：抢吧。按照抢婚的礼仪，薛嵩应该在她脑后打上一棍，把她打晕、抢走。但是薛嵩并没有预备棍子。他连忙跑到树林里去，想找一根粗一点的树枝，但一时也找不到。可以想见，假如薛嵩总是找不到棍子，红线就会被别的带了棍子的人抢走，这就使薛嵩很着急。后来从树林里跑了出来，用拳头在红线的脑后敲了一下，红线就晕了过去。然后薛嵩把她扛到了肩上，此时她又醒了过来，叫薛嵩别忘了她的鱼篓。直到看见薛嵩拾起了鱼篓，并且看清了鱼篓里的黄鳝没有趁机逃掉，她才呻吟了一声，重新晕了过去。此后薛嵩就把她扛回了家去。

　　自然，还有第三种可能，那就是薛嵩在树林里遇上了红线，大喝一声：抢婚！红线就晕了过去，听凭薛嵩把她抢走。但在这种说法中，红线的尊严得不到尊重，所以，我不准备相信这第三种说法。按照第二种说法，红线在薛嵩的竹楼里醒来，问他用什么棍子把她打晕的，薛嵩只好承认没有棍子，用的是拳头。此后红线就大为不满，认为应该用裹了牛皮的棒槌、裹了棉絮的顶门杠，最起码也要用根裹布条的擀面棍。棍棒说明了抢婚的决心，包裹物说明新郎对新娘的关心。用拳头把她打晕，就说明很随便。虽然有种种不满，但也后悔莫及。红线只好和薛嵩过下去——实际上，第二种说法和第一种说法是殊途同归。

　　还有一件事，也相当重要：薛嵩把红线抢来以后好久，那件事还没有搞成。这是因为薛嵩有包皮过长的毛病。有一天，红线把他仔细考察了一番，按照他所教的礼节说道：启禀大老爷，恐怕要把前面的半截切掉。说着就割了薛嵩一刀，疼得他满地打滚，破口大骂道：贱人！竟敢伤犯老爷！但是过了几天，伤口就好了。然后他对红线大做那件事，十分疯狂，使她嘟嘟囔囔地说：妈的，我这不是自己害自己吗？经过了这个小手术，薛嵩的把把很快长到又粗又大，并且时常自行直立起来。这时他很是得意，叫红线来看。起初红线还按礼节拜伏在地板上说：老爷！可喜可贺！后来就懒得理他，顶多耸耸肩说：看到了——你自己就不嫌难看吗？但不管怎么说，这总是薛嵩长大成人的第一步。在此之后，薛嵩在寨子里也有了点威信。因为他的把把已经又粗又大，别人也都看见了。

　　有关薛嵩抢到红线的经过，有各种各样的说法，这是最繁复的一种。假如说，这种说法还不够繁复，也就是说，它还不够让人头晕。在这个故事里，有薛嵩、有红线，还影影绰绰地出现了一些雇佣兵。这个故事暂时也这样放着吧。这样我就有了两个开始，这两个开头互相补充，并不矛盾。在这个故事里，男根，勃起，长大成人，都有特殊的含义。薛嵩在一个老娼妇面前长大成人，又在一个苗族女孩面前长大成人，这两件事当然很是不同。因此就可以说薛嵩不是一个人，是两个人。假如这样分下去，薛嵩还可以是三个人、四个人，生出无数的枝节来。所以，还是不分为好。我很不喜欢过去的我这种颠三倒四的作风。但是，这一切都是过去做下的事，能由得了现在的我吗？

【二】

1

　　一切变得越来越不明白了。因为我的故事又有了另一个开始：做了湘西节度使以后，每天早上醒来时，薛嵩都要使劲捏自己的鼻子，因为他怀疑自己因为没有睡醒，才会看到对面的竹排墙。他觉得这墙很不像样，说白了，不过是个编得紧密的篱笆而已。在那面墙上，有一扇竹编的窗子，把它支起来，就会看到一棵木瓜树，树上有个灯笼大小的马蜂窝，上面聚了成千上万只马蜂，样子极难看，像一颗活的马粪蛋。就是不支开窗户，也能听见马蜂在嗡嗡叫。作为一个中原人，让一个马蜂窝如此临近自己的窗子，是一种很不容易适应的心情。他还容易想到要找几把稻草来，放火熏熏这些马蜂。这在温带地方是个行得通的主意，但在此地肯定行不通：熏掉了一个马蜂窝，会把全寨的马蜂都招来，绕着房子飞舞，好像一阵黄色的旋风，不但蜇人、蜇猪、蜇狗，连耗子都难逃毒手。这说明马蜂在此地势力很大。当然，假如你不去熏它们，它们也绝不来蜇你，甚至能给你看守菜园，马蜂认识和自己和睦相处的人。薛嵩没有去熏马蜂，他也不敢。但他不喜欢让马蜂住进自己的后院，这好像和马蜂签了城下之盟。

他还不喜欢自己醒来的方式，在醒来之前，有个女孩子在耳畔叫道：喂喂！该起了！醒来以后，看到自己的把把被抓在一只小手里。这时他就用将帅冷峻的声音喝道：放开！那女孩被语调的严厉所激怒，狠狠一摔道：讨厌！发什么威呀！被摔的人当然觉得很疼，他就骂骂咧咧地爬起来，到园子里去找早饭吃。薛嵩和一切住在亚热带丛林里的人一样，有自己的园子。这座园子笼罩在一片紫色的雾里，还有一股浓郁的香气，就如盛开的夹竹桃，在芳香里带有苦味。那个摔了他一把的女孩也跟他来到这座紫色的花园里，她脖子上系了一条红丝带，赤裸着橄榄色的身躯——她就是红线。红线跟在薛嵩后面，用一种滴滴答答的快节奏说：我怎么了——我哪儿不对了——你为什么要发火——为什么不告诉我——好像在说一种快速的外语。薛嵩站住了，不耐烦地说：你不能这样叫我起床！你要说：启禀老爷，天明了。红线愣了一下，吐吐舌头，说道：我的妈呀，好肉麻！薛嵩脸色阴沉，说道：你要是不乐意就算了。谁知红线瞪圆了眼睛，鼓起了鼻翼，猛然笑了出来：谁说我不乐意？我乐意。启禀老爷，我要去劈柴。老爷要是没事，最好帮我来劈。要劈的柴可不少啊。说完后她就转身大摇大摆地走开，到门口去劈柴。这回轮到薛嵩愣了一下，他觉得红线有点怪怪的。但我总觉得，古怪的是他。

薛嵩后园里的紫色来自篱笆上的藤萝，这种藤萝开着一种紫色的花，每个花蕾都有小孩子的拳头那么大，一旦开放，花蕊却是另一个花蕾。这样开来开去，开出一个豹子尾巴那样的东西。香气就是从这种花里来。而这个篱笆却是一溜硬秆野菊花，它们长到了一丈多高，在顶端可以见到阳光处开出一种小黄花，但这种花在地面上差不多是看不到的，能看到的只是野菊花紫色的叶子，这种叶子和茄子叶有某种相似之处。在园子里，有四棵无花果树，长着蓝色的叶子，果实已经成熟，但薛嵩对无花果毫无兴趣。蓝色无花果挂了好久，没有人来摘，就从树上掉下去，被猪崽子吃掉。在园子里，还长了一些龙舌兰，一些仙人掌，暗紫的底色上有些绿色的条纹，而且在藤萝花香的刺激下，都开出了紫色的花朵。薛嵩认为，这些花不但诡异，而且淫荡，所以他从这些花旁边走了过去，想去摘个木瓜吃。木瓜的花朴实，果实也朴实。于是他就看到了那个马蜂窝。这东西像个悬在半空的水雷，因为现在是早晨，它吸收了雾气里的水，所以变得很重，把碗口粗细的木瓜枝压弯了，大树朝一边弯去。到中午时，那棵树又会正过来。这个马蜂窝有多大，也就不难想象。但这个马蜂窝还不够大。更大的马蜂窝挂在树上，从早上到中午，那树正不过来，总是那么歪。

马蜂窝是各种纤维材料做的，除了枯枝败叶，还有各种破纸片、破布头，所以马蜂窝是个不折不扣的垃圾堆。天一黑，它就会发出一种馊味，能把周围的萤火虫全招来。这时马蜂都回巢睡觉了，萤火虫就把马蜂窝的表面完全占据，使它变成一个硕大无朋的冷光灯笼；而且散发着酿醋厂的味道。众所周知，萤火虫聚在一起，就会按同一个节拍明灭。亮起来时，好像薛嵩的后院里落进了一颗流星，或者是升起了一个麻扎扎的月亮；灭下去时，那些萤火虫好像一下都不见了，只听见一片不祥的嗡嗡声。假如此时薛嵩正和红线做爱，不知不觉会和上萤火虫的节拍。此时他觉得自己变成了一只绿壳甲虫，在屁股后面一明一灭。萤火虫的光还会从竹楼的缝隙里漏进来，照着红线那张小脸，还有她脖子上束着的红丝带，她把上半身从地板上翘起来，很专注地看着薛嵩。——我说过，感到寂寞时，薛嵩就把红线抱在怀里，但他总觉得她是个小孩子，很陌生——在这光线之下，红丝带会变成黑色。她的上半身光溜溜、紧绷绷的，不像个女人，只像个女孩。她那双眼睛很专注地看着薛嵩，好像不知道自己在干什么。过了好久，她好像是看明白了，大声说道：启禀老爷，你是对眼啊！然后放松了身体，仰倒在竹地板上，大声呻吟起来。不知为什么，这使薛嵩感觉很坏，也许是因为知道了自己是对眼。红线的乳房紧绷绷、圆滚滚，这也让薛嵩不能适应；在这种时刻，他常常想到那个老妓女那口袋似的乳房——老妓女又从不说他是对眼。等到面对老妓女那口袋似的乳房，他又不能适应，回过头来想到红线那对圆滚滚的乳房，还觉得老妓女总是那几句套话，实在没意思。如此颠来倒去，他总是不能适应。不管怎么说，让我们暂且把薛嵩感觉很坏的事情放一放。那天早上，薛嵩到园子里摘木瓜，忽然遭人暗算，被砍了一刀，失掉了半个耳朵——不仅血流满面，而且永久地破了相。假设这才是故事真正的开始，则在此以前的文字都可以删去。

2

　　现在来说说薛嵩怎样被砍去了半个耳朵。那天早上他到树上去摘个木瓜，路过水塘边。这园子里还有甜得发腻的无花果，有奶油味的木菠萝，但是薛嵩不想吃这种东西，觉得吃这种果子于道德修养有害。红线喜欢吃半生不熟的野李子，黄里透青的楂子。这些果实酸得叫人发狂，薛嵩也不肯吃。说来说去，他就喜欢吃木瓜。这东西假如没熟透，简直一点味都没有，就算熟透了，也只有一股生白薯味；吃过以后，嘴里还会有一股麻木的感觉。这就是中庸的味道。我总不明白薛嵩怎么会爱吃这种东西——也许他是假装爱吃。不管怎么说，他是个节度使，总得假装正经才行。

这水塘是薛嵩和红线的沐浴之所，塘里还有一大片水葫芦，是喂猪的，开着黄蕊的白花。除了水葫芦，还漂着一大蓬垃圾——枯枝败叶、烂布头一类的东西。这个水塘通着寨里的水渠，垃圾可以从别处漂过来。薛嵩觉得恶心，用随身带着的铁枪想把它挑出去。也不知是为什么，那东西好像在水里有根，挑不起来。他就把它拨到塘边来，俯下身去，准备用手把它揪出来；就在这时，他看到垃圾中间竖着一节通气的竹管，还看到浑浑糊糊的水下好像有个人的身体——那池里的水是绿色的，大概其中有不少单细胞藻类——他先是一愣，然后猛醒，伸手去拔插在身后地上的铁枪。但已经迟了，眼前水花飞溅，水里钻出一个人来，满脸的水都在往下流，好像琉璃做成，双腮鼓起，显得很是肥胖。那刺客先喷了他一脸水，然后"嗖"地给了他一刀。水迷了薛嵩的眼，在这种情况下挨刀砍，实在危险得很。好在对方刚从水里钻出来，眼睛里全是水，也看不大清，没把他的脑袋认准，只把半个耳朵砍了下来；假如认准了，砍下的准不止是这些。因为耳朵里有软骨，所以薛嵩感到哗啦的一下，以后薛嵩往后一滚，拿了铁枪，抹掉脸上的水，要和这个刺客算账，已经来不及了。那人一半滚一半爬、一半水一半陆，到了树篱边上，钻到一个洞里去，不见了。想要到树棵里去追人显然是徒劳的，那里面密密麻麻，连三尺都看不出去。此时薛嵩端平了大枪，满脸流着血和水，心情很是激动。

这种激动无处发泄，薛嵩就大吼起来了。而红线正在竹楼前面劈柴，听到后院里有薛嵩的吼声，急忙丢下了柴火，手舞长刀赶来，嘴里也发出一阵呐喊来呼应薛嵩。这一对男女就在后园里连喊带舞，很忙了一阵子。最后红线问薛嵩：人呢？薛嵩才傻愣愣地说：什么人？红线说：砍你那个人——你要砍的人。薛嵩说：跑了。红线说：跑了还喊啥，快来包包伤口吧。于是薛嵩就和红线回到竹楼里去，让她包扎伤口；此时才发现左耳朵的很大一部分已经不见了。在这种情况下，当然会很疼。但薛嵩首先感到的是震惊——不管怎么说，他总是朝廷任命的节度使，是此地的官老爷。连他都敢砍，这不是造反吗？

红线给薛嵩包扎伤口，发现耳朵残缺不全，也很激动。这是因为薛嵩是她的男人，有人把该男人的一部分砍掉，此事当然不能善了。所以她不停地说：好啊，砍成这个样子，太好了。这话乍听起来不合逻辑，但你必须考虑到，红线原是山上的一个野姑娘，她很喜欢打仗。既然薛嵩被砍成了这样，就必须打仗，所以她连声叫好，表示她不怕流血，也不怕战争。假如说，砍成这个样子，太惨了，那就是害怕流血，害怕战争，这种话勇敢的人绝不会说。只可惜薛嵩不懂这些，他听到红线这样叫好，觉得她狼心狗肺，心里很不高兴。

3

薛嵩家的后园里有一个池塘，塘边的泥岸上长满了青苔。那一池水是绿油油的颜色，里面漂着搅碎了的水葫芦，还有一个惨白的碎片，好像一个空蛋壳，仔细辨认后才发现它原是薛嵩的半个耳朵。薛嵩把它从水里捞了出来，拿在手里看了很久，才相信自己身体的这一部分已经永远失去了。古人曾说：身体发肤，受之父母，不能轻易放弃。所以薛嵩就该把这块耳朵吃下去，但他觉得有点恶心，还觉得自己已经沦落到了食人生番的地步——所以他又把耳朵吐了出来。后来他用铁枪掘了一个坑，把耳朵葬了进去，还是觉得气愤难平，就平端着长枪，像一头河马一样吼叫着。假如此时红线按照他要求的礼节说道：启禀老爷，贼人去远了，请保重贵体。那还好些。偏巧这个小蛮婆心情也很激动，满腹全是战斗的激情，就大咧咧地说：人家都跑没影了，还瞎嚷嚷什么？还不想想怎么去捉他？这使薛嵩很是恼火，顺口骂道：贱婢！全没有个上下。没准这贼和你是串通一气的。红线不懂得玩笑，把刀往地下一摔，说：混账！怪到我身上来了！这就使薛嵩更加气愤：有把老爷叫混账的吗？忽然他又想到影影绰绰看到那个刺客身上有文身，像个苗人的样子，就脱口而出道：可不是！那个刺客正是个苗子！十之八九和你是一路。你要谋杀亲夫！顺便说一句，苗子是对苗人的蔑称，平时薛嵩绝不会当着红线这么说，这回顺嘴带出来了。更不幸的是它和前一句串在了一起，这使红线更加气愤，从地下捡起刀来，对准薛嵩劈面砍去道：好哇！要和我们开仗了！老娘就是要谋杀你这狗屁亲夫！当然，这一刀瞄得不准，砍得也不快，留给薛嵩躲开的时间——红线并不想当寡妇。但她的战斗激情也需要发泄，所以就这么砍了。需要指出的是，红线和薛嵩学了一些汉族礼节，薛嵩也知道了一些红线的脾气。双方互相有了了解，打起架来结果才会好。假如没有这样的前提，这一刀起码会把他的另一只耳朵砍掉。这样薛嵩就没有耳朵了。

后来，薛嵩向后退去，一步步退出了院门，终于大吼一声：小贱人！说是苗子砍我你不信，你就是个苗子，现在正在砍我！说着他就转身跑掉了。假如不跑的话，红线就会真的砍他的脑袋，而且她就会真的当寡妇了。对此必须补充说：薛嵩当时二十三岁，红线只有十七岁。这两个人合起来才四十岁，在一起生活，当然要吵吵闹闹，把一切搞得一团糟。

有关薛嵩被刺的经过，还有一种说法是这样的：薛嵩家的后院里，有一个水池，是他和红线戏水之所。这座池子清可见底，连水底铺着的鹅卵石都清晰可见，因为水清的缘故，这水池显得很浅，水面上的涟漪映在水底，好像水底紧贴在水面上。清晨时分，薛嵩从水边经过，看到水里躺着一个女人，像雪一样白，像月亮一样发亮。这一池水就因此像蚌壳的内侧，有一种伸手可及的亮丽。后来，她从池底开始往上浮——必须说明，这池子其实很深，只是看不出来罢了。薛嵩看到她左手屈在身前，右手背在身后，眼睛紧闭着，而两腿却又开着，呈人字形。细细的水纹从她身上滑过。必须承认，她是一位赤身裸体的绝代佳人，但是生死未卜，因为在她的口鼻里没有冒出一个气泡。薛嵩当然愣住了，看着这个女人，在寂静中，她浮上来，离薛嵩越来越近。在她的小腹上，有一撮茵茵的短毛，显得很俏皮，也离薛嵩越来越近；薛嵩也就入了迷，只是她的眼睛紧闭着，好像熟睡着。她醒来以后会是怎样，这是一个谜。

后来，她嘴上出现了一缕微笑，好像一滴血落在水里，马上散成缕缕血丝。猛然间她睁开了眼睛，眼睛又大又圆。这使薛嵩为之一愣。然后她就突出水面，挥起藏在身后的右手，那手里握了一把锋利的刀，白若霜雪，朝薛嵩的头上挥来。所幸他还有几分明白，及时地躲了一下，只把半只耳朵砍掉了。假如不躲，后果也是不堪想象。然后，这个女刺客就逃掉了，仿佛消失在白色的晨雾里。只剩下薛嵩，呆站在水边发愣：他觉得，总有什么事情搞错了。像这样一个女人，根本不该来刺杀我，而是该去刺杀别人。至于搞错了是好是坏，他还有点搞不清楚。这种说法太过亮丽，和上一种说法也是大同小异。总而言之，那个刺客跑掉以后，薛嵩和红线起了争执。薛嵩非要说砍他一刀的是个苗子，红线不喜欢他这么说，俩人就打了起来，但也不是真打。然后薛嵩就出去召集他的军队，要征讨那些苗人——假如苗女真是这么漂亮，的确需要征讨。

在万寿寺里，面对着那份待填的表格，我终于想了起来，我们是社会科学院的历史研究所，在万寿寺里借住。这份表格是我们在年初交的工作报告。年底时还要交一份考绩报告——好在现在距年底还有一段时间。这

是因为我们是国家级的研究单位，制度严明，还因为我们的领导——也就是那个穿蓝制服的人——很是古板。他总让我们做重大的、有现实意义的题目。什么叫作重大，我不知道。现实意义我倒是懂的。那就是不要考证历史，要从现代考起。举例来说，我不该去考据历史上的男子性器，而是应该直接从他的性器考起……但我今年的题目改成《本所领导性器考》，显然不够恰当。假如我真做这个题目，他可能会来砍我一刀。

顺便说一句，我影影绰绰记得《冷兵器考》的一些内容。上古时，人们伐巨木为兵，到了中古才用大刀长矛。宋元时人们爱用刀剑，到了明清以降，最长的家伙不过是短刀。根据史书记载，清末的人好用暗器，什么铁莲子、铁菩提，还有人发射绣花针。根据这种趋势，未来的人假如还用冷兵器，必然是发射铁原子组成的微粒，透过敌方的眼底，去轰击他的神经中枢——我总觉得这是中规中式的一篇历史论文，不知为什么要给我打问号……说实在的，我有点想去砍他一刀。这不是因为我脾气坏，而是因为连《性器考》这样的题目，我现在都想不出来了。

除此之外，我再想不起别的。由此可见，丧失记忆这种游戏有这样的规则：没有适当的提示，我什么都想不起来。有了适当的启示，最好是确凿的证据，我就会什么都想起来。举例来说，我原本不知自己在什么地方，还不知道自己是干什么的。但当一位领导带着指示出现在我屋里时，这些问题就迎刃而解了……最好这位领导能告诉我，我该去考些什么。受此启示，我又到院子里走动。太阳越升越高，直射着地面，院子里的臭味也越来越犀利：它带有硫磺气、腐尸气，近似于新鲜的人屁，又像飞扬的石灰粉，刺激着我的鼻孔，和屋顶琉璃瓦的金色反光混为一体。我并不喜欢闻这种臭味——不管硫磺、腐尸还是人屁，都不是我喜欢嗅到的东西。我也不喜欢有人往我鼻子里撒石灰。但我总觉得这种臭气里包含着某种信息，催我想起些什么来。

【三】

1

对于我的过去，现在我有了一种猜测：我好像是个玩世不恭的家伙，或者说，是个操蛋鬼。没人告诉我这件事，是我自己猜出来的。虽然说起来不够好听，但我对此深感欣慰。这种猜测是从阅读这篇手稿得来的：作者信口开河，自相矛盾，前面这样写，后面又那样写，好像不是个负责的人；既然我是这样的人，就不必去理睬重填表格的要求。说实在的，我也不知该填点什么才好。再说，倘若我过去是个严肃认真的老学究，按我现在的情形，想当个学究，还真做不来哩。

过去有一天，薛嵩被人砍了一刀以后，流着血跑到那个老妓女家里去要他的武装，准备征讨山上的苗人——这样一来，就续上了第一章的线索。按照大唐的军事惯例，营妓要给将帅保管东西，就如今天的人，有钱不放在家里，而是放在小蜜的手里。薛嵩一切重要的东西都放在那个老妓女（她该叫作老蜜）的房子里，包括他的铠甲、弓箭和印信。那女人把它重重包裹，放在了箱子里。为了让自己良心得到安宁，他也给了小妓女一把没鞘的旧宝剑，她就用它在后园里挖蚯蚓来钓鱼。这把剑用来劈柴太钝，也太轻，所以只能挖蚯蚓。后来它就生了锈，变成了红色，好像一条赤练蛇。他还送给过她一把折扇，她用它来打蚊子，很快把扇骨打断，变了乱糟糟的一堆破烂。他急匆匆地跑来要武装，就如一个人清早起来跑到银行门口等待，想要取出自己的存款，有急用。有一些银行会因为门口等了这种顾客而急于开门，这就是那个小妓女。她慌慌张张地赶来，拿来了薛嵩的旧宝剑。那把剑的样子很不怎么样，而且也没有鞘。说实在的，薛嵩把它交给小妓女来保管，就是不准备要了。他把那剑拿了一会儿，就把它扔在屋檐下边了。还有些银行却因为这种顾客而不急于开门，她就是那个老妓女，她的动作慢慢吞吞：慢慢地找钥匙，又慢慢地开箱子，并且时时回顾薛嵩。薛嵩头上缠了白布，好像一个阿拉伯人，但他光着屁股，这一点又不像了。那个小妓女心情激动，围着他团团打转，因为紧张，她的乳房又在胸前并拢，好像一对拳头。

与此同时，薛嵩还在大吼大叫，好像一个火车头；终于招来一些雇佣兵。他告诉他们，有个苗子躲在他家的后院里，砍了他一刀，砍掉了他的耳朵；他要上山去征讨。那些兵就胡乱起哄道：好啊，好。太好了。这些人说太好了，不是说要打仗好，而是说薛嵩掉了耳朵好。但他一点不发火。薛嵩就像他的把把，见了女人才发威。他一叠声地催促老妓女把真正的武装拿出来，那些东西是：贴身穿的麂皮衣服，麂皮外面穿的锁子甲，锁子甲外穿的皮甲，皮甲外面穿的铁叶穿成的重铠甲，还有头盔、面甲，脚下穿的镶铁片的靴子，重磅的弓、箭等等。他准备把这些东西穿戴到身上，骑上白马到山上去，除了要给苗人一些厉害，还要给他们一次威武的时装表演——他简直急不可耐——我想这是因为他曾在一个苗族女孩面前长大成人，耀武扬威。总而言之，薛嵩的这些毛病，全都是红线惯出来的。

那个老妓女最后终于开了箱子把那些东西拿了出来。出乎薛嵩的意外，这些武器的状况很糟糕。实际上，无论是兵器还是甲胄，都需要养护；而那个老妓女什么都没干。仅举一件东西为例，锁子甲锈得粘在了一起，像一块砖头，至于那些皮衣，上面的绿霉层层隆起，简直像些蘑菇。还有一个最严重的问题，就是薛嵩的战马很难找到。从理论上说，它还在寨里，假如它没有被偶尔来闲逛的豹子吃掉；但也不知到哪里去找。有一件事必须预先提到：任何一件会走的东西迷失在寨子里以后，假如它不想出来，都很难找到，因为这寨子是大得不得了的一片林薮；不管它是一个人，或是一匹马，或者别的什么东西。这在这个故事里很重要。还没有出征就遇到了这些困难，这使薛嵩更加愤怒，恶狠狠地瞪了那老妓女一眼，该女人有点畏缩，躲到后面去了。现在薛嵩面临着一个问题：怎么把这块红砖和蘑菇穿上身去。

鉴于盔甲的现状，有人建议薛嵩别穿它了，手里拿一个藤牌遮挡一下就可以。在这种情况下，当然就不能使长枪。提这个建议的人说，薛嵩不必用枪，可以拿把单手用的长刀。这主意也被否定了。虽然它有显而易见的好处，既轻便，又凉快。后来他们把锁子甲挂在树上用棍子打，打落了一大堆红锈，勉强可以穿，但穿上还是很不舒服。薛嵩还需要一匹坐骑，假如那匹马还是找不到，那就只好骑水牛，一位重装武士骑在牛背上，那样子简直是无法想象。在这种情况下，薛嵩还会不会上山征讨苗人还是一个谜。所幸出现了一个奇迹：这个畜生自己出现在大路上，而且基本上还像匹马，不像牛。于是它就被逮住，套上了缰绳。现在薛嵩松了一口气，拿眼光去搜索那个老妓女。假如他今天不能出征，就不能不办那老妓女玩忽职守，没有养护军械的罪。按照军纪，这就不但要打那老妓女四十军棍，还要用箭扎穿她的耳朵，押着她游营。薛嵩很不想这样办这个女人——这是因为，他曾在这女人面前长大成人。以前我写过薛嵩是在红线面前长大成人，但现在薛嵩和红线打翻了，他就不承认有这回事。好在薛嵩已经长大成人，过程也就无关紧要。

如前所述，这个老妓女想要在凤凰寨里做一番事业，在她的事业里，薛嵩有很重要的地位，但这毕竟是她的事业，不是薛嵩的事业。所以她就没有好好保管薛嵩的武装，假如他再迟一段时间来要，这些东西通通要报废。虽然有种种不愉快，但结果还算好。薛嵩终于穿戴整齐，骑上了他那匹捣蛋的马（它很不想让薛嵩骑上），这时他的兵也武装了起来，但武装得不十分彻底——兵器多数人是有的，穿甲的人却很少，把甲穿全了的一个也没有，因为天气实在热——就这样到了出征的时刻。不言而喻，到山上去征讨苗人，才是真正难办的事情。苗人勇武善战，人数又多，但薛嵩觉得自己可以打胜——看来红线惯出的毛病可真不小啊。

随着薛嵩的口令，那些兵站起队来，队形像一条蚯蚓。因为盔甲里太热，薛嵩无心把队伍整理好，想早点走——真要去整也未必整得动。那个年老的妓女浓妆艳抹，站在马前，用扇子遮脸，拖着长声吟道：早早得胜归来。这既不是军规，也不是礼仪，而是营妓的传统。薛嵩很感动，同时把戴着头盔的头转到年轻的营妓所居的房子，看到她在门廊上，倚着柱子站着，什么都没有穿，也没戴假发；既裸露着整个身体，又裸露着娃娃式的头，表情专注。发现薛嵩在看她，她就挺直了身子，朝他飞了一吻。薛嵩不懂她是什么意思，或者因为他已准备出征，不便懂得，所以装作不懂。这种表示远不能令人振奋。后来他们就出发了。

当这队人马从寨子中间通过时，有一粒石头子打在薛嵩的头盔上。他朝石头来的方向转过头去，看到红线站在路边。她做着一个奇怪的姿势：右手横擎着一把长刀，刀口朝外；左手掌向下按着，正好在自己阴毛的高度上；与此同时，她横向跳动着，嘴里"嘟嘟"地叫。这是苗族人挑战的姿势——如果你是个苗族人，见到这个姿势不上前应战，就是承认失败——但薛嵩不知道这些，他径直走开了。红线也不知道薛嵩不知道这些，她收起了长刀回家去。她甚至还觉得薛嵩很大度，有点感动了。

2

看来，我的故事写了很多年还没有写完，我找来找去，找到的都是开始，并无结束。我猜是因为有很多谜一样的细节困惑着我。比方说，这个故事为什么要发生在亚热带的红土山坡上。那里有一种强迫人赤身裸体的酷暑，红土也有一种令人触目惊心的颜色。这是一种跨越时空的诱惑，使我想要脱掉衣服，混迹于这团暑热之中。但真的混迹其中，我又会怀疑是

否真的有好感觉。我虽然瘦，但也很怕热。还有红线，她的皮肤是古铜色
或者是橄榄色的。当她待在凤凰寨的绿荫里时，就和背景混为一体。因
为这个缘故，她在脖子上系了一条红丝带。我很喜欢这女孩，但我也怕人
拿刀砍我，所以假如她对我嘟嘟叫，我马上就缴械投降。还有那个小妓
女，她的眼睛很大，虽然是长脸，但有一个浑圆的下巴，站在一个男人面
前时，不会用手掌去抚摸他的胸膛，却会用手背去触他；但面对勃起的男
性生殖器时，却毫不犹豫地伸手去拿。我也喜欢她。我决不会打她。还有
内心阴暗的老妓女，时而暴躁、时而压抑的薛嵩——这两个人我一点都不
喜欢，尤其是后者。要是我，就决不把他们写成这样。你大概从这个故事
里看出了一点推理小说的痕迹。这种小说总有一个谜，而这个谜就是我自
己。这个故事会把我带到一个地方，但我还不知道那是哪里。

　　在我的故事里，薛嵩出发去打苗寨，出了寨子，他发现身后跟了几十
个人，他可没指望会来这么多。所以他很是感动，觉得这些兵还不坏。当
然，这些兵不像他那样武装整齐，谁也没穿铠甲，有些人拿了藤牌，有些
人拿了根棍子，有人拿了把长刀，还有人什么都没有拿。他们的队伍在路
上哩哩啦啦拖了很长，根本就不像要打仗的样子。薛嵩问那个赤手空拳的
人为什么空着手，那人笑了一声，答道：空着手逃起来快些。这种答案能
把任何统帅气死，但薛嵩对这种事已经习惯了，一点都不生气。他还说：
带什么无关紧要，来了就好。但他可没想到这些兵都在背地里合计好了，
只要苗人一出来应战，就把薛嵩押到前面和苗人拼命。等到苗人把薛嵩杀
死，他们马上就和苗人讲和——这件事并不困难，他们和苗人是姻亲嘛。
此后这寨子就是他们的了。从这个情况看来，薛嵩不大可能从山上活着回
来。但事有凑巧，出了寨子不过五里地，他就从马上一头栽了下来。这原
因很简单——中了暑。当时气温有四十度，穿上好几重铁皮，跑到太阳下

去晒，不可能不中暑。这就打破了雇佣兵们的计划，他们只好把他扶在马上驮了回来。在此之前，他们也合计了好久，讨论要不要把薛嵩丢在那里，结论是：不把他弄回来不好交代——当然是不好向红线交代。红线是酋长的女儿，最好别得罪。他们把晕倒的薛嵩载回家里，扔到竹楼门口，喊了红线一声，就分头回家去了。现在薛嵩和红线在一起，整个故事当然就按红线的线索来进行了。

如前所述，红线一听说薛嵩嘴里说出"苗子"，就和他翻了脸，用刀来劈他，而且还舞着刀追赶薛嵩，但是追到院门口，看到有些柴火没有劈好，就劈起柴来；劈了一会儿柴，又想起薛嵩要去打她的寨子，就赶出来向他挑战，见他不应，又回家去劈柴。就这样往返奔走着。这说明她年纪虽小，但还是个居家过日子的人，心里是有活儿的；还说明她没把薛嵩和他那几个兵看在眼里——苗寨里人很多，而且人人都能打仗，他们去了以后，很快就都会被打翻在地。我们说过，红线是酋长的女儿，地位尊贵。她觉得因为她，也没人敢杀薛嵩，就是揍他也会有分寸；所以她既不为苗寨、也不为薛嵩操心，她可没想到薛嵩会在路上中暑。

3

家里有一件事，薛嵩和红线都没有想到：早上向薛嵩行刺的刺客并没有跑掉，他就躲在附近的树丛里，等到家里没有人了，他就溜了出来，打算潜进竹楼，找个地方藏起来，以便再次行刺。但刺客也有没想到的事，就是后园里木瓜树上的马蜂窝。那些马蜂早上就发现园里进来了生人，但因为露水打湿了翅膀飞不起来，就没有管这件事。到了将近正午时分，它们的翅膀早就干了，此人又从木瓜树下经过，那些有刺的昆虫就一哄而起，把他团团围住。那位刺客想到了跳进水塘去躲避，水塘又近在咫尺，但已经来不及了，这种热带的野蜂蜇人实在厉害。总之，红线回家时，看到野蜂在飞舞，木瓜树下倒了一个人，已经休克了。从他携带的利刃来看，正是早上那位刺客。红线就取来薛嵩吊龟头的就便器材，把他捆了起来，然后把他拖到竹楼底下，用芭蕉叶子把他遮住，不让马蜂再蜇他。然后她跑上竹楼，给自己弄了点饭吃；又跑下来，撩起芭蕉叶子，看那个昏倒的人。那人没有要醒的意思，只是像水发的海参那样在胀大。红线觉得这是个好现象，人被蜇以后，长久的晕迷不是件坏事。倘若立刻醒来，倒可能是回光返照。当然，他也可能醒过来，但装作没有醒，在想逃走的主意。这也不成问题。因为他被蜇得很重，已经跑不了啦。红线看清了这一点，又爬上竹楼去玩羊拐，但马上又跑回来，撩开芭蕉叶子，跨在那男人身上，用热辣辣的尿浇他，并且说道："大叔，你别见怪，尿可以治虫伤啊。"这句话用汉语和苗语说了两遍，让他一定可以听懂。然后她把此人盖好，又回楼上去玩。过一会儿她又回来，呵斥那些飞舞的马蜂说：去！去！回窝里去！又过了一会儿，因为天气热，浇上去的尿很快发了酵，刺客身上骚味很大，马蜂都被熏跑了。看到这个情景，红线又放了心，回到竹楼上，但一会儿又要跑下来……总而言之，红线心情激动，一刻也不能安宁。她当然是盼着薛嵩早点回来，看看这个刺客。显而易见，刺客不是苗族人，而是汉族人，有眼睛的都能看见，此人身上的文身是画出来的。她觉得这可以使薛嵩消除对苗人的偏见——她当然不能体会薛嵩要教化她和她的同族的好心。

最后，薛嵩终于回来了。但他人事不知，从甲缝里流着馊汤，像一只漏了的醋桶，直到卸去衣甲，身上被泼了好几桶水，才醒过来。在醒来之前，薛嵩身上起了无数鲜红色的小颗粒，是痱子。因为他的样子很是狼狈，那些士兵帮了几把手就都溜了，把他交给红线去弄——主要是怕他醒来恼羞成怒，找他们的毛病。红线把他弄醒以后，又用腌菜的酸水灌他，灌过以后，在屋里来回跑动，坐卧不安，终于引起了薛嵩的注意。他支起身子来说：你怎么了？幸灾乐祸吗？红线说：你这样想也可以。就领他下楼去，请他看那个芭蕉叶遮着的人。虽然他肿得像一匹河马，但薛嵩还能认出就是早上那位刺客。这使薛嵩也很是兴奋，这是因为在战场上俘获了敌方将士，除了劝其投降，就只能砍头示众。出于对军人这一职业的敬重，绝不能滥用刑法。但对于潜入己方营寨的奸细、刺客，就不受这种限制。所以这个人是个难得的机会，可以用酷刑来拷问。不管是在战场上还是营寨里，薛嵩都没俘获过敌人，这是第一回。说实在的，这个敌人也不是他俘获的，但他把这件事忘了。薛嵩从芭蕉树上扯下一片叶子，让红线以竹签为笔，口授了一个清单，都是准备对此奸细施用的刑罚：

一、用皮绳把他仔细地反绑起来，同时鞭打起码一百下；

二、用竹签刺他的手心和足心、肘关节和膝关节内侧，各扎一百下，每一下都以见血为度；然后敷上辣椒和盐的混合物；

三、用打结的线把他的整个屁股和嘴巴都缝起来，并把他的包皮牢牢地缝在龟头上……

那个刺客听着听着，猛地翻了一个身，说道：不要折磨爷爷！我招供了。红线听了，觉得不过瘾，就劝他道：大叔，你这样很没有意思。别招供嘛。但他不肯听，执意要招供。红线对此很不满，后来她和那位小妓女聊天时说：你们汉族人真没劲。在杀掉那个刺客时，她和这位小妓女都在圈外看着。人是她逮来的，杀人时却不让她插手，这让她很不满意。

她还说，在苗族人那里，假如有人去刺杀首领，失手被擒，为了表示对勇士的敬意，就要给他安排一场虐杀。所有的刺客被擒后，最关心的就是这个。倘若得到一种万刀穿身的死法，就会感到很幸福，要是一刀杀掉，死都没意思。照她看来，薛嵩所列的单子，不过是刚刚开始有点意思，那刺客就支持不住了。她这样地攻击汉族人，那个小妓女还是无动于衷，仿佛她不是汉族人。红线说起这件事，两眼瞪得圆滚滚，看上去虎头虎脑，这女孩觉得她很有趣，就伸手去搂她——妓女都有点同性恋倾向。出于礼貌，红线让她抱了一会儿，然后从她腋下挣脱了——写来写去，写出了女同性恋，我还不知道自己是这么爱赶时髦。

4

如前所述，这个刺客还有可能是个亮丽的女人。在薛嵩去征讨苗寨时，她又潜入薛嵩的竹楼，被红线逮住了。因此而发生的一切就很不同。等到薛嵩醒来之后，红线请他下楼去，就看到这名女刺客站在院子里，面朝着树篱，背朝着薛嵩，浑身上下毫发未损，只是双手被一根竹篾条拴住了。这回是红线向薛嵩建议用酷刑逼供，但他只顾呆呆地看着这个女人的背影。红线见他心不在焉，就用指甲去抓他，在他背后抓出了很多血道子。等到红线抓累了，停下手来时，他却转过身来说：你抓我干吗？

后来，那个女刺客侧过头来说：还是把我杀掉吧——声音异常柔和浑厚。薛嵩愣了一下，然后说：好吧，请跟我来。他转身朝外走去，那个女刺客跟在后面，头发垂在肩膀的一侧。她比红线要高，也要丰满一些，而且像雪一样白，因此是个女人，而不是女孩。在这个行列的最后走着红线，手里拿了一把无鞘的长刀，追赶着那女人的脚步，告诉她说：行刺失手者死，这是天经地义的事。而那个女人轻声答道：我知道。她的态度几乎可以说是温柔的。红线又说，你既然来行刺，还是受些酷刑再死的好。那女人就微笑不答了。他们走到了寨子的中心，薛嵩转过身来站定，而那女刺客继续向他走去，几乎要站到他的怀里。薛嵩把双手放在她的肩上，状似拥抱，但是把她轻轻往下按。于是那女人就跪了下来，在地下把腿叉开了一些，这样重心就比较稳定。在这种姿势下，薛嵩用就便器材吊起的东西就正对着她的脸，使她不禁轻声嗤笑了一声，然后马上恢复了镇定。此时天光暗淡，那女人白皙的身体在黑暗里，好像在发散着白色的荧光。于是薛嵩俯下身去，在她脑后搜索，终于把所有的头发都拢了起来，在手中握成一束，就这样提起她的头说：准备好了吗？那女人闭上了眼睛。于是薛嵩把她的头向前引去，与此同时，红线一刀砍掉了她的脑袋。这时，薛嵩急忙闪开她倒下来的身体和喷出的血。他把头提了起来，转向阴暗的天光。那女人的头骤然睁开了眼睛，并且对他无声地说道：谢谢。薛嵩想把这女人的头拿近，凑近自己的嘴唇，但是她闭上眼睛，做出了拒绝的神色；而且红线也在看着。他只好把它提开了。

那个没有头的身体依旧美丽，在好看的乳房下面，还可以看到心在跳动；至于那个没有身体的头，虽然迅速地失去了血色（这主要表现在嘴唇的颜色上），但依旧神采飞扬，脸色也就更加洁白。在这两样东西中间，有一摊血迹。漂亮女人的血很稀，所以飞快地渗进了地里。这就使人感到，这是一桩很大的暴行，残暴的意味昭然若揭。后来，他们把那个身子埋掉了，把污黑的泥土倒在那个洁白的身体上，状似亵渎；这个景象使薛嵩又一次失掉了平常心，变得直撅撅的，红线看了很是气愤。后来，他们把那个人头高高地吊了起来，这个女人就被杀完了。

薛嵩用竹篾绳拴住了她的头发，把绳子抛过了一根树枝，然后就拽绳索。对于那颗人头来说，这是它一生未有的奇妙体验，因为薛嵩每拽一把，她就长高了几尺（它还把自己当个完整的人看待），这个动作如此真实地作用在自己身上，连做爱也不能相比；它微笑了一下，想到：我成了长颈鹿了。只可惜拽了没有几把，它就升到了树端。然后薛嵩把绳子拴在了树上，这件事也做完了。然后就没了下文。我无法抑制自己的失望心情：如此地有头无尾，乱七八糟。这就是我吗?

第三章

【一】

1

我还在前述的寺院里，时间已经接近正午。天气比上午更热、更湿，天上似乎有一层薄雾，阳光也因此略呈昏黄之色；院里的白皮松把这种颜色的阳光零零碎碎地漏在地面上。有一个身着白色衣裙的女人从寺外急匆匆走进来，走进了阳光的迷彩……她走进我房间里来，带着一点匆忙带来的喘息，极力抑制着自己，也就是说，把喘息闷在身体里……这间房子的墙处处开裂，墙上到处是尘土，但只有一个地方例外，那就是门口。门口边上有人糊了一整张白纸，纸背后干涸的糨糊在墙上刷出了条纹，我以为这种条纹和木纹有点像。这个女人朝我张张嘴，似是想要说什么，但又没有说。她笑了一笑，搬过一张凳子——它四四方方，凳面处处开裂，边上贴了一个标签，上面写着"文物"二字——放到墙边上，然后坐上去，把背倚着墙，跷起了二郎腿。在这种姿势之下，可以看到她膝盖下方的衬裙。她把阳光晒红的脸朝我转了过来，脸上带了一点笑容。就这样呆住不动了。

我记得她到医院里来看过我，只要同病房的人不注意，就来碰碰我的手——这使我浮想联翩。当时我还不知道自己失去了记忆。现在知道了，就不是浮想联翩，而是满怀希望。也许，我们是情人？也许刚刚是女朋友？还有可能刚刚相识，才有一点好感……我真想马上搞清楚，但又想，这件事急不得，等她先做出表示更好一点——理由很简单：我不知道该怎么称呼她。不幸的是，她就这么坐着，脸上带着笑容；直到中午，才站起来说：走吧，去吃饭。我就和她吃饭去了。

走出这座寺院，门前有棵很大的槐树。我想这棵树足有四五百年。槐树后面有一排高大的平房，门边有个牌子，写着：国营粮店。又有一个牌子：平价超市。这就让我犯上了糊涂，不知它到底是"国营粮店"，还是"平价超市"。树下有几张桌子，油漆剥落，桌上有几个玻璃瓶，瓶里放了些油辣子。苍蝇在飞舞……我一面觉得这地方很脏，一面犹犹豫豫地坐了下来，吃了一碗刀削面。我以为她会和我说点什么。但她什么都没说。这就使我很疑惑：难道我们之间的关系就是在一起吃面？

饭后，我回到自己屋子里，她没有跟来。这个女人对我来说是个谜：她是谁？为什么要朝我微笑？那碗刀削面有何寓意？也许，她就是那个小黄？她为什么不给我些提示，让我想起她来？一想到她，我就激动不已……因为她的出现，我把失掉记忆的痛苦全都忘掉了。我焦急地等着她再到我房间里来，但她总是不来。也许，我该去找她——但我又不知到哪里去找。这座寺院里跨院很多，贸然走出去，很可能回不来；再说，我也不爱闻院子里的味儿。我总得有个办法度过焦急，所以就回到薛嵩。但是，如你所知，我已经不大喜欢他了。

如前所述，薛嵩杀了一个刺客。这刺客也可能是个男的，这件事就将循男人的线索来进行，和女人没有什么关系。薛嵩把他押到寨子中心，大喊大叫，招来了他的雇佣兵；然后就升帐问案，所提的问题十分简单：你是什么人？从哪里来？为什么要刺杀本官？等等。那个刺客说，他不记得自己是什么人，从哪里来。他没有刺杀薛嵩。至于薛嵩的耳朵，他说是自己掉下来的。如你所知，这完全不合情理，他还不停地傻笑，假装是个疯子。假如想从他口中得到有用的信息，必须要对他严刑逼供——否则就是说对口相声，这种表演对薛嵩的威信有害。但是那些雇佣兵却对这些回答鼓掌叫好。薛嵩自己也陷入了内心的矛盾之中，他确实很想知道这个刺客是谁派来的，那人为什么要杀他，以后还会不会再派刺客来，等等。但另一方面，他又佩服这刺客的倔强，觉得他是个男子汉大丈夫。对一个男子汉大丈夫，就该让他从容就义，壮烈成仁，折磨人家显得很卑鄙。因为那些雇佣兵在场，薛嵩不得不装点假正经——就这样马马虎虎地把他砍了。要是不升帐问案倒会好些；在自己家里，有红线做帮手，想怎么打就怎么打，不容这小子不说实话。薛嵩已经想到了这些，但后悔已经晚了。

砍头的情形是这样的：那个刺客跪在地上，有一个兵站在他的腿上，按住了他的肩膀，薛嵩站在他对面，手里握住他的头发，尽力往上拉，使他的脖子伸长；还有一个兵准备从中间去砍。在砍之前，刺客不停地叫疼，而薛嵩则安慰他道：忍一忍，一会儿就完了。这是薛嵩第一次参加杀人，心情激动，使的劲很大，把那个刺客的脖子拽得像鹅脖子一样长，但是持刀的兵总是不砍。薛嵩问他为什么不下刀子，那人却笑着说道：启禀老爷，你再使点劲就能把他脑袋揪下来，用不着我砍了——这是嘲笑薛嵩在杀人时过于激动。当然，最后那个兵还是砍了一刀，此后薛嵩和那颗人头一起跳了起来，等到落在地下时，已经被溅了一身血。不知为什么，那颗刺客的人头下端拖着长长的食道和气管，像两条尾巴，很不好看。薛嵩要过杀人的刀，帮他修理了一下，还要来水，自己冲洗了一下，也洗掉了人头上的血迹。此时那颗人头脸上露出了微笑，并且无声地说道：谢谢。此后那颗人头就混迹于一群人之中，被大家传递和端详。有人说，被砍下的人头正如剪下来的鲜花，最好把伤口用热蜡封住，或是用火烧一下，这样可以避免腐烂，长久地保持鲜活。那颗人头听到以后皱起眉来，薛嵩也坚决地表示反对。然后他们用绳子拴住它的头发，把它像一面旗子一样在一棵树上升起来，薛嵩率领全体士兵在人头对面立正，对它行举手礼，直到人头升到了最高点才礼毕。此时薛嵩感到很满意，因为他已经杀了一个人，死者的尊严也得到了保证。美中不足的是，薛嵩还是没有得到所需的信息，但是这件事已经无法挽回了。所以，他隐隐地感到这件事进行得太快了。但不是他在控制此事的节奏，是那些雇佣兵在控制此事的节奏，他们哄着快点把刺客杀掉，绝不是为薛嵩的利益着想。薛嵩已经想到了这些，但又想到：这些兵是自己的战友，胡乱猜疑是不对的。所以，他赶紧把这些想法忘掉了。

　　假如那个刺客是女的，杀她时也会有雇佣兵在场。杀人的地方在寨心的火堆旁，那帮家伙不请自来，躲在黑暗里，怪声怪气地叫着，要对这女人严刑逼供，还提出一些下流、残忍的建议，在此不便转述。那女人很害怕，情不自禁地倚到了薛嵩身上。这是因为薛嵩允诺了结束她的生命，所以薛嵩就是死亡。而死亡是干净的。薛嵩一手搂着她的肩，一手挥动着大铁枪，不让那些家伙靠近。当时红线也在场，手里舞着一把长刀，谁敢从黑暗中走出来，她就砍他一刀。小妓女也在场，她高声尖叫着：大叔！大叔们！你们就积点德吧！老妓女也在场，她躲在屋檐下一声不吭。我比较喜欢这个场景，也喜欢这个薛嵩。然后，薛嵩和红线把这女人杀掉——这正是被杀者的愿望。但不管怎么说，我不喜欢杀人。

2

　　如前所述，那颗被砍下的人头里隐藏了一个秘密：谁指使她或他杀掉薛嵩。这个秘密薛嵩急于知道。对此我有一个古怪的主意：让薛嵩把那颗脑袋劈开，把脑浆子吃掉，然后凝神思索片刻，也许就能想出是谁要杀他。但是这个主意不可行：假如那脑袋属于亮丽的女人，想必会是种美味，但薛嵩会觉得不忍去吃；假如那脑袋属于威武的男人，薛嵩吃了又会恶心。既然这主意不可行，这个秘密就揭不开了。

按照侦探小说的说法，这秘密要在最后揭开，因为它是全书的基点，很是重要。在我看来，凤凰寨建在一座红土山坡上，是一座由热带林薮组成的迷宫，这在这个故事里有更加重要的意义。这座寨子的中央，住了一个浮浪的小妓女，还有一个古板的老妓女。这个小妓女经常待在树上，这是一个防范措施，因为她怕那个老妓女暗算她。随后就可以看出，这种防范是有道理的。至于那个老妓女，她有一个没胎人形似的身体，假如这个身体会被男人看到，她会先用白纸贴住下垂的乳头，再把阴毛刮掉，在私处扑上粉。这样她的身体就像刷过的墙一样白。就是她要杀掉薛嵩，然后还要杀掉小妓女。天黑以后，她从房子里出来，看看树上挂着的人头，啐了它一口，小声骂道：笨蛋！废物！就回到屋里去。又过了一会儿，她再次出来，放飞了一只白鸽，鸽脚上拴了一封信，告诉她的同谋说，第一位刺客已经失败，脑袋吊到树上了，请求再派新的刺客来。她还提醒那些人说：要提防薛嵩后园里的马蜂。如此说来，是老妓女要杀薛嵩。但我怀疑这种说法是不是过分了——我不喜欢让相识的人互相乱杀。入暮时分，一只鸽子在天上扑啦啦地飞，看着就怪可疑。此时红线在附近的河沟里摸黄鳝，看见以后，急忙到岸上拿弩箭，要把它射下来。但是来不及了，鸽子已经飞走了。

在凤凰寨里的沟渠边上，密密麻麻长着一种红色的蓖麻，叶子比蒲叶要大，果实有拳头大，种子有栗子大。剥掉蓖麻子的硬皮，种肉油性很大，但是不能吃，吃了要泻肚子。唯一的用处就是当灯来点。红线剥了很多蓖麻子，用竹签拴成一串，点着以后，照着捉黄鳝，并把捉到的黄鳝用篾条穿成一串。她当然知道,一个寨子里来了刺客,说明寨内有奸细,所以她保持了警惕。她更知道信鸽是奸细和同党联系的手段,所以就想把信鸽射下来,但是晚了一步没有射到。然后她就犹豫起来:是赶回家去,把这件事告诉薛嵩呢,还是接着摸黄鳝。就在这时,她发现自己大腿上有一条蚂蟥在吸血。她把蚂蟥揪了下来,放在火上烧死,然后就只记得一件事:要下水去摸黄鳝。她倒是有点纳闷,自己刚才在犹豫些什么,想来想去没想起来。假如她立刻跑回家告诉薛嵩,薛嵩就能知道,寨子中间住了一个奸细。可以肯定,这奸细就是两个妓女之一。以薛嵩的聪明才智,马上就能找到一种方法,判断出这奸细是谁:那颗刺客的人头高高地挂在天上,肯定看见了是谁放了那只鸽子,可以把它放下来问问,它只要努努嘴,或是闭上一只眼,就指出谁是奸细。这颗刺客的头也一定喜欢有另一颗人头和自己并排挂着——这样不寂寞。何况假如它不说的话,还可以把它放到火上烤,放到水里去煮。有一些头颅常遭到这样的待遇,所以能够安之若素。但那是猪头,不是人头——人头受不了这种待遇,会招供的。但是红线想去摸黄鳝,把这件事忘掉了。

薛嵩因此错过了逮住奸细的机会。但红线也没有下水去摸黄鳝,她低下头去看自己腿上被蚂蟥叮破的伤口,又发现自己的臀位很高——换句话说,就是腿长。翻过来掉过去看了一会儿之后,她决定去找那个小妓女,表面上是要送几条黄鳝给她,实际上是请她对自己的腿发表些意见。小妓女本不肯说她腿长,但又很喜欢吃黄鳝,就说了违心的话;然后她们炒鳝鱼片吃。这样一来,红线很晚才回家。那只信鸽则带着情报飞远了。入夜以后,就会有大批的刺客到来。这对薛嵩是件很糟糕的事。但这又要怪薛嵩自己。假如在家里时,他没有忽略红线的两条腿——举例来说,当他倒在地板上要睡觉,红线从他前面走过时,他从底下看到了这双长腿,就该坐起半身,高叫一声:哇!腿很长嘛!红线就会感到幸福。对女孩来说,得到男性的赞誉，肯定是更大的满足——她就不会老往小妓女那里跑，还会把摸到的黄鳝带回家来。但他老端着老爷架子，什么都不肯说。端这个架子的结果是，有大批刺客前来杀他，他还蒙在鼓里。我完全同意作者的意见：这是他自作自受。

3

在我心目中，凤凰寨是一幅巨大的三维图像，一圈圈盘旋着的林木、道路、荒草，都被寨心那个黑洞洞的土场吸引过去了。天黑以后，在这个黑里透灰的大大旋涡里亮起了星星点点的灯光，每一盏灯都非常地孤独——偌大的寨子里根本就没有几户人。等到红线回家时，这些灯火大多熄灭了。薛嵩在灯下做愤怒状，他说红线回来晚了，要用家法来打红线；所谓家法是一根光溜溜的竹板子，他要红线把这根板子拿过来，递到他手上，然后在地板上伏下，让他打自己的屁股。这个要求颇有些古怪之处，假如我是红线，就会觉得薛嵩的心理阴暗。所以红线就大吵大闹，说她今天还抓到了刺客，为什么要挨打。薛嵩沉下脸来说：你不乐意就算了。红线忽然笑了起来，说：谁说我不乐意？她把板子递给薛嵩以后，说道：不准真打啊！就在地板上趴下了。薛嵩原是长安城里一位富家子弟，经常用板子、鞭子、藤棍等等敲打婢女、丫鬟们的手心、屁股或者脊背，这本是他生活中的一种乐趣。但是这些女人在挨打之前总是像杀猪一样地嚎叫，从没说过："不准真打啊"，虽然薛嵩也没有真打——薛嵩饱读诗书，可不是野蛮人啊。女孩这样说了之后，再敲打这个伏在竹地板上橄榄色的、紧凑的臀部就不再有乐趣——不再是种文化享受。所以，他把那根竹板扔掉了。

现在可以说说薛嵩的竹楼内部是怎样的。这座房子相当地宽敞，而且一览无余，没有屏风，也没有挂着的帘子，只有一片亮晶晶的金竹地板。还有两三个蒲团。薛嵩就坐在其中的一个上面，想着久别了的故乡，还想到有人来刺杀他的事，心情坏得很。此时红线趴在他的脚下，等了好久不见动静，就说：启禀老爷，小奴家罪该万死，请动家法。就在这时，薛嵩把手里的竹板扔掉，说道：起来说话。红线就爬起来，坐在竹地板上说，那我还是不是罪该万死了？但薛嵩愁眉苦脸地说：你听着，我觉得心惊肉跳，感觉很不好。红线就松了一口气说：噢，原来是这样。那就没有我的事了。于是她就地转了一个身，头枕着蒲团，开始打瞌睡，还睡意惺忪地说了一句：什么时候想动家法就再叫我啊。这个女孩睡着以后有一点声音，但还不能叫作鼾声。

午夜时分，红线被薛嵩推醒，听见他说：小贱人！醒醒，小贱人！她半睡半醒地答道：谁是小贱人？薛嵩说：你啊！你是小贱人。红线就说：妈的，原来我是小贱人。你要干什么？薛嵩答道：老爷我要和你敦伦。红线迷迷糊糊地说：妈的，什么叫作敦伦？这时她已经完全醒了，就翻身爬起，说道：明白了。回老爷，小奴家真的罪该万死——这回我说对了吧。由此可见，薛嵩常给红线讲的那些男尊女卑的大道理，她都理解到性的方面去了。我也不知怎么理解更对，但薛嵩总觉得那个老娼妇说话更为得体。在这种时刻，那个老女人总是从容答道：老爷是天，奴是地。于是薛嵩就和她共享云雨之欢，心里想着阴阳调和的大道理，感觉甚是庄严肃穆。红线在躺下之前，还去抓了一大把瓜子来。那种瓜子是用蛇胆和甘草炮制的，吃起来甜里透苦。她一边嗑，一边说，既然干好事，就不妨多干一些：既"罪该万死"，又嗑瓜子。你要不要也吃一点？薛嵩被这种鬼话气昏了头，不知怎样回答。

我又涉入了老妓女的线索，现在只好按这个线索进行。夜里，老妓女迎来了所雇的刺客。那是一批精壮大汉，赤裸着身体，有几个臀部很美。

她叫他们去把小妓女抓来，马上就抓到了。他们把小妓女绑了起来，嘴里塞上了臭袜子。她让他们去杀薛嵩，他们就把刀擦亮。那间小小的房间里有好几十把明晃晃的刀，好像又点亮了十几支蜡烛。用这些人可以做她的事业。为此要杀掉那个小妓女，而她就躺在她身边，被绑得紧紧的，下巴上拖着半截袜子，像牛舌头一样。于是那个老娼妇想道，今天夜里，一切都能如愿以偿。这是多么美好啊！

午夜时分，凤凰寨里有两个女孩受到罪该万死的待遇，她们是红线和小妓女。实施者分别是薛嵩和老妓女。但老妓女是当真的，薛嵩却不当真。我基本同意作者的意见：不把这件事当真，说明薛嵩是个好人。但不做这件事，或者在做这件事时，不说红线罪该万死，他就更是好人了。

午夜时分，那个老娼妓送走了刺客们，就在门外用黄泥炉子烧水，沏茶，准备在他们凯旋而归时用茶水招待。她还有件小事要麻烦他们，就是把那个小妓女杀掉。这件事她现在自己就能干，但是她觉得别人逮来的人，还是由别人来杀的好。水开了以后，她沏好了茶，放在漆盘里，把它端到屋子里。如前所述，那个女孩被捆倒在这间房子里，嘴里塞了一只臭袜子。那个老娼妇站了很久，终于下定了决心，俯下身来，把茶水放在地板上，然后取下了女孩嘴上的臭袜子，搂住她的肩，把她扶了起来。那女孩在地板上跪着，好像一条美人鱼，表情木讷，两只乳房紧紧地并在一起，乳头附近起了很多小米粒一样的疙瘩，这说明她既紧张，又害怕。老娼妇在漆碗里盛了一点茶水，递到女孩嘴边轻轻地说：喝点水。女孩没有反应。那个老娼妇就把浅碗的边插到她嘴唇之间，碰碰她的牙，又说：喝点水。这回带了一点命令的口气。那女孩俯下头去，把碗里的水都喝干，然后就哭了起来。她手里还攥着一条麻纱手绢，本该在这种时候派用场，但因为被绑着，也用不上。于是她的胸部很快就被泪水完全打湿。过了一会儿，她朝老娼妇转过头来，这使那老女人有点紧张，攥紧了那只臭袜子，随时准备塞到对方嘴里去——她怕她会骂她，或者啐她一口。但是那女孩没有这样做。她只是问道：你要拿我怎么办？杀了我吗？这老娼妇饱经沧桑，心像铁一样硬。她耸了一下肩说：我不得不这么办——很遗憾。那个女孩又哭了一会儿，就躺下去，说道：塞上吧。就张开嘴，让老娼妇把袜子塞进去；她的乳房朝两边涣散着，鸡皮疙瘩也没有了。现在她不再有疑问，也就不再有恐惧，躺在地下，含着臭袜子，准备死了。

而那个老娼妇在她身边盘腿坐下，等待着进一步的消息。后来，薛嵩家的方向起了一把冲天大火，把纸拉门都映得通红。老娼妇跪了起来，激动地握紧了双拳。随着呼吸，鼻子里发出响亮的声音，好像在吹洋铁喇叭。后来，这个老娼妇掀开了一块地板，从里面拿出一把青铜匕首，那个东西做工精巧，把手上镌了一条蛇。她把这东西握在手里，手心感觉凉飕飕，心里很激动，好像感觉到多年不见的性高潮。她常拿着这把匕首，在夜里潜进隔壁的房子去杀小妓女，但因为她在树上睡觉，而那个老女人又爬不上去，所以总是杀不到。现在她握紧匕首，浮想联翩。而那个女孩则侧过头来，看她的样子。那个老娼妇赤裸着上身，乳房好像两个长把茄子。时间仿佛是停住了。

在薛嵩家的竹楼里，红线在和薛嵩做爱。她像一匹仰卧着的马，也就是说，把四肢都举了起来，拥住薛嵩，兴高采烈，就在这一瞬间，忽然把表情在脸上凝住，侧耳到地板上去听。薛嵩也凝神去听，白天被人砍了一刀，傻子才会没有警惕性，但除了耳朵里的血管跳动，什么也没有听见。他知道红线的耳朵比他好——用他自己的话来说：该小贱人口不读圣贤书，所以口齿清楚。耳不闻圣人言，所以听得甚远。目不识丁，所以能看到三里路外的蚊子屁股。结论当然是：中华士人不能和蛮夷之人比耳聪目明，所以有时要求教于蛮夷之人。薛嵩说：有动静吗？红线说：不要紧，还远。但薛嵩还是不放心，开始变得软塌塌的。红线又说：启禀老爷，天下太平；这都是老爷治理之功，小贱人佩服得紧！听了这样的赞誉，薛嵩精神抖擞，又变得很硬……

4

红线很想像那个亮丽的女人一样生活一次，被反拴着双手，立在院子里，肩上笼罩着白色的雾气。此时马蜂在身边飞舞，嗡嗡声就如尖利的针，在洁白的皮肤上一次次划过。因为时间过得很慢，她只好低下头去，凝视自己形状完美无缺的乳房。因为园里的花，她身体上曲线凸起之处总带有一抹紫色；在曲线凹下之处则反射出惨白的光。后来，她就被带出去杀掉；这是这种生活的不利之处。在被杀的时候，薛嵩握住了那一大把丝一样的头发往前引，她自己则往后坐，红线居中砍去。在苗寨里，红线常替别人分牛肉，两个人各持牛肉的一端，把它拉长，红线居中砍去。假如牛肉里没有骨头，它就韧韧地分成两下。这种感觉在刀把上可以体验到，但在自己的脖子上体验到，就一定更为有趣。然后就会身首异处，这种感觉也异常奇妙。按照红线的想象，这女人的血应该是淡紫色的，散发着藤萝花的香气。然后，她就像一盏晃来晃去的探照灯，被薛嵩提在手里。红线的确是非常地爱薛嵩，否则不会想到这些。她还想像一颗砍掉的人头那样，被安坐在薛嵩赤裸的胸膛上。这时薛嵩的心，热烘烘地就在被砍断的脖端跳动，带来了巨大的轰鸣声。此时，她会嫣然一笑，无声地告诉他说：嗓子痒痒，简直要笑出来。但是，她喜欢嗓子痒痒。此时寨子里很安静——这就是说，红线的听觉好像留在了很远的地方。

　　而那个老妓女，则在一次次地把小妓女杀死。但是每一次她自己都没有动手。起初，她想让那些刺客把这女孩拖出去一刀砍掉。后来她又觉得这样太残忍。她决定请那些刺客在地下挖一个坑，把那个小妓女头朝下地栽进去，然后填上土，但不把她全部埋起来，这样也太残忍。要把她的脚留在地面上。这个女孩的脚很小，也很白，只是后脚跟上有一点红，是自己踩的，留在地面上，像两株马蹄莲。老妓女决定每天早上都要去看看那双脚，用竹签子在她脚心搔上一搔。直到有一天，足趾不动了，那就是她死掉了。此时就可以把她完全埋起来，堆出一个坟包。老妓女还决定给她立一个墓碑，并且时常祭奠。这是因为她们曾萍水相逢，在一座寨子里共事，有这样一种社会关系。那个老妓女正想告诉她这个消息，忽然又有了更好的主意。如前所述，这位老太太有座不错的园子，她又喜欢园艺；所以她就决定剖开一棵软木树，取出树心，把那个女孩填进去，在树皮上挖出一个圆形的洞，套住她的脖子，然后把树皮合上，用泥土封住切口。根据她对这种树的了解，不出三天，这棵树就能完全长好。以后这个人树嫁接的怪物就可以活下去：起初，在树皮上有个女孩的脸，后来这张脸就逐渐消失在树皮里；但整棵树会发生一些变化，树皮逐渐变得光滑，树干也逐渐带上了少女的风姿。将来男人走到这棵树前，也能够辨认出哪里是圆润的乳房，哪里是纤细的腰肢。也许他兴之所至，抚摸树干，这棵树的每一片叶子都会为之战栗，树枝也为之骚动。但是她说不出话，也不能和男人做爱，只能够体味男人的爱抚带来的战栗。

　　作为一个老娼妓，她认为像这样的女人树不妨再多一些。因为她们没有任何害处，假如缺少燃料，还可以砍了当柴烧。除了这个小妓女，这寨子里的女人还不少（她指的是大家的苗族妻子），所以绝不会缺少嫁接的材料。总而言之，这个老女人自以为想出了一种处置年轻女人的绝妙方法，所以她取下了小妓女嘴上的袜子，把它放到一边，告诉她这些，以为对方必定会欢欣鼓舞，迫不及待地要投身于树干之中。但那个小妓女发了一会儿愣，然后断然答道：你快杀了我！说完侧过头去，叼起那只臭袜子，把它衔在嘴里——片刻之后，又把它吐了出来，补充说道：怎么杀都可以。然后，她又咬住袜子，把它强行吞掉，直到嘴唇之间只剩了袜子的一角——这就是说，她不准备把它再吐出来了。她就这样怒目圆睁地躺在地板上，准备死掉。老娼妓在她腿上拧了一把，说道：小婊子，你就等着吧。然后到走廊上去，等着刺客们归来，带来薛嵩的首级。而那个小妓女则闭上了眼睛，忘掉了满嘴的臭袜子味，在冥冥中和红线做爱。她很喜欢这小蛮婆橄榄色的身体——不言而喻，她把自己当成了薛嵩。在她们的头顶上、在一团黑暗之中，那颗亮丽的人头在凝视着一切。

按照通俗小说的写法，现在正是写到那小妓女的恰当时机。我们可以提到她姓甚名谁，生在什么地方，如何成长，又是如何来到这个寨子里；她为什么宁愿被头朝下栽在冷冰冰的潮湿的泥土之中，长时间忍受窒息以及得不到任何信息的寂寞——可以想见，在这种情况下，她一定巴不得老娼妇来搔她的脚心，虽然奇痒难熬，但也可因此知道又过了一天——也不愿变成一棵树。在后一种处置之下，她可以享受到新鲜空气、露水，还可以看到日出日落，好处是不言而喻的。一个人自愿放弃显而易见的好处，其中必有些可写的东西。但作者没有这样写。他只是简单地说道：对那小妓女来说，只要不看到老妓女，被倒放进滚油锅里炸都行。

【二】

1

夜里，薛嵩的竹楼里点着灯，光线从墙壁的缝隙里漏了出去，整座房子变成了一盏灯笼。因为那墙是编成的，所以很像竹帘子。假如帘子外亮，帘子里暗，它就是一道可靠的、不可透视的屏障；假如里面亮，外面暗，就变得完全透明，还有放大的作用。走进他家的院子，就可以看到墙上有大大的身影——乍看起来是一个人，实际上是两个人，分别是卧姿的红线和跪姿的薛嵩——换句话说，整个院子像座电影院。在竹楼的中央有一根柱子，柱上斜插了一串燃烧中的蓖麻籽。对此还可以进一步描写道：雪白的籽肉上拖着宽条的火焰，"噼噼"地爆出火星，火星是一小团爆炸中的火焰，环抱着一个滚烫的油珠。它向地下落去，忽然又熄掉，变成了一小片烟炱，朝上升去了。换句话说，在宁静中又有点火爆的气氛。薛嵩正和红线做爱，与此同时，刺杀他的刺客正从外面走进来。所以，此处说的火爆绝不只是两人之间的事。

后来，红线对薛嵩说：启禀老爷，恐怕你要停一停了。但薛嵩正沉溺在某种气氛之中，不明白她的意思，还傻呵呵地说：贱人！你刚才还说佩服老爷，怎么又不佩服了？后来红线又说：喂！你快起开！薛嵩也不肯起开，反而觉得红线有点不敬。最后红线伸出了手，在薛嵩的胸前猛地一推——这是因为有人蹑手蹑脚地走进了这个电影院，然后又顺着梯子爬进了这个灯笼；红线先从寨里零星的狗叫声里听到了这些人，后从院里马蜂窝上的嗡嗡声里感到了这些人，然后又听到楼梯上的脚步声。最后，她在薛嵩背后的灯影里看到了这个人：乌黑的宽脸膛（可能抹了黑泥），一张血盆大口，手里拿了一把刀，正从下面爬上来。此时她就顾不上什么老爷不老爷，赶紧把薛嵩推开，就地一滚，摸到了一块磨刀石扔了出去，把那个人从楼梯上打了下去。对此薛嵩倒没有什么可惭愧的：女人的听力总比男人要好些，丛林里长大的女孩比都市里长大的男人听力好得更多；后者的耳朵从小就泡在噪声里，简直就是半聋。总的来说，这属动物本能的领域，能力差不是坏事。但是薛嵩还沉溺在刚才的文化气氛里，虽然红线已经停止了拍他的马屁，也无法立刻进入战斗的气氛。就这样，红线在保卫薛嵩，薛嵩却在瞎比画，其状可耻……

薛嵩眼睁睁地看着红线抢了一把长刀，扑到楼口和人交了手，他还没明白过来。而第二个冲上来的刺客看到薛嵩直愣愣地跪在那里，也觉得可笑，刚"咴"的一声，就被红线在头上砍了一刀，鲜血淋漓地滚了下去。对这件事还有补充的必要：薛嵩跪在那里，向一片虚空做爱，这景象的确不多见；难怪会使人发呆。薛嵩也很想参战，但是找不着打仗的感觉，满心都是做老爷的感觉。这就如他念书，既已念出了"子曰"，不把一章念完就不能闭嘴。但是，老爷可不是做给男人看的，那个被红线砍伤的刺客滚下楼去，一路滚一路还在傻笑着说：臭比画些什么呀……

但刺客还在不断地冲上来，红线在拦阻他们，虽然地形有利，也觉得寡不敌众。她就放声大叫：老爷！老爷！快来帮把手！薛嵩还是找不到感觉。后来她又喊：都是来杀你的！再不来我也不管了啊！但薛嵩还是挣不出来。直到红线喊：兔崽子！别做老爷梦了！你想死吗！他才明白过来，到处找他的枪，但那枪放在院子里了。于是他大吼了一声，撞破了竹板墙，从二楼上跳了出去，去拿他的铁枪，以便参加战斗。这是个迎战的姿态，但看上去和逃跑没什么两样。

我越来越不喜欢这故事的男主人公——想必你也有同感。因为你是读者，可以把这本书丢开。但我是作者，就有一些困难。我可以认为这不是我写的书，于是我就没有写过书；一点成就都没有——这让我感到难堪。假如我认为自己写了这本书，这个虚伪、做作的薛嵩和我就有说不清楚的关系。现在我搞不清，到底哪一种处境更让我难堪……

在上述叙述之中，有一个谜：为什么红线能马上从做爱的状态进入交战，而薛嵩就不能。对此，我的解释是，在红线看来，做爱和作战是同一类的事，感觉是同样的火爆，适应起来没有困难。薛嵩则是从暧昧的文化气氛进入火爆的战斗气氛，需要一点时间来适应。当然，假如没有红线在场，薛嵩就会被人当场杀掉。马上就会出现一个更大的问题：在顷刻之间，薛嵩会从一个正在做爱的整人变成一颗人头，这样他就必须适应从暧昧到悲惨的转变，恐怕更加困难。但总的来说，人可以适应任何一种气氛。虽然这需要一点时间。

薛嵩从竹楼里撞了出去，跳到园子里，就着塌了墙的房间里透出的灯光，马上就找到了他的铁枪，然后他就被十几个刺客围住了。这些刺客擎着火把，手里拿着飞快的刀子，想要杀他。薛嵩把那根大铁枪舞得呼呼作响，自己也在团团旋转，好像一架就要起飞的直升飞机，那十几个人都近他不得，靠得近的还被他打倒了几个。这样他就暂时得到了安全。但也有一件对他不利的事情：这样耍着一根大铁棍是很累的。这一点那些刺客也看出来了。他们围住了他，却不向他进攻，反而站直了身子说：让他多耍一会儿。并且给他数起了圈数，互相打赌，赌薛嵩还能转几圈。薛嵩还没有累，但感到有点头晕，于是放声大叫道：来人！来人！这是在喊他手下的士兵。但是喊破了嗓子也不来一个人。后来他又喊红线：小贱人！小贱人！但是红线也自顾不暇。她和三条大汉对峙着，如果说她能打得过，未免是神话；但对方想要活捉她，她只要保住自己不被抓住就可以。就是这样，也很困难。所以她就答道：老爷，请你再坚持一下。后来他又指望树上的马蜂窝，就大叫道：马蜂！马蜂！但那些昆虫只是嗡嗡地扇动翅膀，一只也不飞起来。这是因为所有的马蜂，不管是温带的马蜂还是热带的马蜂，都不喜欢在天黑以后起飞蜇人，它们都患着夜盲症。这些刺客也知道这一点，所以他们虽然在数量上有很大的优势，还是等到天黑了才进攻，以防被蜇到。还有一个指望就是逃走，但薛嵩在团团的旋转中，早已不辨东西南北，所以无法逃走。假如硬要跑的话，很可能掉进水塘里，那就更不好了。那些刺客们一致认为，这小子再转一百圈准会倒，但没有人下注说他能转一百圈以上；这也不是赌了。薛嵩觉得自己要不了一百圈就会倒。他陷入孤立无援的境地，被困住了。

最后薛嵩总算是逃脱了。后来他说，自己经过力战打出了一条血路。但一面这样说，一面偷偷看红线。此种情形说明他知道自己在说谎，事实是红线帮他逃了出来。但红线也不来拆穿他。久而久之，他也相信自己从大群刺客的包围中凭掌中枪杀出了一条血路——这样他就把事实给忘了。所有的刺客都去看薛嵩转圈，没有人注意红线，她就溜掉了。溜到竹楼下面，捡到了一个火把，一把火点着了自家的竹楼，一阵夜风吹来，火头烤到了树上的马蜂窝。马蜂被激怒了，同时院子里亮如白昼，它们也能看见了，就像一阵黄色的旋风，朝闯入者扑去，蜇得他们落荒而逃。红线趁势喝住了薛嵩（他还在转圈子），钻水沟逃掉了。这一逃的时机掌握得非常好，因为被烧了窝的马蜂已经不辨敌我，逢人就蜇。红线还干了件值得赞美的事，她退出战场时，还带走了薛嵩的弓箭。这就大大增强了他们的力量。现在，在他们手里，有一条铁枪、一口长刀，还有了一张强弓。而且他们藏身的地方谁也找不到。那地方草木茂盛，哪怕派几千人去搜，也照样找不到。更何况刺客先生们已经被蜇了一通，根本就不想去找。

2

凤凰寨里林木茂盛，夜里，这地方黑洞洞的。也许，只有大路上可以看到一点星光，所以，这条路就是灰蒙蒙的，有如夜色中的海滩。至于其他地方，好像都笼罩在层层黑雾里。这些黑雾可以是树林，也可以是竹林，还可能是没人的荒草，但在夜里看不出有什么区别。那天夜里，有一瞬间与众不同，因为薛嵩的竹楼着了火。作为燃料，那座竹楼很干燥，又是枝枝杈杈地架在空中，所以在十几分钟之内都烧光了；然后就只剩了个木头架子，在夜空里闪烁着红色的炭火。在它熄灭之前，火光把整个寨子全映红了；然后整个寨子又骤然沉没在黑暗之中。这火光使老妓女很是振奋，她在自己的门前点亮了一盏纸灯笼，并且把它挑得甚高，以此来迎接那些刺客。而那些刺客来到时，有半数左右脸都肿着，除此之外，他们的表情也不大轻松。这就使那老女人问道：杀掉了吗？对方答道：杀个屁，差点把我们都蜇死！她又问：薛嵩呢？对方答道：谁知道。谁知道薛嵩。谁知道谁叫薛嵩。那个老女人说：我是付了钱的，叫你们杀掉薛嵩。对方则说：那我们也挨了蜇。这些话很不讲理；刺客们虽然打了败仗，但他们人多势大，还有讲这些话的资格。

那个老女人把嘴噘了起来，呈鲇鱼之态，准备唠叨一阵，但又发现对方是一大伙人，个个手里拿着刀杖，而且都不是良善之辈，随时准备和她翻脸；所以就变了态度，低声下气地问他们薛嵩到底在哪里。有人说，好像看见他们钻了树棵。于是她说，她愿再出一份钱，请他们把薛嵩搜出来杀掉。于是他们就商量起来。商量的结果是拒绝这个建议，因为这个寨子太大，一年也搜不过来。于是他们转身就走。顺便说一句，这些人为了不招人眼目，全都是苗人装束：披散着头发，赤裸着身体，挎着长刀。当他们转过身去时，就着昏暗的灯光，那个老女人发现，有好几个男人有很美的臀部。对于这些臀部,她心里有了一丝留恋之情。但是那些男人迈开腿就走。假如不是寨里住的那些雇佣兵,他们就会走掉了。

现在我们要谈到的事情叫作忠诚,每个人对此都有不同的理解。当那些刺客在寨子里走动,引起了狗叫,这些雇佣兵就起来了,躲在自家屋檐下面的黑暗里朝路上窥视。等刺客走过之后,又三三五五地串连起来,拿着武器,鬼鬼祟祟地跟在后面,但为了怕刺客看见引起误会,这些家伙小心翼翼地走在路边的水沟里。如前所述,薛嵩在受刺客围攻时,曾经大叫"来人",那些兵倒是听到了。他们出来是看出了什么事,手里都拿了武器,只是要防个万一;所以谁也不去救薛嵩。相反,倒盼着他被刺客杀死。红线放火,马蜂把刺客蜇走,他们都看到了,但都一声不吭。薛嵩他们不怕,但不想招惹红线。然后这些刺客到寨中间去找那个老妓女,他们也跟在后面,始终一声不吭。等到这些刺客要走时,他们才从路边的浅沟里爬出来,把路截住,表现出雇佣兵的忠诚。这种忠诚总是要使人大吃一惊。

如前所述,雇佣兵的忠诚曾使薛嵩震惊。当他上山去打苗寨时,后面跟了几十个兵,他觉得太多了,多得让他不好意思。现在这种忠诚又使那个老妓女吃了一惊,她原以为在盘算刺杀薛嵩时,可以不把雇佣兵考虑在内的,现在觉得自己错了。当然,最吃惊的是那些刺客,雇佣兵来了黑压压的一片,总共有好几百人,手里还拿了明晃晃的刀,这使刺客们觉得脖子后面有点发凉,不由自主地往后退。薛嵩不在这里,要是在这里,必然要跳出去大叫:你们怎么才来?噢,说错了。来了就好。假如事情是这样,薛嵩马上就需要适应悲惨的气氛;因为这些雇佣兵站了出来,可不一定是站在他这一方。总而言之,那些刺客见到他们人多,就很害怕,就想找别的路走。这寨子里路很多,有人行的路、牛行的路、猪崽子行的路。不管他们走哪条路,最后总是发现被雇佣兵们截在了前头。好像这寨子里不是只有一百来个雇佣兵，而是有成千上万个雇佣兵，到处都布满了。

最后，这些刺客也发现了这一事实：雇佣兵比他们熟悉这个地方。于是，刺客群里站出一个人（他就是刺客的头子），审慎地向拦路的雇佣兵发问道：好啦，哥们儿。你们要干什么？对方一声不吭。他只好继续说道：我知道你们人多路熟……这句话刚出口，马上就被对方截断道：知道这个就好。别的不必说了。他们就这样拦住了外来的刺客，不让他们走。至于他们要做些什么，没有人能够知道。好在这一夜还没有过完，天上还有星星。

3

我的故事又到了重新开始的时刻，面对着一件不愿想到的事，那就是黎明。薛嵩和红线坐在凤凰寨深处的树丛里，这时候黎明就来到了。红线是个孩子，折腾了一夜，困得要命，就睡着了；在黎明前的寒冷之中，她往薛嵩怀里钻来。黎明前的寒冷是一层淡蓝色稀薄的雾。薛嵩有时也喜欢抱住红线，但那是在夜里，现在是黎明，在淡蓝色的黎明里，他觉得搂搂抱抱的不成个样子。但他想到红线又困又冷，也就无法拒绝红线的拥抱。在睡梦之中，红线感到前面够暖和了，就翻了一个身，躺到了薛嵩怀里。薛嵩此时盘腿坐在地下，背倚着一棵树，旁边放着他的铁枪；而红线则横躺着睡了，这样子叫薛嵩实在开心不起来。假如他也能睡着，那倒会好些。但是蚊子叮得太凶，他睡不着。他只好睁大眼睛，看每一只飞来的蚊子，看它要落在谁的身上。很不幸的是，每个蚊子都绕过了红线，朝他大腿上落过来，这使他满心委屈和愤恨。他不敢把蚊子打死，恐怕会把红线惊醒，就任凭蚊子吸饱了血又飞走。更使他愤恨的是红线睡得并不死，每十分钟必醒来一次，咂着嘴说道：好舒服呀。然后往四下看看，最后盯住薛嵩，含混不清地说：启禀老爷，小奴家罪该万死——你对我真好。然后马上又睡着了。

黎明可能是这样的：红线倒在薛嵩怀里时，周围是一片淡淡的紫色。睡着以后，她那张紧绷绷的小脸松懈下来。然后，淡紫色就消散了。一片透明的浅蓝色融入了一切，也融入红线小小的身体。此时红线觉得有一点冷，就抬起一只手放在自己的乳房上。在天真无邪的人看来，这没有什么。但在薛嵩看来，这景象甚是扎眼。有一个字眼从他心底冒起，就是"淫荡"。后来，一切颜色都褪净了，只剩下灰白色。不知不觉之中，周围已经很亮。熟睡中的红线把双臂朝上伸，好像在伸个懒腰。她在薛嵩的膝上弯成个弧度很大的拱形——这女孩没有生过孩子，也没有干过重活，腰软得很。这个慵懒的姿势使薛嵩失掉了平常心。作为对淫荡的反应，他的把把又长又硬，抵在红线的后腰上。

在不知不觉之中，我把自己当作了红线，在一片淡蓝色之中伸展开身体，躺在又冷又湿的空气里。与此同时，有个热烘烘硬邦邦的东西抵在我的后腰上。这个场景使我感到真切，但又毫无道理。我现在是个男人，而红线是女的。假如说过去某个时刻我曾经是女人，总是不大对……

【三】

1

"早晨，薛嵩醒来时，看到一片白色的雾。"我的故事又一次地开始了。醒来的时候，薛嵩抱着自己的膝盖，蜷着身体坐在一棵大树下，屁股下面是隆起的树根，耳畔是密密麻麻的鸟鸣声。有一个压低的嗓音说：启禀大老爷，天明了。薛嵩抬头看去，看见一个橄榄色的女孩子倚着树站着，脖子上系了一条红色的丝带，她又把刚才的话重说了一遍。薛嵩不禁问道：谁是大老爷？红线答道：是你。你是大老爷。薛嵩又问道：我是大老爷，你是谁？红线答道：我是小贱人。薛嵩说：原来是这样，全明白了。虽然说是明白了，他还是不明白自己为什么会醒在这里。他也不明白红线为什么老憋不住要笑。这地方四周是密密麻麻的野菊花和茅草，中间只有很小的一片空地，这就是说，他们被灌木紧紧地包围着。后来，红线叫他拿起自己的弓箭，出去看看——她自己当先在前面引路，小心地在草丛里穿行，尽量不发出响声。薛嵩模仿着她的动作，但不知为什么要这样做，也不知要到哪里去；但他紧紧地跟住了红线，他怕前面那个橄榄色的身体消失在深草里。

黎明对我来说，也是个艰涩的时刻。自从我被车撞了以后，早上都要冥思苦索，自以为可以想起些什么，实际上则什么都想不起——这是一种痛苦的强迫症。克制这种毛病的办法就是去想薛嵩。早上起雾时，红线和薛嵩在林子里潜行。红线还不断提醒道：启禀老爷，这里有个坑。或者是：老爷，请您迈大步，草底下是沟啊。所到之处，草木越来越密，地形越来越崎岖，一会儿爬上一道坎，一会儿下到一条沟里。薛嵩觉得这里很陌生，好像到了另一个星球。转了几个弯，薛嵩觉得迷迷糊糊的，头也晕起来了——人迷路后就有这种感觉，而薛嵩此时又何止是迷路。红线忽然站住了脚，拨开草丛。顺着她指的方向看去，里面躺着一条死水牛，已经死得扁扁的了，草从皮破的地方穿了出来。牛头上站了一只翠羽红冠的鸟，脚爪瘦长，有点像鹭鸶。这种鸟大概是很难看到的，薛嵩就说：小贱人，你带我来看鸟吗？红线说不是；然后又捂着嘴笑起来，说道：老爷，您真逗。薛嵩有一点恼怒，小声喝道：什么叫真逗？红线就收起笑容，往后退了半步，福了一福道：是，小贱人罪该万死。然后她继续引路，但是肩头乱抖，好像在狂笑。薛嵩跟着她走去，心里在想：今天早上的事我怎么一点都不懂了？

我说过，薛嵩在一个老娼妇的把握下长大成人，然后就出发去建功立业。这件事他记得很清楚，以后的事就有点不清不楚。比方说，他怎样来到这片红土山坡，又怎样被手下的兵揪下马来大打凿栗，等等。他还影影绰绰记得自己昨天被人砍了一刀，然后就中了暑。夜里又被二十个人围攻，差点死掉了。今天早上又在草丛里醒来，在灌木丛里跋涉，鼻子里吸进了冰冷的雾气，马上就不通气了。这些事和建功立业有什么关系，叫人殊难领会。他也搞不清现在是要去哪里。后来他着了凉，开始打喷嚏。红线就说：请老爷悄声。后来又说，启禀老爷，请不要打喷嚏，别人也有耳朵。最后她干脆转过身来，一把捂住了薛嵩的嘴，对着他的耳朵喝道：兔崽子！打喷嚏时捂着嘴，转过身去！你要害死我们吗？薛嵩觉得眼前这个小贱人真是古怪死了。

早上，那颗挂起来的人头从梦中醒来，骤然发现自己高高跃起在高空，下面是一片白茫茫的雾气。它感到惊恐万状，觉得自己正在落下去。如前所述，它被吊在了树枝上，是掉不下去的。所以它马上又觉得自己从脑后被揪住，悬在空中了。这一瞬间，它觉得整个头皮都在麻酥酥地疼痛。与此同时，它也发现自己自脖子往下是空空荡荡的。一团团的雾气被难以察觉的微风推动，穿过它原来身体的所在，引起强烈的恐惧。醒来时失掉了身体和醒来时失掉了记忆相比，哪种更令人恐惧，我还没有想清楚。总而言之，那颗人头在回忆自己那个亮丽的身体，觉得它是红蓝两色组成的。有一种可能是这样的：这个身体发着浅蓝色的光，只在乳头、指甲等部位留有暗红色的阴影。另一种可能是身体发着粉红色的光，阴影是青紫色。这两种回忆哪种更真实它已经搞不清楚了。

　　与此同时，那个小妓女也从梦里醒来，发现自己被捆得紧绷绷，嘴里还塞了一条臭袜子，也觉得难以适应。然后她就低下头去，看自己身上那些触目惊心的绳索。总而言之，黎明是个恐怖的时分，除非彻夜未眠，你可能发现自己此时失掉了过去，失掉了身体，或者发现自己像一条跳上了案板等待宰割的鱼。

　　早上，那个老娼妇坐在木板房的走廊下，身上穿着麻纱裤子。她觉得很困，但又不能去睡，所以就把一把铜夜壶拿了出来，练习往里投石子，那个夜壶也发出叮叮咚咚的声音；同时，她斜眼看那些刺客和雇佣兵在壕沟边上拉锯。她的处境不妙：她请人杀薛嵩，但薛嵩并没有死；所以她已经完全败露了。但她也一点都不着急。虽然她的命运难以预测，但既然已经完全败露，也就不用急了。有一些人很急，他们是被围困的刺客。雇佣兵和刺客在寨中心对峙着。这些兵是一些披头散发、赤身裸体的彪形大汉，站在壕沟边上，挺着胸膛，腆着大肚子，脸上带着蒙娜·丽莎似的微笑；双手环抱于胸，把长刀夹在腋下。有一点必须说明，在他们挺出的肚子上，肚脐眼不是凹下去，而是凸出来的。这说明不是脂肪丰厚的肚子，而是惯吃粗食、大肠粗大的肚子。这些人的脑袋又圆又大，都长着络腮胡子。而那些刺客也是同样的一批彪形大汉，退到了壕沟的里面，神情紧张，把刀拿到手里。就这样，黎明在他们头上出现了。开头，最初的阳光在林梢上闪耀，再过一会儿就起雾了。就在起雾时，那些雇佣兵退走了。但他们不是各回各家，而是退到寨外去把守路口；走的时候还说：既然来杀薛嵩，就把薛嵩杀掉；杀不掉别想走。现在这些兵的态度总算是明朗了：他们希望薛嵩死掉，但不肯自己动手去杀。所以，假如有人来杀薛嵩，他们是不管的。那些人杀死了薛嵩退走时，他们也不管。并且仅当那些人没有杀掉薛嵩就想走时，他们才出来挡道。因为有了这些兵，这座寨子成了个捕鼠笼，进来时容易，出去就有点困难了。

2

晨雾正在消散时，那颗挂着的人头看到它的刺客兄弟们在用刀把敲打那个老妓女的头，逼问她薛嵩在哪里。它觉得这件事很怪：她怎么会知道薛嵩在哪里？但它不明白，那些人被困在凤凰寨里，心情很坏，总要找个借口来揍人。如前所述，她把头发剃掉了，秃头缺少保护，一敲一个包。在这种情况下，她很想说出薛嵩在哪里，但说不出来。于是她心生一计，说那小妓女和薛嵩比较要好，肯定知道薛嵩在哪里。对此需要解释一下，这个老妓女就喜欢把一切不愉快的事都推到小妓女身上。这个局面有一定的复杂性：刺客揍老妓女，让她说薛嵩在哪里；老妓女就让他们去揍小妓女，并且说她知道薛嵩在哪里；其实大家都知道，无论是老妓女还是小妓女，都不知道薛嵩在哪里。所以，实际上是刺客想要揍人，所以找上了老妓女。老妓女想不挨揍，就说出了小妓女，根据经验她知道，男人一定对揍后者有更大的兴趣。当然，假如谁也不揍谁，那就更好了。

于是，刺客们回到了屋里，把小妓女抬了出来，拔去她嘴里的臭袜子，恢复了她说话的能力。那女孩先呼吸了几口新鲜空气，然后开始和刺客打招呼：各位大叔，早上好。你们是要活埋我，还是把我填在树心里？因为被捆在了房子里，外面发生的很多事她都不知道。刺客说：都不是的。想请你带我们去找薛嵩。小妓女看到人群里的老娼妓，发现她已头破血流，就笑了起来，朝她努嘴说道：我不知道，她（即那个老妓女）才知道。老妓女听见她这样说，很生气，就说道：你怎能这样说话？咱们是邻居呀。那个小妓女则说：噢！我们是邻居！我还不知道呢。又过了一会儿，那些刺客也会意到了这其中的可笑之处，也跟着笑了起来。那个老娼妓在大家的耻笑之中面红耳赤，马上就提议对小妓女用严刑来逼供。她觉得这帮刺客急了只会用刀把子敲人，在这方面没有想象力，就出了一个主意：把那个小妓女倒吊起来，用青蒿烧烟来熏她的口鼻。假如这招不灵，还有别的招数。严刑拷问有两种不同的效果：一种是让意志坚定的人招出真话，还有一种是让意志不坚定的人招出假话。不管得到哪一种结果，她都能满意。刺客的头子听了以后，抹了抹鼻子，说道：很好。你来做这件事。说完他笑了笑，就和手下的人向后退去，围成一个圆，把这两个女人围在里面。过了一会儿，他又催促道：快动手！我们没时间等你！

此时这个老妓女只好动手去搬小妓女，准备把她倒吊起来。搬了两下，发现她很重。假如有滑轮组、钢丝绳、手推车等机械，还有可能做成此事。现在的问题是没有这些东西。老妓女说：哪位大爷来帮把手？但没人理她。只有刺客头子咳嗽了一声说：别磨蹭了，快点动手吧。她又和小妓女商量道：我把你扶起来，你自己跳到树边上，然后我把你吊起来——这样可好？小妓女冷冷地答道：你搞清楚些，是你要熏我，不是我要熏你。我为什么要跳到树边上？难道因为我们是邻居？围观的刺客对她的回答报以哄笑和掌声。现在这个老妓女真正感到了孤立无援，四周都是催促之意。

3

天明时分，凤凰寨里满是冷牛奶般的雾。这种东西有霜雪的颜色，但没有霜雪那样冷。在清晨，雾带来光线——雾里有很多细小的水点，每一粒都发着白光，合起来就是白茫茫的一片。在这白茫茫的一片里，那个老妓女拖着地上一个捆成一束的女孩子，要把她吊到树上去。那地上长满了青苔，相当滑，但那老女人还觉得女孩像是陆地上的一条船，太沉、拖不动。虽然天凉，但空气潮湿，所以那老妓女汗下如雨，像狗一样喘了起来。从吊在树上的人头看来，脚下的空场上虽然留下了一条弯弯扭扭的拖出的痕迹，但这痕迹还不够长，不足以和任何一棵树联系起来。最糟的是那老女人总在改变主意，一会儿想把女孩拖向这棵树，一会儿想把她拖向另一棵树，结果是哪棵也没有拖到；最后她自己也歪歪倒倒地站不直，而且像一座活火山一样呼出很多烟雾。后来，她把女孩撒下，走近刺客头子说：我看不用把她吊起来用烟熏，就放在地下揍一顿也可以。刺客头子想了一想，说道：很好。那个老妓女也觉得很好，就停下来歇口气。过了一会儿，那个刺客头子看到没人动弹，就对老娼妓说：你去揍。那个老妓女也愣了一阵，也很想对那小妓女说你去揍，但又觉得让人家自己揍自己是不合适的。她只好转头去找可以用来揍人的东西，找来找去找不到。最后，她居然跑到了屋侧，用双手在拔一棵箭竹。别人都觉得她有毛病：谁要是能把一棵活竹子从土里拔出来，那他就不是人，而是一个神。最后她总算是想出了办法：她找一个刺客借了一把刀，砍下了一根箭竹，并把枝杈都用刀修掉。这样她手里就有了一根足以揍人的东西。她决定用这根青竹来揍女孩的屁股。她拿着这根竹子走过去时，那个女孩自动地翻滚过来，露出了身体背面的绿泥。因为她总在挨揍，所以有些习惯成自然的举动。

后来，老妓女就动手揍她，一连抽了十下，打得非常之疼。那个老妓女当然还想多打几下，但是她用力过猛，手上抽了筋，只好停下来歇歇气，而那个小妓女则伏在地下，嘴里啃着青苔。就在此时，那伙刺客从她身后走过来，揪住她的耳朵，把她按在地下说：好了，你也该歇歇了。同时把那个小妓女从地上放了起来，解开了她的手臂，把竹子放到她手里，说：好了，现在轮到你了。她接过这根竹子，呆愣愣地看到那群刺客把老妓女捆住，撩起了她的麻纱裙子，露出了屁股，然后那些刺客就退后，并且催促道：快开始吧。小妓女问：快开始干什么？那些人说：快开始打她。小妓女问：我为什么要打她？那些人解释道：她先打了你嘛。于是她欢呼了一声，把那根竹子舞得呼呼作响，并且说道：太好了！现在就能打了吗？那个老妓女被捆倒在地下，听见这种声音，连脊梁带屁股一阵阵地发凉——这是因为她不知道这女孩要打哪里。她在恐惧之中一口咬住了一根裸露在地面上的树根。但是那个女孩子并没有打下来，她停下手来问道：我能打她几下？刺客头子说：她打你几下，你就打她几下。那女孩就说：大叔，你把我的脚解开了吧。捆着腿使不上劲啊。这些话使老妓女一下感到了心脏的重压：这是因为，她可没有习惯挨打呀。

4

黎明时分，薛嵩和红线走到了寨心附近的草丛里。隔着野草，可以看见寨子里发生的一切。早上空气潮，声音传得远，所以又能听见一切对话。所以，他们对寨子里发生的一切都清楚了。红线说：启禀老爷，该动手了。薛嵩糊里糊涂地问：谁是老爷？动什么手？红线无心和他扯淡，就拿过了他手上的弓箭，拽了两下，说：兔崽子！用这么重的弓，存心要人拉不动……此时薛嵩有点明白，就把弓箭接了过来。很显然，这种东西是用来射人之用的。他搭上一支箭，拉弓瞄向站得最近的一个刺客。此时红线在耳畔说道：你可想明白了，这一箭射出去，他们会来追我们——只能射一箭，擒贼擒王，明白吗？薛嵩觉得此事很明白，他就把箭头对准了刺客头子。红线又说：笨蛋！先除内奸！亏你还当节度使哪，连我都不如！他把箭头对准了手下的兵。红线冷冷地说：这么多人，射得过来吗？现在一切都明白了。薛嵩别无选择，只好把箭头对准了老妓女……与此同时，他的心在刺痛……原稿就到这里为止。

我觉得自己对过去的手稿已经心领神会。那个小妓女是个女性的卡夫卡，卡夫卡曾说：每一个障碍都能克服我。那个小妓女也说：这寨子里不管谁犯了错误，都是我挨打。相信你能从这两句话里看出近似之处。薛嵩就是鲁滨孙，红线就是星期五。至于那位老妓女，绝非外国的人物可比，她是个中国土产的大怪物。但她和薛嵩多少有点近似之处，难怪薛嵩要射死她时心会刺痛。手头的稿子没说她是不是被射死了，但我希望她被射死。这整个故事既是《鲁滨孙漂流记》，又是卡夫卡的《变形记》，还有些段落隐隐有福尔斯《石屋藏娇》的意味。只有一点不明白：我为什么要写下这个故事？我既不可能是笛福，又不可能是卡夫卡，更不可能是福尔斯。我和谁都不像。最不像我的，就是那个写下了这些文字的家伙——我到底是谁呢？

5

下午，我一直在读桌上的稿子；这些手稿不像看起来的那样多，因为它不断地重复，周而复始，我渐渐感到疲惫。后来发生了一件很不应该的事情：在丧失记忆的焦虑之中，我竟沉沉睡去；而后，带着满脸的压痕和扭歪的脖子，在桌子上醒来；想到自己要弄清的事很多，可不能睡觉啊——这样想过以后，又睡着了……

傍晚，我推了一辆自行车从万寿寺里出来，跟随着一件白色的衣裙。这件衣裙把我引到一座灰色的楼房面前，下了自行车。它又把我引入三楼的一套房子里。这个房门口有个纸箱子，上面放了一捆葱。这捆葱外面裹着黄色的老皮，里面早就糠掉了，就如老了的茭白，至于它的味道，完全无法恭维；所以它就被放在这里，等着完全干掉、发霉，然后就可以被丢进垃圾堆。我在门口等了很久，才进到屋里，然后那件白连衣裙就挂上了墙壁。她很热烈地拥抱我，说：才出院就跑来了……这让我有点吃惊，不知如何反应——才出了医院就跑来了，这有何不对？好在她自己揭开了谜底："想我了吧。"这就是说，她以为我很想她，所以一出了医院就跑到单位去看她。我连忙答道：是啊，是啊。其实我根本就没有想过她。我谁都没想过——都忘记了。她的热烈似乎暗示着谜底，但我不愿把它揭开——然后，在一起吃饭，脱掉最后一件内衣，到卫生间里冲澡。最后，在床上，那件事发生了。就在此时此地，我不得不想了起来，她是我老婆。我是在自己的家里……恐怕我要承认，这使我有点泄气。我跟着她来时，总希望这是一场罗曼史。说实在的，我什么都想到了，就是没想到我已经结了婚……老婆这个字眼实在庸俗。好在我还记得怎么做爱。其实，也是假装记得。她说了一句：别乱来啊。我就没有乱来。当然，最后的结果我还是满意的——我有家，又有太太，这不是很好嘛。

　　我对她的身体也深感满意，她的皮肤上洋溢着一种健康的红色。我也欣赏她对性那种不卑不亢的态度。但她若不是我老婆，是个别的什么人的话，那就更好了。我头疼得厉害。这是因为我不管怎么努力，也想不起她的名字来。户口簿上一定有答案，要是我知道它在哪里就好了……这套房子里满满当当塞满了家具，想在这里找到一个小本子也非易事……她温婉而顺从，直到午夜时分。此时她猛地爬了起来，恶狠狠地说道：我要咬你！任何一个男人到了这时，都会感到诧异，并且急于声明自己和食品不是一类东西。但是我没有。我只是坐了起来，诧异地问道：为什么？她很凶暴地说：因为你拿着脑袋往汽车上撞，想让我当寡妇。我想了想，觉得罪名成立——寡妇这个名称太难听了，难怪人家不想当；就转身躺下。如你所知，男人的背比较结实，也比较耐咬。但她推推我的肩膀说，翻过来。我翻过身来，暴露出一切怕咬的部位，在恐惧中紧闭眼睛——但她只是轻轻地咬我的肚子，温柔的发丝拂着侧腹部，还响着带着笑意的鼻息。感觉是相当好的。因为这些事件，我对自己又满意起来了……

　　此事发生以后，她问我：上次玩是什么时候了？我假装回忆了一阵，然后说：记不得了。她说：混账！这种事你都记不得，还记得什么。我坦白道：说老实话，我什么都记不得。她咻地笑了一声道：又是老一套。你脑袋上有个疤，可别吓唬我。我说，好吧，不吓唬你——我桌上那篇稿子到底是谁写的？如你所知，这是我最想知道的问题——我很希望它是别人写的，因为我对它不满意。但她忽然说：讨厌。我不理你了，睡觉。说着她拉过被单，转过身去睡了。我想了想，觉得我"记不得"了的事目前不宜谈得太多，免得她被吓着。所以，就到此为止吧。

尽管心事重重，我又有点择席，但我还是睡着了。顺便说一句，那天夜里起夜，我在黑暗中碰破了脑袋。这说明我虽能想起自己的老婆，还是想不起自己的房子，很有把握地走着，一头撞在墙上了。失掉记忆这件事，很不容易掩饰，正如撞破了的眼眶也很不容易掩饰。

第四章

【一】

1

清晨，在床上醒来时，我撩开被单，看到有个身体躺在我的身边——虽然我知道她是我老婆，但因为我什么都不记得，只能把她看作是一个身体——作为一个身体，她十分美丽，躺在微红色的阳光里——这间卧室挂着塑料百叶窗帘，挡得住视线，挡不住阳光；所以这个身体呈玫瑰红色。我怀着虔诚之意朝她俯过身去，把我的嘴唇对准她身体的中线，从喉头开始，直到乳房中间，一路亲近下来，直到耻骨隆起的地方——她的皮肤除了柔顺，还带一种沙沙的感觉，真是好极了。此时我发现这身体已经醒来了。此后我就不能把她看作一个身体。此时我抬起头来，看到她的眼睛，她眼睛里流露出的，与其说是新奇，倒不如说满是惊恐之意。她翻过身去，趴在床单上。我又把嘴唇贴在她的脊梁骨上，从发际直到臀部……她低声说道：不要这样，还得上班呢。语气温柔。再后来，她匆匆地用床单裹起身体，从我视野里逃开了。对那个身体的迷恋马上融进我的记忆里。

早上，我来上班，坐在高高的山墙之下自己的椅子上，重读自己的手稿时，马上看出，在这个故事里，有一个人物是我自身的写照。他当然不是红线，也不是老妓女或者小妓女，所以只能是薛嵩，换言之，薛嵩就是我。我不应该如前面写到的那样心理阴暗。我应该是个快乐的青年，内心压抑、心理阴暗对我绝无好处。所以我的故事必须增加一些线索——既然已经确知这稿子是我写的，我也不必对作者客气——人和自己客气未免太虚伪——可以径直改写。

一切如前所述，晚唐时节，薛嵩在湘西做节度使，在红土山坡上安营扎寨。这座寨子和一座苗寨相邻，在旷野上有如双子星座。有一天，薛嵩出去挑柴，看到了红线，他很喜欢她，决定要抢她为妻。他像我一样，是天生的能工巧匠，也不喜欢草草行事。所以他要打造一座囚车，用牛拉着，一起出发去抢红线，抓住她之后，把她关在车里，拉回寨来。如前所述，凤凰寨里的人都抢苗女为妻，把她们打晕后放在牛背上扛回来。那些男人不过是些小兵，而薛嵩却是节度使；那些女人不过是普通的女人，红线却是酋长的女儿。让她被关在囚车里运进凤凰寨，才符合双方的身份。

我的故事重新开始的时候，薛嵩已经不是个纨绔子弟，成了一位能工巧匠。这就意味着他到湘西来做节度使，只是为了施展他的才华。所以，他先在红土山坡上造好了草木茂盛的寨子，就进一步忙了起来，给每个人造房子，打造家具；而且从中得到极大的乐趣。等到房子和家具都造好以后，他又忙于改良旧有的用具，发明新的用具，建造便利公众的设施。直到有一天，他到外面去担柴，准备烧一批自来水用的陶管子，忽然看到了红线，一切才发生了改变。此后，他就抛下一切工作不做，去建造囚禁红线的囚车——虽然凤凰寨里有很多工作等着他做。

冒着雨季将至时的阵雨，薛嵩带着斧子出发，到山上去伐木做这个囚车。如果用山梨一类的木料，寨子里也有。但他已经决定，这座囚车要用柚木来建造。就我所知，不足三十岁的柚树只是些普通的木料，三十岁以上的柚木才是硬木，可以抛出光泽。高龄的柚木抛光之后，色泽与青铜相仿，但又不像青铜那么冷，正是做囚车的合适材料。薛嵩到山上去，找最粗的柚树下手，斧子只会锛口，一点都砍不进去——这是因为树太老，木料太硬，应该用电锯锯，但薛嵩又没有这种东西；细的柚树虽比较嫩，能够砍动，他又看不上眼。最后他终于伐倒了一棵适中的柚树，用水牛拖回家里，此时他已疲惫不堪，还打了满手的血泡。此后他把树放在院里的棚子里，等待木材干燥。雨季到来时，天气潮湿，木头干得很慢，他就在那座棚子里生起了牛粪火，来驱赶潮气。与此同时，他开始画图，设计那座关红线的囚车……我喜欢这样来写。

今天上午，有一个男人到寺院里来找我。他的额头有点秃，身材有点肥胖，左手的无名指上戴着很宽的金戒指，穿着绿色的西服……他说他是我表弟，在泰国做木材生意。虽然明知无望，我还是回忆了一番；但我想不起有过任何表弟。这说明我远远还没恢复记忆。然后他递给我一张名片，这张名片比扑克牌略厚，是柚木做成的，上面有镌出的绿字，陈某某，某某木材出口公司总经理。这张名片在手里沉甸甸的，带有一点檀香气，嗅起来像一块肥皂。我把它放到鼻子下面嗅着，还是记不起有这样一个表弟。于是他就责备道：表哥，你怎么了，真把什么都忘了？小时候咱俩净在一块儿玩。我说道：是呀，是呀；但口气却没有什么把握。这个自称是我表弟的人拿出皮夹来，里面有一张相片。这是我们小时的合影——一张五寸的黑白相纸，已经有点发黄了，上面有两个男孩子，这张相片引起了我极大的兴趣。

现在我又取出了那张柚木名片，把它夹在指缝中。它好像千块铁板，但比铁要温柔。正是因为这个缘故，薛嵩决定要用它做成一个囚笼，把红线装在里面，运进凤凰寨。这座笼子相当宽敞，有六尺见方，五尺高，截面是四叶的花朵形；上下两面是厚重的木板，抛光，去角；中间用粗大的圆柱支撑。薛嵩还想在笼子里装上一张凳子——更准确地说，是一块架在空中的木板；在木板上放上一块棕织的坐垫。众所周知，在硬木上可以雕花。薛嵩给囚笼的框子设计了一种花饰，是由葡萄藤叶组成。但他有很久没有见过葡萄，画出的葡萄叶和蓖麻叶相似。这样一座笼子可以体现薛嵩的赤诚，也可以体现他的温柔。用笼子的厚重、坚固体现他的赤诚，用柚木的质地和光泽来体现他的温柔……而红线坐在赤诚和温柔中间，双手和双脚各由一块木枷锁住，显得既孤独，又高傲。整个雨季里，薛嵩都坐在那间新建的草房里，在柚树的旁边，烤着牛粪火画图。从柚树砍断的一端不断地流出绿水，不顾外面降落的雨水，草房里温暖如春。有好几个月就这样过去了。

在我表弟拿出的相片上，两个男孩子都穿着蓝布学生制服。我还有点记得那种衣服，它有一个较小的直领，左胸上有一个暗兜；好处是式样简朴，年轻人穿上后，形象清纯一些；坏处是兜太少。两个孩子都留着平头，其中一个站在画面的中央，脸迎着阳光，一副虎头虎脑的模样，体质比较强壮。另一个站在画面右侧，略微低着头，把阴影留在了脸上。瘦长脸，体质也比较瘦弱。我把手指放在中间那个孩子的下巴上说：啊，原来我小时候是这样的。此时我表弟略呈尴尬之色，说道：表哥，你认错了。中间这个是我。后来，我又仔细看了看右面那个孩子，脸相和我有点近似。但我还是觉得，中央那个才是我。他（或者说，是过去的我）神情专注，好像很固执。他的皮肤也比较黑。在我的想象中，就是这个男孩子躲在雨季的屋顶下，在牛粪火边蜷着赭石色的身体，在画着一幅囚车的图样，想把他爱的女孩装进去。

2

薛嵩决定要抢红线为妻，为此他要做一辆囚车，把红线装在里面运进凤凰寨。他把砍倒的木材焙干，又找人帮忙把木头解成板材——因为木头太硬，这件事可不容易。这时候别人都以为他想要打家具，都劝他别用这样硬的木头，但他不听。他还想做两块枷，分头枷住红线的手和脚。后来他又决定从手枷做起，以此来练习他的木匠手艺。这是因为做手枷用的木料有限，做坏了也不可惜；除此之外，还可以让大块的木板继续干一干。这个东西可以分成两半，也可以借助一些卡榫严丝合缝地合为一体。当然，分成两半时，木板上应该有两个半圆形的槽，合起来时形成两个圆洞，这两个洞的尺寸应该和红线的手腕相吻合。做到这里时，薛嵩就开始冥思苦索，因为他不知道红线手腕的尺寸。后来他觉得不妨实际看一看，就丢下木匠活，出发去找红线。

此时雨季已过，原野上到处是泛滥的痕迹——窄窄的小河沟两边，有很宽的、茵茵的绿草带——再过一些时候，烈日才会使草枯萎，绿色才会向河里收缩。此时草甚至从河岸上低垂下来，把土岸包得像个草包。渠平沟满，但水总算是退回了河里。红线就在小河里摸鱼。她站在水里，双手在河岸下摸索，因为鱼总待在岸边的泥窝里——水面平静，好像是一层油；河也不像在流动。这是因为雨季里落下的水太多，只能慢慢地流走。我总觉得自己在热带的荒野地方待过，否则，这个景象也不会如此逼真地出现在我眼前。这片荒原色彩斑斓，到处是被陆地分割后的静止水面，天上有很多云，太阳也看不见。

薛嵩就在这个景象面前，但他全神贯注地看着红线。看了好半天，只看到一个圆滚滚的小屁股；还看见一个脊背，上面有一串脊梁骨。薛嵩把每一块脊梁骨的位置和形状通通记住了，但他还是不知红线的手腕有多粗。这是因为他站在红线的背后，离得还比较远。而红线则躬下身去，闭着眼睛，双手在淤泥中摸索——这些泥是这个雨季里刚刚淤下来的，还没有变成土，所以细腻到几乎温柔，而且是暖洋洋的。有时候，她的指端遇上一股冷流，那就是淤泥下的一小股泉水。有时候她的指端遇上了一股温暖，那就是摸到了自己的脚趾。有时候手指遇上了蠕动中的黄鳝，因为现在天气暖，再加上是在软泥里，就很难把它捉住——这种东西滑得很。红线期待着手忽然伸到一个空腔里，这里有很多尖刺来刺她的手——这就是她要找的鱼窝。那里面有很多高原上的胡子鲇鱼，密密层层地挤在一起，发现有人把手伸起来，就一齐去啄那只手——其实不啄还好些，这一啄把自己完全暴露。假如发现了这种鱼窝，红线就会不动声色地把手抽回去，做好准备，再把它们一举捉光。我不记得自己什么时候在河沟里摸过鱼，但是这个过程我感到十分亲切。红线全神贯注地做这些事，但也感到有一股冷流，就如一股泉水，阴阴地从背后袭来。作为一个小姑娘，她很知道这是有一个臭男人在打她的主意。所以，后来她只是假装在摸鱼，实际上却在听背后的声音：有无压抑的鼻息、蹑手蹑脚的脚步声——她准备等他走近，然后猛一转身，用膝盖朝他胯下一顶——此后的情景也不难想象：那个男人蹲在水里，翻着白眼，嘴里吼吼地乱喊一通。说实在的，我很希望薛嵩被红线一膝盖顶在小命根上，疼得七死八活。但是这件事并未发生。

实际发生的事情是这样的：后来，红线站起身来，用手往前顶了顶自己的腰，就转过身来；发现身后空无一人，只是在小河对面老远的地方，薛嵩坐在草地上。她眯起眼来说：噢！是薛嵩！如前所述，此时雨季刚过，天上布满了密密层层的云朵，好像一窝发亮的白羽毛，天地之间也充满了白云反过的光线。红线发现了薛嵩，就涉过了小河，水淋淋地坐在薛嵩身边，告诉他一些鸡毛蒜皮的事情：比方说，现在雨季刚过，不冷不热，是一年里最好的时节。过一些日子，天气要转为湿热。再过一些日子，天气还会转为干热。这是因为她觉得薛嵩是个新来的人，不知道此地的情况，需要她来介绍一番；还因为她对薛嵩有好感。薛嵩一声不吭地听着，猛地一伸手，捉住了她的左手，用一根棉线量了她的手腕；然后又捉住她右手，量了右手的手腕。本来量一个手腕就够了，但薛嵩害怕红线两只手的腕子不一样粗，就多量了一只。假如你是一位能工巧匠，就会知道，小心永远不会是多余的。做好了这两件事，薛嵩满脸通红，起身拔脚就走，对自己的所作所为未加解释。他也觉得自己的行径太过突兀。但不管怎么说，红线手腕的尺寸他已知道了。剩下红线一人坐在草地上，她觉得薛嵩的举动像一个谜。她想了一会儿，没想出他要干什么，就起身下河去，继续摸鱼。据我所知，那一天她找到了好几个鱼窝，不但满载而归，还有几个鱼窝原封未动地留着，只是在岸上做了标记。这种标记是一根竹篾条，上面用她的牙咬过。以后别人在河里摸到了这个鱼窝，看到了岸上有这种标记，就知道这是红线先发现的，是她的财产，就不摸坑里的鱼。而红线原准备第二天来摸这些鱼，但第二天她把这些鱼窝通通忘记了，总也不来摸，这些泥坑里的鱼因而长命百岁；比那些被捉住的鱼幸福得多。据我所知，后者被逮到了篓子里还继续活着，直到红线烧熟了一锅粥，把那些鱼倒进去，才被活生生地烫死了。据说这种粥很是鲜美，而且是补的。但那些被烫死的鱼不见得会喜欢这样的粥。

等到天气热了起来，红线每天早上到草地上去捉蝗虫，用细竹签把它们穿起来。那些蝗虫被扎穿以后，还在空中猛烈地蹬着腿，嘴里吐出褐色的黏液。每捉到三五串，她就在草地上生一堆火，把蝗虫放上去烤，那些虫子猛蹬了几下腿，就僵住不动了；但它们的复眼还瞪着，直到被火烤爆为止。红线继续烤着蝗虫，直到它们通体焦黄而且吱吱地冒油，就把它们当羊肉串吃掉。蝗虫又香又脆，但这些蝗虫对自己是如何又香又脆这一点，肯定缺少理解。然后这个小女孩就到干涸的水田里去挖黄鳝，挖到以后放到干草里烧。黄鳝在被烤着以后会往地下钻去，但是遇上了一片硬地，变成螺旋状，就被烧死在那里。此后红线把它的尸体拿起来，吹掉上面的灰，然后吃掉。假如她逮住了一条蛇，就把它的皮扒掉，扔到滚开的水里；蛇的身体就在锅里翻翻滚滚。总而言之，她是这片荒原上的一个女凶手。而薛嵩却躲在家里，给这个凶手制造枷锁。

3

知道了红线手腕的尺寸，薛嵩很快把手枷造成了。那东西的形状像一条鲤鱼，不仅有头、有身子、有尾，嘴上还有须。但是它身上有两个洞，这一点与鱼不同。薛嵩以为，红线把它戴在手上时，会欣赏到他的雕刻手艺。他还想把红线的脚也枷住，并且要把足枷做成圆形，像莲花的模样。但他又不知道红线脚腕的尺寸，所以又出发去找红线。这一回他看到红线在对付白蚁，把耳朵贴在蚁冢上听里面的动静。她告诉薛嵩，假如蚁窝里闹哄哄的，就是到了繁殖的时刻。当晚会有无数春情萌动的繁殖蚁飞出来，互相追逐、交配。配好以后落在地下，咬掉翅膀，钻到地下去，就形成一窝新的白蚁。不幸的是，当它们飞出蚁巢时，红线会在外面等着，用一个大纱袋把它们全部兜住；等它们在里面交配完毕，咬掉了翅膀，就把它们放到锅里去炒。据说这种炒白蚁比花生米还要香；要用干锅去爆炒，以后还能出半锅油。她还说，假如今晚薛嵩也来帮助捉白蚁，她就把炒白蚁分他一半。可是薛嵩另有主意，他猛地蹲下身来，用棉线量了她脚腕的尺寸，然后又跑掉了。虽然红线不知道薛嵩的种种设计，但也隐隐猜到了他要干什么——就像一个人想到自己早晚会死掉一样。对此她有点忧伤。此后红线继续在山坡上嬉戏，但心里已经有了一点隐患。因为她已知道，薛嵩早晚要抢她为妻。

我表弟说，小时候我的手很巧，喜欢做航模、半导体收音机一类的东西。我的手很嫩，只有左手中指上有点茧子；这说明起码有十年我没做过手工活。从这点茧子上可以看出我原是左撇子，用左手执笔。但我现在不受这种限制，想用哪只手就用哪只手：一般情况下我尽量用右手，急了用左手，因为左手毕竟灵活些。不管怎么说吧，我喜欢知道自己小时候手巧。我表弟还说，我从小性情阴沉，寡言少语，总是躲人，好像有些不可告人的秘密；这个消息我就不大喜欢。我想象中的薛嵩有一双巧夺天工的手，用一把雕刻刀把一块木头雕成一只木枷，然后先用粗沙打，后用细沙抛光，又用河床里淘出的白膏泥精抛光，这时候那个木枷已被抛得很明亮。最后一道工序是用他自己的手来抛光——薛嵩的皮肤是棕色的，但手心的皮肤和任何人一样是白的——说来也怪，经手心的摩挲，那枷就失去了明亮的光泽，变得乌溜溜的，发着一种黑光；但也因此变得更温和。就这样，他把手枷和足枷都做好了，挂在墙上。有了这两件成品，薛嵩的信心倍增。开始做囚笼的零件——首先从圆笼柱做起。但无论用斧用刨，都做不出好的圆形，为此薛嵩费煞苦心，终于决定要做一架旋床。他先设计出了图样，又砍了一棵野梨树，把它做成了。但是这旋床上第一件成品却不是柱子，而是一个棒槌形的东西，是用柚木枝枒车成的，沉甸甸的很有点分量。

　　薛嵩在棒端包好了软木，在自己头上试了一下，只在脑后轻轻一碰，就觉得天旋地转，一头栽倒在地上，过了一小时才爬起来。拿这么重的一根棍子去打个小姑娘，薛嵩自己也觉得不好意思。他只好另做了一根，这回又太轻，打在后脑勺上毫无感觉。后来他又做了很多棍子，终于做出了最合适的木棍。这棍子既不重，又不轻，敲在脑袋上晕晕乎乎的挺舒服；晕倒的时间正好是十五分钟。薛嵩在这根棍子上拴了一根红丝线作为标记。这使别人猜到了他的目标是红线。于是就有人去通知她说：大事不好了，我们那位薛节度使造了十几根棍子，要打你的后脑勺！红线此时正手执弹弓看树上的鸟儿，背朝着传话的人。她也不转过身来，就这么说道：

是嘛——口气有点随意。但传话的人知道，她不是漠不关心，于是就加上了一句：他要来抢你！红线耸耸肩说：抢就抢吧。等到那人要走时，她才加上一句：劳你问他一句，什么时候来抢我。传话的人没想到她会是这样，简直气坏了，所以不肯替她去问薛嵩。红线那天射下了好几只翠羽的鹦鹉，活生生地拔掉了它们的毛，放在火上烤得半生不熟，然后全都吃下去了。然后她就回家去，在草地上剩下一堆黑色的灰烬，还有一堆根上连着血肉的绿色羽毛。

后来，薛嵩把放柚木的草棚改成了工作间。这是因为他不想让别人看见他在做什么。他用竹片编了四面墙，把它悬挂在四根柱子上，棚子就变成了房子。他用掺了牛粪的泥把墙里抹过，再用石灰粉刷一遍，里面就亮了很多；对于外墙，他什么都没有做。这间房子的可疑之处在于既没有门，也没有窗子，要顺着梯子爬到墙上面，再从草顶和墙的接缝处钻进去——当然，里面也有一把梯子，这样他就避免了跳墙。他在地上生了两堆火，一堆是牛粪火，用来熬胶。在牛粪火里，放了好多瓦罐，熬着牛皮鳔、猪皮鳔、鱼鳞鳔、骨鳔，这些胶各自有不同的用处，但我没做过木匠，不太清楚。另外一堆是炭火，用来制作铁工具。薛嵩没有风箱，用个皮老虎来代替。在牛粪火边上是木匠的工作台，在炭火边上是铁砧子。薛嵩在这两个地点之间来回奔走，到处忙碌。虽然忙，但他绝不想请帮手，他在享受独自工作的狂喜。像这样的心境，我也仿佛有过。寨子里的人只听到铁锤打铁，斧子砍木头，却见不到薛嵩。因此就有种传闻，说他已经疯了。直到有一天，他把工作间的墙推倒，人们才知道他做了一个木笼子，有八尺见方，一丈来高。到了此时，他也不讳言自己的打算：他想把红线逮住关在里面。别人说，要关一个小女孩，用不着把笼子做那么高。薛嵩只简单地回答说：高了好看。我以为他的看法是对的。

4

有人跑去告诉红线薛嵩造了个笼子，还补充道：看样子他想把你关在里面，一辈子都不放出来。红线有点紧张，脸色发白，小声地说道：他敢！告诉她这件事的人说：有什么他不敢干的事？你还是快点跑了吧。然后，这个人看到红线表现出犹豫的神情，感到很满意。这是早上发生的事。到了中午，红线就潜入薛嵩的后院，看他做的活儿。结果发现那座笼子比她预料的还要大，立在草棚里，像一个高档家具。在笼子的四周还搭了架子，薛嵩在架子上忙上忙下，做着最后的抛光工作。在笼子后面，还残留着最后一堵墙，上面挂着好几具木枷，还有数不清的棍棒。红线大声说道：好哇！你居然这样地算计我！薛嵩略感羞愧，但还可以用勤奋工作来掩饰。此时还有两根笼柱没有装上，红线就从空当中钻进笼子里。如前所述，笼子里有一条长凳，这凳子异常地宽，所以说是张床也可以，上面铺着棕织的毯子。红线就躺到长凳上，双手向后攀住柱子，说道：这里面不坏呀。好吧，你就把我关起来吧。但上厕所时你可要放我出来呀。薛嵩听了倒是一愣，他根本就没打算把红线常关在笼子里。他把墙打掉，是想给这笼子装车轮。总而言之，这囚笼只是囚车的一部分，不是永久的居室。

愣过了以后，薛嵩想到：既然人家提了出来，就得加以考虑，给这笼子装个活门。但到底装在哪里，只有在笼里面能看清。所以他叫红线出来，自己钻到笼里，上下左右地张望。而红线在外面溜溜达达，抄起一具木枷，往自己身上比画了一下说，好哇薛嵩，这种东西你也好意思做。薛嵩的脸又红了一下，他没有回答。后来红线就帮薛嵩干活——帮他造那些打自己、关自己、约束自己的东西。孩子毕竟是孩子，就是贪玩，也不看玩的是什么。有了两个人，工程的进度就加快了。但直到故事开始的时候，这囚车还没有完工，但已在安装抽水马桶。薛嵩给红线做了一张很大

的梳妆台，台上装了一面镀银的铜镜，引得全凤凰寨的人都来看。有人说，薛嵩对红线真好。也有人说，薛嵩太过奢华，要遭报应。

【二】

1

在故事开始时，我提到有个刺客（一个亮丽的女人）来刺杀薛嵩。据说此人在设计狙杀计划、设伏、潜入等等方面，常有极出色的构思，只是在砍那一刀时有点笨手笨脚；所以没有杀死过一个人。她也没能杀死薛嵩，只砍掉了他半个耳朵。还有一种说法是，这个女人的目标根本就不是薛嵩，而是红线。只是因为被薛嵩看到，才不得不砍了他一刀。后来她再次潜入薛嵩的竹楼，这回不够幸运，被红线放倒了。这件事很简单：红线悄悄跟在她身后，拿起敲脑袋的棍子（这种东西这里多得很）给了她一下，就把她打晕了。等到醒来时，她发现自己的手脚都被木头枷住，躺倒在地上，身前坐了一个橄榄色的女孩子，脖子上系着一条红带子，坐在绿色的芭蕉叶上。这女孩吃着青里透黄的野樱桃，把核到处乱吐，甚至吐到了她身上；并且说：我是红线，薛嵩是我男人。那女刺客蜷起身子，摇摇脑袋，说道：糟糕。她记得自己挨了一闷棍，觉得自己应该感到头晕，后脑也该感到疼痛，但实际上却不是，因为那个棍子做得很好——这个故事因此又要重新开始了。但在开始之前，应该谈谈这囚车为什么没完工。照薛嵩原来的构思，完成了囚笼就算完成了囚车的主体部分。但后来发现不是这样，主体部分是那对车轮。笼子这样大，车轮也不能小。按薛嵩的意见，车轮该用柚木制造；但木材不够了，又要上山砍树。但红线以为铁制的车轮更好。经过争论，红线的意见占了上风，于是他们就打造轮辐、车轴，还有其他的零件。做到一半，忽然想到连轮带笼，这车已是个庞然大物，有两层楼高，用水牛来拖恐怕拖不动。于是又想到，由此向南不过数百里，山里就有野象出没。在打造车轮的同时，他们又在讨论捕、驯、喂养大象的事。他们做事的方式有点乱糟糟，就像我这个故事。但是可以像这样乱糟糟地做事，又是多么好啊。

在这个乱糟糟的故事里，我又看到了我自己。我行动迟缓，头脑混乱，做事没有次序。有时候没开锁就想拉开抽屉，有时没揭锅盖就往里倒米。但那个自称是我妻子的女人并不因此而嫌弃我。现在就是这样，我乱拔了一阵抽屉，感到筋疲力尽，就坐下来，指着它说：抽屉打不开。她走过来，拧动钥匙，然后说，拉吧——抽屉应手而开。我只好说：谢谢。你帮我大忙了。这是由衷的，因为刚才我已经想到了斧子。她从我身边走开，说：你这都是故意的。我问：为什么呢？她说：你想试试我到底是不是你老婆。这就是说，我故意颠三倒四。假如她不是我老婆，就会感到不耐烦；假如是我老婆，就不会这样。所以，结论是：她是我老婆，虽然我自己想不起来了……她想的是有道理的。我说：原来是这样，我明白了。她又折了回来，一把搂住我的头，把它压在自己的乳房上，说道：你真逗……我爱你。然后把我放开，一本正经地走开。这件事的含义我是明白的：不是我老婆的女人，不会把我的头压在自己乳房上。所以，结论还是：她是我老婆。不会有别的结论了。白天的结论总是这样。晚上则相反。按夫妻应有的方式亲近过之后，我虔诚地问：我没有弄疼你吧？你还没有讨厌我吧？回答是：讨厌！你闭嘴！这不像是夫妻相处的方式。因为有个晚上，我已经彻底糊涂了。

我的故事又可以从新开始道：某年某月某日，在凤凰寨薛嵩家的后院里，那个亮丽的女刺客坐在一捆稻草上，手脚各有一道木枷锁住。她的身体白皙，透着一点淡紫色。红线站在她面前，觉得这个身体好看，就凝视着她。这使她感到羞涩，就把手枷架在膝盖上，稍微遮住一点；环顾四周，所见到的都是庄严厚重的刑具，密密麻麻。身为刺客，失手被擒后总会来到某个可怕的地方，她有这种思想准备。但她依然不知人间何世。同时，因为这个刺客的到来，红线和薛嵩生活的进程也中断了……我真的不知道，这个故事会把我引向何处。

2

我的故事从红线面对那个女刺客时重新开始。她对她有了好感，就说：来，我带你看看我们的房子。世界上任何地方的人招待客人，都从领他看房子开始。那个女刺客艰难地站了起来，看着自己脚上的木枷，说道：我走不动呀。红线却说：走走试试。然后女刺客就发现，那个木枷看似一体，实际上分成左右两个部分，而且这两部分之间可以滑动，互相可以错开达四分之三左右……总而言之，带着它可以走，只是跑不掉。那刺客不禁赞美道：很巧妙。红线很喜欢听到这样的话。她又说：你还不知道，手也可以动的。于是刺客就发现，手上的枷也是两部分合成，中间用轴连接，可以转动，戴着它可以掏耳朵、擤鼻子，甚至可以搔首弄姿。这些东西和别的刑具颇有不同，其中不仅包含了严酷，还有温柔。刺客因此而诧异。这使红线大为得意，就加上一句：这可是我的东西，借给你戴戴。那刺客明白这是小孩心性，所以笑笑说：是，是，我知道。这使红线更加喜欢她了。她引她在四处走了一遭，看了竹楼，但更多的是在看她和薛嵩共同造造的东西，特别是看那座未完工的囚车。在那个深棕色的庞然大物衬托下，那个女人显得更加出色。看完了这些东西，她回到那堆稻草上，跪坐在自己的腿上，出了一阵神，才对红线说：你们两个真了不起。

说实话，真了不起。红线听了以后，从芭蕉叶上跳了起来，说道：我去烧点茶给你——估计得到晚上才能杀你。然后她就跑了。只剩女刺客一个人时，她不像和红线在一起时那么镇定。这是因为红线刚才说了一个"杀"字，用在了她身上；而她只有二十二岁，听了大受刺激。

后来发生的事是这样的：红线提了一铜壶茶水回来，还带来了一些菠萝干、芒果干。她把这些东西放在地下，拿起一把厚木的大枷说：对不起啊……我总不能把滚烫的茶水交在你手里，让你用它来泼我。那女人跪了起来，把脖子伸直，说道：能理解，能理解。红线把大木枷扣在她脖子上，把茶碗和果盘放在枷面上，用一把亮银的勺子舀起茶水，自己把它吹凉，再喂到她嘴里。如此摆布一个成年美女，使红线觉得很愉快。而那个刺客就不感到愉快。她想：一个孩子就这样狡猾，不给人任何机会……然而我的心思已经不在事件的进程之中。在那个枷面上，只有一颗亮丽的人头，还有一双性感的红唇。当银勺移来时，人头微微转动，迎向那个方向……这个场景把我的心思吃掉了。

那个女人在院子里度过了整个白天。早上还好，时近中午，她感觉有点冷，然后就打起了哆嗦。后来她对红线说：喂，我能叫你名字吗？红线说：怎么不可以，大家是朋友嘛。她就说：红线，劳驾你给我生个火。我要冷死了。红线斜眼看看她，就拿来一个瓦盆，在里面放了两块干牛粪，点起火来。那女人烤起火来。当时的气温怕总有三十八九度，这时候烤火……红线问道：你是不是打摆子？女人答道：我没有这种病。红线接着说下去：那你就是怕死。同时用怜悯的目光看她。那女人马上否认道：岂有此理！我也是有尊严的人，哪能怕死？来杀好了……她滔滔不绝地说了起来，但红线继续用怜悯的眼光看她，她就住了嘴。过了一会儿，她又承认道：是。你说得对。我是怕死了。说着她又大抖起来。后来她又说：红线，劳驾给我暖暖背。火烤不到背上啊。红线搂住她的双肩，把橄榄色的身体贴在她背上。如此凑近，红线嗅到了她身上的香气，与力士香皂的气味相仿，但却是天生的。虽然刚刚相识，她们已是很亲近的朋友。但在这两个朋友里，有一个将继续活着，另一个就要死了。

3

有一件必须说明的事，就是对于杀人，红线有一点平常心。这是因为原来她住的寨子里，虽不是总杀人，偶尔也要杀上个把。举例来说，她有一个邻居，是三十来岁一个独身男子，喜欢偷别人家的小牛，在山坳里杀了吃掉。这件事败露之后，他被带到酋长面前；因为证据确凿，他也无从辩解，就被判了分尸之刑。于是大家就一道出发，找到林间一片僻静之地。受刑人知道了这是自己的毙命之所，并且再无疑问之后，就进入角色，猛烈地挣扎起来。别人也随之进入角色，一齐动手，把他按倒在地，四肢分别拴到四棵拉弯的龙竹上，再把手一松，他就被弹向空中，被绷成一个平面，与一只飞行中的鼯鼠相似。此时已经杀完了，大家也要各自回家。但这个人还没死，总要留几个人来陪他。红线因为是近邻，也在被留的人之中。这些被留的人因为百无聊赖，又发现那个绷在空中的人是一张良好的桌子，就决定在他身上打扑克牌。经过受刑者同意，他们就搬来树桩作为凳子，在他身边坐下来。为了对他表示尊敬，四家的牌都让他看，他也很自觉地闭着嘴，什么都不说。但是这里并不安静，因为受刑人的四肢在强力牵引之下，身体正在逐步解体，他也在可怕的疼痛之中，所以时而响起"剥"的一声。这可能是他的某个骨节被拉脱臼，也可能是他咬碎了一颗牙。不管是什么，大家都不闻不问。红线坐在他右腿的上方，右肋之下。伸手拿牌时，右手碰到一个直撅撅、圆滚滚、热烘烘的东西。她赶紧道歉道：对不起，不是有意挑逗你！对方则在牙缝里冷静地答道：没关系! 我都无所谓! 严格地说, 那东西并不直, 而是弧线形的, 头上翘着; 也不太圆, 是扁的。红线问道: 平时你也这样吗? 回答是: 平时不这样, 是抻的——这就是说, 假如一个人在猛烈的拉抻中, 他的那话儿也会因此变扁。在牌局进行之中, 大家往后挪了几次位子, 因为他正变扁平, 而且慢慢向四周伸展开来。后来他猛然喝道: 把牌拿开! 快! 然后, 他肚皮裂开、内脏迸出、血和体液飞溅; 幸亏大家听了招呼, 否则那副纸牌就不能要了。

后来, 这位偷牛贼说: 现在我活不了啦。你们放心了吧? 可以走了。此时大家冷静地判断了形势, 发现对方已被拉成了个四方框子。肠子、血管和神经在框内悬空交织, 和一张绷床相似。像这个样子想再要活下去, 当然多有不便。所以大家同意了他的意见, 离开了这个地方。走时砍倒了几棵树, 封锁了道路; 这个地方和这个人一样, 永远从大家的视野中消失了。由此, 对杀人这件事, 可以有一个定义: 在杀之前, 杀人者要紧紧地盯住被杀者, 不给他任何活下去的机会; 在杀之后, 要忍心地离去, 毫不留恋。在"之前""之后"中间, 要有一个使对方无法存活的事件。对于这位偷牛贼来说, 这件事就是被拉成床框。在这个杀法里, 事件发生得很快。别的杀法就不是这样。举例来说, 有一种杀法是把被杀者的屁股割开, 让他坐在一棵竹笋上。此时你就要耐心等待竹笋的顶端从他嘴里长出来。此后, 他就大张着嘴, 环绕着这棵竹子, 再也挣不脱……对于这位女刺客, 则是把她的脖子砍断。要如此对待一个朋友, 对红线是很大的考验。越是杀朋友, 越是要有平常心。身为苗女, 她就是这样想问题。她没觉得有什么不对。

还有一件需要补充的事, 就是对于让自己被杀掉一事, 那个女刺客没有平常心。她对红线抱怨道: 你看, 我活着活着, 怎么就要死了呢? 此时红线趴在她的背上, 双手抱着她的肩膀, 用舌头去舔她的发际, 所答非所问地说道：你是甜的哎。然后又鼓励她道：就这么甜甜地死掉，有什么不好？那个女人因此说道：我倒宁愿苦上一些。红线又把鼻子伸到她的背上，就如把鼻子伸进了一个熟透的木瓜，或是菠萝蜜的深处。她不禁赞叹道：很好闻。那个女刺客说：她倒宁愿难闻一些。最后，女刺客终于转过半个身子，朝红线抱怨道：你干吗要杀掉我！红线皱皱鼻子，冷静地答道：谁让你来行刺——这怪不得我。那女人因此低下头来。她也觉得这话不该说。

4

在这个女刺客被红线逮住的事情上，我恐怕没有穷尽一切可能性。这个女人的身体的质地像是一种水果。也许可以说，她像一个白兰瓜，但这种甜瓜在白里透一点绿，或是一点黄色；但她的身体如前所述，是在白色里面透一点玫瑰色。找不出一种瓜果来和她配对——应该承认自己在农业方面的浅薄。红线看着她的身体，总觉得把她一刀杀掉之后不会流出血来，只会流出一种香喷喷的、无色透明的液体。因此她对杀掉这位朋友感到无限的快意。顺便说一句，那个女刺客觉得大家既然是朋友，就没有什么不该说的话，所以总在转弯抹角地求红线放了她。后来，红线觉得不好意思直接推托，就找了个借口道：这家里我做不了主。这样吧，等会儿薛嵩回来你去求他。我也可以帮你说说……那女人听后几乎跳了起来，带着深恶痛绝的态度说：求他？求一个男人？那还不如死了的好！这个腔调像个女权主义者。在唐朝，每个女人都是女权主义者。不但这位女刺客是女权主义者，红线也是女权主义者，她对这位被擒的刺客抱着一种姐妹情谊。但她还是觉得刺客应该被杀掉，不该被饶恕。她还觉得杀掉刺客，免得她再去杀人，也是为她好。

【三】

1

　　傍晚，薛嵩回家时，看到那个女刺客心定气闲地等待死亡，她真是惊人的美。此时只有一件事可干，就是把她带出去杀掉；薛嵩也这样做了。那女人在引颈就戮时，处处表现了尊严与优美。这使薛嵩赞叹不已。虽然她砍掉了他半个耳朵，但他决定不抱怨什么。但是薛嵩看到的事件是片面的，还有很多内情他没看见。红线看见了那些内情，但她决定忘掉这些事——记住朋友的短处是不好的。比方说，下午时那个女人曾喋喋不休地说道：她觉得自己有种冲动，一见到薛嵩就要朝他跪拜，苦苦哀求他饶她一命。当然，她也明白向男人跪拜、哀求饶命都是不可能的事情，但她真不知怎样才能抑制这种冲动。而红线把头从她肩后探出来，注视着那女人的胸前。她觉得她的乳房好看，就指着它们说：能让我摸摸吗？刺客答道：怎么不可以？反正我要死了……总而言之，那女人在为死而焦虑着，红线却一点都不焦虑。那女人发现红线心不在焉，就说：你怎么搞的！一点忙都不帮吗？红线把手从她胸前撤了回来，说道：我能做点什么？噢！我去给你烧点姜汤水。说着就要离去。这使刺客发起了漂亮女人的小脾气：喂！你一点主意都不出吗！根据我近日的观察，越漂亮的女人越会朝别人要主意，而我在出主意方面是很糟糕的。红线听了这句抱怨，转过身来，吐吐舌头说：没有办法，我岁数小嘛。然后她就去烧姜汤了。

　　就我所知，红线不是那种对朋友漠不关心的人。在烧水时，她替刺客认真地考虑了一阵，就带着主意回来了。这主意是这样的：你可以在笼子里住上一段时间，等到不怕了再杀你——不过不能长了，这笼子是我有用的……那女人看了看身后那具棕绿色的囚笼，又看看红线那张嘻笑的小脸，明白了这是对她怯懦的迁就，除了拒绝别无出路了。这就是说，除死之外，别无出路……于是，她跪了起来，摆正了姿势，坐在自己腿上，把手枷放在大腿上，挺直了身体，说道：我明白了。就在今天晚上杀吧。不过，这两块木板可真够讨厌的，杀的时候可得解下来。红线马上答道：没有问题。没有问题。她为她高兴，因为她决定了从容赴死，所以恢复了尊严。

如前所述，那女人被杀时没有披枷戴锁，只是被反拴着双手。这是她自己的选择。红线说，等薛嵩回来，我们就是两个人。两个对一个，谅你跑不掉。可以不捆你的手。那女人想了一下说：捆着吧，不然有点滑稽。她是被一刀杀掉的。红线建议用酷刑虐杀她，还觉得这样会有意思，但她皱了皱眉头说：我不喜欢。这主意又被否定了。当晚薛嵩揪着她的头发，红线砍掉了她的头。这也是她自己的选择。红线自己对揪头发有兴趣，想让薛嵩来砍头，但那女人说：我喜欢你来砍。这件事就这样定下来了。红线不想把她的头吊上树梢；但那女人说：别人都要枭首示众，我也不想例外。一切事情都是这样定的，因为那女人对一切问题都有了自己的主意。最后，红线建议她在脖子上戴个花环，园里有很好的花，那女人说：不戴，砍头时戴花，太庸俗。这件事就这样定下来了。

晚上，薄雾降临时，听到有人从寨外归来，她对红线说：拿篾条来捆手吧——可不要薛嵩用过的。红线就奔去找篾条。回来的时候，红线有点伤感地说：才认识了，又要分手……要不过上一夜，明早上杀你？早上空气好啊。对于这个提议，她倒是没有简单地拒绝，而是从眼睛里浮起了笑意：来摸摸我的腿。红线在她美丽的大腿上摸了一把，发现温凉如玉——换言之，她体温很低。那女人解释道：我已经准备好了，不想重新准备。于是，红线给她卸开手上的木枷，她闭上了眼睛；坦然承认道：整整一天，她都在研究怎样开这个木枷，但没有研究出来；现在看到怎么开，就会心生懊悔。然后她睁开眼睛，对红线说：我很喜欢你。红线说：我能抱抱你吗？那女人狡黠地一笑，说：别抱，你要倒霉的。就转过身去，让红线拴住她的手。就在薛嵩走进院子时，她让红线打开了她的足枷。就这样，除了杀死她之外，什么都没给薛嵩剩下。

很可惜，这两个朋友走向刑场时，却不是并肩走着。红线走在后面，右手擎着刀，刀头放在肩上；左手推着那女人的肩膀——左肩或右肩——给她指引方向。因为友谊，她没有用手掌去推，觉得那样不礼貌。她只是用指尖轻轻一触。红线说：别想跑啊，这地方我比你熟——这意思是说，她跑不掉。那女人侧着头，躲开自己的散发说：怎么会？我不想失掉你的友谊。她还说，你还保持着警惕，我很喜欢这一点。除了是朋友，她们还是敌人，在这些小事上露出蛛丝马迹。到了地方以后，刺客往地上看了看。这是一片长着青苔的泥地。红线猛然觉得不妥，想去找个垫子来。那女人却说：没有关系，就跪在地下。一般来说，跪着有损尊严，但杀头时例外。这时是为了杀着方便。倘若硬撑着不跪，反倒没有尊严了。

在死之将至时，刺客和红线还谈了点别的。有关男人，刺客是这样说的：男人热烘烘的，有点臭味。有时候喜欢，有时候不喜欢。后来红线时常想起这句话来，觉得很精辟。有关性，前者的评论是：简单的好，花哨的不好，这和死是一样的。这使红线的观念受到了冲击，想到自己期待着被薛嵩打晕，坐在高楼一样的囚车里驶入凤凰寨，也有花哨的嫌疑。有关女同性恋，刺客说：有点感觉，但我不是。红线马上觉得自己也不是同性恋者。有关薛嵩，她说：看上去还可以。红线对这个评价很满意。有关谁派她来杀薛嵩，刺客说：这不能说。红线想，她答得对，当然不能说。总而言之，这都是红线关心的问题，她一一做了解答。她还说：同样一件事，在我看来叫作死，在你看来叫作杀，很有意思。很高兴和你是朋友。

杀吧。此时她跪在地下，伸长了脖子，红线擎着刀。红线虽然觉得还没有聊够，但只好杀。杀过之后，自然就没有可聊的了。

2

对以上故事，又可以重述如下：那个女人，也就是那个刺客，潜入凤凰寨里要杀薛嵩，被红线打晕逮住了。刺客被擒之后，总是要被杀掉的。对于这件事，开始她很害怕，后来又不怕了。怕的时候她想：我才二十二岁，就要死掉了。后来她又想：这是别人要杀我呀；所以就不怕。但她依旧要为此事张罗，出主意，做决定。举例来说，她背过身去，让红线用竹篾条拴她的手，此时红线曾有片刻的犹豫，不知怎样拴更好。那女人的身体表面，有一种新鲜瓜果般的光滑，红线不知怎样把竹篾条勒上去。她就出主意道：先在腰上勒一道，然后把手拴在上面；来，我做给你看。说着她就转过身去，但红线异常灵活地退后了很远，摆了个姿势，像一只警惕的猫；紧张得透不过气来，小声说道：别骗我呀——假如红线不退后，她就要把红线拴住了。

那女人的计谋没有成功。后来，她只好惨然一笑，又转了回去，背着手说：好吧，不骗你。来捆吧。于是红线回来，把她捆住。就按她说的那种捆法，只是捆得异常仔细：不但把两只手腕捆在一起，还把两个大拇指捆在一起。她还想把每对手指都捆在一起，但那女人苦笑着说：这样就可以了吧？再仔细就不像朋友了。红线觉得她说得对，就仔细打了个扣，结束了这项工作。然后她退后了几步，看到细篾条正陷入刺客的腰际，就说：你现在像个男人了。这意思是说，从侧后看，她像个用篾条吊起龟头的男人。那女人明白了这个意思，侧过头来惨然说道：不要拿我开玩笑啊，这样不好。想到这女人就要被杀掉，红线也惨然了一阵，然后又高兴起来——她毕竟是个孩子嘛。

后来，红线转到那女人身前，端详着她浅玫瑰色的身体。在这个身体上，红线最喜欢腹部，因为小腹是平坦的，肚脐眼是纵的椭圆，其中坦坦荡荡地凸起了一些，像小孩子的肚脐。红线走上前去，把手放在上面，然后又谨慎地退开，说道：好看。那女人说：也就是现在好看。再过一些年就不会好看。然后她又补充道：当然，我也不能再过一些年了。此时她神色黯然。但在黯然的神色下面，她还在寻找红线的破绽。红线忽然说道：你跪下好不好？我也安全些。那女人往后挪了几下，向前跪下来；然后勉强笑笑说：待会儿你可得扶我起来啊——其实她在跪下之前就知道这是个狡猾的陷阱。因为脚上有一具木枷并被反拴着手，跪下就难以重新站起来，因而再没有逃走的机会。其实，红线也没有给过她这种机会，不然她已经跑了。有一瞬间，她感到很悲惨，几乎想向红线抱怨。但她最终决定了不抱怨。红线说，她要找几个熟透的樱桃给她吃，就离去了。她独自在院子里，坐在自己腿上，开始感觉到绝望。然而她最终却发现，绝望其实是无限的美好。

"绝望是无限的美好"，这句话引起我的深思。我可能会懂得这句话——如你所知，我失去了记忆，正处于绝望的境界；所以我可能会懂，但还没有懂……红线带着樱桃回来，一粒粒摘去了果梗，放进那个女人嘴里。每一粒她都没有拒绝，然后想把果核吐掉。但红线伸出手来，说：吐在这里。她就把果核吐进红线的掌心。红线把果核丢掉。吃过樱桃以后，这女人又坐在自己的腿上，微微有点心不在焉。而红线在一阵冲动中，在她对面跪下，说道：我想吻吻你。出于旧日的积习，那女人皱了皱眉，感觉自己不喜欢此事。转瞬又发现自己其实是喜欢的。于是她挺直了身体，抿抿嘴唇。红线用双手勾住她的脖子，端详了她一阵，然后把她拉近，开始热吻。此时她们的乳房紧贴在一起，红线发现对方的乳房比自己要坚实，感到很受刺激；但那女人的双唇柔顺，这又让她感到满意。那女人的头微微侧着，起初，目光越过了红线，看着远处。这使红线感到不满意。后来，她的目光又专注于红线，并且露出了笑意。最终红线想道：有满意，有不满意，其实这是最好的。就把她放开。此后那女人甩甩自己的头发，又坐了回去。你可能已经注意到了，她不想说什么。这一点和我是一样的。红线几次想要和她交谈，都碰了壁。后来，她总算给自己找了件事干：磨起刀来。

新刀的样子是这样的：长方形，见棱见角，装着木制的把，带着锻打时留下的黑色，刀口笔直。但这一把的样子颇为不同，它有一点浑圆，像调色板一类的东西，刀口向下凹去，与新月相似。这是一把旧刀，总在石头上磨，变得像纸一样薄，也没剩什么钢火。它有好处，也有不好处。好处是只要在沙石上蹭几下，就变得飞快。不好处是锋锐难以持久。红线磨刀时，那女人看了她一眼。她就比画了一下说：只砍一下，没有问题。那女人点点头说：噢。就把头转回去。红线觉得她心神恍惚，并没有明白。但她还要磨这把刀：用沙蹭出的刀口有点粗糙，割起来恐怕要疼的。她又用细磨石来磨，直到刀口平滑无损。然后，红线仔细端详着几乎看不到的刀口，想着：用这把刀杀人，对方感到的不是疼痛，而是一片凉爽；就像洒在皮肤上的酒精，或者以太——以太就是 ether，红线要是知道这个名词可就怪了——感到的只是快意。她拿了这把刀走过来，平放在那女人赤裸的肩上，并让烂银似的光芒反射在她脸上，给她带去一缕寒意，然后问道：喜欢吗？这是一个明确无误的表示，说明这就是杀她的刀。红线注意到那女人的目光曾有瞬时的暗淡，但马上又明亮了过来。她也明确无误地答道：喜欢。

红线在苗寨里住着时，那里杀人。被杀者神情激动，面红耳赤，肢体僵硬，每根神经和肌肉都已绷紧。每个人都大声说话，虽然说的是什么难以听懂；他们都又撑又拒，有人是和别人撑拒，有人是和自己撑拒。假如是杀头的话，让他们跪下来可不容易，而且每个人都要站着撒一泡热辣辣的尿，在这方面男人和女人颇有不同，但总能看出是做了同一件事。按这个标准来衡量，眼前这个女人颇有差距。她坐在那里，面带微笑，心神恍惚，就像一个人要哼歌时的样子。红线恐怕她已误入歧途，对自己行将被杀一事缺少了解，总想帮她回到正道上来，但没有成功。按照现在的讲法，那刺客没有请红线来摸她的腿，展示她的体温。她什么都没做。直到薛嵩回来，都是这样。但薛嵩依然觉得她是惊人的美。现在没有别的事可做，只好把她杀掉。死掉之前，她也没有和红线闲聊。因此，这是另一个故事了。在此后的日子里，红线经常怀念这个女人：她在她手里时，起初是个被俘的敌人，也是朋友。那时她不能接受被杀一事，总想逃掉。后来她接受了这件事，就既不是朋友，也不是敌人，也不想逃掉，变成了一个陌生人。而一想起这个陌生人，红线就感到热辣辣的性欲，而且想撒尿。

3

现在我想到，不提那刺客被杀的经过总是一种缺失，虽然这件事没有什么可讲的。在林荫里，那个陌生的女人跪在地下，伸直了脖子，颈椎的骨节清晰可见。红线一刀砍了下去，那把薄薄的旧刀不负红线的厚望，切过了骨节中的缝隙，把人头和身体分开。此后，人头拎在薛嵩的手上，身体则向前扑倒，变成了两样东西。身体的目标较大，吸引了红线的注意。它俯卧在地下，双肩上耸，被反绑着的双手攥成拳头，猛烈地下撑，把那根竹篾条拉得像绷紧的弓弦也似。与此同时，一股玫瑰色的液体，带着心脏的搏动从腔子里冲了出来，周围充满了柚子花的香味。当然，也有点辛辣的气味，因为这毕竟是血。这些血带有稀油般的渗性，流到地上马上就消失了，只留下几乎看不出的痕迹。等到血流完以后，那个身体（更准确地说，是脊背和背着的双手）好像叹了一口气一样，松弛了下来；双肩下颓，手也收回，交叉做X形，手指也向后张开。它微微屈起一条腿，就这样静止住。红线立刻上前，解开了竹篾条，因为人既死了，就用不着约束。而在此之前，她的这位朋友一直在她巧妙的约束之中。在这一瞬间，红线回想起她在她手里吃樱桃，觉得这件事非常之好——我很怀疑这样写有滥情的嫌疑，但既然已经写出来，也无从反悔——然后，死者的双手就滑落到身体的两侧，并半握成拳。她把这身体翻了过来。这身体的正面异常安详，似有一股温和的气氛扑面而来。这身体好像有呼吸，但其实是没有的。只是凸起的肚脐以自动武器连发的速度在跳动。红线觉得它以这种方式来承认自己已经死去，于是，就像台湾人说的那样，觉得"它好乖呀"。

然后，红线把那身体扶坐起来，感到它很柔软，关节也很灵活，简直是在追随她的动作。她又扶它站了起来，搀着它走向一个早已掘好的坑。这时红线觉得有人在身后叫她，回头一看，只见那颗人头提在薛嵩手里，瞪大了双眼，正专注地看着她们（含无头身体）。红线忍心地回过头去，搀着身体继续走，并不无道理地想：我也不能两头都顾啊。她把身体扶到坑底坐下，然后又让它躺好，然后捧起又湿又糯的黑色泥土，要把它埋葬。才埋了脚，她就觉得不妥，顺手抓住了一只草蜢，用草叶绑住，丢在坑里给身体陪葬。才埋住这只草蜢，她又觉得不妥当，就从坑里爬了出来，去找她的另一个朋友，也就是前面提到的小妓女，要一张蒲草的席子，想给尸体盖在身上。所以她要从薛嵩身边经过，而那个人头始终在专注地看着她。红线想假作不知地走过，但第三次觉得不妥当。于是她转过身，看那颗人头。那人头朝她一笑，很俏皮，还皱了皱鼻子，伸出舌头舔舔嘴唇。红线知道它在招她过去。她有点不乐意。Anyway，这人可是她杀的呀。

我像一支破枪一样走了火，冒出一个"Anyway"来。现在只好扔下笔，到字典上查它的意思。查到以后才知道，这个词我早就认识。我越来越像破枪，走火也成了常事。红线站在人头面前，看到它把湿润的双唇耸起，就知道它想让她吻它。这一回她有点不喜欢：不管怎么说，你可是死了的呀。但这念头一出现，人头就往下撇嘴，露出了要哭的意思。这使红线别无选择（毕竟是朋友嘛），把泥手往自己背上擦了擦，捧住它的后脑（这时她发现，这位朋友变得轻飘飘的了），吻它的双唇。这样做其实并无不适之处，因为这双唇比从前还温柔了很多。那双眼睛就在面前，它先往下看，看清了红线的面颊，又和红线短暂地对视，然后往上看，看红线的眉毛。最后转回来，满眼都是笑意，既快乐，又顽皮；但红线觉得很要命。她支持了一会儿，才把人头放开：先把它推开，然后放下去。这两个动作都是小心翼翼的，尽量轻柔、准确，把它放置在头发的悬挂之下；然后放开手，人头没有丝毫的摇晃。对方舔了舔嘴，笑了一笑，又眨眨眼。红线明白她在表示感谢。红线不禁想到：这颗人头与它被杀下来前相比，更性感、更甜蜜；其实她更加喜欢它；然后就赶紧不想——但已经想过了。其实红线还有正事要做——埋掉那个身体。但在人头的依依不舍面前，总是犹豫不定。最后她终于下定了决心，留下来陪它——我指的是人头，不是身体。这个故事的寓意是：不要杀朋友，杀成两块你忙不过来。但这故事本身并无寓意。

在那女人被杀时，薛嵩表现得木木痴痴，他只顾偷看人家的身体，特别是羞处，还很不要脸地勃起过几次。这使红线觉得很是丢脸，好在被杀的人并不在意。然后，这个男人用绳子拴住了人头的头发，要把它升起来，它却目不转睛地注视着红线，露出了乞求的神色。红线明白她的意思，她想让红线带着它，和它朝夕相处，起卧相随。事情是这样的：那位女刺客在被红线杀掉之前，只把红线当做朋友。到了被杀之后，就真正爱上她了。

红线实在不喜欢这个主意，也不喜欢被人头爱上，就假装不明白，把这个想法拒之门外。当那颗人头升起来时，满脸都是凄婉的神色。红线硬下心来，举手行礼，目送它升入高空。然后就跑回那个土坑里。就是这短短的几分钟，死尸的脖子上已经爬了一圈蚂蚁。她赶紧把它埋掉，顾不上找草席来盖了。然后她又回来，站在树下看那颗人头。此时林间已经相当幽暗，但树顶上还比较亮，那人头用期待的目光看着她。而红线硬下心来想到：我今天逮住了她，看守了她，把她杀掉，又埋了。而我只是个小孩子，总得干点别的事，比方说，去玩……所以她觉得自己此时没有爬上树梢去陪这位朋友，也蛮说得过去。但红线毕竟是善良的，她决定另找时间来陪这个朋友。但后来发生的事情很多，把她绊住了。

顺便说说，上次杀掉自己的邻居之后，红线也曾回去过，发现在闷热的林子里，那个人的一切都变成了深棕色，除了那对哆出来的眼珠子。那两个东西离开了眼眶，东歪西倒地挂着，依然是黑白分明的样子。其他的东西，包括原来鲜红的肠子，都变得像土一样，悬在空中，显得很不结实。几棵新竹穿过他的肚子，朝天上长着；还有几只捕鸟的大蜘蛛，在他的框架之内结了网。那地方有股很难闻的味儿。红线闭着气，在那里待了一会儿。后来，她觉得自己要憋死了，对自己表现出的善良感到满意，就转身离开了那地方。

4

现在我发现，这个故事最大的缺失是没有提到那女人的内心。我总觉得这是不言自明的，其实却远不是这样。被反绑着跪在地下时，她终于明白自己这回是死定了。至此，她一生的斗争都已结束，只剩下死。她也可以喜欢这件事，也可以不喜欢这件事。她决定喜欢这件事：对于无法逃避的事，喜欢总比不喜欢要好一些。

此后她就变得轻松，甚至是快乐起来。站在行将死去的人面前，会感到一团好意迎面而来。红线常参加杀人，对这种感觉很熟悉。比方说，上次那个邻居被拉成一张牌桌时，就说：红线，我家里有一张角弓，要就拿去。红线很高兴，说道：谢谢！我会怀念你！打掉一张红心Ａ。等他被拉成一张床框时，红线又到了他面前。这时他嘴里爬了好多蚂蚁，正在吃他的舌头，所以他含混不清地说：我有一把铜鞘的小刀，要就拿去。红线也说：谢谢。随着时间的推移，好意和臭味日重。最后一次他说：想要什么只管拿，别来了，会得病的。但红线毕竟是善良的，还常去看他，直到他变成土为止。这个女刺客也是这样的，漂亮的乳房也好，好看的肚脐也罢，要什么只管拿去。可惜的是，这些东西都拿不走，只能摸摸弄弄。这就是问题的所在。红线摸过了那个美丽的身体，咂咂嘴，就满意了；一刀把她的头颅砍了下来。而薛嵩没有触及这个身体，只是看到她的身体和眉梢眼尾的笑意，感到了她的好意，就受到很大的触动。作为一个思路缜密的人，他马上就想到自己所做的一切都错了。与其用枷锁去控制人的身体，不如去控制她的内心。这才是问题之真正所在。

如前所述，红线和那小妓女是朋友。所以，杀掉了另一个朋友之后，她来到小妓女的家里，并排躺在地板上，抽随手采来、在枕头下风干的大麻烟，并且胡聊一通。此时红线总要说到那辆柚木囚车，谈到里面状似严酷、实则温柔的陈设；还谈到那些巧夺天工的枷锁。当然，谈得最多的是，在未来的某一天，她会被套上这些枷锁，关进囚笼，成为永远的囚徒和家庭主妇，终身和那些柚木为伍，就再也出不来了。在此之前，她要做的是监督薛嵩把周到、细致、温柔和严酷都做到极致，在此之后，她就要享受这些周到、细致和温柔。

举例来说，身为家庭主妇，要管理果园和菜地，所以那辆囚车就有一套自动机构，可以越野行驶。红线在笼子里，透过栅栏，操作着一根长杆，杆顶有一个小小的锄头，可以除去菜地里的一棵野草，但不致伤到一棵邻近的菜苗。考虑到距离很远，红线手上有枷，不那么灵便，这条长杆自然是装在一个灵巧的支架上。听她说的意思，我觉得这好像是雅马哈公司出品的某种钓鱼竿。但她又说，另一根长杆可以装上一个小纱网和一把小剪子，伸到树上，剪下一个熟透的芒果。总而言之，红线把自己形容成一个斯诺克台球的高手。另一方面，你当然也想到了，这座囚车又是一辆旅行车。它可以准确地行驶在菜畦里，把车下废水箱里的东西（也就是红线自己的屎和尿）施到地里做肥料。红线还说，这些都不是这辆囚车的主题。主题是只有薛嵩可以进那辆车，带去周到、细致、温柔和严酷的性爱。所以，薛嵩的性爱才是这辆车的主题。因为薛嵩是如此缜密、苦心孤诣，红线才会住进这辆车。那个小妓女对这个故事不大喜欢，想要给红线泼点凉水，就说：恐怕那车没有你说的那么好。而红线吐了一个烟圈，很潇洒地说道：放心吧，不好我就不进去。我的后脑勺也不是那么容易打的——此时杀人时的感觉还没从红线身上退去。红线隐隐地感到，她对那个女刺客所做的一切，远远不能说把周到、细致、温柔和严酷都做到了极致。但她把这归咎于已死的女刺客；仿佛是说：谁让你被我打晕了。

现在轮到小妓女来炫耀自己，她只能把寨子里的男人说一说：某某和我好；我和某某做爱，快乐极了，等等。在这些男人里，她特别提到了薛嵩，一面说，一面偷看红线的脸色。但红线无动于衷。时至今日，红线还没和薛嵩做过爱，这使小妓女感到特别得意。但她也知道，一大筐烂桃也敌不上一个好桃。没有人对她这样缜密、这样苦心孤诣，大家都是玩玩，玩过就算了。她因此而妒嫉,甚至仇恨;但还不至于找人来把薛嵩杀掉。这是因为她还年轻,保持着善良的天性。假如年龄再大一些就难保了。然后,这两个朋友有一些亲热的举动,在此不便描写。

红线对小妓女说,遇上薛嵩,我已经死定了。说这话时,她已经坐了起来,抽着另一支大麻烟。此时她眉梢眼尾都是笑意,就和那被砍头的女刺客相似。那个小妓女说:我真不明白,死定了有什么好。也许红线应该解释说:虽然已经死定了,但不会马上死;或者解释说:这种死和那种死不同;或者解释说:这是个比方嘛。但她什么都不解释,手指一弹,把烟蒂弹到了门外;然后自己也走了出去;只是在出门时轻描淡写地说了一句:这个你不懂。于是那小妓女嫉妒得要发狂,因为自己没有死定。这个小小的例子使我想到,穷尽一切可能性和一种可能都没有一样,都会使你落个一头雾水。

后来,那女刺客的头就像一朵被剪下的睡莲花那样,在树端逐渐枯萎。莲花枯萎时,花瓣的边缘首先变成褐色,人头也是那样。她的面颊上起了很多黄褐色的斑点,很像是老年斑。当然,假如把斑点扣除在外,还是蛮好看。说实在的,她正在腐烂,发出烂水果那种甜得发腥的味道。但为了不让朋友伤心,红线照常吻她。人头每次见到红线,总要皱皱眉头,嘟起嘴来说一个字,从口形来看,是个"埋"字。红线知道她的意思,她要红线把她埋掉。在这方面,红线实在是爱莫能助。因为只有薛嵩是此地的主人,他说了才能算。于是她硬起心来,假装没有听明白,爬下树去了。这是因为薛嵩在树下练习箭法,红线要去陪他。

现在,薛嵩丢下了手上的木工活,在那棵挂着人头的树上刻了一颗红心,每天用长箭去射它。在红线看来,这应该是一个象征。但她怎么也想不出这象征的是什么。也许,这颗心象征着自己,箭象征着薛嵩的爱情。也许,这颗心象征着自己的那话儿,箭则象征着薛嵩的那话儿。不管象征着什么，反正红线被他的举动给迷住了。她站在薛嵩身边，从箭壶里取箭给他，态度越来越恭敬。起初是用一只手递箭给他，后来用两只手递箭给他。再后来，她屈下一条腿，把双手捧过头顶。在这个故事里，薛嵩没有用繁文缛节去约束红线。他用枷锁把她魇住了。这也是我的选择。拿枷锁和一种没落的文化相比，我更喜欢枷锁。而那位白衣女人读完了这个故事，怒目圆睁，朝我怒吼一声道：瞎编什么呀你！

第五章

【一】

1

　　早上我来上班时，看到我的办公室门敞开着。在我的办公桌——也就是那张香案——上，放着我的工作计划；除此之外，还有一股马尿的气味——这是领导身上的味，他总抽最便宜的烟卷，把这种气味留在一切他到过的地方。我记得自己把计划认真地修改过，交上去了，现在它又跑了回来，使我大吃一惊，生怕现存不多的记忆也出了问题。打开那个白纸册子，看到我在那页上打的补丁还在，这是个好现象。但有一个更坏的现象：我精心拟定、体现了高尚情操的三个题目上，被人打上了大红叉子。这三个题目是：《老佛爷性事考》《历史脐带考》《万寿寺考》。在这三个大叉子边上，还有四个字的批语："一派胡言"！这使我感到莫名的委屈。虽然这三个题目可能还不够崇高，但已是我能想到的最崇高的题目了。再说，就是这样的题目我也可能做不了。我真不知道领导的意图是什么，也许，他们想要我的命？我尽量达观地看待这件事，但还是难免愤恨。整整一上午都在愤恨中过去了。

　　将近中午时，白衣女人走进我的房子，见到我的样子，就把眉头挑了起来：怎么了你？我尽量心平气和地答道：没怎么，没怎么。她掏出个小镜来，说道：自己照照吧。镜子里是一张愤怒的灰色人脸，除了咬牙切齿，还是斗鸡眼——我还不知道自己有内斜视的毛病，在心情不好时尤为显著。这下可糟了，别人可以一目了然地看到我的内心——看来我该戴副墨镜。然后她在屋里走动，看到了桌上的表格，就大笑起来：原来是因为这个！你这家伙呀，没气性就不要耍无赖，气不了别人，老是气着你自己。现在我知道了自己是个鼠肚鸡肠的人，这使我很伤心，但又感到冤枉。我拟这三个题目不是想耍无赖、气领导，而是一本正经的。

我的故事重新开始时，一切如前所述。那个小妓女的房前，是一片绿色的世界。绿竹封锁了天空，门前长满了绿草，就是那片空地上，也长满了青苔。时而有剥落的笋壳、枯萎的竹叶飘落在地，在地上破碎地陈列着，老妓女马上就把它们扫掉。因为这个缘故，天黑以后，门前就会变成一片纯蓝色的世界，这个女孩讨厌蓝色。她常在空地上走来走去，把每棵竹子都摇一摇，不但摇下了枯萎的叶子，连半枯萎的也摇了下来。她觉得这没有什么，叶子可以在地下继续枯萎。但等她刚一走回房子，拉上拉门，老妓女就走了出来，提着木板钉成的簸箕，拿着竹枝编成的短笤帚，在空地上走上一圈，把所有的叶子（包括全枯萎的和半枯萎的）通通扫掉，然后嘟嘟囔囔地走回去。在做这件事时，老妓女赤裸着身体，弓着腰，在绿色之中留下白色的反差，所以像一只四肢着地的北极熊。然后，小妓女又跑出去摇竹子，老妓女又跑出去扫地，并且嘟囔得越来越厉害。这个小妓女因为年轻，而且天性快乐，所以把这当作一种游戏，没有想到这会给自己招来杀身之祸。

在我新写的故事里，也有一帮刺客受老妓女的雇佣，来到了凤凰寨里。但老妓女请他们来，不是要杀薛嵩，而是要杀死红线。这个故事的正确之处在于：同性相斥，异性相吸。老妓女既是女人，就不该要杀男人，应该是想杀女人才对。她给刺客先生们的任务是：红线必须杀死，薛嵩务必生擒。假如你说，刺客先生是男人不是女人，他们有自己的主见，会以为薛嵩必须杀死，红线务必生擒；那么你就是站在了正确的一面。更正确的意见是：老妓女请人杀红线，应该请女人来杀，女人更可靠。你说得对。老妓女这样干了一次，那个正确的刺客的脑袋已经被挂起来了。这说明请刺客时，不仅要找可靠的人，还要注意对方的业务水平。起初，老妓女想请一个可靠的人，就请来了那位漂亮的女刺客，但她业务水平低，没有杀着红线，只砍掉了薛嵩半个耳朵，还把自己的命送掉了。后来，她又请来了声誉最高的刺客，但这些人却很不可靠。

因为这个缘故，等到漫长的一天过去，蓝色降临时，就会有一个纯蓝色的男人从空地上走过。此人头很大，还打着缠头，像一个深海里的水母，飘飘摇摇地过去，走进老妓女的屋子。从门缝里看到这个景象以后，那女孩明白了老妓女为什么要扫地——倘若地上有枯枝败叶，人脚踩上就会有很大的响动，小妓女听到之后，就知道隔壁来了不明身份的男人，而老妓女不愿意让人知道——这是女孩的理解。实际上来的不是嫖客而是刺客头子，来和老妓女商讨杀薛嵩的事；所以这是一个很大的误解。因为老去摇叶子，老太太觉得她是薛嵩的眼线，所以决定在杀薛嵩的同时把她也杀掉。因为这个缘故，这个小妓女也落到了死定了的地步，这使她感觉很坏。

那天晚上她睡在门口，把拉门留了一个缝，把一只眼睛留在门缝里。这样，就是睡着了也能看见。夜里她在睡梦中看到有二十多个蓝色的人经过，醒来时很是吃惊，自己扳指头算了一遍，不禁脱口惊叹道：我的妈呀，这老太太不要命了！她爬起来，想去看看热闹，就溜出了门，溜上了人家的走廊。在她面前的是一个从里面被照亮的纸拉门。当她伸出舌头，想要舔破窗户纸时，被一只大手捂住了嘴，另有一只大手，箍住了她的脖子，更多的手正在她身上摸着，这些手又冷又湿，掌心似有些黏液。这女孩最怕这个。虽然如此，她还挣扎着回了一下头，看清了身后那些蓝色的人影，小声嘀咕了一句：全是那老东西害的！才无可奈何地晕过去了。

2

中午吃饭时，我对那白衣女人发起了牢骚：领导在我新拟的题目上打叉，叉掉《老佛爷性事考》我无话可说；为什么把《历史脐带考》也叉掉？他根本就不知我在说什么！前面所引的旧稿里已经提到，历史的脐带是一条软掉的鸡巴，这是很隐晦的暗语，从字面上看不出来的……那白衣女人沉下脸来说：这就要怪你自己长了一张驴嘴，什么话都到处去说！这话让我一激灵：原来我这么没城府，与直肠子驴相仿。我连忙压低嗓音问：我对领导也说了历史的脐带啦？她哼了一声说：还用和他说！别人就不会打小报告了？说起来就该咬你一口，只要能招女孩笑一笑，你能把自己家祖坟都揭开……此时我出了一身冷汗：我不但是直肠子驴，还是好色之徒！等我问起是谁出卖了我时，她却不肯说：我从不挑拨离间，你自己打听去吧……我不需要去打听了，因为我已经下定了决心，今后除她之外，什么女人我都绝不多看一眼，更不会和她们说话。但我还有一个问题：《万寿寺考》是我顺笔写上的，写时觉得挺逗，但不知逗在哪里。我把这问题也提了出来，那白衣女人不回答，只是用筷子敲碗，厉声喝道：讨厌！讨厌！我在吃饭！我也不敢再问了。但我知道"万寿寺"也是个典故，这典故是我发明的，人人都知道，只有我不知道。

在我新写的故事里，我决心把线索集中在那小妓女的身上。从外表看，她和红线很像，都长着棕色的身体，远看带点绿色，近看才不绿；但从内心来看就很不一样。主要的区别是，她还没被某一个男人盘算住，天真烂漫，心在所有的男人身上；当然，蓝色的男人例外。这种颜色的人她都送给了老妓女。这就是说，除了反对蓝色，她的内心是一片空白。

这个女孩子最怕冷和粘，因为她害怕蛇和青蛙。但是红线却不怕冷血动物，她常用左手拿住青蛙的腿，右手捏住一条蛇的脖子，让右手的蛇吞掉左手的青蛙。再把蛇嘴捏开，把青蛙拖出来。这样折腾上十几次，再把它们放开。以后蛇一见青蛙就倒胃；而青蛙见到了蛇，就狂怒起来，跳到它头上去撒尿。所以，假如用冷冰冰的手去摸红线，不仅不能吓晕红线，还会被她在睾丸上踢上一脚。但红线也并非无懈可击：她最怕耗子。用热烘烘、毛扎扎的手去摸她，就能把她吓晕。但小妓女却不怕耗子。她把耗子视为一种美味，尤其是活着的。她养了一箱小白鼠，常常抓出一只，用蜜抹遍它的全身，然后拎着尾巴把这可怜的小动物放到嘴里，作为每餐前的开胃菜。假如用热烘烘的手去摸小妓女，她不仅不怕，还会转身咬掉你的鼻子。这两个女孩有时拿同性恋作为一种游戏，但她们互相不信任。红线总要问：你今天吃没吃耗子？小妓女撒谎道：好久没吃了，我的嘴是干净的。她也问红线：你今天有没有用手去拿蛇？红线说：拿过，可我洗手了。我的手也是干净的。其实她根本就没洗手。她们互相欺骗，像一对真正的恋人一样。不知为什么，那些刺客做好了一切准备，要用凉手去摸小妓女（已经得逞了），还要用热手去摸红线（尚未得逞）。这就是说，他们在寨子里有内线，知道些内幕消息。

每个女孩都有弱点，当男人不知道这个弱点时，她才是安全的。但假如她的弱点为男人所知，必是因为另一个女人的出卖。小妓女在晕过去之前，认为自己是被老妓女出卖了。这种想法当然是很有道理。被人摸晕以后，她就被人捆了起来，嘴里塞了一只臭袜子，抬进老妓女的屋里。醒来以后，她就在心里唠叨道：妈的，怎么会死在她手里？真是讨厌死了！

在我的记忆中，夜有不同的颜色。有些夜是紫色的，星星和月亮就变得惨白。有的夜是透明的淡绿色，星星和月亮都是玫瑰色的。最惨不忍睹的夜才是如烟的蓝色，星星和月亮像一些涂上去的黄油漆。在这样的夜里摸上别人家的走廊去偷听，本身就是个荒唐的主意；因此丧命更是荒诞不经。自从到了湘西，小妓女就没有穿过衣服。现在她觉得穿着衣服死掉比较有尊严。她有一件白色的晨衣，长度只及大腿，镶着红边，还配有一条细细的红腰带，她要穿着这件衣服死去。她还有一个干净的木棉枕头，从来没有用过，她想要被这个枕头闷死。具体的方法是这样的：由一个强壮的男人躺在地上，她再躺在此人身上。此人紧紧抱住她，箍住她的双手，另一人手持枕头来闷死她，而且这两个男人都不能是蓝的。就是这样的死法，她也不觉得太有意思。

3

在我自己的故事里，我刚刚遭人出卖，被领导用红笔打了三个大叉子，虽然没有被人捆倒，没有被在嘴里塞上臭袜子，更谈不到死的问题，但心情很沮丧。按那白衣女人的说法，我是被女孩出卖的。这使我更加痛苦。这种痛苦不在小妓女的痛苦之下。逮住了小妓女，那些刺客就出发去杀红线。在他们出发前，老妓女特别提醒他们，这个小贼婆很有点厉害。那些人听了哈哈大笑，说道：一个小贼婆有什么了不起？嘻嘻哈哈地走了出去，未加注意，结果是吃了大亏。此后，只剩下小妓女和老妓女待在一个房子里，那个女孩就开始起鸡皮疙瘩，心里想着：糟了，这回落到贞节女人的手里啦。

妓女这种职业似乎谈不上贞节，这种看法只在一般情况下是对的。有些妓女最讲贞节，老妓女就是这种妓女中的一个。她从来不看着男人的眼睛说话，总是看着他的脚说话；而且在他面前总是四肢着地地爬。据她自己说，干了这么多年，从来没见过男人的生殖器官。当然，她也承认，有时免不了用手去拿。但她还说：用手拿和用眼看，就是贞节不贞节的区别。老妓女说，她有一位师姐，因为看到了那个东西，就上吊自杀了。上吊之前还把自己的眼睛挖掉了。有眼睛的人在拿东西时总禁不住要看看，但拿这样东西时又要扼杀这种冲动。所以还不如戴个墨镜。顺便说一句，老妓女就有这么一副墨镜，是烟水晶制成的，镶在银框子上。假如把镜片磨磨就好了，但是没有磨，因为水晶太硬，难以加工。所谓镜片，只是两块六棱的晶体。这墨镜戴在鼻子上，整个人看上去像穿山甲。当然，她本人的修为很深，已经用不着这副眼镜，所以也不用再装成穿山甲了。

　　另一件重要的事是决不要吃豆子，也不要喝凉水，以免在男人面前放屁。她还有一位师妹，在男人面前放了一次响屁，也上吊而死，上吊之前还用个木塞子把自己钉住。总而言之，老妓女有很多师姐妹，都已经上吊自杀了。她有很多经验教训，还有很多规矩，执行起来坚定不移。按照她的说法，妓女这个行业，简直像毕达哥拉斯学派一样，有很多清规戒律。顺便说一句，毕达哥拉斯学派也不准吃豆子，也不知是不是为了防止放屁。但我必须补充说，只要没有男人在场，老妓女就任何规矩都不遵循。她赤身裸体，打响嗝，放响屁；用长长的指甲爬搔自己的身体来解痒，与此同时，侧着头，闭着眼，从下面的嘴角流出口水——也就是俗称哈喇子的那种东西。更难看的是她拿把剃头刀，叉开腿坐在走廊上，看似要剖腹自杀，其实在刮阴毛。那女孩把这些事讲给男人们听，自然招致那老妓女最深的仇恨。其实她本心是善良的，也尊敬前辈，只是想和老太太开个玩笑。但从结果来看，这个玩笑不开更好。

　　综上所述不难看出，在唐朝，妓女这个行业分为两派。老妓女所属的那一派是学院派，严谨、认真，有很多清规戒律，努力追求着真善美。这不是什么坏事，人生在世，不管做着什么事，总该有所追求。另一派则是小妓女所属的自由派，主张自由奔放，回归自然，率性而行。我觉得回归自然也不是坏事。身为作者，对笔下的人物应该做到不偏不倚。但我偏向自由派，假如有自由派的史学，一定会认为，《老佛爷性事考》《历史的脐带考》都是史学成就。不管怎么说吧，这段说明总算解释了老妓女为什么要收拾小妓女——这是一种门派之争。那位白衣女人看到这里，微微一笑道：瞎扯什么呀！就把稿子放下来，说道：走吧，你表弟在等我们呢。对这些故事，她没说好，也没说不好，我也不知该因此而满意呢，还是该失望。

　　白衣女人后来指出，我有措辞不当的毛病。凡我指为学院派者，都是一些很不像我的人。凡我指为自由派者，都是气质上像我的人。她说得很有道理，但对我毫无帮助。因为我对自己的气质一无所知。古人虽说人贵有自知之明，但这种要求对一个只保有两天记忆的人来说，未免太过分。所以，我只好请求读者原谅我词不达意的毛病。

　　在谈我表弟的事之前，我想把小妓女的故事讲完。如前所述，小妓女在男人面前很随便。她属于那种没有贞节的自由派妓女，和有贞节的学院派妓女住在一起多有不便。她和薛嵩说了好几次，想要搬家。但薛嵩总说：凑合凑合吧，没时间给你造房子。

　　那个老妓女也说过，她不想看到小妓女，要薛嵩在两座房子之间造个板障。薛嵩也说，凑合凑合吧，我忙不过来呀！以前薛嵩可不是这个样子，根本不需要别人说话，他自己就会找上门去，问对方有什么活要做；他会精心地给小妓女设计新家，用陶土和木头造成模型，几经修改，直到用户满意，然后动工制作；他还会用上等的楠木造出老妓女要的板障，再用腻子勾缝，打磨得精光，在上面用彩色绘出树木和风景，使人在撞上以前根本看不出有板障。

　　不但是妓女，寨子里每一个人都发现少了一台永动机，整个寨子少了心脏——因为薛嵩迷上了红线，不再工作，所以没有人建造住房、修筑水道、建造运送柴火的索道。作为没有贞节的女人，小妓女还能凑合着过，而老妓女则活得一点体面都没有了。原来薛嵩造了一台搔痒痒的机器，用风力驱动四十个木头牙轮，背上痒了可以往上蹭蹭，现在坏了，薛嵩也不来修。原来薛嵩造了一架可以自由转动的聚光灯，灯架上还有一面镜子，供老妓女在室内修饰自己之用。现在也转不动了，老妓女的一切隐私活动只好到光天化日下来进行。这就使老妓女的贞节几乎沦为笑柄。假如不赶紧想点办法，那就只有自杀一途了。

寨子里没有了薛嵩的服务，就显出学院派的不利之处。这个妓女流派只擅长琴棋书画，对于谋生的知识一向少学。举例来说，风力搔痒机坏了，那个小妓女就全不顾体面，拿擦脚的浮石去擦背。这种不优雅的举动把老妓女几乎气到两眼翻白；而她自己也痒得要发疯，却找不到地方蹭。供水的管道坏了，小妓女自会去提水，而那个老妓女则只会把水桶放在屋檐下面，然后默默祈祷，指望天上下雨，送下一些水来。至于送柴的索道损坏，对小妓女毫无影响。随便捡些枯枝败叶就是柴火。就是这样的事，老妓女也不会，她只会从园子里割下一棵新鲜蔬菜，拿到走廊上去，希望能把一头到处游荡的老水牛招来。把它招来不是目的，目的是希望它在门前屙屎。牛粪在干燥之后，是一种绝妙的燃料。很不幸的是，那些水牛中有良心的不多，往往吃了菜却不肯屙屎。当老妓女指着水牛屁股破口大骂时，小妓女就在走廊上笑得打滚——像这样幸灾乐祸，自然会招来杀身之祸……

4

我和我表弟媳是初次见面。那女孩长得圆头圆脸，鼻子上也有几粒斑点。和我说话时，她一刻不停地扭着身体。这是一种异域风情，并不讨厌。她很可能属于不拘小节的自由派。她不会说中国话，我不会说泰国话，互相讲了几句英文。她和我表弟讲潮汕话，而我表弟却不是潮汕人。她自己也不是潮汕人，但泰国潮汕人多，大家都会讲几句潮汕话。小妓女和薛嵩相识之初，也遇到了这个问题。他不会讲广东话，她不会讲陕西话。于是大家都去学习苗语，以便沟通。虽然会说英语，我也想学几句潮汕话。只可惜这种语言除了和表弟媳攀谈，再没有什么用处了。

我表弟现在很有钱，衣冠楚楚，隐隐透着点暴发户的气焰。从表面上看，他很尊敬我，站在饭店门口等我们，还短着舌头叫道：表嫂，很漂亮啦！接下来的话就招人讨厌：他问我们怎么来的。混账东西，我们当然是挤公共汽车来的！我觉得自己身为表哥，有骂表弟的资格。但白衣女人不等我开口就说：bus[1]上不挤，很快就到了。我表弟对我们很客气，但对我的表弟媳就很坏，朝她大吼大叫，那女孩静静地听着，不和他吵。我能理解她的心情：今天请你的亲戚，只好让你一些，让你做一回一家之主。等把我们往包厢里让时，我表弟却管不住自己的肛门，放了个响屁。那女孩朝我伸伸舌头，微微一笑。我很喜欢她的这个笑容，但又怕她因此招来杀身之祸。

在凤凰寨里，等到刺客们走远，那个老妓女想要动手杀掉小妓女。所以等到现在，是因为她觉得不在男人面前杀人，似乎也是贞节的一部分。她要除掉本行里的一个败类，妓女队伍中的一个害群之马。干这件事时，她没有一丝一毫的犹豫，只是有点不在行。她找出了自己的匕首，笨手笨脚地在人家身上比画开了。她虽不常杀人，对此事也有点概念，知道应该一刀捅进对方心窝里。问题是：哪儿是心窝。开头她以为胸口的正中是心

---

[1] 意为"公共汽车"。

窝，拿手指按了以后，才知道那里是胸骨，恐怕扎不动。后来她想到心脏是长在左边，用手去推女孩的左乳房；把它按到一边去，发现下面是肋骨。这骨头虽然软些，但她也怕扎不动。然后她又想从肚子上下手，从下面挑近心脏的所在。就这样摸摸弄弄，女孩的皮肤上小米似的斑点越来越密了。后来，她猛地坐了起来，把臭袜子吐了出来，说道：别摸好吗！我肠子里都长鸡皮疙瘩了！老妓女吃了一惊，匕首掉在地上，过了很久，才问了一句：肠子里能起鸡皮疙瘩吗？那女孩毅然答道：当然能！等我屙出屎来你就看到了！老妓女闻言又吃一惊，暗自说道：好粗鄙的语言啊！这小婊子看来真是不能不杀。她的决心很大，而且是越来越大。但怎么杀始终是个问题。

别的不说，怎么把臭袜子塞回女孩嘴里就是个很大的难题。她试了好几次，每次都被对方咬了手。那女孩还说：慢着，我有话问你。为什么要杀我？老妓女说道：因为你不守妇道，是我们这行的败类。女孩沉吟道：果然是为这个。但是你呢？勾结男人杀害同行姐妹，难道你不是败类？这话很有力量，足以使老妓女瞠目结舌。但那老女人及时地丢下刀子，把耳朵堵上了。

我知道把老妓女要杀小妓女的事和我表弟请我们吃饭的事混在一起讲不够妥当，但又没有别的办法，因为这些故事是我在餐桌上想出来的。小妓女的样子就像我的表弟媳，老妓女就像我表弟。那个老妓女和一切道德卫道士一样，惯于训斥人，但不惯于和人说理。我表弟就常对弟媳嚷嚷。而那女孩和一切反道德的人一样，惯于和人说理，却不惯于训斥别人。表弟媳总是和颜悦色地回答表弟的呵斥。

老妓女和小妓女常有冲突，每次都是老妓女发起，却无法收场。举例来说，只要她们同时出现在两个不同的回廊上，那老妓女就会注视着地面，用洪亮的嗓音漫声吟哦道：阴毛该刮刮了，在男人面前，总要像个样子啊。老妓女就这样挑起了道德论争，她却不知如何来收场。那女孩马上反唇相讥道：请教大姐，为什么刮掉阴毛就像样子？她马上就无话可答。其实明路就在眼前，只消说，这是讲卫生啊！小妓女就会被折服；除非她愿意承认自己就是不讲卫生。但老妓女只是想：这小婊子竟敢反驳我！就此气得发抖，转身就回屋去了。相反，假如是小妓女在走廊上说：别刮那些毛，在男人面前总要像个样子啊。那老妓女也会收起剃刀、蓄起阴毛。她们之间的冲突其实与阴毛无关，只与对待道德训诫的态度有关。顺便说一句，我表弟和表弟媳在争些什么，我一句也没听懂，好像不是争论阴毛的问题。但从表弟的样子来看，只要我们一走，他就要把表弟媳杀死。

5

不管怎么说吧，老妓女已经决定杀小妓女，而且决心不可动摇。但小妓女还不甘心，她把反驳老妓女的话说了好几遍，还故意一字一字，鼓唇作势，想让她听不见也能看见。但老妓女只做没听见也没看见，心里却在想反驳的道理，终于想好了，就把手从耳朵上放下来，说道：小婊子，你既是败类，就不是同行姐妹。我杀你也不是败类。说毕，把刀抢到手里，上前来杀小妓女。要不是小妓女嘴快，就被她杀掉了。她马上想到一句反驳的话：不对，不对，我既不是同行姐妹，就和你不是一类，如何能算是败类。所以和你还是一类。老妓女一听话头不对，赶紧丢下刀子，把耳朵又捂上了。我老婆后来评论道，这一段像金庸小说里的某种俗套。但我不这样想。学院派总是拘泥于俗套，这是他们的弱点，可供利用。可惜自由派和学院派斗嘴，虽然可以占到一些口舌上的便宜，但无法改善自己的地位，因为刀把子捏在人家的手里。

这故事还有另一种讲法，没有这么复杂。在这种讲法里，老妓女没有和小妓女废话，小妓女也没把臭袜子吐出来。前者只是想把后者拖出房子去杀，以防血污了地板；她可没想到这件事办起来这么难。起初她想从小妓女上半身下手来拖，没想到那女孩像条刚钓出水面的鱼一样狂翻乱滚，一头撞在她鼻子上；撞得她觉得油盐酱醋一起从口鼻里往外淌——这当然是个比方，她嘴里没有淌出酱油和醋，实际上，淌出来的是血。后来，她又打算从脚的方向下手。这回女孩比较文静，仰卧在地板上，把脚往天上举，等老妓女走近了，猛一脚把她从房间里蹬出去。天明时，刺客们吃了败仗从薛嵩那里回来时，发现老妓女的房子外观有很大的改变；纸窗、纸门、纸墙壁上，到处留下人形的窟窿。说话之间，老妓女又一次从房子里摔了出来，栽倒在地下。这使那些刺客很是惊讶，赞叹道：你这是干吗呢？她答道：我要把那小娼子拖出去杀掉。他们就说：是吗？看不出是你拖她呀。那些人都被土蜂蜇得红肿，在蓝颜色的烘托下，变成紫色的了。

我应该从头说起这个小妓女。在我心中，这个女孩是这个样子：在她棕色的脸中央，鼻头上有几粒细碎的斑点，眼睛大得惊人。当你见到她时，心情会很好，分手后很快就会忘记了。如果你说像这样的人很适合被杀死，我就要声明，这不是我的本意。总而言之，她和老妓女一起跟薛嵩来到湘西，同为凤凰寨的创始人，地位没有尊卑之分。从老妓女的立场出发，杀掉一位创始人，逮住另一位创始人，剩下一个创始人，就是她自己。此后她就是凤凰寨的当然主人。现在这种写法比以前无疑更为正确。

天明时分，小妓女被老妓女和一群蓝色的刺客围在凤凰寨的中心。那些人既没杀掉红线，也没逮住薛嵩，就想把她杀掉充数。那女孩听到了他们的打算，叹了一口气说：好吧，我同意。看来我想不同意也不行了。可你们也该让我知道知道，薛嵩和红线到底怎么样了。从昨天晚上开始，她既没有见到红线，又没见到薛嵩；而前者是她的朋友，后者是她的恋人。

关心他们的下落，是理所当然的事情。连老妓女带刺客头子，都以为这种要求是合情合理的。但他们也不知红线和薛嵩到底怎样了。既然不知道，也就不能杀掉她。

现在可以说说那个女孩为什么讨厌蓝色。在湘西的草地上，蓝色如烟，往事也如烟。清晨时分，被露水打湿的草地是一片殷蓝，直伸到天际；此时天空是灰蒙蒙的。这种蓝色和薄暮时寨子上空悬挂的炊烟相仿。诚然，正午时的天空也是蓝色，此时平静的水面上反光也是蓝色，但这两种蓝色就没有人注意。因此就造成了这样的局面：只有如烟的殷蓝色才叫作蓝色，别的颜色都不叫蓝色。每天早上，小妓女双手环抱于胸，走到蓝色的草地上，此时往事在她心里交织着。因为她讨厌往事，所以也讨厌蓝色。既然她讨厌回忆往事，又何必到草地上来——这一点我也无法解释。我能够解释的只是蓝色为什么可鄙：我们领导总穿蓝色制服。后来，她躺在老妓女家里的地板上时，就是这样想的：既然被蓝色如烟的人逮住，就会得到一个蓝色如烟的死。具体地说，可能是这样：她被带到门外，浑身涂满了蓝颜色，头朝下地栽进一个铁皮桶，里面盛着蓝墨水。此后她就从现在消失，回到往事……

按照以前留下的线索，那些刺客和老妓女要杀掉这个小妓女，她以一种就范的态度对他们说：好吧，随你们的便吧；但你们得告诉我，薛嵩和红线怎样了。但她又摆出了个不肯就范的姿势，整个身体呈S形。在S形的顶端是她捆在一处的两只脚，然后是她的小腿和蜷着的膝盖。大腿和屁股朝反方向折了回来。这个S形的底部是她的整个躯体。她拿出这个姿势来，是准备用脚蹬人。当然，这个姿势有点不够优雅，因为羞处露在外面，朝向她想蹬的那个人。老妓女训斥她说：怎么能这样！在男人面前总要像个样子！但那小妓女毅然答道：我就不像样子了，你能怎么样吧！不告诉我薛嵩怎样了，我就不让你们杀！当然，那些刺客可以一拥而上，把这小妓女揪住，像对付一条鳝鱼一样，把她蜷着的身体拉开，一刀砍掉她的脑袋。但那些刺客觉得这样做不够得体：大家都是有教养的人，人家不让杀怎么能杀呢——除此之外，刺客都是男人，对女人总要让着一些。但要告诉她薛嵩怎样了，又是不可能的事，因为他们也不知道。当然，他们也可以撒句谎，说：他们俩都被我们杀掉了；但这又是不可能的事，大家都是有教养的人，怎么能说谎呢。刺客头子不好意思地笑了一下说：好吧，那就暂时不杀你。小妓女很高兴，说道：谢谢！就放下腿，翻身坐了起来。当然，现在是杀掉她的大好时机，可以猛冲过去，把她一刀杀死。但那刺客头子又觉得这样做不够得体。所以，他们就没杀掉那个小妓女。

【二】

1

我该把和表弟吃饭的事做一了结。吃饭时他把手放在桌子上。这只右手很小，又肥又厚，靠近手掌的指节上长了一些毛。人家说，长这样的手是有福的。这种福分表现在他戴的金戒指上：他有四根手指戴有又宽又厚的金戒指，我毫不怀疑戒指是真金的，只怀疑假如我们不来，他会不会把这些戒指全戴上——当小姐给他斟酒时，他用手指在桌面上敲着。饭后，我开始犹豫：既然我是表哥，是不是该我付账……但我表弟毫不犹豫，掏出一张信用卡来。是 VISA 卡，卡上是美元。后来，我们走到马路上，表弟和他太太要回王朝饭店，我开始盘算他们该坐哪路车——要知道，路径繁多，既可以乘地铁，也可以乘电车、公共汽车、双层巴士（特一路），假如不怕绕路的话，还可以乘市郊车。但我表弟毫不犹豫，拦住了一辆黄色的出租车，递给司机一张百元大票，大声大气地说：送我表哥表嫂到学院路。我对他的果决由衷佩服。回到家里，我们并排坐在床上。我老婆也堕入了沉思之中。后来，她拥抱了我，在我耳畔说道：我只喜欢你。然后她凉凉的小手就向下搜索过来。

那天夜里，那个自称是我老婆的女人在床上陈列她白色、修长的身躯。起初，是我环绕着这个身躯，后来则是这个身躯在环绕我。对于一位自己不了解的女士，只能说这么多。我始终在犹豫之中，好像在下一局棋。她说，我只喜欢你。这就是说，她不喜欢我表弟。但是似乎存在着喜欢我表弟的可能性。也许，他们以前认识？或者我表弟追求过她？在这方面存在着无穷多种可能性。这么多可能性马上就把我绕糊涂了。

因为写到了一些邪恶的人：老妓女、刺客头子，现在我觉得薛嵩比较可爱了。白衣女人再次重申她只爱我，我的心情也好多了。薛嵩留着可爱的板寸头，手很小，而且手背上很有肉。这是过去的薛嵩。照小妓女的记忆，那时候他像个可爱的小老鼠，不知什么时候就会从地缝里钻出来，出现在她的面前，兴高采烈地说道：我要和你做爱！就把她扑倒在地，带来一种热烘烘的亲切感觉。他的男性呈深棕色，好像涂了油一样有光泽。这种事情不应被视为苟合，而应视为同派学兄学妹之间切磋技艺。小妓女对这种切磋感到幸福，唯一使她不满的是：薛嵩老到老妓女那里去。每当她噘起嘴来时，薛嵩就热情洋溢地说道：我们要做大事，要团结，不要有门户之见嘛！此后就更加热情地把她扑倒在地，使她忘掉心中的不满……以后她就忘掉了门派分歧，主动叫老妓女为大姐；在此之前她称对方为老婊子、老破鞋，还有一个称呼，用了个很粗俗的字眼，和逼迫的逼同音不同字。只可惜老妓女已经恨了她，还是要把她杀死。所以，在被捆倒在地下时，小妓女暗暗后悔，觉得多叫了几声大姐，少叫了几次老逼，自己吃了很大的亏。

过去的薛嵩和现在的薛嵩很不一样，现在的薛嵩长了一头长发，乱蓬蓬地绞结着，肤色灰暗，颧骨突出，眼睛又大又凸出，茫然地瞪着。他的手又大又粗糙，身上很凉，心事重重；但一点都不是傻呵呵的；他的男性呈死灰色，毫无光泽，好像一条死蛇。照小妓女的看法，他变成这样，完全要怪红线。但红线是她的朋友，她不好意思和她翻脸。

在凤凰寨里，薛嵩发生了很多变化，小妓女却始终如一，总是笑嘻嘻地走来走去。见到了男人，就屈起右手的中指，随手一弹，弹到他的龟头上，就算打过了招呼。这一指弹到了薛嵩的龟头上，他才会猛醒，注视着那小妓女，说道：晚上我去看你。那女孩就赶回家去，收拾房子，准备茶水，用一块橘子皮把牙齿擦得洁白如玉。然后就坐下等待薛嵩，但薛嵩总是不来。一直要等到过了一个星期才会来，坐在走廊说：我好像答应过前天晚上来看你。要是别的女人，准会用脏水泼他，但小妓女不会。只要薛嵩来了，她就满足了。

过去的薛嵩还有种傻呵呵的劲头，一心要在湘西做一番事业。在旅途中，他一直在设计未来的凤凰城，做了很多模型。有一个是铜的，他假设当地多铜，所以以为凤凰寨要用铜来制作。假如纯用铜太耗费，就用石块建造墙壁，用铜水来勾缝。另一个模型是铁的。有一些凤凰寨是一组高高的塔楼，这些塔楼要用花岗石建造。另一些凤凰寨是一组四方形的碉楼，这些碉楼要用石灰岩来建造。最平淡无奇的设计是一片楠木的楼房，所有的木料都要在明矾水里泡过，可以防火。到了地方一看，这里只是一片瘠薄的红土地，什么都不出产，还在闹白蚁。凤凰寨未经建造时是一片杂树和竹子的林子，建造之后仍是这样的林子。但这没有扫薛嵩的兴，他说：好啊，好啊，我们有了一座生态城市了。他拿出工具，给大家建造生态房屋。这种工作也让他心满意足。棕色皮肤，小手小脚，这是我表弟小时的模样。至于他的男性什么样子，我却没有见过。这该去问我的表弟媳。

2

到现在为止，我还没有说到那些蓝色的刺客怎样行刺——这些刺客都属于学院派。在一个蓝色的夜里，趁着黄色的月光，他们摸进薛嵩的院子；也就是说，走进了一位自由派能工巧匠的内心。开头，他们走在铺着黄色沙石的小径上，两面是黑色的树林。后来就看到一堵厚木板钉成的墙。这些木板都刨过、打磨过，用榫头连接，在月光下像一堵磨砖对缝的墙。这本是一种工艺上的奇迹，但是出于自由派之手，就不值得赞美。中间是一两扇木头门。在这座门前，刺客们屏住了呼吸，他们排成两排，握紧了手中的兵器，让一位有专长的同伙从中过去，去撬那扇门。对付这种门有很多方法，一种是用刀尖从门缝里插进去，把门闩拨开。但这个方法不能用，两个门扇对得很紧，简直没有缝。另一种是用铁棍把门扇从框上摘下来。这一手也不能用，因为门安得很结实。第三种办法要用千斤顶，但没有带。第四种方法是用火烧，但会惊动薛嵩。这位刺客因此花了些时间……后来他低声叫道：他妈的。因为这门既没有锁，也没有反插住，一推就开了。

在这座门里，是一道厚木板铺成的小径，小径像栈道一样有双桁架支撑。那些刺客就像一队夜间在水边觅食的鹭鸶，行走在小径上。在小径尽头，又是一道竹篱笆墙，有一座竹板门。吸取了上回的教训，走在前面的刺客径直去推门。那门"呀"的一声开了。有感于这个声音，刺客头子发出一道口令："往后传，悄声。"这句话就朝后传去，越传声音越大，到最后简直就像叫喊。如果复述头头的声音不大，就显不出头头的威严。刺客头子对手下人的喧嚣不满，就又传出一道口令："谁敢高声就宰了他！"但手下人有感于这道命令的威严，就更大声地复述着，把半个凤凰寨的人都吵起来了。刺客头子在狂怒中吼道：操你妈，都闭嘴！这句骂人话被数十人同声复述，隆隆地滚过了夜空。然后，这些小人物又因为辱骂了领导而自行掌嘴。学院派可能不是这样粗鄙，但我只能这样来写。因为如你所知，我没当过学院派。

后来他们又走过了圆竹子扎成的小径，这条路就像一道乡间的小桥。小桥的尽头是一道草扎的墙，像草房的屋顶一样，有草排做成的门。门后的小路用芦花和草穗铺成，走在上面很舒服。然后又出现了木头墙和木头门……有一位刺客抱怨道：娘的，这么多的门。对此，我有一种解释：作为一位能工巧匠，薛嵩喜欢造门，而且常常忘记自己已经造了多少门，铺设了多少小径，所以他家里有无数的门和小径。还有一种解释是：薛嵩的院子里一共只有三道门，三条小径。一条是进来的路，一条是家里的路，还有一条是出去的路。这些刺客没有走对，正在他院里转圈子。按照前一种解释，那些刺客应该耐着性子穿过所有的门，走完全部小径；这些刺客就在做这件事——这样的夜间漫步很有趣，但迷了路就不好了。现在的情形就很像迷了路，所以他们也怀疑后一种解释可能成真；所以一面走，一面在路边上搜索，终于在黑暗的林间看到了一座房子的轮廓。

有一件事情必须提到，那就是月光比日光短命得多。他们出来时，到处是黄色的月光，现在一点也没有了，蓝色的夜变成了黑色的。还有一件事必须提到：在夜里，路上比别的地方明亮，所以一定要走路。总而言之，那些刺客发现了路边有座房子，就把它团团围住，冲了进去，然后就惊呆了。只见在黑暗中有一对眼睛，发着蓝色的晶光；眼睛中间的距离足有一尺多。那间房子里充满了腐草的气味。有人不禁赞叹道：我的妈，红线原来是这样。但是刺客头子很镇定，他说了一声：我们走。就领头退了出去。他手下的人问道：怎么回事？怎么回事？难道我们不杀红线了？他就感到很气愤，还觉得手下人太笨。他是对的。大家早就该明白，刚才冲进了牛棚，所看到的是水牛的眼睛。假如红线的眼睛是这个样子，那就难以匹敌；照人的尺寸来衡量，长这样眼睛的人身高大概有三丈八尺，眼珠子有碗口大；还不知是谁杀谁呢。后来他们又冲进了猪圈、鸡窝和鸭棚，到处都找不到红线，也找不到薛嵩。后来冲进了土蜂窝，被蜇了一顿，就这样回来了。这就产生了一个问题，薛嵩和红线到哪里去了？有一种解释是这样的：他们哪里都没去，就住在大家的头顶上。薛嵩造了一座高脚房子，支撑在一些柱子上。那条竹子小径就从高脚房底下蜿蜒通过。那些刺客倒是发现了一些柱子，但是以为它们是树。这房子在白天很容易看到，到了夜里就看不到了。

3

按照这种说法，薛嵩和红线住在离地很远的、木板构成的平面上。在白天，爬上一道梯子，从一个四方的窟窿里穿过四寸厚的木板，就能到达薛嵩所住的地方。这里有一座空中花园，有四个四方形的花坛，呈田字形排列。每天早上，薛嵩都到花坛中央去迎接林间的雾气，同时发现，树林变矮了。参天的巨木变成了灌木，修长的竹子变成了芦苇丛，就连漫天的迷雾也变成了只及膝盖的低雾。薛嵩对此很是满意，就拿起工具开始工作。首先，他要给所有的木头打一遍蜡。这些木头既要防水，又要防虫，既要防腐，又要防蛀；这可不大容易，打一遍蜡要三个小时，然后还要腰疼。如果你说薛嵩花了很大工夫给自己找罪来受，我倒没有什么意见。一面给木板打蜡，一面他还在想，给这片平台再加上一层，这一层要像剧院的包厢环绕花园，中间留下一个天井，不要挡住花园所需的阳光。假如你据此以为薛嵩的罪还没有受够，我也没有不同意见。

在花园的左前方，也就是来宾入口附近，有一座水车，像一个巨大的车轮矗立在那里，薛嵩用它往平台上汲水。遗憾的是这水车转起来很重，这倒不是因为它造得不好，而是因为汲程很高。薛嵩在水车边贴了张标语，用水车的口吻写着"顺手转我一下"，这就是说，他想利用来宾的劳动力。他自己住在花园后面一座小小的和式房子里，睡在硬木板上，铺着一张薄薄的草席，枕一个四方形的硬木枕。只有过最简朴的生活，才能保持工作的动力。他喝的是清水，吃芭蕉叶里包着的小包米饭。而红线则住在右面一个大亭子里。这个亭子同时又是一个升降平台，红线的柚木笼子就放在平台上。她坐在笼子中央嗑瓜子，从一个黑色的釉罐里取出瓜子，把瓜子皮磕在一个白罐子里。后来她叫道：薛嵩！薛嵩！薛嵩就奔了过来，手里还拿着修剪花草的剪子。他把盛瓜子皮的罐子取出来，又放进去一个空罐。与此同时，红线坐在棕垫子上嗑瓜子，偏着头看薛嵩，终于忍不住说道：你进不进来？薛嵩眯着眼看红线（因为总做精细的工作，他已经得了近视眼），看遍了她棕色、有光泽的身体，觉得她真漂亮。他感到性的冲动，但又抑制了自己，说道：等忙完了就进来。红线叹了一口气，说道：好吧，你把我放下去。于是薛嵩搬动了把手，把红线和她的笼子放下去，降落在车座上。然后他又去忙自己的事。他的大手上满是松香和焊锡的烫伤，因为他总在焊东西。比方说，焊铁皮灯罩，或是白铁烟筒。这座平台上有一个小小的厨房，他想把炊烟排到远远的地方，不要污染眼前的环境。他还以为红线乘着车子在下面菜园里工作，其实远不是这样。她从笼子下面的活门里钻了出去，找小妓女去聊大天。对此不宜横加责备，因为她还是个孩子嘛——假如这故事是这样的，就可以解释夜里那些刺客走进薛嵩家以后，为什么会觉得那么黑。这是因为他们走在人家的地基底下。不要说是黑夜，就是在白天，那地方也相当地黑。

这故事还有另一种讲法。那些刺客在薛嵩家里乱闯，访问过牛圈、猪圈之后，忽然听见一个女孩的声音在说："大叔，大叔！你们找谁？"他们瞪大了眼睛往四下看，但什么也看不见，因为实在太黑。后来，那女孩用责备的口气说：你们点个亮嘛。但刺客们却犯起了犹豫。众所周知，刺客不喜欢明火执仗。刺客头子想了一下，猛地拍了一下大腿，说道：对！早就该点火！我们人多。这就是说，既然人多，就该喜欢明火执仗。我很喜欢这个刺客头子，因为他有较高的智力——学院派的人一贯如此。

4

那天夜里，刺客头子让手下人点上火——他们随身携带着盛在竹筒里的火煤，还有小巧的松脂火把，这是走夜路的人必备之物——看到就在他们身边有一个很大的木笼子，简直伸手可及，但在没有亮的时候，他们以为这是一垛柴火。在笼子中央坐着一个小姑娘。她的项上、手上和脚上，各戴了一个木枷。假如仔细观察，就会发现这三个木枷都是心形的。脖子上的那一个非常小巧，就如一件饰物，手上和足上的都非常平滑，是爱情的象征。这些东西是胡桃木做的，打了蜡。薛嵩之所以不用柚木，是因为柚木不多，已经不够用了。刺客头子看得没有那么仔细，他觉得很气愤：把一个女孩子关在笼子里，还把她锁住，这太过分了；也没问问她是谁，就下令道：把她放出来！

他手下的人扑向笼边的栅栏，用手去摇撼。正如这位小姑娘（她就是红线）微笑着指出的那样：这没用，结实着呢。于是，他们决定用刀。红线一看到刀，就说：别动！不准砍！这是我的东西！但有人已经砍了一下，留下了一道刀痕。不管柚木怎么硬，都硬不过刀。还不等他砍第二下，红线就撅唇打了一个呼哨。然后，随着一阵不祥的嗡嗡声，无数黄蜂从空而降。这一点和前一个故事讲的一样。所不同的是：这个黄蜂窝就在这伙刺客的头上，只是因为高，他们看不到。红线叫他们点起火来，黄蜂受到火光和烟雾的扰动，全都很气愤，围着球形的蜂窝团团乱转，有些已经飞了起来；但那些刺客也没看见。这也不怪他们，谁没事老往天上看。等到红线打个呼哨，黄蜂就一起下来蜇人。这一回倒是看到了，但已经有点晚了。那些黄蜂专蜇刺客，不蜇红线，因为她身上亮闪闪地涂了一层蜂蜡。涂这种东西有两种好处：第一，涂了皮肤好。第二，黄蜂遇到她时，以为是自己的表弟蜜蜂，对她就特别友好。在这个故事里，红线相当狡猾。她让刺客大叔们点火，完全是有意的。她看到这伙人在黑地里鬼鬼祟祟，就知道他们不怀好意。同时又嗅出他们身上没涂蜜蜡，就想到要让黄蜂去叮他们。虽然如此，也不能说她做得不对。因为他们是来杀她的，让想杀自己的人吃点苦头，难道不是天经地义吗？

有关薛嵩的家，另有一种说法是这样的：它是一片柚木的大陆，可以在八根木柱上升降——当然，是通过一套极复杂的机构，由滑轮、缆绳、连杆、齿轮，还有蜗轮、蜗杆等等组成，薛嵩在自己门前转动一个轮子，轮子带动整套机构，他的花园和房子，连同地基，就缓缓地升起来。当然，速度极慢，绝不是人眼可以看出的。要连转三天三夜，才能把整个院子升到离地三丈的柱顶。把它降下来相对要容易得多，但薛嵩轻易不肯把它降下来，怕再升起来太困难。根据这个说法，那天晚上，刺客们摸进薛嵩的家，马上就发现在平地上有个孤零零的笼子，红线睡在里面。他们点亮了灯笼火把，把笼子团团围住，但找不到入口，就问红线说：你是怎么进去的？这个小女孩回答得很干脆：不告诉你们。她坐在笼子中央的蒲团上嗑瓜子，离每一边都很远，这样，想从栅栏缝里用刀来砍她就是徒劳的了。那些刺客互相抱怨，为什么不带条长枪来，以便用枪从栅栏缝里刺她；与此同时，他们还抓住栅栏使劲摇撼。红线则轻描淡写地说道：省点劲吧，柚木的，结实着哪。那些刺客看到要杀的对象近在咫尺却杀不到，全都气坏了。有人就用刀去砍柚木栅栏，才砍了一下，红线就变了脸色，打了一个呼哨。砍到第二下，红线尖叫了起来：薛嵩！薛嵩！有人在他们头顶上应道：干什么？红线叫道：把房子放下来！于是随着一阵可怕的嘎嘎声，刺客们头顶上的天就平拍了下来。反应快的刺客及时侧了一下头，被砸得头破血流，摔倒在地。反应慢的继续直愣愣地站着，脑袋就被拍进腔子里，腔子又被拍到胯下，只剩下下半身，继续直愣愣地站着。

对于这件事，必须补充说，房子从头顶上砸下来，对红线却是安全的，因为那柚木房基上有个四方的洞，正好是严丝合缝嵌在笼子上。按照红线的设想，这房子应该一直降到地面上，把所有的刺客都拍进地里。但实际上，它降到齐腰高的地方就停住了。红线喝道：怎么回事？薛嵩不好意思地说：卡住了。滑轨有毛病，总是这样……红线说：真没用！她纵身跃起，甩开了身上的枷锁（假如有的话），从笼顶上一个暗口钻了出去，赶去帮薛嵩修理机器。那些倒在地上未死的刺客就叹息道：原来入口是在顶上的啊。

根据这种说法，那些刺客回到老妓女门前时，头上也是红肿着的，但不是蜂蜇的，而是砸的。根据这种说法，刺客头子不是刺客里最聪明的人。他手下有个人比他还要聪明，当他们倒在地下时，那个人拉了头子一下说：咱们就这样躺着，等人家修好机器来砸死我们吗？刺客头子很不满意这个说法，但也找不出反驳的理由，就下了撤退的命令。他们从地基和地面之间爬出来以后，那人又出了个很好的主意：咱们现在摸回去，谅他没有第二层房子来砸我们。刺客头子不喜欢别人再给他出主意，就朝他龇出了满嘴雪白的牙。于是这些人就这样退走了。

假如这队刺客照这人的主意摸回去，就会看到薛嵩和红线打着火把，全神贯注地修理那些复杂的机器，这故事后来的发展也很不一样了。认真地想一想，我认为那些刺客会悄悄地摸上去，把红线抓住一刀杀掉，把薛嵩抓走，交给老妓女，让他在老妓女的监督之下，给凤凰寨造房子，修上下水道。这种说法我虽然不喜欢，但它也是一种待穷尽的可能。

【三】

1

第二天早上，我们又来上班。把上面提到的故事写在纸上之后，我又开始冥思苦想起来。昨天的事情说明，在暴躁、易怒的外表下，我内心柔弱，多愁善感，就像那个小妓女。说起来难听，但我对此并无不满。本着这种态度，我开始为领导考虑，有我这样的下属真够他一呛：报上来的研究题目尽在那些部位，怎么向上级交代呢。我现在想了起来，我住院时他来医院看过我，提来了一袋去年的红香蕉苹果。那种水果拿在手里轻飘飘的，倒像是胖大海。这种果子我当然不吃，送给了一位农村来的病友，叫他拿回去喂猪——不知猪对这些苹果有何评价。但不管怎么说吧，他来看过我，还带来了礼物……现在我是真心要拟个过得去的研究题目，但怎么也拟不出。我觉得自己可以原谅：我刚被车撞过。所以，我把题目放下，又去写故事了。

塞万提斯说，堂吉诃德所爱的达辛尼亚，是托波索地方腌猪肉的第一把好手。薛嵩也是湘西地方烧玻璃的第一把好手。假如他想在第二年春天烧玻璃，头年秋天就到山上去割一大车蓑草，晾干以后，交给寨子里一个女人，叫她拿草当柴来烧，还给她一些坛子。这样她就有了一车白来的干草，但她只能把它烧掉，不能派别的用场——虽然蓑草还可以用来做蓑衣，还要把烧成的灰都收集起来。这样，经过一冬，薛嵩就得到很多洁白如玉的灰，都盛在坛子里。这种灰有很大的碱性——他得到了烧玻璃的第一种原料，就是碱。他还到河滩上采来最洁白的沙子，这是第二种原料，到山上采集最好的长石，这是第三种原料，还有第四和第五种原料，恕我不一一尽数，搜集齐了一起放到坩埚里去烧；然后把烧融的玻璃液倒到熔化的锡上冷却——一块平板玻璃就这样制好了。这块玻璃有时厚，有时薄，这是因为薛嵩虽然很注意原料的配比，却总忘掉它的总量。分量多了，玻璃液就多，浇出的玻璃就厚，反之则薄。假如太薄，玻璃上会有星星点点的圆洞，就如擀面擀薄了的景象。这种玻璃使薛嵩大为欢喜。等到玻璃凉了，他把它拿起来，看着这些洞哈哈大笑。这种玻璃没棱没角，像块面饼。多数是方形，也有梯形和三角形的。薛嵩自会给玻璃配上窗框，给窗框配上房子，这些房子有些是三角形，有些是梯形，依玻璃的形状而定。这种玻璃蓝里透绿，透过它往外看，就如置身于深水里。

薛嵩还是打造铜器的第一把高手，他把铜皮放在木头上，用木榔头敲。随着这些敲击，铜皮弯曲起来，逐渐成形。他再用铁榔头砸出边来，用锡焊好，一个铜夜壶就造好了。他还是制造陶器、浇铸铁器、编造竹器的高手，最优秀的皮匠和厨师。至于做木匠，他到湘西才开始学，也已成了高手。总而言之，他有无数手艺，多到他自己也记不清，像这样的人当然很有用，只是要把他盯紧一些，否则他会胡闹。在烧制玻璃时，他发现黏稠的玻璃液可以拉出丝来，就五迷三道地想用这种丝来造衣服。这样平板玻璃就造不成——全被他拉成了丝。而这种衣服是透明的，穿上以后伤风败俗。让他造夜壶也要小心，稍不留神，夜壶就不见了，变成一个铜人。铜皮下面有滑轮，有肠衣做的弦牵动，还有一颗发条心脏，这样就可以到处乱跑，还能说几句简单的话。虽然还有夜壶的功能，但很讨人嫌。黑更半夜的，它每隔一小时就跑到你面前来嘀嘀嘟嘟地说：请撒尿。根本不管你想不想尿。老妓女就有这样一把夜壶，她很不喜欢，把它放在柜子里，它就在柜子里乱转，在柜子里嘀嘀嘟嘟地说，请撒尿。好在他还有从善如流的好处，你不喜欢这把夜壶，他马上就去打另一把，直到你满意为止。不过，这都是他迷上红线以前的事。现在你再找他做事，他总是说：我忙，等下回吧。

根据现在这种说法，老妓女迷恋薛嵩，不只是迷恋他巧夺天工的手艺，还迷恋他勤勤恳恳的态度。以前，他来看老妓女，看到她因年迈走了形的身体，就说：大妈，你要是信得过我，就让我给你做个整形手术。拉拉脸皮，垫垫乳房，我觉得没什么难的。老妓女不肯，这是因为她觉得人活到什么年龄就该有什么样子，不想做手术；还因为学院派不喜欢这类雕虫小技；但最本质的原因是：薛嵩没做过这种手术。这家伙胆子大得很，只在猫屁眼上练了两次，就敢给人割痔疮。后来，他一面和老妓女做爱，一面拨弄她瘪水袋似的乳房，说道：越看我越觉得有把握。要是别人胆敢这样不敬，老妓女就要用大嘴巴抽他。但是薛嵩就不同了。有一阵子，老妓女真的考虑要做这个手术。这是因为薛嵩小手小脚，长着棕色发亮的皮肤，头上留着短发，脑后还有一绺长发，老妓女喜欢他。既然喜欢，就该把身体交给他练练手。

有关这位老妓女，我们已经说过，她总把阴毛剃得精光。她嘴上有些黄色的胡子，因为太软，用刀剃不掉。薛嵩给她做过一个拔毛器，原理是用一盏灯，加热一些松香，把胡子粘住，然后使松香冷凝，就可以拔下毛来（据我所知，屠宰厂就用这个原理给猪头煺毛，直到发现松香有毒），现在坏了（确切地说，是没有松香了，也不知怎么往里加），老妓女只好用粉把胡子遮住，看上去像腿毛很重的人穿上了长统丝袜。有关这个拔毛器，还要补充说，薛嵩的一切作品都有太过复杂、难于操纵的毛病。如果不繁复，就不能体现自己是个能工巧匠。繁复本身却是个负担——我现在就陷入了这种困境……

2

后来，他们把薛嵩逮住，给他套上枷锁，押着他去干活。因为薛嵩已有两年多不务正业，积压的工作很多。但只要押着他的人稍不注意，薛嵩就会脱开枷锁跑掉，跑到坟头上去凭吊红线，因为根据这种说法，红线已经死掉了。薛嵩经常跑掉，使老妓女很不高兴，虽然他不会跑远，而且总能在坟头上逮到，但老妓女害怕他在这段路上又会遇上一个小姑娘，从此再变得五迷三道。所以她就命令薛嵩造出更复杂的锁，把他自己锁住。造锁对能工巧匠来说，是一种挑战。薛嵩全心全意地投入这项工作。他造出了十二位数码锁、定时锁，还有用钥匙的锁，那钥匙有两寸宽，上面有无数的沟槽，完全无法复制。这些锁的图纸任何人看了都要头晕，它们还坚固无比，用巨斧都砍不开。但用来对付他自己，却毫无用处。他可以用铁丝捅开，也可以用竹棍捅开，甚至用草棍捅开这些锁。假如你让他得不到任何棍子，他还能用气把它吹开。老妓女以为他在耍花招，就直截了当地命令道：去造一把你自己打不开的锁。薛嵩接受了这个任务，他长考了三天三夜，既没有画图纸，也没有动手做。最后，他对老妓女说：大妈，这种锁我造不出来。老妓女说：胡扯！我不信你这么笨！此时她指的是薛嵩不会缺少造锁的聪明。后来她又说：我不信你有这么聪明！此时指的是薛嵩开锁的聪明。最后她说：我不信你这么刚好！这就是说，她不信薛嵩开锁的聪明正好胜过了造锁的聪明。实际上，聪明只有一种，用于开锁，就是开锁的聪明；用于造锁，就是造锁的聪明。薛嵩叹了一口气，摇了摇头，走开去做别的工作了。

希腊先哲曾说：上坡和下坡是同一条路，善恶同体；上坡路反过来就是下坡路，善反过来就是恶。薛嵩所拥有的，也是这样一种智慧。他设计一种机构时，同时也就设计了破解这种机构的方法——只消把这机构反过来想就得到了这种方法。在他那里，造一把自己打不开的锁，成了哲学问题。经过长时间的冥思苦索，他有了一个答案，但一直不想把它告诉老妓女。那就是：确实存在着一种锁，他能把它造出来，又让自己打不开，那就是实心的铁疙瘩。这种锁一旦锁上了，就再不能打开。作为一个能工巧匠，我痛恨这种设计。作为一个爱智慧的人，我痛恨这种智慧。因为它脱离了设计和智慧的范畴，属于另一个世界。

后来，薛嵩把这个方案交给了老妓女，老妓女虽然毫无智慧，但马上就相信此案可行。此后，薛嵩又亲手做了一个锁壳，把锁链装上，用坩埚烧开一锅铁水，在老妓女的监督下，把它浇在锁壳里。他就这样造了一把打不开的锁，完成了老妓女交给他的任务。锁是铁链的中枢，扣住了他自己的手脚。这样他迈不开腿，也抡不开手，既不能跑掉，也不能反抗，只能干活。对这个故事无须解释：自从红线死了以后，薛嵩已经心丧如死，巴不得像行尸走肉一样地活着。但作为讲故事的人，也就是我，尚须加以解释：这故事有一种特别的讨厌之处，那就是它有了寓意。而故事就是故事，不该有寓意。坦白地说，我犯了一个错误，违背了我自己的本意。既然如此，就该谈谈我有何寓意。这很明显，我是修历史的。我的寓意只能是历史。

我现在想，在我写的小说定稿时，要把这一段删掉——既已有了这种打算，就可以肆无忌惮地写。在我看来，整个历史可以浓缩成一个场景：一位贤者坐在君王面前，君王问道：有没有一种方法，可以控制天下苍生？这位智者、夫子，或者叫作傻逼，为了炫耀他的聪明，就答道：有的。这就是控制大家的意志。说他是智者，是因为他确实有这种鬼聪明。说他是傻逼，是因为他忘记了自己也是天下苍生的一分子，自己害起自己来了。从那一天开始，不仅天下苍生尽被控制，连智慧也被控制。有意志的智慧坚挺着，既有用，又有趣，可以给人带来极大的快感；没有意志的智慧软塌塌的，除了充当历史的脐带，别无用场了……所谓学院派，就是被历史的脐带缠住的流派……照这个样子写下去，这篇小说会成为学术论文，充其量成为学院派的小说。幸亏在我的故事里，红线没有被刺客杀死，薛嵩也没有被老妓女逮住。我还有其他的可能性。这篇小说我还是做得了主的，作为自由派的坚定分子，我不容许本节这种可能发生。请相信，已经写到的一切足以使我惭愧。我远不是薛嵩那样勤勉工作的人。

午后，万寿寺里升起了一片炎热的薄雾，响起了吵人的蝉鸣。我把写着的故事放到一边，又拿起了那份白色的表格，对着那三个红色的叉子想了半天；终于相信这三个题目里毫无崇高，根本就是个恶意的玩笑。假如我努力想出三个更崇高的题目，它们会是更恶毒的玩笑。总而言之，我所有崇高的努力都会导致最恶毒的玩笑。也许我该往相反的方向去想。于是我又撕了一张黄纸片，在上面写下三个最恶毒的玩笑：《唐代之精神文明建设考》《宋代之精神文明建设考》《元代之精神文明建设考》。之所以说它们是恶毒的玩笑，是因为我根本就不知道它们是怎样的东西，而且这世界上也不会有人知道。

我把这张纸片贴到表格上，拿着它出了门，到对面配殿里找我们的领导，也就是那个戴蓝布制帽、穿蓝布制服、带有马尿气味的人，把这张表格交给他，与此同时，心中忐忑不安，生怕他会翻了脸打我……谁知他看了以后，把表格往抽屉里一锁，对我说道：早就该这样写！虽然已经对这个结果有一点预感，但我还是被惊呆了……

3

我终于从领导那里得到了一句赞许的话。但这话在我心中激起了最恶毒的仇恨。怀着这种心情，我把刺客们行刺薛嵩的经过重写了一遍：从前，有一群刺客去袭击薛嵩。午夜时分，他们摸进了薛嵩的家，摸进了这位能工巧匠的内心。他们的目的是杀死红线，把薛嵩抓走，交给雇主，就算是完成了任务。但是这个任务没有完成。这是这个故事不可改变的梗概。在这个梗概之下，对那些刺客来说，依然存在着种种可能性。

举例来说，有一种可能是这样的：那些刺客摸到薛嵩家门口，那里有座木头门楼。打起火来一照，看到门楼上方挂了一块柚木的匾，上面用绿油漆写了两个谦虚的隶字："薛宅"。门的左侧钉了一块木牌，上面用红油漆歪歪斜斜地写着："红线客居于此"，底下是一段苗文。据我所知，当时的苗文是一种象形文字。那段文字的第一个符号是一只鸟，仿佛是一只鸽子。第二个符号肯定是一条蛇。再后面是颗牛头。但你若说它是颗羊头，我也无法反对；随后是颗骷髅头，但也可能是个湖泊、一个茄子或是别的瓜果，或者是别的任何一种东西。底下还有些别的符号，因为太潦草，就完全无法形容，更不要说是辨认。据说苗文就是这样，头几个符号只要能读懂，后面就可以猜到，用不着写得太仔细。刺客里有一位饱学之士，他在火光下咬着手指，开始解读这些文字。很显然，这段苗文是红线所书。这第一个符号，也就是鸽子，是指她自己。按照汉族的读法，应该读作"奴家""贱妾"，或者"小女子""小贱人"之类。第二个字，也就是那条蛇。该刺客认为是男性生殖器的象征。虽然还不知怎么解释，但肯定不是个好意思。再往下怎么读，就很成问题。假如是牛头，就是好意思。要是羊头就是坏意思。总而言之，虽然是饱学之士，也没读懂红线写了些什么。这只能怪她写得太潦草了。这些刺客气壮山河地来杀人，却在门前被一片潦草的苗文难住，这很使他们气馁。很显然，这些刺客也属学院派。学院派的妓女请来的刺客，当然也是学院派。

后来，那些刺客说道：不管她写的是什么，咱们冲进去。这种干净利落的态度虽然带有自由派的作风，却正是刺客们需要的……于是一脚踹开了门，呐喊一声杀进了薛嵩家里。随即就发现，好像是到了一个木板桥上，桥面下凹，这桥还有点飘飘忽忽的不甚牢靠——好像是座悬索桥，只是看不到悬索在哪里。那些刺客停了下来，经过简短的商议，认为既然身处险地，只有向前冲杀才是出路。于是大家呐喊一声向前冲去，冲了一阵，停下来一看，还在那座木桥上，而且还在桥面的最低点上。于是停下来商量，这一回得到的结论是：既然身在险地，还是速退为妙。于是呐喊一声，朝后冲去。又冲了许久，发现还在原地。然后又一次合计，又往前冲；停下来再合计，又往后冲。其实，他们根本不在桥上，而是在一个大木桶里。这只桶由一根轴担在空中，他们往前冲，桶就往前滚，往后冲就往后滚。前滚后滚的动力就是这些刺客本身的移动。薛嵩和红线远远看到了那只桶在滚，也不来干涉，只是觉得有趣。直到天明，桶缝里透进光来，刺客们才觉得不对，用刀把桶壁砍破钻了出来。此时大家的嗓子也喊哑了，腿也跑软了，自然没有兴趣继续前进，去杀红线、捉薛嵩，而是退了回去。按照这种说法，刺客们去杀红线，却冲进了一只木桶。如你所知，这只是众多可能中比较简单的一种。

还有更复杂的可能性：薛嵩的家里是一座精心设计的迷宫，到处是十字路口、丁字路口、环形路口、立体交叉的路口，假如不是路口，就是死胡同。到处是墙壁，墙上却没有门。好不容易看到一扇门，呐喊一声冲进去，却落进了茅坑里。他们在里面瞎摸了一夜，终于从原路退了回来。总而言之，刺客们在薛嵩家里没有找到薛嵩，也没有找到红线，只带回了一大堆的感叹：这个薛嵩，简直是有毛病！

薛嵩的家里还可能是一片湖泊，在水边停了几只小船。那些刺客上了船，顺着两边都是芦苇的水道撑起船来。从午夜到天明，从天明又撑到午夜，每个人都精疲力尽，饥肠辘辘，最后总算是回到了原来下船的地方。出于某种恶意，船上的篙、桨等等，全都难用得要命；后来才发现这些船具里都灌了铅，而且都灌在最不凑手的地方。那些水道的水也很浅，他们在烂泥里撑船——甚至可以说是在陆地上行了船。有很多地方的芦苇是假的，水也是假的——是涂在地上的清漆，但在蒙眬中看不出真假，就把船撑上了山，又撑了下来；连设计这个圈套的薛嵩也不得不佩服这些刺客的蛮力。在陆地上行舟当然很累，撑了这一圈船之后，每个人的手上都起了燎浆大泡，并且感到腰酸腿疼。在这种情况下，他们也没兴趣继续前进，去杀红线、逮薛嵩。总而言之，薛嵩是如此地诡计多端，假如没有一些他那些机关的情报，就没法把他逮住。所以，他们就回去拷问小妓女，想要问出些有价值的口供。我已经说过，这些刺客是不可靠的。所以他们还想拷问老妓女。如果可能，他们还想拷问一切人。作为这篇小说的作者，我知道一切情报。所以，我才是他们最想拷问的人。

考虑各种可能性时，不应该把红线扣除在外。如前所述，她和各种各样的冷血动物都很有交情，养了很多青蛙、蜥蜴、毒蛇，还有癞蛤蟆。她让这些爬虫互相通婚，生出了各种千奇百怪的变种。当那些刺客冲到她面前时，她打开了一个竹篓，放出她的虾兵蟹将来：有没有脚的蜥蜴，长得像大头鱼，全靠身体的力量在地下一跳一蹦；有硕大无比的蟾蜍，腿却短得要命，长着三角脑袋，看上去有点像鳄鱼；有身材肥胖的眼镜蛇，长了一百条腿，所有的腿都在飞快地挪动，但因为腿太多，互相妨碍，身体移动得却不快；还有有毒的青蛙，嘴上长着角质的凸起，张开蜻蜓般的翅膀飞在空中。这种诡计绝非学院派所为。很显然，红线也是自由派。假如一个深山里的苗族女孩也是学院派，只能说明学院派根本就不存在。所有这些妖魔鬼怪一起朝刺客们扑来，龇出了毒牙、喷射着毒液；吓得他们转身就跑。现在，他们很想找人打听一下，这个红线到底是个会妖术的女巫，还是仅仅患有精神病。假如是前者，他们就不想再去杀她；有妖术的人死掉以后会变成更加难缠的恶鬼，还不如不杀。假如是后者，就非杀她不可，因为他们这么多大男人，总不能被一个女疯子吓跑了。总而言之，最后的结果是，如果没有知情人领路，就找不到红线，也找不到薛嵩。我的故事再次开始就是这样的。而那位白衣女人则朝我厉声喝道：越编越不像样子了，你！

第六章

【一】

1

用不着睁开眼睛，我就知道来到了清晨；清晨的宁静和午夜不同。有个软软的东西触着我的身体，从喉头到胸膛，一路触下来；我想，这是她的双唇。还有些发丝沙沙地拂着身体的两侧。与此同时，我嗅到她的体味，就如苦涩的荷花；还能感到她在我腹部呼气，好像一团温暖的雾。我虽然喜欢，也感到恐惧，因为再往下的部位生得十分不雅。我害怕她去亲近那里。也许就是因为恐惧，那东西猛地竖起来了。她在上面拍了一下，喝道：讨厌！快起来！我翻身坐了起来，甩着沉重的脑袋，搞不清楚谁讨厌，是我还是它。

在睁开眼睛之前，我知道自己发生了一种深刻的变化，但不是又一次失去记忆：昨天做的事情和写的稿子还保存在我心里，但我对自己的所作所为不满，觉得太过粗俗。从今以后，我要变得高雅些。一面下着这样的决心，一面我也觉得，自己有点做作。

因为老婆这个字眼十分庸俗，我决定把她称作白衣女人。因为她总穿白印花布的连衣裙，那布料又总是很软，好像洗过很多遍。所以她紧紧地裹在那种布料里，非常赏心悦目。她从我身边走过时，我顺手一抄，在裙子上捻了一把。她马上说道：别乱来啊——快起来，要迟到了。我立刻把手收了回来，放在嘴里咬着，用这种方式惩办这只手，心里想着：看来，这个举动格调不高……我该克服这种病态的爱好。我现在经常把手放在嘴里咬，但这不再使我焦虑。因为现在我已经悟到了，人要有高尚的情操，这就是说，我知善明恶，不再是混沌未凿。别的问题很快就会迎刃而解了。

对这位白衣女人，需要补充说，她骑自行车的样子也十分优雅；因为她挺直了脖子，姿势挺拔，小腿在裙子下从容不迫地起落；行驶在灰色的雾里——就如一只高傲的白天鹅，巡游在朝雾初升的湖里……我一不小心闯了红灯，然后一面看着路口的民警，一面讪讪地推着车子转了回来，回到路口的白线之内。这时她满脸都是笑意，说：你是不是又想被汽车撞一下？我认真地想了想，想到病房里龌龊的空气，还有别人在我耳畔撒尿的声音，由衷地答道：不想。我不想被汽车再撞一下，会撞坏的。她笑了起来，拉住我肩头的衣服，伸过头在我面颊上吻了一下，还说，真逗。我还想听到她再说什么，但是绿灯亮了。我们又骑上自行车，驶往万寿寺。

现在重读我的手稿，有些地方不能使我满意。比方说，那个老妓女奶袋尖尖，长了一嘴黄胡子，走起路来像一只摇摇晃晃的北极熊，全无可取之处。这不是我的本意。作为失去记忆的人，我的本意总是隐藏着。按照这种本意，故事里不该有全不可取的人——即便她是学院派的妓女。更何况这位白衣女人，如果不说她是一位学院派，就不足以形容她的气质。我对学院派怀有极大的善意，但因为本意是隐藏着的，所以把我也瞒过了。

所以，很可能那个学院派的老妓女并不老，大约有四十四五岁的样子；体形依然美好，腰依然很细，四肢依然灵活，乳房虽然稍有松弛，但把它在人前袒露出来时，她并不感到羞愧。她的脸上虽有不少细碎的皱纹，但没有黄胡子，只有一些黄色的茸毛长在手背、还有小臂的外侧上。

总的来说，她的身体像个熟透的桃子，虽然柔软，但并无可厌之处，只是再熟就要烂掉了。这样描写一个中年妇女使我的良心感到平安，因为这说明我毕竟是善良的。实际上，这个女人不仅不老，心地也不坏，只是有些古怪；一旦决定了的事，就再不肯改变。假如这样考虑这个故事，与前就大不相同了。

我的故事重新开始时，老妓女既不老，也不难看，只是有点神神道道的；或者说，有点二百五。这一点体现在她家的凉台上。这里有一道木栏杆，或者说是一道扶手。这道扶手有很多座子，上面安装了一些瓷罐，里面放着各种瓜子，有白瓜子、黑瓜子、葵花子、玫瑰瓜子、蛇胆瓜子等等，所以从外面看起来，这间房子里住的好像不是一个妓女，而是一群鹦鹉。她经常把男人送到凉台上，一面嗑瓜子，一面歪着头上下打量他，终于吐出了瓜子皮，摇摇头，说道：难看死了。这是指他腰间篾条吊起的龟头而言。那东西吊歪了就像个吊死鬼，是有点难看。在凉台的柱子上，挂着一束篾条。她取下一条，拿在手里，用命令的口吻说道：解下来！这是命令那个男人把拴好的竹篾条解下来，她要亲手来拴这根篾条。那个男人解下腰间的篾条时，她还把手上的篾条揉来揉去，使之柔软；然后就像裁缝给人量腰围一样，把双手伸向他的腰间；几经周折，终于拴好了那根篾条，吊好了那粒龟头；然后她就退后，继续嗑瓜子，欣赏自己的杰作。这回它倒是不歪，只是仰着头，像一个癞蛤蟆仰头漂浮于水面上的样子。打量了好久之后，她终于得出了自己的结论，说道：更难看！就一头冲回自己屋里去，再也不出来了。别人来找她时，她也总在嗑瓜子，歪着头打量他的腰间；最后终于吐出两片瓜子皮，也说：真难看——解下来吧。就自顾自进房子里去了。

有关这位老妓女，还要补充说，她是柔软的。肚子柔软，面颊柔软，臀部柔软，乳房也柔软。柔软得到处起皱纹。虽然还能保持良好的外形，但眼看就要垮掉了。在她乳房下面，有两道弧形的皱纹，由无数细小的皱纹组成；凑近了一看，就像绳子一样。她常让薛嵩看这两条皱纹，还说：我都这样了，你还不来多陪陪我。在她肘弯外面，有两块松松的皮，有铜钱大小、颜色灰暗，好像海绵垫子一样；在这两块松皮上面，也有无数的皱纹。同样的松皮也长在了膝盖上，比肘部的还要大。她常拿这四块松皮给男人看，并且哭天抢地似的说道：你们看看，这还得了吗？我就要完蛋了！还不快陪我玩玩？小妓女和寨子里的苗族女人一致认为，情况远没有她说的这样严重，这女人用这一手拉拢男人。在这种场合，她们认为她并不老，还很年轻。在另一种场合她们就认为此人又老又丑。如此说来，她们对她有两种自相矛盾的看法：假如说又老又丑值得同情，她们就认为她不老不丑；假如说又老又丑不值得同情，她们就说她又老又丑。这样一来，她们对她的态度也就不矛盾了。

这个女人对别人的态度也充满了矛盾。每次她看到小妓女在凉台上和别人调情，就厉声呵斥道：真下流！给男人做垫子！下流死了！轮到她自己时，又满不在乎地说：这没什么，哪个女人不给男人做垫子。这两种态度也是自相矛盾，一种用来对己，另一种用来对人。寨子里的女人都恨她恨得要死，她也恨每个女人恨到要死。这倒没什么稀奇，女人之间都是这样子的。所有的女人中她最恨红线，这倒不足为奇，因为红线抢了她的男人。

这个女人很爱薛嵩，因为薛嵩是凤凰寨里最温柔的男人。假如他不来过夜，她就自己一个人睡，把一个木棉枕头夹在两腿之间；到了第二天早上，就到处和别人说：这个浑蛋昨晚上又没来。早晚我要杀了他！人家以为她只是说说而已，但她真的干出来了。虽然不是杀薛嵩，只是杀红线，但已够惊世骇俗的了。她有几个东罗马金币，是她毕生的积蓄，闲着没事的时候经常拿来用牙咬，她觉得用牙咬比用眼睛看更开心。那些金币上满是她的牙印。后来，她就用这些钱雇了一些刺客去杀死红线，抢回薛嵩。据我所知，她马上就后悔了。一方面是因为她舍不得这些钱，另一方面她也觉得要别人的命未免太过分。后来，那个小妓女问她为什么要干这种事时，她赖皮赖脸地答道：我吃醋啦。怎么啦，你就没吃过醋吗？

2

根据这种说法，这女人并没有说要杀掉小妓女，是那些刺客自作主张地把那女孩捉了来，嘴里塞上了臭袜子，捆倒在她家的地上。那女人说：你们怎能这样！这是我的邻居啊。刺客头子说：你不懂。暗杀这种事，最怕走露风声。他从老妓女手里接过几个金币，掂了掂那几块沾满了睡液、温暖的金子（老妓女为了告别自己的金币，又最后咬了它们几口），就说：放心吧，老太太；既然收了你的钱，一定帮你把事情办好；买卖就是这么一种做法。老妓女听了恨得牙根痒痒，因为她不觉得自己是老太太。她安慰小妓女说：别着急，等事情办好就放你。但没留神，她自己也被捆了起来，嘴里也塞上了臭袜子。然后那些刺客就在她家里搜了一阵，把她所有的金币银币都搜走了。原来这帮刺客还兼做强盗的生意。后来，那帮刺客兼强盗就出发去杀红线，他们还要杀掉薛嵩。除此之外，他们还要把薛嵩家好好搜上一搜，因为薛嵩毕竟是节度使，家里一定有些值钱的东西。用刺客头子的话来说，要做就做彻底，"买卖就是这种做法嘛"。临走时，他们把两个妓女背对背地拴在了一起，这样谁也跑不掉。等他们走后，小妓女就从鼻子里哼哼着骂老妓女，说道：老婊子，你真不是个东西。老妓女挨了一会儿骂，也从鼻子里答道：小婊子，骂两句就算了，别没完呀。咱俩以前是邻居，现在更是邻居了。又过了一会儿，她提议道：这么坐着有点累。咱们侧躺着好不好？这是个很合理的建议，小妓女虽然很生她的气，也只好同意了。

在我新写的故事里，那个女人和那个女孩被背靠背地捆着，像一对连体双胞胎。我好像在什么地方见过这样的连体双胞胎——整个脊背长在一起，后脑勺也长在一起，泡在一个玻璃瓶子里——想必是在某个自然博物馆里。但我不想去找那个拥有一对连体双胞胎的自然博物馆。像所有的人一样，我去过不少博物馆、图书馆、电影院，所以就是找到了也没有什么意义。

她们侧躺在地下，嘴里塞着臭袜子，但还是唠叨个不停。女孩说：老婊子，你这是干了些啥。女人说：我也不知这是干了些啥，我要是知道就好了。女孩说：他们杀了薛嵩回来，准要把咱俩都杀掉。这回好了吧？合了你的意了吧？女人答道：你少说几句吧。你不过是丢了一条命，我连我的金子都丢掉了！你有过金子吗？小妓女从来不攒钱，有了钱就花掉，她也知道这是种毛病，所以被噎住了。但她依旧心有不平，终于说道：待会儿他们要杀，让他们先杀你。我看见你挨杀，心里也高兴一点。那女人沉吟了片刻，就答应了：好吧，我岁数也大些，就先死一会儿吧。过一会儿她又说：你的屁股还挺滑溜的嘛。女孩因此大怒道：滑溜不滑溜的，都要死掉了。这都怪你！老妓女感到理屈，就不说话了。

两个妓女被背靠背地捆着，侧躺在地板上，直到天明时那些刺客狼狈地回来。这些蓝色的人气急败坏，急于杀人泄愤，就把那小妓女从老妓女背上解了下来，不顾她们之间的约定，要把她先杀掉。如前所述，她不肯引颈就戮，在地下翻翻滚滚用脚蹬人，还说，我们已经商量好了，要杀先杀她。那些刺客反正要杀一个人，杀谁都无所谓。于是就来杀老妓女。谁知她也不肯引颈就戮，也在地下翻翻滚滚，用脚来蹬人；还说：我付了钱让你们杀人，人没有杀掉，倒来杀我，真他妈的没道理！这就让那些刺客陷入了两难境地：假如小妓女不肯引颈就戮，他们可以先杀老妓女；假如老妓女不肯引颈就戮，他们可以先杀小妓女；现在两个妓女都不肯引颈就戮，他们就像不里丹的驴子不知该吃哪堆草那样，不知该杀谁好了。就在这时，白昼降临到这个地方，林间的雾气散去了，阳光照了进来，虽然阳光里还带有一点水汽……

在早上的阳光下，林间的空地上躺着两个女人的身体。一个很年轻，充满了朝气，别人看了还能心平气和。另一个已经略见衰老，略显松弛，但依然美好，看起来就十分刺激。这是因为后一种身体时常被隐藏起来，如今被暴露在光天化日之下，就很能勾起人的邪念。前一个身体说道：老娘子！你说过让他们先杀你！后一个身体答道：他们想杀就让杀吗？没那么便宜！假如你是刺客头子，不知你会得出何种结论。我觉得这个结论应该是：前者和我们是一头的，后者不是。过了一会儿，后一个身体说道：喂，你们！好意思这么对待我吗？我可是给了你们钱的啊。前一个身体则说：好不要脸！还给他们钱……此时的结论似乎该是：后者和我们是一头的。前者不是。既然两个身体都可能和我们一头，刺客头子决定试上一试。他给她们讲了自己在薛嵩家里的不幸遭遇，然后提出一个问题：有没有一条路，或者一个方法，可以悄悄地摸进去，出其不意地逮住薛嵩和红线？这两个身体同声答道：不知道！此时的结论当然是：她们都不是和我们一头的。

3

如前所述，那个刺客头子也是学院派刺客，我既决定对学院派抱有善意，就不能厚此薄彼，只好对他也抱有善意。这个家伙要杀人，这一点当然不好。但反正不是杀我。他常把人看作身体，这就带有一点福科的作风——可惜我不记得福科是谁。他看起人来，总是有意地不看他（或她）的脸，这样每个人就更像身体，更不像人。这个刺客头子从脸到足趾都是蓝色的，蓝得有点发紫。他的这种蓝色是天生的。假如他身上破了，还会流出蓝色的血，滴在地下好像一些蓝油漆——他手下的人虽然也是蓝的，但不是天生的，而是涂的蓝颜色，这些手下人总带着蓝墨水，一旦碰破了皮，就往伤口里倒，假装蓝血——这是为了和领导保持一致。这个人的信条是：做事就要做彻底。他决定把这两个身体通通杀掉。他对身体有一种冷酷无情的态度，这样就和薛嵩有了区别。薛嵩对所有的身体都有好感，所以他就成了个老好人。在这个故事里，薛嵩就是这个样子。

在这个故事里，薛嵩始终保持了小手小脚，是个留着寸头的、棕色皮肤的男孩子。他忙忙乱乱地在寨子里到处跑，有时跑进老妓女的视野里。后者当然不会放弃这个机会，所以就说：薛嵩，来陪我玩！薛嵩马上就答应，跑过来伏在老妓女的身上，双手捧住她的某一只乳房，把乳头放在拇指和食指之间认真地打量——那样子像个修表匠。当然，他还要打量别的地方。最后的结论是：大妈，你好漂亮啊。假如这是曲意奉承，就可以说明自由派与学院派的关系——薛嵩是自由派，老妓女是学院派，自由派要拍学院派的马屁，不漂亮也得说漂亮。可惜薛嵩根本不会曲意奉承，他真的觉得老妓女漂亮。

后来，薛嵩跪了起来，解掉腰间的竹篾条，还很客气地问道：可以吗？随后就和老妓女做爱，很自然，很澎湃。总而言之，他使老妓女觉得他真的爱她；然后就说：大妈，我还有别的事，一会儿再来陪你。就跑掉了。假如他根本不爱她，说一会儿来看她是谎话，这也能说明点问题。亚里士多德说：谎言自有理由，真实则无缘无故。想想这个理由吧：学院派很崇高，让人不能不巴结。除了拍马屁，还要说些甜言蜜语来讨她的好。但是，很不幸，他也真爱这个老妓女。他真想一会儿就来看他。既然是真的，就不能说是拍马屁了。

更加不幸的是，他走着走着，别的女人也会在篱笆后面叫道：薛嵩，来陪我玩。他也会跑进去，伏在人家身上说：大姐，你好漂亮啊。过一会儿也要去解竹篾条，并且说：可以吗？倘若对方说不可以（这种情况很少见），他就把篾条重新系上，并且说：真遗憾，但你的确很漂亮。然后就走掉了。在更多的情况下他要和那女人做爱，而且很自然，很澎湃；然后又说：对不起，我还有别的事，一会儿再来陪你。就走掉了。这也是实话，假如不是在别处绊住了，他真想回来看她。假如有位八十岁的老太太叫他：薛嵩，陪我玩。他也会跑进去，把玩她老态龙钟的身体，然后说：老奶奶，你真是个漂亮的老奶奶。然后不和她做爱，走掉了。他做得很对。假如是个三岁的女孩叫他，他就跑进去抱抱她，然后说：小妹妹，你真漂亮，可惜太小了，不能和你玩。然后走掉了。假如走在路上，听到一头母水牛在背后"哞"的一叫，他也要回头看看，然后对它说：捣什么乱啊你。然后走掉了。这个寨子里所有的女人都喜欢薛嵩，因为他对女人的身体深具爱心，热爱一切年龄、一切体态的身体。这寨子里的一切男人都恨薛嵩，也是因为他对女人的身体深具爱心，喜欢一切年龄、一切体态的身体。作为一个男人，他还有些可赞美之处，但作为一寨之主，他简直混账得很。像他这样处处留情的人物，当然属于邪恶的自由派。

这个故事现在的样子使我十分满意，因为里面没有一个女人是可厌的。作为一个自由派的男人，我喜欢一切女人，不管是老的还是小的，是漂亮的还是丑的，不管她声音清丽委婉，还是又粗又哑，性情温柔还是凶猛泼辣，我都喜欢。唱过了这些高调之后，我也要承认，还是温柔漂亮一点的女人我喜欢得更多一点，不管她是自由派还是学院派。

4

在这个故事里，薛嵩也遇到了红线。此后他就把一切年龄、一切体态的妇女都弃之如敝屣。这一下就不像自由派了。红线也无甚出奇之处，只是个子很高，腿很长，身材苗条。假如是汉族女人，长到这样高以后，就会自然地矮下去——也就是说，低着头，猫着腰，向比自己矮的人看齐。但苗族女孩不会这样。红线在林子里找了一棵老树，在树皮上刻上自己的高度，每天都去比量，巴不得再长个一寸两寸。她就这样被薛嵩看到了。后者马上就对她入了迷，开始制造各种抢婚的工具，从一个多情种子，变成了一个能工巧匠。这就使老妓女为之嫉妒、痛苦，请了人来杀她。有关这件事的前因，我觉得自己已经解释得足够清楚了。

至于这件事的后果，就是她请来的人把她自己给逮住了，而且那些人还要拷打她，想从她那里获得薛嵩的情报——老妓女本来可以自愿说出些情报，但被捆上了就不能说，她也是有尊严的人哪——把她脸朝里地绑在一棵树上，说道：老娘子，打你了啊！她还是满不在乎地说：打吧。于是，藤条就在她背上呼啸起来了。我可以体会到这种看不见的疼痛。后来，人家把她放开，让她趴在满是青苔的地上；空出了那棵长满了青苔的老树。此时她背上满是伤痕和鲜血。那个小妓女在一边看了，恶狠狠地说了一声："该！"但老妓女还是镇定自若，对一个样子和善的刺客说：劳驾，给我拿把瓜子来。再以后，她就趴在地上嗑瓜子。虽然背上被抽开了花，她的臀部依然很美，腰也很细。小妓女看了，感到莫名的愤怒，痛恨她的身体，更恨她满不在乎的态度。像这样把痛苦和死亡置之度外，她可学不来……

后来，那个刺客头子对着那棵空出的树，做了一个优雅的手势，对小妓女说：小娘子，现在轮到你了。那女孩蹿蹿脚走了过去，抱住那棵树，伏在了老妓女的体温上，让人家把她捆在树上。她感到悲愤和委屈，就一头撞在树上，把头都撞破了。刺客头子看到这种不理性的举动，就劝止说：别这样。打你是我们的工作，不用你自己来做。于是，那小妓女觉得简直要气死了，大喊一声：你们！一个气我，一个打我！到底还让不让人活？刺客头子闻声又劝止道：别这样。让你死或让你活，是我们的事。不用你来操心。这就使小妓女完全走投无路了。

【二】

1

说到我自己，虽然不是妓女也不是刺客，但我觉得自己是自由派。这个流派层次较低，但想要改变也不是一朝一夕的事。下午，我们院里的热水锅炉坏了，原来流出滚烫的清澈液体，现在流出一种温吞吞的黄汤子。因为这种汤子和化粪池堵塞后流出的东西有可疑的近似之处，渴疯了的人也不敢尝试。在这种情况下，我跑到隔壁面馆去打了两壶开水，一壶自己喝，另一壶送给了白衣女人；这种自力更生的做法就像我写到过的自由派小妓女。但别人却不是我这样的。有好几位老先生经常跑到锅炉面前，扭开龙头，看看流出的黄汤子，再舔舔干裂的嘴唇，说一声：后勤怎么还不来修！就痛苦地走开了；丝毫想不到隔壁有家面馆。这种逆来顺受的可爱态度，和学院派的老妓女很有点相似。但我也不敢幸灾乐祸，恐怕会招来杀身之祸……

对于这个热水锅炉，需要进一步的描述：它是个不锈钢制成的方盒子，通着三百八十度的三相电。我觉得只要是用电的东西，就和我有缘分。我切断了电源，围着它转了好几圈。最后得出一个结论：只要能找到管钳，卸掉水管，我就能把它修好；没有管钳，用手拧不动水管（我已经试过了），就只好望洋兴叹。下一个问题就是：到哪里去找管钳。这么大的一个单位，必定有修理工，还会有工作间，能找到那儿就好了。我可不像薛嵩，东西坏了也不去修。但我对这个院子不很熟悉，转着圈子到处打听哪里能借到工具。转来转去，终于转到了白衣女人的房间里。她听到了我的这种打算，马上又着脖子把我撵回自己屋里；还说：你自己出洋相不要紧，别人可要笑话我了。我保证不去出洋相，但求她告诉我哪里能借到管钳。她说她不知道。看来也不像假话。然后，我在自己屋里，朝着摊开的稿纸俯下身来，心里却在想：真是不幸，连她也不理解我。看来她也是个学院派……

我总忘不了坏掉的锅炉在造成干渴，这种干渴就在我唇上，根本不是喝水可解。行动的欲望就像一种奇痒，深入我的内心。但每当我朝院里（那边是锅炉的方向）看时，就能看到一个白色的身影在那边晃动。看来，白衣女人已经知道我禁不住要采取行动，正在那边巡逻——她比我自己还了解我。又过了一会儿，我开始出鼻血，只好用手绢捂着鼻子跑出去，到门口的小铺买了一卷卫生纸。又过了一会儿，纸也剩得不多了。我只好捏着鼻子去找那位白衣女人。她见了我大吃一惊，说道：怎么了？又流鼻血了？我也大吃一惊：原来我常流鼻血，这可不是什么好消息……她在抽屉里乱翻了一阵说：糟了，药都放在家里。这是我意料中事，我瓮声瓮气地说道：我一个人也能回家去，但要把车也推回去，要不明早上没的骑。她倒有点发愣：你是什么意思？现在轮到我表现自由派的缜密之处：我的意思是，我自己推车走回去，但要劳你在路上捏住我的鼻子……但一出了门，我就知道还欠缜密：这个样子实在古怪，招得路上所有的人都来看我。除此之外，她还飞腿来踢我的屁股，因为鼻子在她手里，我全无还手之力，这可算是趁人之危了。她小声喝道：不准躲！不让你修锅炉你就流鼻血，你想吓我吗？……这话太没道理，鼻血也不是想流就能流得出的。何况，流鼻血和修锅炉之间关系尚未弄清，怎能连事情都没搞明白就踢我！因为她声音里带点哭腔，我也不便和她争吵。回到家里，躺在床上，用了一点白药，鼻血也就止住了。她也该回去上班。但她还抛下了一句狠话：等你好了再咬你……

2

白衣女人曾说，我所用的自由派、学院派，词义很不准确。现在我有点明白了。所谓自由派，就是不能忍受现状的人，学院派则相反。我自己就是前一种，看到现状有一点不合理就急不可耐，结果造成了鼻子出血。白衣女人则是学院派，她不准我急不可耐，我鼻子出了血，她还要咬我。小妓女和老妓女也有这样的区别，当被捆在一起挨打时，这种差别最充分地凸现了出来。

我写到的这个故事可以在古书里查到。有一本书叫作《甘泽谣》，里面有一个人物叫作薛嵩，还有一个人叫作红线。再有一个人叫作田承嗣，我觉得他就是那个浑身发蓝的刺客头子。这样说明以后，我就失掉了薛嵩、红线，也失掉了这个故事。但我觉得无关紧要。重要的是通过写作来改变自己。通过写作来改变自己，是福科的主张。这样说明了以后，我也失去了这个主张。但这也无关紧要，重要的是照此去做。通过写作，我也许能增点涵养，变成个学院派。这样鼻子也能少出点血。

那个蓝色的刺客头子把小妓女捆在树上，一面用藤条在她背上抽出美丽的花纹，一面坦白了自己的身份。如前所述，他就是田承嗣，和薛嵩一样，也是一个节度使。这就是说，他假装是个刺客头子，拿了老妓女的钱，替她来杀红线，实际上却不是的。他有自己的目的，想要杀死薛嵩，夺取凤凰寨。我想他这样说是想打击妓女们的意志，让她们觉得一切都完了，从此俯首帖耳——这个成语叫我想到一头驴。当然，他的目的没有达到。那个小妓女听了，就尖叫道：老娼子！看你干的这些事！你这是引鬼上门！那个老妓女一声不吭，继续嗑着瓜子，想着主意。后来，她站了起来，走到田承嗣的身边，说道：老田，放了她。田承嗣纳闷道：放了她干什么？那女人说：把我捆上啊。田承嗣又纳闷道：把你捆上干什么？那女人说：我替她挨几下。田承嗣说：挨打是很疼的呀。老妓女说：没有关系。我也该多挨几下。这样一来，这个老妓女就表现出崇高的精神：用自己的皮肉去保全别人的皮肉。在这个故事里，还是第一次出现了这种精神。这说明我变得崇高了。看来，通过写作来改变自己，并不是一句空话呀……

在这个故事里，田承嗣是卑鄙的化身——现在我已认定，田承嗣根本就不是学院派，他不配。起初我觉得，老妓女的自我牺牲会把他逼入两难的境地。假如他接受了老妓女的提议，放了小妓女去打老妓女，崇高的精神就得以实现，他所代表的邪恶就受到了打击。假如他不打老妓女，继续打小妓女，那老妓女就要少挨打。按照他邪恶的价值观，少挨打是好的。老妓女的崇高精神没有受到惩罚，对他来说是一种失败。照我看，他是没办法了。很不幸的是，田承嗣也有自己邪恶的聪明。他叫手下的人把老妓女捆在另一棵树上（很不幸的是，凤凰寨里有很多的树），同时加以拷打。小妓女还嘲笑她说：老娼子，瞧你干的这些事！你真是笨死了。她只好摇头晃脑地说：真是的，我笨死了。但是，小婊子，我可是真心要救你啊。小妓女干脆地答道：救个屁——这其实不是一句有意义的话，只是一声感叹；然后，她就低下头去，闭上眼睛，忍受背上的疼痛。在这个故事里，我想要颂扬崇高的精神，结果却让邪恶得了胜，但我决定要原谅自己，因为我已失去了记忆，又是个操蛋鬼，对我也不能要求过高。再说，邪恶也不会老得胜……

3

鼻血止住之后，我在家里到处搜索，没有找到户口本，却找到了几页残稿，写道："盛夏时节，在长安城里，薛嵩走过金色的池塘，走上一座高塔去修理一具热水锅炉……"在我失去记忆以前，这是我写下的最后的字句。打个不恰当的比喻，这像是我前生留下的遗嘱。看来，我想修理锅炉不是头一次了。我觉得可以从此想到很多东西。可惜的是，一下子不能都想起来。

以此为契机，我却想起了这样一件事：在大学里，有个同宿舍的同学戴一副断了腿的水晶眼镜，不管我怎么苦苦哀求，他都不肯摘下来叫我修理。这孙子说，这副眼镜是他爸爸的遗物，他就要这么戴到死……这眼镜他小心藏着，不让我碰。但我一见他用绳子拴着眼镜就心痒难熬。终于有一天，我在宿舍里把他一闷棍打晕，并在他苏醒之前把镜腿换上了……然后，他就很坚决地从宿舍里搬走了。他倒没有告我打他，只是到处宣扬我有精神病。别人对他说：你可以把新装上的镜腿再拆下来，这样，你父亲的遗物还是老样子。他却说：拆了干啥？招着王二再来敲我的脑袋？我没有那么傻！从这件事里，我很意外地发现自己上过大学——我是科班出身的。现在我可以认为自己是个学院派的历史学家，这是一个好消息。还有一个坏消息：我很可能是个有修理癖的疯子。正如白衣女人指出的，我所指的自由派，就是些气质像我的人。现在我知道了自己可能是疯子，自由派这个名称就有了问题：我总不好把疯子算作一派吧。

我对白衣女人用脚来踢我的事很是不满——就算我犯了疯病，也是为所里的器具损坏而疯，是一种高尚的疯病，踢我很不够意思——最起码应该脱了鞋在家里踢，穿着鞋在街上踢是不应该的。但细细一想，她还是对我好。继而想到，她说过，让我骑车小心，还说自己不愿意当寡妇，也是不希望我死之意。这使我从心里感到一丝暖意。说实在的，我自己也不想早早地死掉。我又回过头来写我的故事——我现在能做到的只是在故事里寻找崇高。在这个故事里，那个蓝色的刺客头子，也就是田承嗣，逮住了两个妓女，拷问她们薛嵩在哪里——在此必须重申，田承嗣不是自由派也不是学院派，他哪派都不是。

这两个女人——一位学院派的妓女和一位现代派的妓女，表现出崇高的气节，没有告诉他。其实他根本多此一问，薛嵩就在他们身后。黎明时分，薛嵩把他的柚木院子高高地升了起来，这片浮动的土地连同上面的花园、房屋，高踞在八根柱子上，而那八根柱子又高踞在林梢顶上，在朝霞的衬托之下，好像一个庞大无比的长腿蜘蛛。薛嵩站在这个空中花园的边上，隔着十里地都能看见。而寨中心那片空地离得很近，顶多也就是一两里地。奇怪的是，那些刺客和两个妓女都没有往那边看。

薛嵩遭人袭击之后，一直在努力升高他的院子。院子越高，离地面越远，也就越安全。他长时间地不言不语，好像怯懦已经吞食了他的内心。但到了黎明时分，他忽然呐喊一声，从地上一跃而起，奔进房子去拿他的武装。首先，他戴上一顶铜盔，这东西大体上和消防队员戴的头盔差不多，只是更高、更亮，盔顶有鱼鳍一样的冠子，用皮带扣在颏下；这样他一下子高了有一尺多。然后他又穿上护胸甲，这东西表面是一层发乌的青铜，镌有大海和海上的星辰。在青铜后面是亮闪闪的黄铜，黄铜背后是厚厚的水牛皮。最里面的一层是柔软的黄牛皮。这个结构的奥妙之处在于青铜硬而且脆，可以弹开锋利的刀锋；黄铜质地绵密，富有韧性，可以提供内层防护。至于牛皮，主要是用来缓冲甲面上的打击；这就深得现代复合装甲结构之精髓。此后他穿上护裆甲，那东西的形状就如一个龟头向上的生殖器，其作用也是保护这个重要的器官；只是那东西异常之大，把大象的家伙装进去，也未必装得满——看到红线疑惑的目光，薛嵩解释了两句：敌人也不知我有多大，吓吓他们——他把这个东西拴在腰间，拴上护肩甲、护腿甲、护胫甲，薛嵩威风凛凛，有如一位金甲天神。

但是，所有这些甲胄都只有前面，没有后面；后面用几根皮带系住。所以，薛嵩也只是从前面看时像位金甲天神，从后面一看，裸露着脊梁，光着屁股，甚是不雅观。薛嵩用巨雷般的低沉嗓音说道：敌人只能看到我的前面，休想看到我的后面。这话说得颇有气概。他还穿上了皮底的凉鞋，鞋底有很多的钉子，既有利于翻山越岭，又可以用来踢人。着装以后，薛嵩行动起来颇为不便，他有一把连鞘的青铜大剑放在地下。他让红线给他拿起来，以便拴在腰上。看到那剑又宽又厚，红线就用了很大的力气去拿。结果是连人带剑一起从地下跳了起来，原因是那剑很轻。薛嵩抹了一下鼻子，不好意思地说道：空心的。把剑佩好，他把铜盔上的面具拉了下来，露出一副威猛的面容。然后，这样一位薛嵩就行动了起来，准备向外来的袭击者展开反攻。

4

有关薛嵩的院子，必须补充说，它不但可以在柱子上升降，那些柱子又可以水平移动。只要转动一些绞盘，整个院子连同支撑它的柱子就可以像个大螃蟹一样走动，成为一个极为庞大的步行机械。实际上，薛嵩可以使他的院子向寨中的敌人发起冲击，但要有个前提：必须有一百个人待在上面，按薛嵩的口令扳动绞盘。假如有一百个人，这座院子就会变成一架可怕的战争机器，连同地基向敌人冲击。不幸的是，此时院子里只有两个人，缺少了人手，它就瘫了不能动。细究起来，这又要怪薛嵩自己。他只让自己和红线登上柚木平台，换言之，除了红线，他谁都不信任……

白衣女人说，她最讨厌我在小说里写到各种机械、器具；什么绞盘啦、滑轨啦，她都不知道是些什么东西。她说得有道理，但我满脑子全是这种东西，不写它写什么？写高跟鞋？这种东西她倒是很熟悉，但我对它深恶痛绝，尤其是今天被穿着高跟鞋的脚踢了两下以后，就更痛恨了。她听了挑起眉毛来说：哟！记仇了。好吧，以后不穿高跟鞋。她就是不肯说以后不再踢我。我的背后继续受到威胁……

红线以为，薛嵩会冲出自己的柚木城堡，向聚集在寨中心的刺客们冲锋。这样他将面对数十倍于己的敌人，前面虽然武装完备，后面却还露着屁股；这样顾前不顾后肯定不会有好的结果。她对于战争虽然一窍不通，但还懂得怎么打群架。所以她也武装了起来：把头发盘在了头上，把家里砍柴、切菜的刀挑了一个遍，找到一把分量适中，使起来趁手的，拿在右手里。至于左手，她拿了一个锅盖。薛嵩家里的一切东西都是他亲手做的，既结实，又耐用，样子也美观，总之，都很像些东西；这个锅盖也不例外。它是用柚木做的，有一寸来厚，完全可以当盾牌用。红线跟在薛嵩后面，准备护住他的后背，满心以为他就要离开家去打交手战；谁知薛嵩不往门外跑，却往后面跑去。他打开了库房的大门，从里面推出一架救火云梯似的东西——那东西架在一辆四轮车上。红线帮他把这个怪东西推到了门前的空地上，薛嵩用三角木把车轮固定住，把原来折叠的部件展开来；这才发现它原来是一张大得不得了的弩。原来，薛嵩并不准备冲出去，他打算待在城堡里——也就是说，躲在安全的地方施放冷箭。既然如此，红线就不明白薛嵩为什么要作张作势地穿上那么多的铠甲。我觉得这个问题的答案应该是：造造气氛。

薛嵩的弩车停在城堡的边缘上。弩上的弓是用整整一棵山梨树做成的，弓弦是四股牛筋拧成的绳子。他和红线借助一个绞盘把弓张开，装上一支箭——那箭杆是整整的一根白蜡杆，我以为叫作一支标枪更对。此时，这张弩的样子就像一辆现代的导弹发射架，处于待发的状态。薛嵩登上瞄准手的位子，摇动方向机和高低机，把弩箭对准了敌人。如前所述，这里离寨中心相当远，只能看见影影绰绰的一群人。就这样一箭射出去，大概也能射着某个人。但薛嵩的伎俩远不止此。他还有个光学瞄准镜，由两个青铜阳燧组成。众所周知，阳燧是西周人发明的凹面镜，原来是用来取火的。薛嵩创造性地把它们组装在一起，变成了一个反光式的望远镜。透过它看去，隔了两里多地，人头还有大号西瓜大。他在里面仔细地瞄准，只是不知在瞄谁。这个目标对我自己来说，是一个悬念。

5

我说过，从前面看去，薛嵩是一位金甲天神。从反面一看就不是这么回事，因为他光着屁股。假如全身赤裸，这个部位倒是蛮好看的：既丰满，又紧凑；但单单把它露在外面，就说不上好看，甚至透着点寒碜。这就如一位正面西装革履的现代人，身后却露出肉来，谁看了也不会说顺眼。我们知道，浑身赤裸时，薛嵩是个心地善良的好人；打扮成这个样子以后是个什么人，连红线都不知道。他就这样伏在弩车上，仔细地瞄准，然后扳动了弩机；只听见砰的一声，那支弩箭飞了出去……

正午时分，空气里一声呼啸，薛嵩的弩箭穿进了人群，把三个人穿了起来，像羊肉串一样钉在了一棵大树上。这三个人里就有老妓女，她被两个刺客夹在中间，像一块三明治。那根弩箭从她的胃里穿过去，她当然感到钻心的疼痛。她还知道，这是薛嵩搞的鬼，就朝他家的方向愤怒地挥了一下拳头。但马上她的注意力就被别的事情吸引过去了。在她身后那个刺客痛苦地挣扎着，把腰间的篾条都挣开了，那个东西硬邦邦抵在她的屁股上，总而言之，他就像北京公共汽车上被叫作"老顶"的那种家伙。她扭过身去，愤怒地斥责道：往哪儿捅？这儿要加钱的，知道吗？后面那个刺客被射穿了心口下面的太阳神经丛，疼得很厉害，无心搭理她。在她前面的那一位被从左背到右前胸斜着贯穿，伤口很长，已经开始临死的抽搐，不听使唤的手臂不停地碰到她身上。老妓女又给了他一巴掌，说道：挤那么紧干吗，又不是没有地方！那人捯着气，勉强答道：对不起，我也不想这样……再后来，老妓女自己也没有了力气，不再争辩什么，就这样死去了，临死时，朝柚木城堡伸出右手的中指，这是个仇恨的手势。这个老妓女留下了一个不解之谜：到底薛嵩是有意射她呢，还是无意的。小妓女总觉得他是无意，我总觉得他是有意。当然，薛嵩自己总不承认自己是有意的。

放完了这一箭，薛嵩摇了摇头，没有说什么，倒是红线大叫起来：射错人了！然后，薛嵩在弩上装上一支新弩箭，转动绞车把弩张开时，红线继续呆呆地站着，也不来帮忙，忽然又大叫了一声：射错人了！但薛嵩还是一声不吭地忙着，张好了弩，他又跑回瞄准手的座位上去，继续瞄准，而红线则又一次呐喊道：射错人了！射着自己人了！薛嵩回头一看，发现红线正用反感的眼神看着他，就说：别这么看我！这是打仗，你明白吗？战场上什么事都会发生……说完，他就回过头去继续瞄准了。红线定了定神，回头朝寨心望去，发现那片空场上只剩了一个人——无须我说你就知道，原来那里有一大群人，现在都不见了。只剩下一个人，就是那个小妓女。说来也不奇怪，那些刺客发现自己在远程火力的威胁之下，自然要躲起来。假如那个小妓女坚信薛嵩不会射她，她也可以不躲起来。但实际上却不是这样——实际上，她也信不过薛嵩，但有一大伙人躲在她的身后，还有一个人从背后揪住她的头发，让她躲不开。现在，她面朝着薛嵩家的方向站着，满脸都是无奈。

也许我需要补充说，薛嵩一箭射死了老妓女和两个刺客，使田承嗣和他的手下人大惊失色，觉得他很厉害。他们赶紧躲了起来——当然，可以躲到大树后面，躲到河沟里，但他们觉得躲在小妓女背后比较保险。他们以为，这个女孩和薛嵩的交情非比一般，她和薛嵩太太红线又是手帕交，薛嵩决不会射她，因此，她身后一定是最保险的地方了。但薛嵩离他们很远，所在的方位又是逆光，所以他们一点都看不到薛嵩在干啥；假如看到了，一定会冒出红线一样的疑问：敌人都躲了，只剩一个自己人，你瞄的到底是谁呀？假如他们知道这问题的答案，更会大为震惊。实际上，薛嵩瞄的就是小妓女，虽然他不想射死她。他把瞄准镜的十字线对在那女孩的双乳正中，心里想着：天赐良机！他们排成了一串……这一箭可以穿透十二个人。这说明他想要射死的决不是小妓女，而想要穿过她，射死她身后的十一个人。当然，我们知道，这个女孩被穿透之后，很难继续活下去。但这一点薛嵩已经忘记了。他只记得射死了十一个人以后，就可以夺回凤凰寨了。

我发现，只要我开个恶毒的玩笑，就可以得到崇高。薛嵩把弩箭瞄准小妓女，就是个恶毒的玩笑；但崇高不崇高，还要读者来评判。他瞄得准而又准，正待扳动弩机，忽然听见砰的一声响，整个弩车猛地歪到一边——原来是红线一刀砍断了弓弦。薛嵩从歪倒的弩车里爬了出来，扶正头上的头盔，朝红线嚷道：怎么搞的？你搞破坏呀你！但红线一言不发，只是瞪大了眼睛看着他。她的眼睛不瞪就很大，瞪了以后连眼眶都看不到了。

6

　　那个白衣女人看过我的故事，摇摇头，说道：你真糟糕。在这个故事里，薛嵩一箭射死了老妓女，又把箭头对准了小妓女；她就是指这点而言。我问：哪里糟糕？她说：想出这样的故事，你的心已经不好了。我连忙伸手去摸左胸时，她又喝道：往哪儿摸？没那儿的事！我说你品行不好！如你所知，我现在最关心这类问题，就很虚心地问道：什么品行叫作好，什么品行叫作不好？她说出一个标准，很简单，但也很使我吃惊：品行好的男人，好女孩就想和他做爱。品行不好的男人，好女孩宁死也不肯和他做爱。我现在的品行已经不好了，这使我陷于绝望之中。

　　实际上，是薛嵩的品行有了问题。我发现他很像我的表弟。如前所述，我表弟的手脚都很小，他的皮肤是棕色的，留着一头板寸。傍晚我们到王朝饭店去看他，坐在 lobby① 里，看着大厅中央的假山和人造瀑布。我表弟讲着他的柚木生意，有很多技术性的细节，像天书一样难懂。许多年前，薛嵩就是这样对红线讲起他行将建造的凤凰城。他在沙地上用树枝画了不少波浪状的花纹，说道，长安城虽然美丽，但缺少一个中心，所以是有缺点的。至于他的城市，则以另一种图样来表示，一个圆圈，周围有很多放射出的线条。红线没看出后一个形状有任何优点，相反，她觉得这个图样很不雅，像个屁眼。不过她很明智，没把这种观感说出来。实际上，薛嵩说了些什么，她也没听懂。薛嵩是说，这座城市将以他自己为核心来建造。它会像长安一样美丽，但和长安大不相同。它将由架在众多柱子上的柚木平台组成，其中最大最高的一个平台，就是薛嵩自己的家。这个建筑计划我表弟听了一定会高兴，因为这个工程柚木的用量很大，他的

　　———————
　　① 意为"大厅"。

柚木就不愁卖不出去了。

身在凤凰寨内，薛嵩总要谈起长安城。起初，红线专注地听着，眼睛直视着薛嵩的脸；后来她就表现出不耐烦，开始搔首弄姿，眼睛时时被偶尔飞过的蝴蝶吸引过去。在王朝的 lobby 里当然没有蝴蝶，她的视线时时被偶尔走过的盛装女郎吸引过去，看她们猩红的嘴唇和面颊上的腮红，我猜她是在挑别人化妆的毛病——顺便说一句，我觉得她是枉费心机，在我看来，大家的妆都化得蛮好——对于我们正在说着的这种语言，她还不至全然不懂，但十句里也就能听懂一到两句。等到薛嵩说完，红线说：能不能问一句？薛嵩早就对她的不专心感到愤怒，此时勉强答道：问吧！这问题却是：雪是什么呀？身为南国少女，红线既没见过雪，也没听说过雪，有此一问是正常的。但薛嵩还是觉得愤怒莫名，因为他这一番唇舌又白费了。我的表弟一面说柚木，一面时时看着我的表弟媳，脸上也露出了不满的神色，看得她说了一声："Excuse me"，就朝卫生间走去了。那位白衣女人说了一句："Excuse me"，也朝卫生间走去。后来她们俩再次出现时，走到离我们不远的沙发上坐下了——女人之间总是有不少话可说的。现在只剩下了我，听我表弟讲他乏味的柚木生意。

我已经知道柚木过去主要用于造船，日本人甚至用它来造兵舰，用这些兵舰打赢了甲午海战——由此可以得到一个结论：这种木头是我们民族的灾星——而现在则主要用来制造高档家具，其中包括马桶盖板。他很自豪地指出，这家饭店的马桶盖就是他们公司的产品，这使我动了好奇心，也想去厕所看看。但我表弟谈兴正浓，如果我去厕所，他必然也要跟去。所以我坐着没有动：两个男人并肩走进厕所，会被人疑为同性恋，我不想和他有这种关系……我还知道了最近五年每个月的柚木期货和现货行情，我表弟真是一个擅长背诵的人哪。我虽然缺少记忆，但也觉得记着这些是浪费脑子——这种木头让我烦透了。后来，我们在一起吃了饭。再后来，就到了回家的时刻。我表弟希望我们再来看他，不知道为什么，我有点不想再来了……

7

晚上我回家，追随着那件白色的连衣裙，走上楼梯。走廊里很黑，所有的灯都坏了。我不明白为什么没人来修理。楼梯上满是自行车。我被车把勾住了袖子，发起了脾气，用脚去踢那些自行车。说实在的，穿凉鞋的脚不是对付自行车的良好武器——也许我该带把榔头出门。那个白衣女人从楼梯上跑了下来，把我拉走了。她来得正好，我们刚上了楼，楼下的门就打开了，有人出来看自己的车子，并且破口大骂。假如我把那些骂人话写了出来，离崇高的距离就更远了。此时我们已经溜进了自己的家，关上了门，她背倚着门笑得透不过气来。但我却笑不出来：我的脚受了伤，现在已经肿了起来。后来到了床上，她说：想玩吗？我答道：想，可是我品行不好呀。她又笑了起来，最后一把抱住我说：还记着哪。这似乎是说，白天她说的那些关于品行的话可以不当真。有些话要当真，有些话不能当真。这对我来说是太深奥了……

有件事必须现在承认：我和以前的我，的确是两个人。这不仅是因为我一点都记不得他了，还因为怀里这个女人的关系。我一定要证明，我比她以前的丈夫要强。现在我们在做爱。我不知别的夫妇是怎样一种做法，我们抱在一起，像跳贴面舞那样，慢条斯理——我总以为别的姿势更能表达我的感情。于是，我爬了起来，像青蛙一样叉开了腿。没想到她从鼻子里哼了一声说：别乱来啊。就在我头上敲了一下。正好打中了那块伤疤，几乎要疼死了。不管怎么说吧，我还是坚持到底了……

我现在相信薛嵩的品行的确是不好的。以前红线不知道他有这个缺点，所以爱过他，很想和他做爱。现在看到他射死了老妓女，又想射死小妓女，觉察出这个问题，就此下定决心，再也不和他做爱。她甚至用仇恨的目光看看薛嵩的头盔，心里想着：这里没盛什么真正的智慧；里面盛着的，无非是一包软塌塌的、历史的脐带……

【三】

1

薛嵩的所作所为使红线大为不齿，我也被他惊出了一身冷汗。如你所知，我因为写他，品行都不好了。但我总不相信他真有这么坏。他不过是被自己的事业迷了心窍而已。身为一个男人，必须要建功立业……

我说过，薛嵩在长安城里长大。后来，他常对红线说起那座城市的美丽之处。他还说，要在湘西的草地上建起一座同样美丽的城市，有同样精致的城墙、同样纵横的水道、同样美丽的水榭；这种志向使红线深为感动。从智力方面来看，薛嵩无疑有这样的能力。遗憾的是，他没有建成这座新长安所需的美德——像这样一座大城，可不是两个人就能建成的啊。

身在凤凰寨内，薛嵩总要谈起长安城里的雪。他说，雪里带有一点令人赏心悦目的黄色，和早春时节的玉兰花瓣相仿。这些雪片是甜的，但大家都不去吃它，因为雪是观赏用的。等到大地一片茫茫，黑的河流上方就升起了白色的雾；好像这些河是温泉一样……假如能把长安的雪搬到这里就好了——起初，红线专注地听着，眼睛直视着薛嵩的脸；后来她就表现出不耐烦，开始搔首弄姿，眼睛时时被偶尔飞过的蝴蝶吸引过去。

薛嵩描述的长安城是一片白茫茫的雪地，在雪地上纵横着黑色的河岸。在河岸之间，流着黑色透明的河水，好像一些流动的黑水晶。但这也没什么用处。住在这里的人没有真正的智慧，满脑子塞满了历史的脐带。河水蒸腾着热气，五彩的画舫静止在河中，船上佳丽如云。这也没什么用处，这些女人一生的使命无非是亲近历史的脐带，使之更加疲软而已。她们和那位建造了万寿寺的老佛爷毫无区别……

忽然间薛嵩惊呼一声：我的妈呀！我都干了什么事呀……然后他就坐在地上，为射死了老妓女痛心疾首，追悔不已。首先，他在弩车的轮子上撞破了脑袋，然后又用白布把头包了起来。这一方面是给死者戴孝，另一方面也是包扎脑袋。然后，他又在肩上挎了一束黄麻，这也是给死者戴孝之意。这都是汉人的风俗，红线是不懂的，但她也看出这是表示哀痛之意。然后，薛嵩就坐在地下号啕痛哭，又用十根指头去抓自己的脸，抓得鲜血淋漓。这些哀痛之举虽然真挚，红线却冷冷地说：一箭把人家射死了，怎么哭都有点虚伪。后来薛嵩拿起地上那把青铜剑，在自己身上割了一些伤口，用这种方法来惩罚自己。但红线还是不感动。最后他把自己那根历史的脐带放在侧倒的车轮上，想把它一剑剁下来，给老妓女抵命，红线才来劝止道：她人已经死了，你也用不着这样嘛。薛嵩很听劝，马上就把剑扔掉了。这说明，他本来就不想失掉身体的这一部分。不管你对上述描写有何种观感，我还是要说，薛嵩误杀了老妓女之后，是真心的懊悔。其实，我也不愿给薛嵩辩护。我对他的故事也感到厌恶。假如我记忆无误，这已经不是第一次了。

薛嵩在凤凰寨里，修理翻掉的弩车。如前所述，红线一刀砍断了弓弦。假如它只是断了弦，那倒简单了；实际上，这件机器复杂得很，很容易坏，而且是木制的，不像铁做的那么结实；翻车以后就摔坏了。薛嵩把它拆开，看到里面密密麻麻装满了木制的牙轮、涂了蜡的木杆、各种各样的木头零件。随便扳动哪一根木杆，都会触发一系列复杂的运动。这就是说，在这个庞大的木箱子里，木头也在思索着。这东西是薛嵩的作品，但它的来龙去脉，他自己已经忘掉了。所以，薛嵩马上就被它吸引住了。他俯身到它上面，全神贯注地探索着，呼之不应，触之不灵。红线在地下找了一根竹签，拿它扎薛嵩的屁股。头几下薛嵩有反应，头也不回地用手攘那不存在的马蝇子；后来就没了反应。这件事使红线大为开心。她也俯身到薛嵩紧凑的臀部上，拿竹签扎来扎去，后来又用颜色涂来涂去，最后文出一只栩栩如生的大苍蝇。此后，薛嵩在挪动身体时，那苍蝇就会上下爬动，甚至展翅欲飞。这个作品对薛嵩很是不利——以后常有人伸手打他的屁股，打完之后却说：哎呀，原来不是真苍蝇！对不起啊，瞎打了你一下。由此看来，假如红线在他身上文一只斑鸠，他就会被一箭射死。那射箭的人自会道歉道：哎呀，原来不是真斑鸠！对不起啊，把你射死了……

2

在凤凰寨里，此时到了临近中午的时分。天气已经很热了，所以万籁无声。所有的动物都躲进了林荫——包括那些刺客和小妓女。但薛嵩还在修理他的弩车，全不顾烈日的暴晒，也不顾自己汗下如雨。起初，红线觉得薛嵩这种专注的态度很有趣，就在他屁股上文了只苍蝇；后来又在他脊梁上画了一副棋盘和自己下棋。很不幸的是，这盘棋她输了。再后来，她觉得薛嵩伏在地上像一匹马，就把他照马那样打扮起来——在他耳朵上挂上两片叶子，假装是马耳朵；此后薛嵩的耳朵就能够朝四面八方转动。搞来一些干枯的羊胡子草放在他脖子上，冒充鬃毛；此后薛嵩就像马一样地喷起鼻子来了。后来，她拿来一根孔雀翎，插在他肛门里当作马尾巴。这样一来，薛嵩的样子就更古怪了。

后来，那根孔雀翎转来转去，赶起苍蝇来了——顺便说一句，自从红线在臀部文上了一只苍蝇，这个部位很能招苍蝇，而且专招公苍蝇。这不仅说明红线文了只母苍蝇，而且说明这只苍蝇很是性感，是苍蝇界的电影明星——这根羽毛就像有鬼魂附了体一样，简直是追星族。一只金头苍蝇在远处嬉戏，这本是最不引人注意的现象，这根翎毛却已警惕起来，自动指向它的方向。等它稍稍飞近，羽毛的尖端就开始摇动，像响尾蛇摇尾巴一样，发出一种威胁信号；摇动的频率和幅度随着苍蝇逼近的程度越来越大。等到苍蝇逼近翎毛所能及的距离时，它却一动也不动了；静待苍蝇进一步靠近。直到它飞进死亡陷阱，才猛烈地一抽，把它从空中击落。你很难相信这是薛嵩的肛门括约肌创造了这种奇迹，倘如此，人的屁眼儿还有什么做不到的事情呢？我倒同意红线的意见，薛嵩有一部分已经变成马了……

这种情形使红线大为振奋，她终于骑到他身上，用脚跟敲他的肋骨，催他走动。而薛嵩则不禁摇首振奋，摇动那根孔雀翎，几乎要放足跑动。照这个方向发展下去，结果是显而易见的：薛嵩变成了一匹马。在红线看来，一个丈夫和一匹马，哪种动物更加可爱是显而易见的。特别是她觉得这匹马没有毛，皮肤细腻，骑起来比别的马舒服多了……

但是，故事没有照这个方向发展。薛嵩对红线的骚扰始终无动于衷，只说了一句"别讨厌"，就专注于他的修理工作。这态度终于使红线肃然起敬。她从他身上清除掉一切恶作剧的痕迹，找来了一片芭蕉叶，给他打起扇来了……虽然这个故事还没有写完，但我已经大大地进了一步。

现在，万寿寺里也到了正午时节，所有的蝉鸣声戛然而止。新粉刷的红墙庄严肃穆，板着脸述说着酷暑是怎样一回事。而在凤凰寨里，薛嵩蹲在地上，膝盖紧贴着腋窝，肩膀紧夹着脑袋，手捧着木制零件，研究着自己制造的弩车——他的姿势纯属怪诞，丝毫也说不上性感。但红线却以为这种专注的精神十足性感。因为她从来也不能专注地做任何事，所以，她最喜欢看别人专注地做事，并且觉得这种态度很性感……与此同时，薛嵩却一点点进入了这架弩车的木头内心，逐渐变成了这辆弩车。就在这时，红线看到垂在他两腿之间的那个东西逐渐变长了，好像是脱垂出来的内脏——众所周知，那个东西有时会变得直撅撅，但现在可不是这个模样。仅从下半部来看，薛嵩像匹刚生了马驹的老母马。那东西色泽深红，一端已经垂到了地上。这景象把庄严肃穆的气氛完全破坏了。开头，红线用手捂着嘴笑，后来就不禁笑出声来了。薛嵩傻呵呵地问了一句：你笑什么？红线顾不上回答。这种嬉皮笑脸的态度当然使薛嵩恼怒，但他太忙，顾不上问了。那个白衣女人对这个故事大为满意，她说：写得好——你们男人就是这样的！这句话使我如受当头棒喝。原来我们男人就是这样地没出息！

3

我终于明白了我为什么对自己不满：我是一个男人，有着男性的恶劣品行：粗俗、野蛮、重物轻人。其中最可恨的一点就是：无缘无故地就想统治别人。在这些别人之中，我们最想要统治的就是女人。这就是男人的恶行，我既是男人，就有这种恶行……

看过了《甘泽谣》的人都知道红线盗盒的故事是怎么结束的：薛嵩用尽了浑身的解数，也收拾不了田承嗣。最后是红线亲自出马，偷走了田承嗣起卧不离身的一个盒子，才把他吓跑了。现代的女权主义文论家认为，这个故事带有妇女解放的进步意义，美中不足之处在于：不该只偷一个盒子，应该把田承嗣的脑袋也割下来。这真是高明之见，我对此没有不同意见。我要说的是：的确存在着一种可能，就是薛嵩最终领悟到大男子主义并不可取，最终改正了自己的错误。但是冰冻三尺非一日之寒，一个人在改变中，也会有反复。因为这个缘故，每次看到薛嵩的把把变粗变直，红线就会奋起批判：好啊薛嵩！你又来父权制那一套了！让大家都看看你，这叫什么样子？而这时薛嵩已被改造好了，听了这样的指责，他感到羞愧难当，面红耳赤地说：是呀是呀。我错了……下次一定不这样。

可惜仅仅认错还不能使那个东西变细变软，它还在那里强项不伏。于是，红线就吹起铜号，把整个寨子里的人都招来，大家开会批判大男子主义者薛嵩，那个直挺挺的器官就是他思想问题的铁证。说实在的，很少有哪种思想问题会留下这样的铁证——而且那东西越挨批就越硬。久而久之，薛嵩也有了达观的态度，一犯了这种错误就坦白道：它又硬了，开会批判吧——这哪叫一种人过的生活。好在有时红线也会说：好吧，让你小孩吃。就躺下来，和薛嵩做爱——像这样的生活能不能叫作快乐，实在大有疑问……

这样写过了以后，我忽然发现自己并没有统治女人的恶劣品行。我能把薛嵩的下场写成这个样子，这本身就是证明……我和他们没有任何关系。顺便说一句，我想到了自己对领导的许诺——我在工作报告里写着，今年要写出三篇《精神文明建设考》——既然说了，就要办到。这个故事我准备叫它《唐代凤凰寨之精神文明建设考》。白衣女人对此极感兴奋，甚至倒在双人床上打了一阵滚；这使我感到一定程度的满足。滚完了以后，她爬起来说：可别当真啊。这又使我如坠五里雾中。我最不懂的就是：哪些事情可以当真，哪些事情不能当真。

4

不久之前，万寿寺厕所的化粪池堵住了，喷涌出一股碗口粗细的黄水。这件事发生在我撞车之前，这段时间里的事我多半都记不起来，只记起了这一件。它给我带来了极大的痛苦，因为我只要看到那片黄水，就有一种按捺不住的欲望，要用竹片去把下水道捅开——连竹片我都找好了。而那位白衣女人见到我的神情，马上就知道我在想什么。她很坚决地说：你敢去捅化粪池——马上离婚。因为这个威胁，那片黄水在万寿寺里漫延开来。这种液体带着黄色泡沫，四处流动。领导打了很多电话，请各方面的人来修，但人家都忙不过来。后来，那片黄水漫进了他的房间。他只好在地上摆些砖头以便出入，自己也坐在桌子上面办公。有些黄色的固体也随着那股水四下漂流。黄水也漫进了资料室，里面的几个老太太也照此办理，并且戴上了口罩。与此同时，整个万寿寺弥漫着火山喷发似的恶臭。全城的苍蝇急忙从四面赶来，在寺院上空发出轰鸣……这种情形使我怒发冲冠。没有一种道理说，所有的历史学家都必须是学院派，而且喜欢在大粪里生活。豁出去不做历史学家，我也一定要把壅塞的大粪捅开。

在此情形之下，那个白衣女人断然命令道：走，和我到北京图书馆查资料去。我坐在图书馆里，想到臭烘烘的万寿寺，心痒难熬。而那位白衣女士却说：连个助研都不给你评（顺便说一句，我还没想起助研是一种什么东西），你却要给人家捅大粪！我的上帝啊，怎么嫁了这么个傻男人！后来，我逃脱了她的监视，飞车前往万寿寺，在路上被面包车撞着了。因为这个缘故，她在医院里看到我时，第一句话就是：你活该！然后却哭了起来。当时我看到一位可爱的女士对我哭，感到庄严肃穆，但也觉得有点奇怪：既然我活该，她哭什么呢？我丝毫也没有想到这种悲伤的起因竟是四处漫延的大粪。当然，大粪并不是肇祸的真正原因。真正的原因是：我是现代派，而非学院派。现代派可以不评助研，但不能坐视大粪四处漫延……那白衣女人现在提起此事，还要调侃我几句：认识这么多年，没见过你那个样子。见了屎这么疯狂，也许你就是个屎壳郎？我很沉着地答道：我要是屎壳郎，你就是母屎壳郎。既然连被撞的原因都想了起来，大概没有什么遗漏了。薛嵩走上塔顶去修理锅炉的故事跨过丧失的记忆，从过去延伸到了现在……

第七章

【一】

1

　　早上我在万寿寺里，在金色的琉璃瓦下。从窗子里看去，这里好像是硫磺的世界，到处闪着硫磺的光芒，还有一股硫磺的气味。我多次出去寻找与硫磺有关的工厂，假如找到的话，我要给市政府写信，揭发这件事，因为硫磺不但污染环境，还是种危险品，不能放在万寿寺边上。结果是既没有找到工厂，也没有找到硫磺，而且一出了寺门气味就小了。事实是：我们正在污染环境，我们才是危险品。面馆里的人还抱怨说，我们发出的气味影响了他们的生意。这样我就不能写这封信了——因为人是不该自己揭发自己的呀。

　　从医院里出来已经有一个礼拜了。我有一个好消息：我的记忆正在恢复中，每时每刻都有新的信息闯进我的脑海。但也有很多坏消息，这是因为这些记忆都不那么受我的欢迎。比方说这一则：我不是历史学家。我已经四十八岁了，还是研究实习员，没有中级职称。学术委员会前后十次讨论我的晋升问题。头三次没有通过，我似乎还有点着急。到了第四次我就不再着急。第五次评上了，我又让了出去，让给了一个比我岁数大的人。领导说：这是你自己要让啊，可不要怪我们。我只微笑着点了一下头。第五次以后总能评上，我自己高低不同意晋职，说自己的水平不够。第十次发生在我撞车之前，我还是不同意晋升，并且再三声明，我准备在一百岁时晋升助理研究员，并在翌年死去。谁敢催我早日晋升就是催我早死。但不知为什么，他们收走了我的工作证，发回来时就填上了新职称。不管别人怎么说，我都不承认自己已经晋升了中级职称——就是这样，我还被车撞了，这完全是领导给我强行晋职所致——既然我没有职称，也就不是历史学家。但我还不至于什么人都不是：我大体上是个小说家。

在香案底下，我找到了一叠积满了尘土的文学刊物，上面都有署我名字的作品。我还出过几本小说集。今天，我还收到了一张汇款单，附言里写明了是稿费。还有一封约稿信，邀请我写篇短篇小说，参加征文比赛，但很婉转地劝我少一点"直露"的描写——我想这是指性描写。这些事我一点都记不得了。但既然是小说家，那就好好写吧。

我把薛嵩的故事重写了一遍，就是现在这个样子。中午，那个自称我老婆的白衣女人把它从头到尾看了一遍，不置可否地放下了。这使我感到失望。我总觉得，失掉记忆以后，我的才能在突飞猛进，可以从前后写出的手稿中比较出来。现在我正期待着别人来验证。我问她道：怎么样？她反问道：什么怎么样？这使我感到沮丧——她连我的话都听不明白了；或者说，我自己连话都说不明白了。这两种说法中，后一种更为通顺，但我更喜欢前一种。我说：这回的稿子怎么样？她淡淡地答道：你总是这样，反反复复的。说完就从房间里走了出去。按说我该感到更加沮丧才对。但是我没有。她走路的样子姿仪万方，我总是看不够。

2

在我失掉记忆之前，写道：盛夏时节，薛嵩走过金色的池塘，去给学院修理一具热水锅炉。现在我必须接着写下去。在写这件事之前，我必须说说这件事使我想到了些什么：我自己念研究生时，就常常背着工具袋，去给系里修理东西。我自己还念过研究生，有硕士学位，这使我不胜诧异。系里领导直言不讳地说：他们录取我，不是看中了我的人品和学业，而是看中了我修理东西的手艺——这就提示我，我的人品和学业都不值得回忆，只有手艺是值得回忆的。历史系和别的文科系不同，有考古实验室、文物修复室，加上资料室、计算机教室，好大的一份家业，要修的东西也很多。顺便说一句，领导对我说这样的话，不是表扬我有手艺，而是提醒我，修理东西是我应尽的义务，不要指望报酬了……对薛嵩来说，学院是什么地方、要修的是一台什么锅炉等等，只要你把薛嵩当成了我这样的人，就无须解释。只要让他知道有座锅炉坏了，这就够了，他立即就会去修理。

薛嵩要修的锅炉在一座八角形的楠木大塔上，这座大塔又在一个新月形的半岛的顶端，这个半岛伸在一个荒芜的湖里。在湖水的四周，没有一棵树。湖里也没有一棵芦苇，只有金色透明的湖水。正午时分，塔上金色的琉璃瓦闪着光。我以为，这是很美丽的景色。但薛嵩没有看风景，他走进了塔里。在塔的内部，是一个八角形的天井，有一道楼梯盘旋而上，直抵塔顶。这是很美丽的建筑。但薛嵩也无心去看，只顾拾级而上。在塔的每一层，学院里的姑娘们在打棋谱，研究画法，弹着古琴研究音律，看到有个男人经过，都停下来看他。这都是些很美丽的女人。但他也无心去看，一直登到塔顶去看那个坏了的锅炉。这是因为，这台坏掉的锅炉——说实在的，这算不上是一台锅炉，只是一个大肚子茶炊，是精铜铸成的，擦得光可鉴人——是他的一块心病，是来自内心的奇痒。在茶炊顶上，有一具黑铁制成的送炭器，是个马鞍镫子一样的东西，用来把炭送进炉膛。这个东西前不久刚修理过，现在又坏了。在折断的铁把手上，留下锉过的痕迹。这是破坏……问题在于，谁会来破坏一具茶炊？薛嵩直起身来，看着塔里来来去去的女人们。在这些女人中，有一个爱上他了。所以她总要破坏茶炊，让他来此修理。现在的问题是：她是谁？在塔里那些像月亮一样美丽的姑娘中，她是哪一个？在我已经写到过的女人里，她又是谁？

　　我依稀觉得，这就是我自己的故事。系里的每件仪器我都修过，这不说明别的，只说明历史系拥有一批随时会坏掉的破烂。考古实验室的主任是个有胡子的老太太，我看过一台仪器后，说道：旧零件不行了，得买新的。她说：你把型号写下来，我去买。我二话不说，背起工具包就走；因为我觉得她不让我去买零件，是怀疑我要贪污，这是对我人格的羞辱——这样走了以后，她更加怀疑我要贪污。对于羞辱这件事，我有这样的结论：当一件羞辱的事降临到你头上时，假如你害怕羞辱，就要毫无怨言地接受下来。否则就会有更大的羞辱。但这是真实发生了的事，不是故事。

　　有一次，在我的故事里，我走上了一座高塔去修理一具茶炊。在这座塔的内部，到处是一片金黄：金丝楠木做的护壁、楼梯扶手，还有到处张挂的黄缎子；表面上富丽堂皇，实际上俗不可耐。相比之下，我倒喜欢塔顶上那片铁。它平铺在锃亮的茶炊下面，身上堆满了黑炭。这种金属灰溜溜的，没有光泽，但很坚硬。不漂亮，但也不俗气。

　　我走上陡峭的楼梯，从喧嚣的声音中走过。这些琴、瑟、笙、管，假如单独奏起来，没有人会说难听，但在一座塔里混成一团，就能把人吵晕。我又从令人恶心的香烟中走过，这些檀香、麝香、龙涎、冰片，单独闻起来都不难闻，混在一起就叫人恶心。这地方还有很多姑娘，单看起来个个漂亮，但都穿着硬邦邦的黄缎子，描眉画目，乱糟糟地挤在了一起，就不再好看。在这座大塔的天井里，正绞着一道黄色、炽热的旋风。我虽是从风边走过，但已感到头晕。

在那片黑铁上，紧靠着茶炊有一道板障，板障下面放了一个大板凳，有个姑娘坐在上面。她可没穿黄缎子，几乎是全裸着的，双脚被铁索锁住。仔细一看，她不是自愿坐在这里的。在她身后的板壁上有个铁环，又有一道铁索套住了她的脖子，把她锁在了铁环上。还有一根大拇指粗细的木棍，卡在她的嘴里，后面有铁箍勒住。至于双手，则被反锁在身后。这个姑娘闭着眼睛缩成一团，在热风里出着汗，浑身红彤彤的，好像在洗桑拿浴——这是全楼最热的角落，因为热气是上升的，又有填满了红炭的茶炊在烤着。她脸上没有化妆，头发因酷热而干枯，看不出是不是漂亮。但我以为她一定是漂亮的，因为她是这样地不同凡响。陪我来的老虔婆介绍说，学院里规矩森严。这个姑娘犯了门规，正在受罚。我顺嘴问道：她吃豆子了吗？随着我的声音在板壁间响起，那个姑娘朝我睁开了眼睛，张开嘴巴，露出咬住木棍的两排整齐的牙齿，朝我做了个鬼脸。与此同时，老虔婆也宣布了她的罪状："破坏茶炊。"这种罪名完全在我的意料之内。

在那个老虔婆的监视下，我解开了脚上套着的白布口袋，踏上那片黑铁，套这两个口袋，是要防止我这俗人污染了学院神圣的殿堂——顺便说说，我给考古室修东西时，脚上倒不用套袋子，只是要穿白大褂——把沉重的帆布工具袋放在黑铁上。就在这时，那双被铁链锁在一起的脚对我打出一个手势：左脚把右脚抱住，在趾缝之间透出一根足趾，上下摆动着。这是一条马尾巴。我知道这是讥笑我的袋子，说它像个挂在马尾巴下面的马粪袋子。这个帆布袋子上满是污渍，不用她说我也知道它像什么。对于这种恶毒攻击，我也有反击的手段。我用左手比成一个马头，把右手的食指放到马嘴里去，这是比喻她像马一样戴着衔口。然后，我拿着一把扳手站了起来，假装无意地看了她一眼，只见她正做出个苦脸，假装在哭。这就是说，我的比方太过恶毒，她不喜欢了。但转眼之间她脸上又带上了娇笑，含情脉脉地看着我。我不动声色地转过身去，开始修理茶炊。如前所述，我早就知道锅炉会坏，坏在哪里，所以我把备件带了来。但我不急于把它修好，慢吞吞地工作着。那个老虔婆耐不住高温，说道：师傅您多辛苦，我去给你倒杯茶来。就离去了。假如我真的相信她会给我倒茶，那我就是个傻瓜。此时，茶炉间里只剩下了我们两个人。

3

正午时节，那位白衣女人在我房间里，看我的稿子，和我聊天，这使我感到很幸福。一点半以后，我们那位戴白边眼镜的领导就出现在院子里，不顾烈日当头和院子里的恶臭来回徘徊着。随着时间的推移，他踱步的路线朝我门口靠近。等到两点整，他干脆就是在我门前跺着脚绕圈子。有点脑子就能猜出来，他是告诉我们，上班时间已到，应该开始工作。不用有脑子你也能猜到，他就是我故事里的那个老虔婆。因为他的催促，白衣女人只好从我这里走出去，回到自己屋里。

在我的故事里，离去的却是那个老虔婆。我马上扑到她面前，迅速地松开铁箍，她就把那根木头棍子吐了出来，还连吐了两口唾沫，说道：苦死了。你猜那是根什么木棍？黄连树根。学院派整起人来可真有些本领……然后，我把这个浑身发烫、头发蓬松的姑娘抱在了怀里，一面亲吻她的脖子，一面松掉她脖子上的铁锁，让她可以站起来。然后，轻轻咬着她的耳朵，抚摸着她的乳房。这地方比平常柔软。她说：天热，缺水，蔫掉了。我马上拿出木头水壶，给她喝了几口，又往蔫掉的地方浇了一些。现在我看出这姑娘已经不很年轻，嘴角有了皱纹，脖子上的皮也松弛了。

但只有这种不很年轻的姑娘才会真正美丽……

我像一个夜间闯进银行的贼，捅开她身上的一重重的锁。看来学院真不缺买锁的钱。这世界上没有捅不开的锁，只是多了就很讨厌——转到她后面才能看到，那一串锁就像那种龙式的风筝。把所有的锁都捅开之后，我就可以和她做爱，在这个闷热、肮脏的茶炉间里大干一场。为此我摊开了工具袋，她也转过身去，蹲了下来，让我在她背上操作。不幸的是，这串锁只开到了一半，楼梯上响起了沉重的脚步声。她小声嚷道：别开了！快把我再锁上！于是又开始了相反的过程，而且是手忙脚乱的。但是上锁总比开锁容易。把那个木头衔口放回她嘴里前，我和她热烈地亲吻——她的嘴很苦，黄连树根的味道不问可知。等到那老虔婆走进茶炉间时，她已经在板凳上坐下，我也转过身去，面向着茶炊，做修理之状。如前所述，我早就知道这茶炊要坏，而且知道它会坏在哪里，所以带来了备件。但现在找不到了。怎么会呢？这么大的东西，这么点地方？我满地乱爬着找它，忽然看到那双被铁链重重缠绕的脚在比着一个手势：右脚的大脚趾指向自己。这下可糟了。那东西锁在她身上了！现在没有机会把它再拿下来……

白衣女人离开之后，领导继续在我门口徘徊。谁都不喜欢有人在门口转来转去，所以我起身把窗子全部打开，让他看看我屋里没有藏着人。但他不肯走，还在转着，与此同时，臭味从外面蜂拥而入。所以我只好关上窗子，请领导进来坐。他假作从容地咳嗽一声，进了这间屋子，在白衣女人坐过的方凳上坐下；我也去写自己的小说，直到他咳嗽了最后一声——他咳嗽每一声，我就从鼻子里哼一声，这样重复了很多回，在此期间，我一直埋头写自己的小说——清清嗓子道：看来我们需要谈谈了。我头也不回地答道：我看不需要。嗓音尖刻，像个无赖。他又说：请你把手上的事放一放，我在和你说话。我把句子写完，把笔插回墨水瓶，转过身来。他问我在写什么，我说是学术论文。他说能不能看看，我说不能。就是领导也不能看我的手稿，等到发表之后我自会送他一份。随着这些弥天大谎的出笼，一股奸邪的微笑在我脸上迅速地弥散开来。看来，我不是个良善之辈。我又把自己给低估了……

领导和我谈话时并没有注意到，我不是一个人，是一个小宇宙：在其中不仅有红线，有薛嵩，有小妓女和老妓女，还有许多别人。举个例子，连他自己也在内，但不是穿蓝制服、戴白边眼镜，而是个太阳穴上贴着小膏药的老虔婆。假如他发现自己在和如此庞大的一群人说话，一定会大吃一惊。除此之外，我还是相当广阔的一段时空。他要是发现自己对着时空做思想工作，一定以为是对牛弹琴。除了时空，还有诗意——妈的，他怎么会懂得什么叫作诗意。除了诗意，还有恶意。这个他一定能懂。这是他唯一懂得的东西。

在我这个宇宙里，有两个地方格外引人注目：一处是长安城外金色的宝塔，另一处是湘西草木葱茏的凤凰寨。金色的宝塔是阳具的象征，又是学院所在地。看起来堂皇，实际上早就疲软了，是一条历史的脐带……领导对我说，我现在有了中级职称，每年都要有一定的字数（他特别指出，这些字数必须是史学论文，不能拿小说来凑数），如果完不成，就要请我调离此地。不是和我为难——这是上级的规定。说完了这些屁话，他就起身从我屋里踱了出去。他走之后，我感到愤怒不已，决定摔个墨水瓶子来泄愤。然后我就惊诧不已：墨水瓶子根本就摔不碎……

我把故事和真实发生的事杂在一起来写，所以难以取信于人。如果我说，我们领导教训了我一顿，一转身就变成了一条老水牛，甩着沾了牛屎的尾巴，得意扬扬地从我房里走了出去，两个睾丸互相撞击，发出檐下风铃的金属声响，你也不会诧异——但墨水瓶子摔不碎不是这类事件。我有很多空墨水瓶，贴着红色的标签，印着中华牌炭素墨水，57ml，还有出厂日期等等。你把它往砖地上一摔，它就不见了，只留下一道白印。与此同时，头上的纸顶棚上出现了一个黑窟窿。再摔一个还是这样，只是地下有了两道白印，头上有两个黑窟窿。这些空瓶子就这样很快地消失了，地上没有一片碎玻璃，顶棚上有很多窟窿——隔壁的人大声说道：顶棚上闹耗子！最后剩下了一个墨水瓶，我把它拿在手里端详了一阵：这种扁扁的瓶子实在是种工程上的奇迹，设计这种瓶子的肯定是个大天才。我把它拿到外面去，灌满了水，在石头台阶上一摔，这回它成了碎片。随着水渍在台阶上摊开，我感到满意，走回自己屋里。

4

我站起来，转向老虔婆，一本正经地告诉她，茶炊坏得很厉害，无法马上修好。那个老太太擦着额头上的汗说：那怎么办？楼下这么多姑娘要喝水……越过老虔婆，身后的姑娘在板凳上往后仰，做哈哈大笑之状。我说：我回去做备件，做好了明天再来。现在没有理由再待在这里。我只好提起工具袋……那个姑娘朝我送了一吻，这一吻好似猩猩的吻——这当然是因为嘴里衔着木棍。这一吻可以把我的左颊和右颊同时包括在内。趁那老虔婆不注意，我朝她做了个鬼脸，走出了这座塔，走到外面金色的风景里去，但也把一缕情丝留在了身后。无论是我，还是薛嵩，对已经发生的事情还算是满意。唯一不满的是那黄连树根，谁也不愿把那么苦的东西放到爱人嘴里。假如有一种木头是甜的就好了。我可用它做根衔口，把塔里的黄连树根换掉……说实在的，塔里的茶炊设计得不好，尤其是送炭器。那地方不该做成马镫状，而是应该做成滚筒状。当然，做成滚筒状，破坏起来就更难了。

我在金色的风景里徘徊……实际上，我是在万寿寺里，面对着一张白色的稿纸。如前所述，我总是用发黄的旧稿纸写小说，现在换上了这种纸，说明我想写点正经东西。在昏迷之中，我已经写出了题目：《唐代精神文明建设考》。这个题目实在让我倒胃……回头看看那座金色的塔，它已经是金色余晖中的一道阴影。很多窗口都点起了金色的灯火。在这个故事开始时，我走上这座塔，假作修理茶炉，实际上是来会我爱的姑娘；在这个故事结束时，我用重重枷锁把她锁住，把黄连木的衔口塞在了她嘴里。现在我发现，我把这个故事讲错了。实际上，是别人用重重锁链把我锁住，又把黄连木的衔口塞到了我的嘴里。我愤然抓起那张只写了题目的稿纸，把它撕得粉碎，然后在晚风中，追随那件白色的衣裙回到家里；在不知不觉之中就到了午夜——在床上，她拿住了我的把把，问道：怎么，没有情绪？我答道：天热，缺水，蔫掉了……与此同时，我在蔫蔫地想着：能不能用已知的史料凑出个《唐代精神文明建设考》。假如不能，就要编造史料。这件事让人恶心：我是小说家，会编小说，但不编史料……

在长安城外的大塔上，在乌黑闷热的茶炉间里，戴着重重枷锁缩成一团，我也准备睡了。这个故事对我很是不利：灼热的空气杀得皮肤热辣辣的，嘴里又苦得睡不着。板凳太窄，容不下整个屁股，脖子上的锁链又太紧，让我躺不下来。唯一的希望就是：薛嵩还会再来。他会松开我身上的锁链——起码会把脚腕上的锁链松开。此后，就可以分开双腿，用全身心的欢悦和他做爱。生活里还有这件有趣的事，所以活着还是值得的——这样想着，我忽然感到一种剧烈的疼痛，仿佛很多年后薛嵩射出的标枪现在就射穿了我的胸膛……不管我喜不喜欢，我现在是那个塔里的姑娘，也就是那个后来在凤凰寨里被薛嵩射死的老妓女。对她的命运我真是深恶痛绝——这哪能算是一种人的生活呢？不幸的是，每个人都有自己的命运，你别无选择。假如我能选择，我也不愿生活在此时此地。

第二天早上，带着红肿的眼睛和无处不在的锁链的压痕，我从板壁上被放了下来，回到自己的房间里。这间房子在塔角上，两面有窗子，还有通向围廊的门。在门窗上钉有丝质的纱网。就是在正午，这里也充满了清凉的风，何况是在灰色的清晨。地板上铺着藤席，假如我倒下去，立刻就会睡着，但现在塔里已是起身的时节。现在已经别无选择，只能用冷水洗脸，以后在镜前描眉画目，遮掩一夜没睡的痕迹，以免被人笑话。再以后，穿上黄缎子的衣服，在席子上端坐。在我面前的案上，放着文房四宝。一大叠绢纸的最上面一张，在雪白的一片上，别人的笔迹赫然写着题目：《先秦精神文明建设考》。很显然，这个题目不能医治，而是只能加重我的瞌睡。现在我有几种选择：一种是勉强瞎诌上几句。这么大的人了，连官样文章都写不出，也实在惹人笑话。另一种选择是用左手撑着头，做搜索枯肠状，右手执笔在纸上乱描。实际上我既不是在搜索枯肠，也不是在乱描，而是在打瞌睡。还有一种选择是不管三七二十一，躺倒了就睡。等他们逮到我，想怎么罚就罚好了。但这都不是我的选择。我端坐着，好像在打腹稿，眼睛警惕着在门外逡巡的老虔婆，一只脚却伸到了席子下面，足趾在板缝里搜索着，终于找到了几条硬硬的东西。我把其中一条夹了出来，藏在袖子里——这是一把三角锉。这样，我又能够破坏茶炊。然后被锁在茶炉间里。然后薛嵩就会来修理。然后就有机会和他做爱。性在任何地方都重要，但都不如在这座塔里重要。在这里，除此之外再没有值得一做的事了。

后来，这个塔里的姑娘离开了长安城，随着薛嵩来到了凤凰寨。在这个绿叶和红土相间的地方，岁月像流水一样过去，转眼之间就到了生命的黄昏。她始终爱着薛嵩，但薛嵩却像黄连木一样地苦——他用情不专，到处留情……而且，不管是有意无意，反正最后还是薛嵩把她射死了。对此，我完全同意红线的意见：薛嵩是不可原谅的。看着他假模假式的哀痛之状，红线几番起了杀心——假如她要杀他，就可以把薛嵩当作一个死人了，因为那就如白衣女人要杀我，是防不胜防的。但是最后红线决定不杀薛嵩，这是因为薛嵩是个能工巧匠——一个勤奋工作的人。一个人只要有了这种好处，就不应该被杀掉。

5

上述故事可以发生在薛嵩到凤凰寨之前，也可发生在薛嵩离开凤凰寨之后；所以，它可以是故事的开始，也可以是故事的终结。故事里的女人可以是老妓女，也可以是小妓女、红线，或者是另外一个女人。只有薛嵩总是不变。这是因为我喜欢薛嵩。

这座金色宝塔里佳丽如云，长安最漂亮的女人住在里面。进这座塔是女人最大的光荣，但是在这座塔里面，漂亮绝无用武之地。学院也是这样的地方，能进学院说明你很聪明，但在学院里面又最不需要聪明。在这里待久了，人会变得癫狂起来——我就是这么解释自己。我学了七年历史，本科四年、研究生三年，又在万寿寺里待了十年半。再待下去我也不会更聪明。假如那个塔里的姑娘也待了这么久，她应该是三十五六岁，在女人最美丽的年龄。再待下去，她也不会更加美丽。

转眼之间已经入秋，塔里的人脱下身上的黄缎子，换上开司米的长袍。我大概是最后换季的人，因为我喜欢秋天的凉意——现在已是深秋时节。深秋时的早晨有种深灰色的雾笼罩着一切，穿过窗纱，钻进网里来——既是雾，又是露水。黄缎子不再簌簌作声，开司米表面也笼罩着一层水珠。此时我正对着镜子更衣。这面镜子有粗笨的镜座，厚重的镜片，都用黑色的古铜制作，镜背上描有银丝的图案，镜面上镀了一层锡——但薛嵩骗管总务的老虔婆说，镀的是银。这座塔里的器具多半是薛嵩所制，因为薛嵩做的东西总是最好的。正因为如此，塔门口就立了一块牌子：不通琴棋书画者，以及薛嵩，禁止入内。如你所知，这块牌子拾了古希腊毕达哥拉斯学派的牙慧。在这座宝塔里，人们认为琴棋书画的层次很高，能工巧匠的层次很低。薛嵩是所有的能工巧匠中最出色者，所以他层次最低；即便他琴棋书画无所不通，也不能让他入内。坦白地说，我认为这种算法是有问题的：就算能工巧匠层次低，能工巧匠中最出色者层次应该是较高才对；不应该把他算成层次最低。但是，我也不想去和老虔婆说理。因为女人给自己的爱人说理，层次已经很低，假如说赢了，层次就会更低。既然如此，就不如不说理。

在那座金色的宝塔下面，所有的苹果树都竖起了绿叶，和南方的橡皮树相似；并且挂满了殷红的果实。这些果子会在枝头由红变紫，最后变成棕黑色，同时逐渐萎缩，看上去像枯叶或者状似枯叶的蛾子。所幸这是一些红玉苹果，只好看，不好吃；所以让它们干掉也不特别可惜。全中国只有这个地方有苹果树，别的地方只有"楸子"，它也属苹果一类，树形雄伟，有如数百年的老橡树，但每棵上只结寥寥可数的几个果子，吃起来像棉花套子——虽然是甜的。水边的枫树和山毛榉一片鲜红，湖水却变成了深不可测的墨绿色。在这片景色的上空，弥散着轻罗似的烟雾，一半是雾，一半是露水。

在镜子里看到的身体形状依旧，依然白皙，但因为它正在变软，就带着一点金黄色。因此它需要薛嵩。薛嵩也因为这身体正在变软，所以格外地需要它。假如一个身体年轻、清新、质地坚实，那就只需要触摸。只有当它变软时，才需要深入它的内部。看清楚以后，她穿上细毛线的长袍，这件衣服朦朦胧胧地遮住了她的全身，有如朦胧的爱意。但是朦胧的爱意是不够的，她需要直接的爱。

对这个金色宝塔的故事，必须有种通盘的考虑。首先，这塔里有个姑娘，对着一面镀锡的青铜镜子端详自己。她的身体依旧白皙，只是因为秋天来临，所以染上了一丝黄色。秋天的阳光总是带着这种色调，哪怕是在正午也不例外。在窗外，万物都在凋零。这是最美的季节，也是最短暂的季节。所以，要有薛嵩——薛嵩就是爱情。

其次，薛嵩在塔外，穿着一件黑斗篷在石岸上徘徊，从各个方向打量这座塔，苦思着混进去的方法。他在想着各种门路：夜里爬上宝塔；从下水道钻进地下室，然后摸上楼梯；乘着风筝飞上去。所以，塔里要有一个姑娘，这个姑娘就是爱情。

除此之外，还有第三种考虑，早上，这个石头半岛上弥漫着灰色的青烟——既是雾，又是露水。青烟所到之处，一切都是湿漉漉的，冰人指尖；令人阴囊紧缩，阴茎突出；或者打湿了毛发，绷紧了皮肤。这种露水就是爱情。所以，要有薛嵩，也要有塔里的女人。我自己觉得这最后一种考虑虽不真实，但颇有新奇之处，是我最喜欢的一种。作为一个现代派，我觉得真实不真实没什么要紧。但白衣女人却要打我的嘴巴：我们不是爱情，露水才是爱情？滚你的蛋吧！这就提出了一种新的思路：对方不是爱情，环境也不是爱情。"我们"才是爱情。现在的问题是：谁是那些"我们"？

【二】

1

我给系里修理仪器时，经常看到那位白衣女人。她穿着一件白大褂，在蓝黝黝的灯光下走来走去；看到我进来就说：哟，贪污分子来了。我一声不吭地放下工具，拖过椅子坐下，开始修理仪器。这种态度使她不安，开始了漫长的解释：怎么，生气了？——开个玩笑就不行吗？——嘿！我知道你没贪污！说话呀！——是我贪污行不行？我贪污了国家一百万，你满意了吧？……我是爱国的，有人贪污了国家一百万，我为什么要满意？但我继续一声不吭，把仪器的后盖揭开，钻研它的内脏。直到一只塑料拖鞋朝我头上飞来，我才把它接住，镇定如常地告诉她：我没有生气，何必用拖鞋来扔我呢。我从来没有贪污过一分钱，却被她叫作贪污分子，又被拖鞋扔了一下，我和那个塔里的姑娘是一样地倒霉。

秋天的下午，我在塔里等待薛嵩。他的一头乱发乱蓬蓬地支棱着，好像一把黑色的鸡毛掸子；披着一件黑色的斗篷，在塔下转来转去，好像一个盗马贼。在他身后，好像摊开了一个跳蚤市场，散放着各种木制的构架，铁制的摇臂，还有够驾驶十条帆船之用的绳索。除此之外他还在地上支起了一道帷幕，在帷幕后面有不少人影在晃动。这样一来，他又像一个海盗。天一黑他就要支起一座有升降臂的云梯，坐在臂端一头撞进来，现在正在看地势。因为没有办法混进这座塔，他就想要攻进来。通常他只是一个人，但因为他是有备而来，所以今天好像来的人很多。

对于薛嵩，塔里已经有了防范措施，在塔的四周拉起了绳网。但如此防范薛嵩是枉然的，也许那架云梯会以一把大剪子为前驱，把绳网剪得粉碎，也许它会以无数高速旋转的挠钩为前驱，把绳网扯得粉碎。塔里的人也知道光有绳网不够，所以还做着别的准备。如前所述，我在等待薛嵩，所以我很积极地帮助拉绳网，用这种方式给自己找点别扭。

在绳网背后，有一些老虔婆提来了炭炉子，准备把炭火倒在薛嵩头上，把他的云梯烧掉。我也帮着做这件事：用扇子扇旺炭炉子。但做这些又是枉然的。薛嵩的云梯上会带有一个大喷头，喷着水冲过来，连老虔婆带她们的炭炉子都会被浇成落汤鸡。又有一些老虔婆准备了油纸伞，准备遮在炭炉上面。这也是枉然的，薛嵩的云梯上又会架有风车，把她们的油纸伞吹得东歪西倒。塔里传着一道口令：把所有的马桶送到塔顶上来，这就是说，她们准备用秽物来泼他。听到这道命令，我也坐在马桶上，用实际行动给防御工作做点贡献。但这也没有用处，薛嵩的云梯上自会有一个可以灵活转动的喇叭筒，把所有的秽物接住，再用唧筒激射回来。只有一位老虔婆在做着最英明的事情，她把塔外那块牌子上"薛嵩不得入内"的字样涂掉了。这样他就可以好好地进来，不必毁掉塔上的窗子。但这也是枉然的，薛嵩既已做好了准备，要进攻这座塔，什么都不能让他停下来。塔里所有的姑娘都拥到了薛嵩那一侧的围廊上，在那里看他做进攻的准备，这就使人担心塔会朝那一面倒下来……

　　有关这座宝塔，我已经说过，塔里佳丽如云。全长安最漂亮的女人都在里面，所以，能进这座塔就是一种光荣。但是光有这种光荣是不够的。还要有个男人在外面，为你制造爱情的云梯，来进攻这座反爱情的高塔。因为这个缘故，那些姑娘在围廊上对薛嵩热情地打招呼、飞吻，而薛嵩正在捆绑木架，嘴里咬着绳索不能回答，只能招招手。因为他是个暂时的哑巴，所以谁是他此次的目标暂时也是个谜。说实在的，我也不想过早揭开谜底。

　　天刚黑下来，薛嵩已经把云梯做好，坐在自己的云梯上，就如一个吊车司机。但整个升降臂罩在一片黑布帷幕下面，就如一座待揭幕的铜像。他打算怎样攻击这座塔也是一个谜——所有的姑娘都屏住了呼吸，把双手放在胸前，准备鼓掌。我也想看看他这回又有什么新花样，但我不会傻到站在围栏边，因为所有的老虔婆都在围栏边上找我。我混在防御的队伍里，忙前忙后，这一方面是反抗自己的情人，也就是和自己作对，另一方面也是在躲风头。每当有老虔婆从身边走过，我就把头低下去，因为我很怕被人认出来。但这是现代派的劣根性。有个人老是低着头显得很扎眼，招来了一个老虔婆站在我身边。我把头低下去，她就把头低得更低，几乎躺在了地下。最后，她对我说道：孩子，低着头就能躲过去吗？这时我勇敢地抬起头来，含笑说道：要是抬着头，你早就认出来了。

那个塔里的姑娘被认出之后，就在一群虔婆的簇拥之下来到了总监的面前。她勇敢地提出一个建议说：薛嵩大举来犯，意在得到她。虽然她最憎恶薛嵩，但准备挺身而出，把自己交给薛嵩，任凭他凌辱；牺牲自己保全全塔，这是最值得的。一面说着，一面憋不住笑，看得出说的是反话。因为自己的情人来大举进攻本塔，对她来说是个节日，所以她很是高兴。总监婆婆表扬了她的自我牺牲精神，但又说，我们决不和敌人做交易，宁可牺牲全塔来保全你一人。现在的当务之急是把你藏起来，不让薛嵩找到。这话本该让人感动，但那姑娘却发起抖来，因为总监婆婆说的也是反话。她赶紧提出个反建议，说应该大开塔门，冲出去和薛嵩一拼。很显然，这个建议薛嵩一定大为欢迎；他不可能没有准备——再说，她也可以趁机跑掉。总监婆婆又指出，我们不能冲到外面和男人打架，有失淑女的风范。然后，不管乐意不乐意，她被拥到了塔的底层。这里有一块巨大的青石板，揭开之后，露出了一个地穴，一道下去的石阶和一条通往黄泉的不归路。假如有姑娘犯了不能饶恕的错误，总监婆婆就送她下去，然后自己一个人上来，此后，这姑娘就不再有人提起。总监指着洞边的一个竹筐说道：把衣服脱掉吧，下面脏啊。好像这姑娘还会回来，再次穿上这件衣服。这就显得很虚伪。

我们知道，总监是舍不得这件开司米的长袍，它值不少钱，不该和这姑娘一样在地下室里烂掉。而她现在很需要这件长袍，因为她冷得发抖。但她没有提出反驳，只是眼圈有点红，嘴唇咬得有点白，但是益增妩媚。她憋了一会儿气，终于粗声大气地说道：这也没什么。就把衣服脱掉，赤身裸体地站着。然后，总监笑眯眯地看着她说：不是不信任你，但要把你的手绑起来。此时那姑娘的嘴唇动了动，显出要破口大骂的样子。但她还是猛地转过身去，把双手背着伸了出来，说道：讨厌！捆吧！总监婆婆接过别人递过来的皮绳；亲自来捆她的双手。那姑娘恶狠狠地说道：捆紧些啊！挣脱了我会把你掐死。总监婆婆说：这倒说的是。我要多捆几道。于是就把她捆得很结实。然后总监取出一条精致的铁链子，扣在姑娘的脖子上，很熟练地收了几下，就勒得她不能呼吸，很驯服地倚在自己肩上。顺便说一句，总监婆婆的手指粗大，手掌肥厚，小臂上肌肉坚实，一看就知道她很有力气。她用右手控制住女孩，左手拿起了灯笼，有人提出要跟她去，她说：不用，下面的路知道的人越少越好。就把女孩拖下了石头楼梯——下楼时手上松了一下，让她可以低头看路，一到了底下就勒紧了链子，让那姑娘只能踮着脚尖走路，看着黑洞洞的石头天花板。就这样呼吸了不少霉臭味，转了不少弯，终于走到一面石墙前。在昏黄的灯光下，可以看到墙上不平之处满是尘土，墙角挂满了蜘蛛网。那女孩想：这个地方怎么会有飞虫？蜘蛛到此来结网，难免要落空。她为蜘蛛的命运操起心来，忘掉了铁索勒住脖子的痛苦……

总监婆婆把灯笼插在墙上的洞里，用墙上铁环里的锁链把女孩拦腰锁住，然后松掉了她脖子上的铁链。此后那姑娘就迫不及待地呼吸着地下室里的霉臭气。总监婆婆说道：好啦，孩子，你在这里安全了。没人能到这里来玷污你的清白……那女孩忍着喉头的疼痛，扁着嗓子说：快滚，免得我啐你！总监说，你说话太粗，没有教养。看来早就该来这里反省一下——反省这个词我很熟，人们常对我说，但我对它很是反感——女孩说：反省个狗屁。总监婆婆不想再听这种语言，就拿起灯笼准备离去。此时女孩说了一句：薛嵩一定会来救我的。虽然薛嵩本领很大，却不一定能找到地下来，更不一定能在迷宫似的地下室里找到她。

她把不一定说成了一定，是在给自己打气。但是总监婆婆却转了回来，插好了灯笼说：你提醒得好。万一薛嵩进到这里来，你开口一叫，他就找到你了。所以，要把你的嘴箍起来。然后，她老人家从长袍的口袋里掏出一根黄连木的衔口来。

此后，那女孩就把头拼命地扭到一边，紧闭着牙关；直到总监婆婆狠命地揪住了她的头发，使劲扭她的鼻子，她才说道：我真多嘴！算我自己活该吧……于是，她转过头来，使劲张开了嘴巴。总监婆婆以为她要咬她，往后退了退。但她又说：箍上吧。然后像请大夫看喉咙一样张大了嘴，仔细地咬住了黄连木；然后低下了头，让婆婆把衔口的皮绳拴在脑后。再以后，她扬起了头，像个吹口琴的人一样环顾四周。这回总监婆婆真要走了，但她又觉得必须交代几句，就说：其实，你是个很好看的姑娘。我不想这样待你。那女孩在鼻子里哼出一句话，好像是"操你妈"。总监婆婆又说：等薛嵩走了之后，也许我会来放你。因为这是弥天大谎，所以她自己也有点不好意思。女孩又哼了一句，好像是"操你姥姥"。然后，总监就离去了，把这女孩留在坟墓一样的黑暗里。

2

我孤身在黑暗里，品尝着黄连木的苦味，呼吸着地下的霉臭气。生活中重要的是光亮，但这里没有光亮。生活中重要的是风，但这里没有风。生活中重要的是声音，但这里没有声音。地下的寒意从身体的表面侵入到腋下、两腿之间。这种处境和死亡不同的是，我还可以想事情。思维这种乐趣，与生俱来，随死亡而去。当人活着的时候，这种乐趣是不可剥夺……那位白衣女人看到此处说：你瞎扯什么呀！我从来不这样想问题。这评论使我如受电击：我觉得在写自己，但听她的意思，此处是在写她。实际上，她说得更对。我恍恍惚惚地说：这样一来，你就不是学院派了——这句话招致我额头上的一次敲击和一顿斥骂：混账！我要是学院派，能嫁给你吗？看来，她的确是嫁给我了。虽然我不愿相信，但对此不应再有疑问。

我总觉得，说一个人是学院派是一种赞誉。对于男人来说，这是称赞他聪明，对于一个女人来说，这是称赞她漂亮。只有极少数的人不需要这种赞誉，比方说，我和薛嵩。那个地下室里的女孩在黑暗中站着，渐渐感到腿上很累，又不能躺下来休息……地下室里没有一点声音，寂静使耳膜发起疼来。最后她觉得，反正没人看见，可以哭一会儿。于是，对面响起了抽泣声。这使她知道对面不很远的地方有堵墙壁。忽然她仿佛听到一声嗤笑，赶紧停止了哭泣，凝神去听，什么都没听到。但是她又觉得在霉臭味里杂有薛嵩特有的体臭——这个家伙经常弄得一身大汗，嗅起来有点馊。于是她使劲去嗅，结果马上就被霉味把鼻子呛住了。然后她就叫起来，但那块黄连木压住了她的舌头，只发出了一阵呜呜的声音。然后她又凝神去听，还是什么都听不到……猛然间，没有任何征兆，她的乳房落进了男人温热的手掌。薛嵩的声音在她耳畔轰鸣着：怎么，不哭了？此后，她就什么都不想，什么都不听，冒了被铁链勒断腰的危险，踢开了薛嵩身上的斗篷，两只脚顺着薛嵩的腿爬了上去，紧紧地盘住了他的腰，和他做爱。

与此同时，薛嵩像雷鸣一样解释着今天发生的事情：外面扮作薛嵩的那个人是他的表弟。他自己早就钻了进来，一直躲在这里，看到了总监老太太怎么把她揪了进来，锁在墙上，又看到了她们俩怎么吵嘴。他还说，今天的计划非常之好，百分之百地成功了。但那女孩早就不想听他解释，她还觉得薛嵩的声音像是驴鸣——但这不是薛嵩之过，他并没有把嗓音放大，是这里过于安静之故——假如不是嘴被勒住，她早就喊他闭嘴了。最后，当薛嵩把她嘴上的嚼子解开时，她才说了一句早就想说的肺腑之言：
你可真坏呀你！

在薛嵩的故事里出现了一个表弟，使我深为不快。如你所知，我也有
一个表弟，而且我不喜欢和薛嵩搞得太相像。午夜时分，这位表弟在塔外
面辛苦地工作着。他一会儿爬上云梯，一会儿爬下来跑到幕后，转动一个
满是假人的圆盘，借助一个铜皮喇叭发出众多人的呐喊，敲锣打鼓，并且
给到处点着的灯笼添油。直到他听到塔上的姑娘们欢声雷动，才松了一口
气，从帷幕后面跑了出来。如你所猜到的那样，那些姑娘看到两个人影从
塔下的乱石缝里钻了出来。其中一个披着男人的黑斗篷，长发披肩，身材
娇小；另一个则身材高大，一丝不挂，长着紧凑的臀部和两条长腿，小腿
的下半部还有一些毛。后一个把手搭在前一个肩上，两人从容不迫地走
开。只有看到过薛嵩屁股上的肌肉是怎样的一起一伏，你才会知道什么叫
作从容不迫。只有看到过薛嵩站定时的样子，你才知道什么叫作男人的屁
股——那两块坚实的肌肉此时紧紧地收在他的腰后，托住他的上半身——
我只是转述那些姑娘的看法，其实我也不能算见过男人的屁股。总而言
之，薛嵩和他的臀部彻底动摇了学院派对爱情的说法：这种说法强调爱情
必须以琴会友，在红叶上写情书，爱人之间用诗来对话，从来没有提到过
屁股。当然，姑娘们不会把这个不雅的部位挂在嘴上，她们说的是：我就
想有这么个人，把我从死亡中救出来，脱下斗篷裹住我的裸体，然后赤身
裸体地走在我身边。因为她们都这样想，就给塔里带来了无数的麻烦；不
久之后，这座塔就倒掉了。

从那位表弟的眼里看来，那天晚上的景象就大不相同。薛嵩和那女孩
朝黑布帷幕走来，在黑毛毡的笼罩之下，那女孩的脸和从斗篷缝里伸出的
手显得特别白。她脸上带着快活的微笑，但笑容里又有几分苦涩。而薛嵩

前面的样子，塔里的姑娘们看了更会满意——他上身肌肉匀称，腹部凹陷下去，因为寒冷，阴囊紧缩着，已经松弛下来的阴茎依然很长大，像大象鼻子一样低垂着。他自己也觉得这样子不雅——虽然赤身裸体地维护爱人可以得到塔上姑娘们的高度评价，但也会着凉的——就对表弟说，脱件衣服给我！那位表弟动手脱外衣，同时盯着表嫂猛看，她只好假作无意地侧过脸去。总而言之，经过短暂的准备，这三个人从幕后走了出来，和塔里的人告别。女孩大声叫着总监婆婆，这位婆婆本不想露面，但又想，不露面更不光彩，就走到围廊上，假作慈爱地说：本想等薛嵩走后再到地下室去放她，不想她已经脱困，真是可喜可贺。她还想说，今后这位姑娘就交付给薛嵩，希望他好好待她——把虚伪扣除在外，这会是很好的演说词，只可惜那女孩不想听下去，猛地转过身去，把斗篷一撩，露出了整个屁股，总监的演说词就被老虔婆们的一片嘘声淹没了。本来大家是要嘘女孩的屁股，结果把总监嘘到了，她也只好闭嘴，同时恶狠狠地想道：这个小婊子可真狡猾——这种坏女人走掉了也不可惜。然后就轮到了薛嵩，他把双手放到唇上，给塔上送去一个大大的吻，博得了姑娘们的彩声。至于那个表弟，他什么都没有说，因为这本不是他的故事。此后，这三个人就转身行去，把这座彻底败坏了的塔留在身后，走进了长安城……这个故事得到了白衣女人的好评，但我对它很不满意。因为故事里的薛嵩敢作敢为，像一个斗士，这不是我的风格。那个白衣女人拍拍我的头说：没关系，用不着你敢作敢为。有我就够了。

3

　　秋天的长安城满街都是落叶，落叶在街道两侧堆积起来，又延伸到街道的中间。在街道中间，露出稀疏的铺街石板。人在街上走着，踩碎了落叶，发出金属碎裂的声响，很不好听。但是深秋时节长安城里人不多。清晨时分，在街上走着的就只有三个人。风吹过时，这些落叶发出叮叮咚咚的声音，这就很好听了。秋天长安城里的风零零落落，总是在街角徘徊。秋天长安城里有雾，而且总是抢在太阳之前升起来，像一堵城墙；所以早上的阳光总是灰蒙蒙的。我们从翻滚的落叶中走过无人的街道，爬上楼梯，走过窄窄的天桥，低下头走进房门，进了一间背阴的房子。这里灰蒙蒙的一片，光线不好，好在顶上有天窗。这房子又窄又高，就是为了超过前面的屋脊，得到一扇天窗——就如个矮的人看戏时要踮脚尖。前面的地板上铺着发暗的草席，靠墙的地方放着几个软垫子，垫子里漏出的白羽毛在我们带进来的风里滚动着。薛嵩说：房子比较差啊。他的嗓子像黄金一样，虽然高亢，但雍容华贵。这也不足为奇，他毕竟是做过节度使的人哪。那女孩说：没关系，我喜欢。她的声音很纯净，也很清脆。薛嵩抬头看看天窗——天窗不够亮，就说，我该帮你擦擦窗户。女孩说：等等我来擦吧，这是我的家啊。每次说到"我"，她都加重了语气。但她脸上稍有点浮肿，禁不住要打呵欠。按照学院派的规矩，打呵欠该用手遮嘴，但她手在斗篷下很不方便。于是她垂下睫毛、侧着脸，悄悄打着小呵欠，样子非常可爱——但最终她明白这种做作是不必要的，她自由了，就伸了一个大懒腰，使整个斗篷变成了一件蝙蝠衫，同时快乐地大叫一声：现在，我该睡觉了！

　　既然人家要睡觉，我们也该走了。薛嵩压低了声音说：要不要我给你买衣服？那姑娘微微愣了一下，看来她想自己去买，但又想到自己没有钱，就说：知道买什么样子的吗？薛嵩当然知道。于是，女孩说：好吧，你去买。我欠你。从这些对话里我明白这个女孩从此自由了，既不倚赖学院，也不倚赖薛嵩——虽然是他把她从学院里救了出来。我非常喜欢这一点。

后来，那姑娘像主人一样，把我们送到了街上。此时街上依旧无人，只有风在这里打旋。在这里，她把手从斗篷下面伸出来，搂住薛嵩的脖子，纵情地吻他，两件黑斗篷融成了一件。薛嵩大体保持了镇定，那姑娘却在急不可耐地颤抖着——可以看出，她非常地爱他。除此之外，她刚从死亡的威胁中逃出来。这种威胁在我们看来只是计划的一部分，但对她就不一样，她可不知道这个计划啊……

后来，那姑娘放开了薛嵩。他们带着尴尬的神情朝我转过身来。我穿着白色的内衣，在冷风里发着抖，流着清水鼻涕，假装轻松地说：没关系，没关系，我可以假装没看见。如你所知，我是那个来帮忙的表弟，在高塔下面狂喊了半夜，嗓子都喊哑了，又敲了半夜的鼓，膀子疼痛不已。最糟的是，在高塔外面陈列着的那些器材——云梯、帷幕、灯笼、火把都是我的，值不少钱。此时回去拿就会被人逮住，只好牺牲了。这件事我决定永不提起，救了一个人，还让她出救命的钱，实在太庸俗。这笔钱她也不便还我，还别人救命的钱也太庸俗。当然，见死不救就更庸俗。不知为什么，我竟是如此地倒霉……

后来，那姑娘朝我走过来，拉住我的手说：谢谢你啊，表弟。在我面颊上吻了一下，就把我给打发了。我独自走开。长安城里的风越来越烈，所有的落叶就如在筛子上一样，剧烈地滚动着。那姑娘的体味就如没有香味的鲜花，停留在我面颊上——这是一种清新之气，一种潜在的芳香，因为不浓烈，反而更能持久。我独自下定了决心：在任何故事里，我都再不做表弟了。

4

现在来看这个故事，仿佛它只能发生在薛嵩从湘西回来之后。既然如此，我就必须把湘西发生的事全部交代清楚。我开始考虑红线怎样了，小妓女怎样了，田承嗣又怎样了，觉得不堪重负。尤其是田承嗣，他像一只巨大的癞蛤蟆压在我身上，叫我透不过气来。癞蛤蟆长了一身软塌塌、疙疙瘩瘩的皮，又有一股腥味，被它压着实在不好受。史书上说，董卓很肥，又不讨人喜欢，但他有很多妾。董卓的小妾一定熟悉这种被压的滋味。除此之外，我一会儿是薛嵩，一会儿是薛嵩的情人，一会儿又成了薛嵩的表弟；这好像也是一种毛病。但我忽然猛省到，我在写小说。小说就不受这种限制。我可以在任何时间，任何地点，我可以是任何人。我又可以拒绝任一时间、任一地点，拒绝任何一人。假如不是这样，又何必要有小说呢。

　　后来，那个从塔里逃出来的姑娘就住在长安城里。我很喜欢这个姑娘，正如我喜欢此时的长安城：满是落叶的街道，鳞次栉比的两层楼房，还有紧闭的门窗。长安城到处是矮胖的法国梧桐，提供最初的宽大落叶；到处是年轻的银杏树，提供后来的杏黄色落叶，这种落叶像蝴蝶，总是在天上飞舞，不落到地下来；到处是钻天杨树，提供清脆的落叶。最后是少见的枫树，叶子像不能遗忘的鲜血，凝结在枝头。在整个自由奔放的秋季，长安是一座空城。你可以像风一样游遍长安，毫无阻碍。直到最后，才会在一条小街里，在遥远的过街天桥上看到这个姑娘，独自站着，白衣如雪。作为薛嵩，你看到的就是这样的景象，相当令人满意。但我更想做那个姑娘，在天桥上凭栏而立；看到在如血残阳之下，在狂涛般的落叶之中，薛嵩舞动着黑色的斗篷大踏步地走来。这家伙岂止像个盗马贼，他简直像个土匪……我做薛嵩做得有点腻，但远远地看看他，还觉得蛮有兴趣。

　　在长安城里看这篇小说，就会发现，它的起点在千年之后的万寿寺，那里有个穿灰色衣服的男人，活得像个窝囊废；他还敢说"做薛嵩做得有点腻"。把他想出了这一切扣除在外，他简直就是狂妄得不知东西南北。

　　在薛嵩到来之前，我走进自己的房间。除了不能改变的，这间房子里的一切都改变了。不能改变的是这座房子的几何形状，窄长、通向天顶，但我喜欢这种形状。以前的草席、软垫子通通不见了，四壁和地板都变成了打磨得平滑的橡木板。当然，推开墙上的某块木板，后面会有一个柜子，里面放着衣物、被褥，等等。但在外面是看不到的。头顶的天窗也没有了，代之以一溜亮瓦，像一道狭缝从东到西贯通了整个房间。于是，从头顶下来的光线就把这间房子劈成了两半。这间房子像极北地方的夏季一样，有极长的白天和极短的夜。从南到北的云在转瞬之间就通过了房顶，而从东到西的云则在头上徘徊不去。这个季节的天像北冰洋一样地蓝。这正是画家的季节。

从塔里逃出来之后，我是一个独立的人。也许，如你所猜测的那样，我是一个画家，也许是别样独立谋生的人，像这样的人不分男女，通通被称作"先生"。我喜欢做一个"先生"，只在一点上例外。这一点就是爱情。薛嵩走进这间房子，转身去关门。此时我体内闹起了地震，想要跳到他身上去，用腿盘住他的腿爬上去……女人就像这间房子，很多地方可以改变，但有一点不能改变。不能改变的地方就是最本质的地方。

后来，薛嵩朝我走来，我则朝后退去，保持着旧有的距离，好像跳着一种奇异的双人舞。就这样，我们在房间中间站住，中间隔了两臂的距离；黑白两色的衣衫从身上飘落下来，起初还保持着人体的形状，后来终于恢复了本色，委顿于地。薛嵩仿佛永远不会老，肤色稍深，像一个铜做的人，骨架很大，但是消瘦，肌肉发达，身上的毛发不多，只有小腹例外。这家伙有点斗鸡眼，笑起来显得很坏，但他是个好人。我认识他的时候他是这个样子，现在还是这个样子。他低下头去，动了动脚趾，然后带着一脸奸笑抬起头来。他是不会随便笑的——果然，他勃起了。那东西可真是难看哪……薛嵩留着八字胡，整个胡子连成了一片，呈一字形。而在他身体的下部，阴毛就像浓烈的胡须，那个东西就如翘起的大鼻子，这张脸真是滑稽得要死……

而我自己浑圆而娇小，并紧腿笔直地站着。腿之间有一条笔直的线，在白色的朦胧中几不可见。假如它不是这样地直，本来该是不可见的……我像在塔里时那样端庄，不顾他的奸笑，毫无表情。但微笑是不可抑制的，水面凝止的风景终究是会乱的——这道缝隙也因此变显著了——如你所知，我在万寿寺里写这个故事，那位白衣女人在我身边看着。她在我脑袋上敲了一下，叫道：变态哪！我也就写不下去了……

不管那位白衣女人说什么，我总愿意变得浑圆、娇小，躺在坚硬的橡木地板上，看亮瓦顶上的天空，躺在露天地上，天绝不会如此地遥远，好像就要消失；云也不会如此近，好像要从屋顶飘进来。起初，我躺得非常平板，好像一块雕琢过的石材平放在地板上，表情平板，灰白的嘴唇紧闭，浑身冰冷，好像已经沉睡千年。然后，双唇有了血色，逐渐变得鲜红，鼻间有了气息；肩膀微微抬了起来，乳房凸现，腹部凹陷，臀部翘了起来。再以后，我抬起一只手，抱住薛嵩的肩头。再以后，这间屋子里无尘无嗅的空气里，有了薛嵩的气味。坦白地说，这味道不能恭维，但在此时此地是好的。我的另一手按在他的腰际。就这样，我离开地板，浮向空中，迎接爱情。爱情是一根圆滚滚、热辣辣的棍子，浮在空中，平时丑得厉害，只有在此时此地才是好的。写完了这一句，我愤怒地跳了起来，对白衣女人吼道：你有什么意见可以直说，不要敲脑袋。这又不是一面鼓，可以老敲！这样一吼，她倒有点不好意思，噎了一下，才说：不是我要敲你——像这种事总不好拿来开玩笑。我说：我很严肃，怎么是开玩笑！她马上答道：得了吧，我又不是今天才认识你。你满肚子都是坏水，整个是个坏东西……说完她就走了。剩下我一个人发愣，想起了维克多·雨果的

《笑面人》。那个人谁看他都是一副嬉皮笑脸的样子，只有他还挺拿自己当真——但我又想不起维克多·雨果是谁。我也不知这是怎么回事，但我知道假如去问那个白衣女人，肯定是找挨揍。

【三】

1

现在我终于明白，在长安城里我不可能是别人，只能是薛嵩。薛嵩也不可能是别人，只能是我。我的故事从爱情开始，止于变态，所以这个故事该结束了。此时长安城里金秋已过，开始刮起黑色的狂风。风把地下半腐烂的叶子刮了起来，像膏药一样到处乱贴，就如现在北京刮风时满街乱飞塑料袋。一股垃圾场的气味弥漫开来。我（或者是薛嵩）终于下定了决心，要离开长安，到南方去了。

在《暗店街》里，主人公花了毕生的精力去寻找记忆，直到小说结束时还没有找到。而我只用了一个星期，就把很多事情想了起来，这件事使我惭愧。莫迪阿诺没有写到的那种记忆必定是十分激动人心，所以拼老命也想不起来。而我的记忆则令人倒胃，所以不用回想，它就自己往脑子里钻。比方说，我已经想起了自己是怎样求学和毕业的。在前一个题目上，我想起了自己是怎样心不在焉地坐在阶梯教室里，听老师讲课。老师说，史学无它，就是要记史料，最重要的史料要记在脑子里。脑子里记不下的要写成卡片，放在手边备查。他自己就是这样的——同学们如有任何有关古人的问题，可以自由地发问。我一面听讲，一面在心里想着三个大逆不道的字："计算机"。假如史学的功夫就是记忆，没有人可以和这种不登大雅之堂的机器相比。作为一个史学家，我的脑壳应该是个 monitor，手是一台打印机。在我的胸腔里，跳动着一个微处理器，就如那广告上说的，Pentium，给电脑一颗奔腾的心。说我是台 586，是不是给自己脸上贴金？我的肠胃是台硬磁盘机，肚脐眼是软磁盘机。我还有一肚子的下水，可以和电脑部件一一对应。对应完了，还多了两条腿。假如电脑也长腿，我就更修不过来了。更加遗憾的是，我这台计算机还要吃饭和屙屎。正巧此时，老师请我提问（如前所述，我可以问任何有关古人的问题），我就把最后想到的字眼说了出去："请问古人是如何屙屎的？"然后，同学笑得要死，老师气得要死。但这是个严肃的问题。没有人知道古人是怎样屙屎的：到底是站着屙，坐着屙，还是在舞蹈中完成这件重要工作……假如是最后一种，就会像万寿寺里的燕子一样，屙得到处都是。

说到毕业，那是一件更恐怖的事。像我这样冒犯教授，能够毕业也是奇迹。除此之外，系里也希望我留级，以便剥削我的劳动力。在此情况下，白衣女人经常降临我狗窝似的宿舍，辅导我的学业，并带来了大量的史料，让我记住。总而言之，我是凭过硬本领毕了业，但记忆里也塞进了不少屎一样的东西。无怪我一发现自己失掉了记忆，就会如此高兴……根据这项记忆，白衣女人是我的同门。无怪我要说：薛嵩和小妓女做爱，是同门之间切磋技艺——原来这是我们的事。很不幸的是，白衣女人比我早毕业。这样就不是学兄、学妹切磋技艺，而是学姐和学弟切磋技艺。这个说法对我很是不利，难怪我不想记住自己的师门。

2

我到医院去复查，告诉治我的大夫，我刚出院时有一段想不起事，现在已经好多了。他露出牙齿来，一笑，然后说：我说嘛，你没有事。等到我要走时，他忽然从抽屉里取出一本书来，说道：差点忘了！这书是你的吧？它就是我放在男厕所窗台上的《暗店街》……我羞怯地说道：我放在那里，就是给病友和大夫们看的。他把手大大地一挥，果断地说：我们不看这种书——我们不想这种事。我只好讪讪地把书拿了起来，放进了自己的口袋。这本书大体还是老样子，只是多了一些黄色的水渍，而且膨胀了起来。走到门诊大厅里，我又偷偷把书放在长条椅子上。然后，我走出了医院，心里想着：这地方我再也不想来了。

我和莫迪阿诺的见解很不一样。他把记忆当作正面的东西，让主人公苦苦追寻它；我把记忆当成可厌的东西，像服苦药一样接受着，我的记忆尚未完全恢复，但我已经觉得够够的，恨不得忘掉一些。但如你所知，我和他在一点上是相同的，那就是认为，丧失记忆是个重大的题目，而记忆本身，则是个带有根本性的领域，是摆脱不了的。因为这个缘故，我希望大家都读读《暗店街》，至于我的书，读不读由你。我就这样离开医院，回到万寿寺里。

我表弟在北京待够了，要回泰国。我纳闷他怎么待到今天才觉得够：成天待在饭店里不知有什么意思。傍晚时分，我们到机场去送他，他忽然变得很激动，拉着我的手说：表哥，不知什么时候再见。我敷衍地说道：是呀，是呀。心里却盼着他早点登机。只要他通过了边防口，我们就可以回家去。此后就会再也见不到这个不知从哪里来的、我怎么也想不起来的表弟。他语不成声地说道：还记得吗，姥姥给我们做的蒸糕……就如有一个晴空霹雳在头顶炸响，我想起了小时的大灾荒年月。

那时我在空地上寻找苦苦菜，然后，我们俩共同的外祖母，一个慈祥和蔼的老妇人，用这些野菜和着面粉蒸糕给我们吃。除了找野菜，我们俩还偷东西。半夜里出去，偷别人家自留地里的黄瓜、茄子、胡萝卜，假如有可能，还偷鸡、偷兔子。这些东西拿回来以后，姥姥看了就摇头。但她还是动手把这些东西做熟。然后，我和表弟就把这些没油没盐、煮得软塌塌的蔬菜和肉类吃掉。姥姥一点都不肯吃——我和我表弟是两个孤儿，但有一个满头白发、面颊松弛的姥姥。我一点都不后悔忘掉了自己做过贼的事，但我不该忘掉姥姥。我眼里充满了泪……与此同时，表弟还在喋喋不休地说：现在我可过上人的生活了，要钱有钱，要老婆有老婆——姥姥在天之灵会高兴的。他一句也没提到我。我看着这个满脸流油的家伙，心里暗暗想道：我把他忘掉，这就对了……

晚上我们回家去，坐在出租车里，我闷闷不乐。她问我怎么了，我说想起了姥姥，她也黯然伤神。这倒使我吃了一惊：莫不成我姥姥也是她姥姥？假设如此，她就是我的表妹。按照现行法律，表兄妹是近亲，禁止结婚。这件事使我怦然心动。回到家里，她拍我的脑袋说：可怜的孤儿……以后我得对你好一点。这当然是好消息。我问她准备怎样对我好，她说，以后再不敲我脑袋了。这个好消息太小一点了……后来，在床上，我亲热地提出了这个问题：你到底是不是我表妹？回答是：错！我是你姑妈啊。我赶紧丢下她坐了起来，浑身起满了鸡皮疙瘩——我想每个男人在无意中拥抱了自己的姑妈，都会有这种反应。然后，就着塑料百叶窗里漏进的灯光，我看到她满脸笑容，鸡皮疙瘩才消散了。看来她不是我的姑妈——岁数也不像。她说：好个坏蛋啊，提起了姥姥，正经了不到五分钟，又开始胡扯了——真是狗改不了吃屎啊。我正想用这句话来说她——当然，我不会把她比作狗。看来她不会是我表妹：这不像是对表哥的态度。今天的好消息是：我未曾犯下奸污姑母的罪行。坏消息则是表妹也没有了。

3

　　早上我来上班时，万寿寺的下水道又堵了。黄水在低洼地带漫着，很快就要漫到院子里来。我终于抑制不住狂怒，走进领导的办公室，恳请他撤销我助理研究员的职务，把我贬作一个管子工；这样我就可以名正言顺地去捅大粪。我还说，我宁愿自己死掉，也不想见到领导和资料室的老太太们坐在屎里——这种屎虽然有大量的水来稀释，但仍然是屎。我完全是认真的，但领导的脸却因此而变紫了。他跑了出去，很快又和白衣女人一起走回来；大声大气地吼道：身体既然没有恢复，就不要来上班。那白衣女人朝我快步走来——我不由自主地缩紧了脖子，以为她要打我一耳光——但她没有，只是小声说道：走，回家去……

　　然后，我们走在街上。我就像一只狗，跟着大发脾气的主人，做好了一切准备要挨上一脚，但主人就是不踢。过马路时，她紧紧揪住我的袖口，当我看她时，她又放开，说道：我怕你再被汽车撞了。而我，则在傻愣愣地想着：我是谁，为什么要这样愤怒？她是谁？为什么要这样关心我？我值得她这样关心吗？最后，她把我送到了楼梯口，小声说道：人家愿意坐在屎里，这干你什么事啊。就离去了。剩下我一个人去爬三层的楼梯。爬上第一层时，我对今天发生的一切都不能理解，觉得自己完全是对的——就是不能让人坐在屎里。爬到了第二层，我觉得眼前的世界完全无法理解——那白衣女人说，人家乐意坐在屎里，不干我的事——但别人为什么要乐意坐在屎里？但爬到第三层，手里拿着大串的钥匙，逐一往门上试时，我终于想到，是我自己出了毛病。没有记忆的生活虽然美好，但我需要记忆。

第八章

【一】

1

千年之前的长安城是一座美丽的城市。在它的城外，蜿蜒着低矮精致的城墙；在它的城内，纵横着低矮精致的城墙；整个城市是一座城墙分割成的迷宫。这些城墙是用磨过的灰砖砌成，用石膏勾缝，与其说是城墙，不如说是装饰品。在城墙的外面，爬着常青的藤萝，在隆冬季节也不凋零。

冬天，长安城里经常下雪。这是真正的鹅毛大雪，雪片大如松鼠尾巴，散发着茉莉花的香气。雪下得越久，花香也就越浓。那些松散、潮湿的雪片从天上软软地坠落，落到城墙上，落到精致的楼阁上，落到随处可见的亭榭上，也落到纵横的河渠里，成为多孔的浮冰。不管雪落了多久，地上总是只有薄薄的一层。有人走过时留下积满水的脚印——好像一些小巧的池塘。积雪好像漂浮在水上。漫天漫地弥散着白雾……整座长安城里，除城墙之外，全是小巧精致的建筑和交织的水路。有人说，长安城存在的理由，就是等待冬天的雪……

长安城是一座真正的园林：它用碎石铺成的小径，架在水道上的石拱桥，以及桥下清澈的流水——这些水因为清澈，所以是黑色的。水好像正不停地从地下冒出来。水下的鹅卵石因此也变成黄色的了。每一座小桥上都有一座水榭，水榭上装有黄杨木的窗棂。除此之外，还有渠边的果树，在枝头上不分节令地长着黄色的枇杷，和着绿叶低垂下来。划一叶独木舟可以游遍全城，但你必须熟悉长安复杂的水道；还要有在湍急的水流中操舟的技巧，才能穿过桥洞下翻滚的涡流。一年四季，城里的大河上都有弄潮儿。尤其是黑白两色的冬季，更是弄潮的最佳季节；此时河上佳丽如云……那些长发披肩的美人在画舫上，脱下白色的裹袍，轻巧地跃入水中。此后，黑色的水面下映出她们白色的身体。然后她们就在水下无声无息地滑动着，就如梦里天空中的云……这座城市是属于我的，散发着冷冽的香气。在这座城中，一切人名、地名都不重要。重要的是实质。

在长安城里，所有的街道都铺着镜面似的石板，石质是黑色的，但带有一些金色的条纹。降过雪以后，四方皆白，只有街道保持了黑色，并和路边的龙爪槐相映成趣。那些槐树俯下身来，在雪片的掩盖下伸展开它们的叶子，叶心还是碧绿色，叶缘却变成红色的了。受到雪中花香的激励，龙爪槐也在树冠下挂出了零零散散的花序，贡献出一些甜里透苦的香气。能走在这样的街道上真是幸运。她就这样走进画面，走上镜面似的街道，在四面八方留下白色的影子。

我在一切时间、一切地点追随白衣女人。她走在长安城黑色的街道上，留着短短的头发，发际修剪得十分整齐，只在正后方留了一绺长发，像个小辫子的样子。肩上有一块白色的、四四方方的披肩，这东西的式样就像南美人套在脖子上的毯子。准确地说，它不是白色，而是米色，质地坚挺，四角分别垂在双肩上、身后和身前。在披肩的下面，是米色的衣裙。在黑色的街道上，米色比白色更赏心悦目。在凛冽的花香中，我从身后打量着她，那身米色的衣服好像是丝制的，又好像是细羊毛——她赤足穿着一双木屐，有无数细皮带把木鞋底拴在脚腕上。她向前走去，鞋底的铁掌在石板上留下了一串火花……我写到这些，仿佛在和没有记忆的生活告别。

2

我来上班，站在万寿寺门口，久久地看着镌在砖上的寺名。这个名称使我震惊。如你所知，我失掉了记忆，从医院里出来以后，所见到的第一个名称，就是"万寿寺"；这好像是千秋不变的命运。我看着它，心情惨然。白衣女人从我身边走过，说道：犯什么傻，快进去吧。于是，我就进去了。

早上，万寿寺里一片沉寂，阳光飘浮在白皮松的顶端，飘浮在大雄宝殿的琉璃瓦上。阳光本身的黄色和松树的花粉、琉璃瓦的金色混为一体；整座寺院好像泡在溶了铁锈的水里。就在这时，她到我房间里来坐，搬过四方的木头凳子，倚着门坐着，把裙角仔细压在身下；在阳光中，镇定如常地看着我。就是这个姿势使我起了要使她震惊的冲动……在沉思中，我咬起手来。她站了起来，对我说：别咬手。就走出去了，姿仪万方……她就这样走在一切年代里。

我追随那位白衣女人。更准确地说，我在追随她的小腿。从后面看，小腿修长而匀称，肌肉发达。后来，我走到她面前，告诉她此事。她因此微笑道：是吗，你这样评价我——这种口气不像是在唐代，不在这个世界里；但是她呵出的白气如烟，马上就混入了漫天的雪雾，带来了真实感。我穿着一套黑粗呢的衣服，上面还带一点轻微的牲畜味。雪花飘到这衣服上就散开，变成很多细碎的水点；而且我还穿了一双黑色的皮靴。但她身上很单薄……这使我感到不好意思，想到：要找个暖和的地方。但是她微笑着说：没关系，我不冷。这些微笑浮在满是红晕的脸上，让人感觉到她真的不冷。再后来，我就和她并肩行去，她把一只手伸了过来，一只冰冷的小手。它从我右手的握持中挣脱出来，滑进宽大的衣袖，然后穿入衣襟的后面，贴在我胸前。与此同时，黑色的街道湿滑如镜。是时候了，我把她拉进怀里，用斗篷罩住。她的短发上带有一层香气，既不同于微酸的茉莉，也不同于苦味的夹竹桃，而是近乎于新米的芳香；与此同时，带来了裸体的滑腻。

在漫天的雪雾之中，我追随着一件米色的衣裙和一股新米的香气。除了黑色的街道和漫天的白色，在视野中还有在密密麻麻雪片后面隐约可见的屋檐；我们正向那里走去。然后，爬上曲折的楼梯，推开厚厚的板门，看到了这间平整的房子，这里除了打磨得平滑的木头地板之外，再没有别的东西了。与平滑的木头相比，我更喜欢两边的板墙，因为它们是用带树皮的板材钉成的，带有乡野的情调。而在房子的正面，是纸糊的拉门，透进惨白的雪光。我想外面是带扶栏的凉台，但她把门拉开之后，我才发现没有凉台。下面原来是浩浩的黑色江水——那种黑得透明的水，和人的瞳孔相似；从高处看下去，黑色的水像一锅滚汤在翻腾着，水下黄色的卵石清晰可见。那位白衣女人迅速地脱去了衣服，露出我已经见过的身体……她一只手抓住拴在檐下的白色绳子，另一只手抓住我的领子，把修长、紧凑的身体贴在我身上——换言之，贴在黑色的毛毡上。顺便说一句，那条白色的绳子是棉线打成的，虽然粗，却柔软；隔上一段就有个结，所以，这是一条绳梯，一直垂到水里。又过了一会儿，她放开了我，在那条绳子上荡来荡去，分开飞旋的雪片，飘飘摇摇地降到江里去。此时既无声息，又无人迹；只有黑白两色的景色。我不知道这意味着什么。但是，它绝不会毫无意义。

3

在古代的长安城里，有一条黑色的江，陡峭的江岸上，有一些木头吊楼。我身在其中一座楼里。我所爱的白衣女人穿过飞旋的雪片到江中去游水。这个女人身体白皙、颀长，在黑色的吊楼里，就如一道天顶射下的光线，就如一只水磨石地板上的猫——这是她下到江里以前的事。我不知道她是谁，只知道她是我之所爱——等到她从江里出来时，皮肤上满是水渍。在水渍下面，身体变得像半透明的玉，或者说像磨砂玻璃。整个房间充满了雪天的潮湿，皮肤摸起来像玻璃上细腻的水雾……在冷冽的水汽中，新米的香味愈演愈烈。

我在江边的木屋里，这里的地板很平整，平到可以映出人影。我终于可以听到那条江的声音了，流水在河岸边搅动着。从理论上说，有很多东西比水比重大。但我想象不出有什么比流水更重。每有一个浪头冲到岸上，整座吊楼都在颤动。就在这座摇摇晃晃的房子里，我亲近她的身体。她既冷冽又温暖，既热情又平静。在黑白两色的背景之下，她逐渐变得透明，最后完全不见了。与此同时，新米的香气却越来越浓。与此同时她说，这难道不好吗？声音弥散在整个房间里。这很好，起码什么都不妨碍。我深入她的既虚无又致密的身体，那些不存在的发丝在我面前拂动，在我肩头还有两道若有若无的鼻息……等到一切都结束，她又重新出现在我的怀抱里；带着小巧鼻翼冰凉的鼻子，乳房像一对白鸽子——老实说，形象并不像。我只是说它偎依在怀里的样子。这是我和那位白衣女人的故事，但它也可以是薛嵩和他情人的故事。是谁都可以。在这座城里，名字并无意义。

在玻璃一样的地板上，我也想要消失。失掉我的名字，失掉我的形体，只保留住在四壁间回响的声音和裸体的滑腻；然后，我就可以飘飘摇摇，乘风而行，漫游雪中的长安城。

江边吊楼敞开的窗户外面，雪片变得密密麻麻，好像有些蘸满了白浆的刷子不停地刷着。黑色斗篷的外面越来越冷，冷气像锥子一样刺着我的面部神经。而在那件斗篷内部，在这黑白两色的空间里，则温暖如春。她不再散发着新米的香气，而是弥漫着米兰的气味。米兰是一种香气甜得发苦的花。在我看来，黑白两色的空间，冷热分明的温差，加上甜得发苦的花，就叫作"性"。我不同意她再次消失，就紧紧地抓住她的手腕……于是，她挺直了身体，把白色的双肩探到斗篷外面，舔了一下嘴唇。不管怎么说吧，第二次像水流一样自然地过去了。以后，她在我身体两侧跪了起来，转了一个身；再以后，她倚着我，我倚着墙，就这样坐着。我不明白为什么，仅仅坐着会使我感到如此大的满足。

我不由自主地写下了这个故事，觉得它完全出于虚构。那位白衣女人看了以后说：不管怎么说吧，我不同意你把什么都写上。这句话使我大吃一惊：听她的口气，这好像是发生过的事情。难道我和她在长安城里做过爱？我怎么不记得自己有这么大的年龄……我需要记忆。难道这就是记忆？

4

但我又曾生活在灰色的北京城里。这里充满了名字。我有一个姥姥，一个表弟，还有我自己，都有名字。我们住在东城的一条街上，这条街道也有名字。我在这条街上一个大院子里，这座院子也有门牌号数。我很不想吐露这些名字。但是，假如一个名字都不说，这个故事就会有点残缺不全——我长大的院子叫作立新街甲一号。过去这院子门口有一对石头狮子，我和我表弟常在石头狮子之间出入——吐露了这个名字，就暴露了自己。

因为想起了这些事，我又回到了青年时代。那时候我又高又瘦，穿着一件硬领的学生上衣，双手总是揣在裤兜里。这条蓝布裤子的膝头总是油光锃亮，好像涂了一层清漆。春天里，我脸上痛痒难当，皮屑飞扬，这是发了桃花癣。冬天，我的鼻子又总是在流水：我对冷风过敏。我好像还有鬼剃头的毛病——很多委托行都卖大穿衣镜，站在它的面前，很容易暴露毛发脱落的问题。我总是和我表弟在京城各家委托行里转来转去；从前门进去，浏览货架寻找猎物，找到之后，就去委托行的后门找人。走到后门的门口，我表弟站住了，带着嫌恶的表情站住，递过一团马粪也似的手绢，说道：表哥，把鼻涕擦擦——讲点体面，别给我丢人！我总觉得和他的手绢相比，我的鼻涕是世上绝顶清洁之物。实际上，那些液体也不能叫作鼻涕。它不过是些清水而已。

在我自己的故事里，我修理过一台"禄来福来"相机。"禄来福来"又是一个名字。这是一种德国造的双镜头反光相机，非常之贵。到现在我也买不起这样的相机。然而我确实记得这架相机，它摆在西四一家委托行的货架上。这家委托行有黑暗的店堂，货架上摆着各种电器、仪器，上面涂着黑色的烤漆、皱纹漆，遮掩着金属的光泽——总的来说，那是在黑暗的年代。就如纳博科夫所说，这是一个纯粹黑白两色的故事。

我和我表弟常去看那台禄来相机，要求售货员把它"拿下来看看"。人家说：别看了，反正你们也买不起。口气里带着轻蔑。这仿佛是我们未曾拥有这架相机的证明。然而下一幕却是：我和我表弟出现在委托行附近的小胡同里。这个胡同叫作砖塔胡同，胡同口有一个庵，庵里有座醒目的砖塔，总有两三层楼高吧。我们俩在胡同里和个老头子说话，时值冬日，天色昏暗，正是晚饭前的时节。这条胡同黑暗而透明，从头透到尾；两边是灰色的房屋。此人就是委托行的售货员，头很大，屁股也很大，满脸白胡子楂，和我们的领导有点相像之处。我做了很大的努力，才使自己不要想起此人的名字——我成功了。但我也知道，这人的名字，起码他的姓我是记得的——此人姓赵。我们叫他赵师傅。当时叫"师傅"是很隆重的称呼，因为工人阶级正在领导一切……

我表弟建议这位可敬的老人，假如有人来问这架"禄来福来"相机，就说它有种种毛病；还建议他在相机里夹张纸条把快门卡住，这样该相机的毛病就更加显著了。总而言之，他要使这台相机总是卖不出去；然后降价，卖给我们。我表弟的居心就是这么险恶。说完了这件事，我们一起向马路对面走去。那里有家饭庄，名叫"砂锅居"……这地方的名菜是砂锅三白，还有炸鹿尾……与这些名字相连的是这样一些事实：姥姥去世以后，我和表弟靠微薄的抚恤金过活，又没有管家的人，生活异常困难，就靠这种把戏维持家用：买下旧货行里的坏东西，把它加价卖出去。做这种事要有奸商的头脑和修理东西的巧手。这两样东西分别长在我表弟和我的身上。从本心来说，我不喜欢这种事。所以，"禄来福来"这个名字使我沉吟不语。

5

我表弟到北京来看我，我对他不热情。我讨厌他那副暴发户的嘴脸，而且我也没想到立新街甲一号这个地点和禄来福来这个品牌。假如想到了，就会知道我只有一个表弟，我和他共过患难。把这些都想起来之后，也许我会对他好一点。

下一个名字属于一架德国出产的电子管录音机，装在漆皮箱子里；大概有三十公斤。在箱子的表面上贴了一张纸，上面写了一个"残"字。在西四委托行的库房里，我打开箱盖，揭掉面板，看着它满满当当的金属内脏：这些金属构件使我想起它是一台"格朗地"，电子管和机械时代的最高成就。它复杂得惊人，也美得惊人。我表弟在一边焦急地说：表哥，有把握吗？而我继续沉吟着。我没有把握把它修好，却很想试试。但我表弟不肯用我们的钱让我试试。他又对那个臀部宽广的老头说：赵师傅，能不能给我们一台没毛病的？赵师傅说：可以，但不是这个价。我表弟再次劝说他把好机器做坏机器卖给我们，还请赵师傅要"哪儿请"，但赵师傅说：哪儿请都不行，别人都去反映我了……这些话的意思相当费解。我没有加入谈话，我的全部注意力都被眼前的金属美人吸引住了。

那台"格朗地"最终到了我们手里。虽然装在一个漂亮箱子里，它还是一台沉重的机器，包含着很多钢铁。提着它走动时，手臂有离开身体之势。晚上我揭开它的盖子，揭开它的面板，窥视它的内部，像个窥春癖。无数奇形怪状的铁片互相啮合着，只要按动一个键，就会产生一系列复杂的运动，引发很复杂的因果关系。这就是说，在这个小小的漆皮箱子里，钢铁也在思索着……

我把薛嵩写作一位能工巧匠，自己也不知是为什么；现在我发现，他和我有很多近似之处。我花了很多时间修理那台"格朗地"，与此同时，我表弟在我耳边聒噪个不停：表哥，你到底行不行？不行早把它处理掉，别砸在我们手里！起初，我觉得这些话真讨厌，恨不得我表弟马上就死掉；但也懒得动手去杀他；后来就不觉得他讨厌，和着他的唠叨声，我轻轻吹起口哨来。再后来，假如他不在我身边唠叨，我就无法工作。哪怕到了半夜十二点，我也要把他吵起来，以便听到他的唠叨——我表弟却说道：表哥，要是我再和你合伙，就让我天打五雷轰！从此之后，我就没和表弟合过伙。我当然想再合伙，顺便让天雷把表弟轰掉。但我表弟一点都不傻。所以他到现在还活着。

因为格朗地，我和表弟吵翻了。我把它修好了，但总说没修好，以便把它保留在手里。首先，我喜欢电子设备，尤其是这一台；其次，人也该有几样属于自己的东西，我就想要这一件。但他还是发现了，把它拿走，卖掉了。此后，我就失掉了这台机器，得到了一些钱。我表弟把钱给我时，还忘不了教育我一番：表哥，这可是钱哪。你想想吧。钱不是比什么都好吗——我就不信钱真有这么重要。如今我回想起这些事，怎么也想象不出，我是怎么忍受他那满身的铜臭的……吵架以后不久，他就去泰国投靠一位姨父。只剩下我一个人。我的过去一片朦胧……现在我正期待着新的名字出现……

【二】

1

晚上，我在自己家里。因为天气异常闷热，我关着灯。透过塑料百叶窗，可以看到对面楼上的窗子亮着昏黄的光。这叫我想起了马雅可夫斯基的诗句——"一张张燃烧的纸牌"。本来我以为自己会想不起马雅可夫斯基是谁，但是我想起来了。他是一个苏俄诗人。他的命运非常悲惨。我的记忆异常清晰，仿佛再不会有记不得的事情——我对自己深为恐惧。

在我窗前有盏路灯，透进火一样的条纹。白衣女人站在条纹里，背对着我，只穿了一条小小的棉织内裤。我站了起来，朝她走去，尽力在明暗之中看清她。她的身体像少女一样修长纤细，像少女一样站得笔直，欣赏墙上的图案。我禁不住把手放在她背上。她转过身来，那些条纹排列在她的脖子上、胸上，有如一件辉煌的衣装。

　　我还在长安城里。下雪时，白昼和黑夜不甚分明，不知不觉，这间房子就暗了很多；除此之外，敞开的窗框上已经积了很厚的雪。雪的轮廓臃肿不堪，好像正在膨胀之中。那个白衣女人把黑色的斗篷分做两下，站了起来，说道：走吧，不能总待在这里。然后就朝屋角自己的衣服走去。从几何学意义上说，她正在离开我。而实际上却是相反。任何一位处在我的地位的男子都会同意我的意见，只要这位走开的裸体女士长着修长的脖子，在乌青的发际正中还有一缕柔顺的长发低垂下来；除此之外，这位女士的身体修长、纤细、臀部优雅——也就是说，紧凑又有适度的丰满——这些会使你更加同意我的意见。在雪光中视物，相当模糊，但这样的模糊恰到好处……当她躬下身来，钻进自己的衣裙时，我更感到心花怒放……后来，她系好了木屐上的每一根皮带子，就到了离去的时节。我对这间已经完全暗下来的房子恋恋不舍。但我也不肯错过这样的机会，和她并肩走进漫天的大雪。如前所述，我不认为自己是学院派。但在这些叙述里，包含了学院派的金科玉律，也就是他们视为真、善、美三位一体的东西。

　　我在条纹中打量那位白衣女人，脖子、乳房、小腹在光线中流动。她对我说：什么事？我说：没有什么。就转过身去，欣赏我们留在墙上的图案。在墙上，我们是两个黑色的人影。有风吹过时，闪着电光的鳗鱼在我们身边游动。忽然，她跳到我的背上，用光洁的腿卡住我的腰，双手搂住我的脖子，小声说道：什么叫"没有什么"？此时，在我身后出现了一个臃肿的影子。我不禁小声说道：袋鼠妈妈……这个名称好像是全然无意地出现在我脑海里。白衣女人迅速地爬上我的脖子，用腿夹住它，双手抱住我的头，说道：好呀，连袋鼠妈妈你都知道了！这还得了吗？现在我不像袋鼠妈妈，倒像是大树妈妈，只可惜我脚下没有树根。重心一下升到了我头顶上，使我很难适应。我终于栽倒在床上了。然后，她就把我剥得精光，把衣服鞋袜都摔到墙角去，说道：这么热的天穿这么多，你真是有病了……起初，这种狂暴的袭击使我心惊胆战；但忽然想起，她经常这样袭击我。只要我有什么举动或者什么话使她高兴，就会遭到她的袭击。这并不可怕，她不会真的伤害我。

2

我努力去追寻袋鼠妈妈的踪迹，但是又想不起来了，倒想到了一个地名：北草厂胡同。这胡同在西直门附近，里面有个小工厂。和表弟分手以后，我就到这里当了学徒工。在它门口附近，也就是说，在别人家后窗子的下面，放了一台打毛刺的机器。我对这架机器的内部结构十分熟悉，因为是我在操作它。它是一个铁板焊成的大滚筒，从冲压机上下来的零件带着锋利的毛刺送到这里，我把它们倒进滚筒，再用大铁锨铲进一些鹅卵石，此后就按动电门，让它滚动，用卵石把飞刺滚平。从这种工艺流程可以看出我为什么招邻居恨——尤其是在夏夜，他们敞着窗子睡，却睡不着，就发出阵阵呐喊，探讨我的祖宗先人。当然，我也不是吃素的，除了反唇相讥，我还会干点别的。抓住了他们家的猫，也和零件一起放进滚筒去滚，滚完后猫就不见了，在筒壁内部也许能找到半截猫尾巴。

后来，那家人的小孩子也不见了，就哭哭啼啼地找到厂里来，要看我们的滚筒——他们说，小孩比猫好逮得多；何况那孩子在娘胎里常听我们的滚筒声，变得呆头呆脑，没到月份就跑了出来；这就更容易被逮住了。这件事把我惊出了一头冷汗。谢天谢地，我没干这事。那孩子是掉在敞着盖的粪坑里淹死的——对于他的父母真是很不幸的事，好在还可以再生，以便让他再次掉进粪井淹死——假如对小孩子放任不管，任何事都可能发生。我就是这样安慰死孩子的父母，他们听了很不开心，想要揍我。但我厂的工人一致认为我说了些实话，就站出来保护我这老实人。出了这件事以后，厂领导觉得不能让我再在厂门口待着，就把我调进里面来，做了机修工。

进到工厂里面以后，我遇上了一个女孩子，脸色苍白，上面有几粒鲜红的粉刺，梳着运动员式的短头发。那个女孩虽没有这位白衣女人好看，但必须承认，她们的眉眼之间很有一些相似之处。她开着一台牛头刨。这台刨床常坏，我也常去修，我把它拆开、再安装起来，可以正常工作半小时左右；但整个修理工作要持续四小时左右，很不合算；最后，她也同意这机器不值得再修了。这种机床的上半部一摇一摆，带着一把刨刀来刨金属，经常摆着摆着停了摆，此时她就抬起腿来，用脚去踹。经这一踹，那刨床就能继续开动。我从那里经过，看到这个景象，顺嘴说道：狗撒尿。然后她就追了出来，用脚来踹我。她像已故的功夫大师李小龙一样，能把腿踢得很高。但我并非刨床，也没有停摆啊……

我怀疑这个女孩就是袋鼠妈妈，她逐渐爱上了我。有一次，我从厂里出来，她从后面追上来，把我叫住，在工作服里搜索了一通之后，掏出一个小纸包来，递给我说：送你一件东西。然后走开了。我打开重重包裹的纸片，看到里面有些厚厚的白色碎片，是几片剪下的指甲。我像所罗门一样猜到了这礼物的寓意：指甲也是身体的一部分。她把自己裹在纸里送给我，这当然是说，她爱我。下次见到她时，我说，指甲的事我知道了。本来我该把耳朵割下来作为回礼，但是我怕疼，就算了吧。这话使她处于癫狂的状态，说道：连指甲的秘密你都知道了，这还得了吗？马上就来抢这只耳朵。等到抢到手里时又变了主意，决定不把它割下来，让它继续长着。

3

我有一件黑色的呢子大衣，又肥又长，不记得是从哪个委托行里买来的，更不知道原主是谁。我斗胆假设有一位日本的相扑力士在北京穷到了卖大衣的地步，或者有一位马戏班的班主十分热爱他的喜马拉雅黑熊，怕它在冬天冻着；否则就无法解释在北京为什么会有件如此之大的衣服。假如我想要穿着这件衣服走路的话，必须把双臂平伸，双手各托住一个肩头，否则就会被下摆绊倒——假如这样走在街上，就会被人视为一个大衣柜。当然，这种种不利之处只有当白天走在一条大街上才存在。午夜时分穿着它坐在一条长椅上，就没有这些坏处，反而有种种好处。北京东城有一座小公园，围着铁栅栏，里面有死气沉沉的假山和干涸的池塘，冬天的夜里，树木像一把把的秃扫帚，把儿朝下地栽在地上。这座公园叫作东单公园——它还在那里，只是比当年小多了。

此时公园已经锁了门，但在公园背后，有一条街道从园边穿过，这里也没有围墙。在三根水泥杆子上，路灯彻夜洒落着水银灯光……我身材臃肿，裹着这件呢子大衣坐在路边的长凳上，脸色惨白（在这种灯下，脸色不可能不惨白），表情呆滞，看着下夜班的人从面前骑车通过。这是七五年的冬夜，天上落着细碎、零星、混着尘土、像微型鸟粪似的雪。

想要理解七五年的冬夜，必须理解那种灰色的雪，那是一种像味精一样的晶体，它不很凉，但非常地脏。还必须理解惨白的路灯，它把天空压低，你必须理解地上的尘土和纷飞的纸屑。你必须理解午夜时的骑车人，他老远就按动车铃，发出咳嗽声，大概是觉得这个僻静地方坐着一个人有点吓人。无论如何，你不能理解我为什么独自坐在这里。我也不希望你能理解。

午夜十二点的时候，有一辆破旧的卡车开过。在车厢后面的木板上，站了三个穿光板皮袄、头戴着日本兵式战斗帽的人。如果你不曾在夜里出来，就不会知道北京的垃圾工人曾是这样一种装束。离此不远，有一处垃圾堆，或者叫作渣土堆，因为它的成分基本上是烧过的蜂窝煤。在夜里，汽车的声音很大，人说话的声音也很大。汽车停住以后，那些人跳了下来，用板锹撮垃圾，又响起了刺耳的金属摩擦声。说夜里寂静是一句空话——一种声音消失了，另一种声音就出来替代，寂静根本就不存在。垃圾工人们说：那人又在那里——他大概是有毛病吧。那人就是我。我继续一声不响地坐着，好像在等待戈多……因为垃圾正在被翻动，所以传来了冷冰冰的臭气。

垃圾车开走以后，有一个人从对面胡同里走出来。他穿了一件蓝色棉大衣，戴着一个红袖标，来回走了几趟，拿手电到处晃——仿佛是无意的，有几下晃到了我脸上。我保持着木讷，对他不理不睬。这位老先生只有一只眼睛能睁开，所以转过头来看我，好像照相馆用的大型座机……他只好走回去，同时自言自语道：什么毛病。再后来，就没有什么人了。四周响起了默默的沙沙声……她从领口处钻了出来，深吸了一口气说：憋死我了——都走了吗？是的，都走了。要等到两点钟，才会有下一个下夜班的人经过。从表面上，我一个人坐在黑夜里；实际上却是两个人在大衣下肌肤相亲。除了大衣和一双大头皮鞋，我们的衣服都藏在公园内的树丛里，身上一丝不挂。假如我记忆无误，她喜欢缩成一团，伏在我肚子上。所以，有很多漫漫长夜，我是像孕妇一样度过的……但此时我们正像袋鼠一样对话，她把我称作袋鼠妈妈。原来，袋鼠妈妈就是我啊。

4

　　虽然是太平盛世，长安城里也有巡夜的士兵，捉拿夜不归宿的人。那些人在肩上扛着短戟，手里拿着火把，照亮了天上飘落的雪片——每个巡夜的士兵都是一条通天的光柱，很难想象谁会撞到这些柱子上。在我看来，他们就像北京城里的水银灯。假如你知道巡逻的路线，他们倒是很好的引路人。因为这个缘故，我们走在一队巡逻兵的后面，跟得很紧，甚至能听见他们的交谈，即便被他们逮住，也不过是夜不归宿——很轻的罪名。在北京城里也有守夜的人，他们从我面前走过，对我视而不见。因为他们要逮的是两个人，而非一个人……但我多少有点担心，被逮住了怎么办。为此曾请教过她的意见。她马上答道："那就嫁给你呗。"在公园里被逮住之后，嫁过来也是遮丑之法。然后她又说：讨厌，不准再说这个了。看来她很不想嫁给我。

　　我最终明白，对我来说，雪就是性的象征。我和她走在长安城的漫天大雪之中；这些雪就像整团的蒲公英浮在空中。因为夜幕已经降临，所以每一团松散的雪都有蓝色的荧火裹住，就这样走到了分手的时节。雪蒙蒙的夜空传来了低哑的雷声，模糊不清的闪电好像是遥远的焰火。而在遥远的北京城里，分手的时节还没有到来。它是在黎明，而不是在午夜……后来，在北京城的冬夜里，我想到了这些事，就说：性是人间绝顶美丽之事。她马上就从大衣里钻了出来，惊叫道：袋鼠妈妈！你是一个诗人！再后来，在北京城的夏夜里，我喃喃说道：袋鼠妈妈是个诗人……她马上在飘浮着的灯光里跪了起来，拿住我的把把说：连他是诗人你都知道了——咱们来庆祝一下吧！这使我想了起来，我经常假装失掉了记忆，过一段时间再把它找回来，以便举行庆祝活动。现在庆祝活动在举行中，看来，我没有什么失落的东西了。

从她的角度来看，我和我的黑大衣想必像是一片黑黝黝的海水，而她自己像一只海狗（假如这世界上有白色的海狗）一样在其中潜水，当然这海里也不是空无一物……她浮出水面向我报告说：一个硬邦邦的大蘑菇哎。我无言以对。她又说：咬一口。我正色告诉她：不能咬，我会疼的。后来她又潜下去，用齿尖和舌头去碰那个大蘑菇。而我继续坐在那里，忍受着从内部来的奇痒。外面黑色的夜空下，才真正地空无一物。再过一会儿，她又来报告说：大蘑菇很好玩。我由衷地问道：大蘑菇是什么呀？

夜里，我们的床上是一片珊瑚海，明亮的波纹在海底游曳，她就躺在波纹之中，好像一块雨花石，伸出手来，对我说道：快来。在闷热的夜里，能够潜入水底真是惬意。有一只鳐鱼拖着乌云般的黑影侵入了这片海底，这就是我。我们以前举行的庆祝活动却不是这一种。这是因为，当时我们还没有被人逮住。午夜巡逻的工人民兵在走过，但只是惊诧地看着我的大肚子——那年月的伙食很难把肚子吃到这么大。当然，人家也不全是傻瓜。有一夜，一个小伙子特意掉了队，走到我面前借火。我摇摇头说，我不吸烟。他却进一步凑了过来，朝我的大肚子努努嘴，低声说道：这里面还有一个吧？我朝他笑了一笑。所以，在这个世界上，可能还有人记得，在七五年的寒夜里，水银灯光下马路边上那一缕会心的微笑。

5

在北京城的冬夜里，分手时节是在公园里的假山边上。那件黑大衣就如蛇蜕一般委顿于地。地面上有薄薄的一层白粉，与其说是雪，不如说是霜。曙光给她的身体镀上一层灰色，因为寒冷，乳房紧缩于胸前。对于女人来说，美丽就是裸体直立时的风度——带着这种风度，她给自己穿上一条面口袋似的棉布内裤——然后是红毛裤，红毛衣，蓝布工作服。最后，她用一条长长的绒围巾把头裹了起来，只把脸露在外面——想必你还记得七十年代的女孩流行过一种裹法，裹出来像海带卷，现在则很少见——戴上毛线手套，从树丛里推出一辆自行车，说道：厂里见。就骑走了。我影影绰绰地记得，在厂里时，她并不认识我。她看我的神情像条死带鱼。在街上见面时她也不认识我，至多侧过头来，带着嫌恶的神情看上一眼。晚上，在公园里见面时，她也不认识我，顶多公事公办地说一句：在老地方等我。只有在那件大衣的里面她才认识我，给我无限的热情和温存。

在那件旧大衣底下，我是一个彬彬君子。我总把手背在身后，好像一年级的小学生在课堂上听讲。很快我就忘掉自己长着手了。我很能体会一条公蛇能从性中体验到什么，而且我总觉得，只有蛇这种动物才懂得什么叫作性感。我不是一条蛇，这正是我的不幸之处。有时候她对我发出邀请，说道：摸摸我！我想把手伸出来，但同时想到，我是一个蛇一样的君子，就把手又背过去，简短地回答道：不摸。这种争论可以持续很久，到了后来，她只说一个字：摸！我只说两个字：不摸。听起来就是：摸！——不摸。在对答之间，隔了一分钟。按照这种情节，她能够保持处女之身，都是因为我坐怀不乱——我就是这么回想起来的，但又影影绰绰地觉得有点不对。也有可能是我要摸她，但她不让。需要说明，不论是公园还是校园，都常常不止我们两个人。别人把这种问答听了几十遍，自然会对我们产生兴趣。在黎明前的曙光里，常有一个男孩子（有时也有女孩子怯生生地跟着）走过来。听到脚步声，她赶紧把头从衣领处探出来，和我并肩坐着，像一个双头怪胎。这位男孩子笑笑说：我来看看你们在干什么呢。她就答道：没干什么。没干什么。然后，那个男孩就又笑了一笑，说：认识你们很高兴。她又抢答道：我们也很高兴。然后从袖筒里伸出手来，和他握手告别。我也很想和这个小伙子握手告别，但伸不出手来——

在这种地方，遇上的都是夜不归宿的人。而夜不归宿的都是些文明人。但我影影绰绰地觉得，这故事我讲得有点不对头了。

和分手时节紧密相接的是相见时节——中间隔了一个无聊的白天，这是很容易忘掉的——也是在这座假山边上。夜幕刚刚降临，游人刚刚散尽。她就是不肯钻进这件黑大衣。夜晚最初的灯光并不明亮，所以，白色的身体分外醒目。我说道：快进来，别让别人看到了。她说：我不。坏东西，你让我怎能相信你。我说：我不是坏东西。我是袋鼠妈妈。我却说：袋鼠妈妈是谁呀？最后，我只能像事先商量好的那样，背过身去，让她用一根棉线绳子把手绑在了背后。然后她才肯钻进大衣，捏捏那个硬邦邦的家伙，说道：好恶毒啊……幸亏我防了一手。还想帮它骗我吗？坐在长椅上时，我想，假如这样被人逮到，多少有点糟糕，然后，我就把这件事忘掉了。

【三】

1

我的过去不再是一片朦胧。过去有一天我结婚，乘着一辆借来的汽车前去迎亲。我的大姨子对我说：我妹妹是个疯子。晚上她要是讨厌，你别理她，径直干好事——很难想象哪个大姨子会建议未来的妹夫强奸自己的妹妹，除非他们以前就认识。但我分明不认识这个大姨子。这个女人的头很大，梳了两条大辫子，前面留了很重的刘海，背上背了一个小孩子。她弯着腰，让小孩骑在背上，头顶就在我眼前；三道很宽的发缝和满头的头皮屑就在我眼前。这个景象和晚上十点钟的农贸市场相似：那里满地是菜叶和烂纸。我可以发誓，这个背孩子的女人我见过不到三次，其中一次就是这一次，在这间低矮的房子里。头顶有一片低垂的顶棚，上面满是黄色的水渍。屋子里弥漫着浓郁的尿骚味……

从窗户看出去，是个陌生的院子，带着灰色的色调，像一张用一号相纸洗印的照片。院里有棵枣树，从树干到枝头到处长满了瘤子。这个院子我也很是陌生。院子里有个老太太的声音在吵吵闹闹，院子外面汽车喇叭不停地叫，好像电路短路了。我按捺不住手艺人的冲动，想冲出去把它修好。但我还是按捺住了——作为新郎，显然不宜有一双黑油手。这位新娘子是别人介绍我认识的——但愿她和白衣女人不是一个。我一面这样想，一面又隐隐地觉得这种想法不切实际。然后，她哇的一声从里屋冲了出来，穿着白色的睡袍，赤着脚，手里拿了一把小镜子，苍白的脸上每粒粉刺都鲜艳地红着，看来都是挤过的，嘴边还有一处流了血："哇，真可怕，要结婚就长疙瘩啦。"到脸盆架边撕了一块棉花，又跑回去了。她和我以前认识的女孩显然是一个，和现在的白衣女人又很像。我马上就会想到她是谁。

我终于纠正了自己的错误，早上起来，我向那位白衣女人坦白说，我失去了记忆，过去的事有很多记不得了。一个人失去记忆，就是变成了另一个人。我变成了另一个人，又不自觉声明，就这样过了半个多礼拜，在这期间，我一再犯下非法占有对方身体之罪。这个错是如此地罪大恶极，简直没有什么希望得到原谅。但是她听了以后，只略呈激动之态，还微笑着说：是吗，还有什么？快说呀。此时我也想给自己说几句话，就说：想必你也看出来了，我心地善良、作风朴实，有各种各样的优点，而且热爱性生活——我的本意是说，我虽已不是以前的王二，但也不无可取之处，希望她继续接受我。谁知她听了这末一句（热爱性生活）就大笑起来，并且挣扎着说道：Me too！ Me too！那声音好像是在打嗝。一位可爱的女士这样说话，多少有点失态，我不禁皱起眉毛来。后来她终于不笑了，走过来拍拍我的脸说：你已经够逗的了，别再逗啦。直到此时我才明白，原来我是很逗的。

2

　　如你所知，毕业以后，我到万寿寺里工作。起初，我严守着这两条戒律：不要修理任何东西，不要暴露自己是袋鼠妈妈。所以我无事可做，只能端坐在配殿里写小说。因为一连好几年交不出一篇像样的论文，领导对我的憎恶与日俱增。夜里，在万寿寺前的小花坛里，一谈到这些憎恶，她就赞叹不止：袋鼠妈妈，好硬呀。然后我就谈到让我软一些的事：别人给我介绍对象。他们说，女孩很漂亮，和我很般配。就在我们所里工作，和我又是同学。假如我乐意，他们就和女方去说。她马上大叫一声，从大衣底下钻了出来，赤条条地跑到花坛里去穿衣服，嘴里叫着：讨厌，真讨厌！这样大呼小叫，招来了一些人，手扶着自行车站在灯光明亮的马路上，看她白色的脊背，但她对来自背后的目光无动于衷。我木然坐在花坛的水泥沿上，她又跑了回来，在我背上踢了一脚说，还坐在这里干什么？还不快点滚？而我则低沉地说道：可你也得把我放开呀……后来，我和她一起走进黑暗的小胡同，还穿着那件黑大衣，推一辆自行车，车座上夹着我的衣服。我微微感到伤感，但不像她那样痛心疾首。但她后来又恢复了平静，说道：既然如此，那就结婚吧。这就是说，如果不是有人发现我和她般配，我到现在还是袋鼠妈妈。

　　……那一天她不停地嗑瓜子，从早上嗑到了午夜，所到之处，到处留下了瓜子皮。那一天她穿了一件红缎子旗袍和一双高跟鞋，这在她是很少有的装束。除此之外,她还在读安加沙·克里斯蒂的侦探小说,对任何人都不理不睬。我的丈母娘对此感到愤怒,就去抢她的书,抢掉一本她又拿出一本,好像在变古彩戏法。但是变古彩戏法的人身上总是很臃肿的,而这位新娘子则十分苗条,简直苗条得古怪;衣服也十分单薄,连乳头的印子都从胸前的衣服上凸了出来——我的丈母娘老想把印子抚平,并且用身体挡住我的视线,她说:妈,别挑逗我好不好——把老太太气得两眼翻白。时至今日,我也不知这戏法是怎么变的。唯一可行的解释是:我丈母娘和她通同作弊,明里抢走一本,暗里又送回来,用这种把戏来恫吓新女婿,让他以为自己未来的妻子有某种魔力。但我又觉得不像:我丈母娘是个很严肃的人,鼓着肥胖的双腮,不停地唠叨。我很讨厌别人唠叨,如果不是要娶她女儿,我绝不会和她打任何交道……

我记得这是我们结婚的日子,这一天俗不可耐。所有的婚礼大概都是这个样子。因此她把自己对准了一本侦探小说,鼻梁上架了一副白边眼镜——她有四百度的近视。等到眼镜被抢走之后,她就眯起眼睛来,好像一只守宫(一种变色龙)在端详蚊子。到酒宴临近结束时,大家要求新娘子给男宾点烟。她把书收好站了起来。此时大家才看到,这位新娘子长了两只硕大的白眼珠,上面各有一个针尖大小的黑色瞳孔——都是没戴眼镜看书看的。她从桌子底下拿出一支大号手枪,把所有的男宾一一枪毙掉。你当然知道我的意思,她用手枪式的打火机给大家点烟。每点一位,就扭过头去闻闻自己的腋窝说:天热,有味了。这当然是说所有的宾客都早已死掉,已经有味了。

喜宴过后,到了新房里,这位新娘子又歪在了床上看克里斯蒂。我无事可干,只好抽烟。把身上带的四盒烟都抽完以后,很想再去买一盒。当时午夜时分,要买烟就得去北京站,那地方实在远了一点,所以我没有去。这些事说明她很能沉得住气。这好像也是我的长处。但我很不想往这方面来想。假如我们俩也可以贯通，那就要变成一个人。这样人数就更少了。那天晚上我把烟抽完后，就开始嗑瓜子。假如是葵花子，我嗑起来就没有问题。不幸是些西瓜子，子皮又滑又硬，我不会嗑，嗑来嗑去，嗑不到子仁，只是吐出些黑白相间、鸡屎也似的残渣……

3

在长安城里，我和白衣女人分手，走过黑白两色的街道。现在飘落的雪片像松鼠的尾巴，雪幕因此而稀疏。这样的雪片像落叶一样在街道两侧堆积着。在我身后，留着残缺不全的脚印。也许我的下一篇论文该考一考长安城里的雪？它又要把领导气得要死。在他狭隘的内心里，容不下一点诗意。

在我自己的故事里，早已经过了午夜，但我还没按大姨子的告诫行事。她终于看完了那本克里斯蒂，并给它两个字的评价：瞎编。把它丢开。然后，她朝我皱起了眉头，说道：咱们要干什么来的？我摇摇头说：我也不记得。看来，我失去记忆不是头一次了……后来，还是她先想了起来：噢！今天咱们结婚！当然，这不是认真忘了又想起来，是卖弄她的镇定从容。我那次也不是认真失去了记忆，而是要和她比赛健忘。无怪乎本章开始的时候，我告诉她自己失去了记忆时，她笑得那么厉害——她以为我在拾新婚之夜的牙慧——但我觉得自己还不至于那么没出息……

后来，她朝我张开双臂，说道：来吧，袋鼠妈妈……必须承认，这个称呼使我怦然心动。那根大蘑菇硬得像擀面杖一样。我说的不仅是过去，还有现在——用当时的口吻来说，那就是：不仅是现在，还有将来。但我还是沉得住气，冷静地答道：别着急嘛。我一点都不急——我看你也不急。她说道：谁说我不急？就把旗袍脱掉，并且说：把你的大蘑菇拿出来！好像在野餐会上的口气。在旗袍下面，她什么都没有穿，只有光洁、白亮的肉体——难怪她白天苗条得那么厉害——于是我就把大蘑菇拿了出来。那东西滚烫滚烫，发着三十九度的高烧。请相信，底下的事我一点都记不得了。只记得她说了一句："你真讨厌哪，你……"因为想不起来，所以那个关节还在，我的过去还是一个故事，可以和现在分开。

现在，我除了长安城已经无处可去。所以我独自穿过雪幕，走过曲折的小桥，回到自己家里。在池塘的中央，有一道孤零零的水榭；它是雪光中一道黑影，是一艘方舟，漂浮在无穷无尽的雪花之上……那道雪白的小桥变得甚胖。这片池塘必定有水道与大江大河连接，因为涌浪正从远处涌来，掀起那厚厚的雪层。在我看来，不是池水和层积在上面的雪在波动，而是整个大地在变形，水榭、小桥、黑暗中的树影，还有灰色、朦胧、几不可辨的天空都在错动。实际上，真正错动变形的不是别的，而是我。这是我的内心世界。所以就不能说，我在写的是不存在的风景。我在错动之中咬紧牙关，让"咯吱咯吱"的声音在我头后响起。好像被夹在挪动的冰缝里，我感觉到压迫、疼痛。这片错动中的、黑白两色的世界不是别的，就是"性"。

我在痛苦中支持了很久，而她不仅说我讨厌，还用拳头打我。等到一切都结束，我已经松弛下来，她还不肯甘休，追过来在我胸前咬了一口，把一块皮四面全咬破了，但没有咬下来。据说有一种香猪皮薄肉嫩，烤熟之后十分可口。尤其是外皮，是绝顶美味。这件事开始之前我是袋鼠妈妈，在结束时变成了烤乳猪。那天晚上，我被咬了不止一口——她很凶暴地扑上来，在我肩头、胸部、腹部到处乱咬，给我一种被端上了餐桌的感觉……但是，她的食欲迅速地减退，我们又和好如初了。

4

　　当一切都无可挽回地沦为真实，我的故事就要结束了。在玫瑰色的晨光里，我终于找到了我们的户口本，第一页上写着她的名字，在另一栏上写着：户主。我的名字在第二页上，另一栏上写着：户主之夫。我终于知道了她的名字，但现在不敢说；恐怕她会跳到我身上来，叫道：连我的名字你都知道了！这怎么得了啊！现在不是举行庆祝活动的适当时节，不过，我迟早会说的。

　　你已经看到这个故事是怎么结束的：我和过去的我融会贯通，变成了一个人。白衣女人和过去的女孩融会贯通，变成了一个人。我又和她融会贯通，这样就越变越少了。所谓真实，就是这样令人无可奈何地庸俗。

　　虽然记忆已经恢复，我有了一个属于自己的故事，但我还想回到长安城里——这已经成为一种积习。一个人只拥有此生此世是不够的，他还应该拥有诗意的世界。对我来说，这个世界在长安城里。我最终走进了自己的屋子——那座湖心的水榭。在四面微白的纸壁中间，黑沉沉的一片静大红色的眼睛——火盆在屋子里散发着酸溜溜的炭味儿。而房外，则是一片沉重的涛声，这种声音带着湿透了的雪花的重量——水在搅着雪，雪又在搅着水，最后搅成了一锅粥。我在黑暗里坐下，揭开火盆的盖子，乌黑的炭块之间伸长了红蓝两色的火焰。在腿下的毡子上，满是打了捆的纸张，有坚韧的羊皮纸，也有柔软的高丽纸。纸张中间是我的铺盖卷。我没有点灯，也没有打开铺盖，就在杂乱之中躺下，眼睛绝望地看着黑暗。这是因为，明天早上，我就要走上前往湘西凤凰寨的不归路。薛嵩要到那里和红线会合，我要回到万寿寺和白衣女人会合。长安城里的一切已经结束。一切都在无可挽回地走向庸俗。

红拂夜奔·

序

　　这本书里将要谈到的是有趣。其实每一本书都应该有趣，对于一些书来说，有趣是它存在的理由；对于另一些书来说，有趣是它应达到的标准。我能记住自己读过的每一本有趣的书，而无趣的书则连书名都不会记得。但是不仅是我，大家都快要忘记有趣是什么了。

　　我以为有趣像一个历史阶段，正在被超越。照我的理解，马尔库塞（Herbert Marcuse）在他卓越的著作《单向度的人》里，也表达过相同的看法。当然，中国人的遭遇和他们是不同的故事。在我们这里，智慧被超越，变成了"暧昧不清"；性爱被超越，变成了"思无邪"；有趣被超越之后，就会变成庄严滞重。我们的灵魂将被净化，被提升，而不是如马尔库塞所说的那样，淹没在物欲里。我正等待着有一天，自己能够打开一本书不再期待它有趣，只期待自己能受到教育。与此同时，我也想起了《浮士德》里主人公感到生命离去时所说的话：你真美呀，请等一等！我哀惋正在失去的东西。

一本小说里总该有些纯属虚构的地方。熟悉数学方面典故的读者一定知道有关费尔马定理的那个有趣的故事，这方面毋庸作者赘言。最近，哈佛大学的一位教授证明了费尔马大定理。需要说明的是，书中王二证明费尔马定理，是在此事之前。

作　者

关于这本书：

王二一九九三年四十一岁，在北京一所大学里做研究工作。研究方向是中国古代数学史。他是作者的又一位同名兄弟。年轻时他插过队，后来在大学里学过数学。从未结过婚，现在和一个姓孙的女人住在一套公寓房子里。在冥思苦想以求证明费尔马定理的同时，写出了这本有关李靖和红拂的书。这本书和他这个人一样不可信，但是包含了最大的真实性。熟悉历史的读者会发现，本书叙事风格受到法国史学大师费尔南·布罗代尔的杰出著作《15至18世纪的物质文明、经济和资本主义》的影响，更像一本历史书而不太像一本小说。这正是作者的本意。假如本书有怪诞的地方，则非作者有意为之，而是历史的本来面貌。

第一章

　　在本章里一再提到一个名称"领导上"。在一本历史小说里出现这种称呼，多少有些古怪。作者的本意是要说明，"领导"这种身份是古而有之。

【一】

　　李靖、红拂、虬髯公世称风尘三侠，隋朝末年，他们三人都在洛阳城里住过。大隋朝的人说，洛阳城是古往今来最伟大的城市；但唐朝的人又说，长安是古往今来最伟大的城市；宋朝的人说，汴梁是古往今来最伟大的城市；所以很难搞清到底哪里是古往今来最伟大的城市。洛阳城是泥土筑成的，土是用远处运来的最纯净的黄土，放到笼屉里蒸软后，掺上小孩子屙的屎（这些孩子除了豆面什么都不吃，除了屙屎什么都不干，所以能够屙出最纯净的屎），放进模版筑成城墙，过上一百年，那城就会变成豆青色，可以历千年而不倒。过上一千年，那城墙就会呈古铜色，可以历万年而不倒。过上一万年，那城就会变成黑色，永远不倒。这都是陈年老屎的作用。李靖、红拂、虬髯公住在城里时，城墙还呈豆青色。这说明城还年轻。可惜不等那城墙变成古铜色，它就倒了，城里的人也荡然无存。所以很难搞清城墙会不会变成黑色，也搞不清它会不会永远不倒。洛阳城墙筑好之后，渐渐长满了常春藤。有一些好事的家伙派人把藤子从墙上扯下去，墙上就剩下了细小的藤蔓，好像四脚蛇断掉的尾巴。与此同时，被扯下墙的常春藤在地上继续生长，只是团成了团。有些叶子枯萎凋落，有些叶子却蓬勃向荣。这些藤子在地下，就像一堆堆的垃圾。而立着的城墙却被断裂的藤蔓染上了花纹，好像一匹晾在空中的蜡染布。然后又有些人觉得有花纹的城墙不好看，又派了一些人出来，举着绑了刀片的竹竿，把花纹都刮掉了。久而久之，城墙上就被刮出了好多白斑，好像脸上长了癣。我不明白既然一堵墙已经修了出来，为什么不能让它好好待着——人活着受罪，干吗让墙也受罪呢。

　　李靖他们住在洛阳城里时，这里到处是泥水。人们从城外运来黄土，掺上麻絮，放在模版里筑，就盖成了房子。等到房子不够住时，就盖起楼房，把小巷投进深深的阴影里。洛阳的大街都是泥的河流。那时候的雨水多，包铁的木车轮子碾起地来又厉害，所以街上就没有干的时候。泥巴在大街上被碾得东倒西歪，形成一道又一道的小山脊，顶上在阳光下干裂了，底下还是一堆烂泥，足以陷到你的膝盖。那些泥巴就这样在大街上陈列着，好像鳄鱼的脊梁。当时的人们要过街，就要借助一种叫拐的东西。那是一对带有歪杈的树棍，出门时扛在肩上，走到街边上，就站到杈上，踩起高跷来。当时的老百姓都有这一手，就像现在的老百姓都会骑自行车一样。谁也不知道将来的老百姓还会练出什么本事来——假如有需要，也许像昆虫一样长出六条腿。当然，各人的道行有深有浅。有人踩在三尺短拐上蹒跚而行，也有人踩在丈八长拐上，凌空而过。比较窄的街段上，有些人借助撑杆一跃而过。在泥水中间，又有无数猪崽子在游荡。老百姓和猪就这样在街上构成了立体画面。除此之外，还有给老弱病残乘坐的牛车，有两个实心的木头轮子，由一头老水牛拉着，吱吱扭扭，东歪西倒。从城东到城西，要走整整半天。假如它在路中间散了架，乘车的都要成泥猪疥狗。不是老百姓的人坐在八匹马拉的轿车里呼啸而过时，泥水能溅到路边的店铺里面。正如今日有些豪华轿车跟在你自行车后猛按喇叭，嫌你聋得还不够快。老百姓总是恨非老百姓，这是原因之一。

那些在洛阳大街上横行的马车就像鱼雷艇，这种高速船只宜在空旷处行驶，不该开上大街。但是谁也没有对马车提出意见，因为谁都不敢。人们只是上街时除了带着拐，还带一把油纸伞，见到马车过来，就缩在路边，张开伞接泥巴。还有一些人不带雨伞，而是穿着油布的雨披。不管你怎么小心，总有弄一头一脸一身的时候。所以又要带上一个防水的油布口袋，里面带着换洗衣服。但是要洗手洗脸，总要用水。井倒是好找，洛阳每个街口都有一间白色的小房子，里面就是水井。但是房子里有人看着，用水要钱。所以图省钱的人就在脖子上拎两个牛尿脬，里面放上水。但是你虽有换洗衣服，总要有地方换，总不能当街赤身裸体，找更衣处（现代话叫收费厕所）也要钱；所以图省钱的人就不是带一把伞，而是两把伞。更衣时把两把伞前后张开遮住。这样一个图省钱的人出门时，脚下踩着一对拐，脖子上挂了两袋水，背后插了两把伞，腰里还挂着鼓鼓囊囊的口袋，实在是很累赘。其实你只要用一点钱，就可以清清爽爽地到任何地方，这个办法和现在是一样的：坐 Taxi①。所以那些人是自愿活得那么累赘，因为他们想省钱。他们想省钱的原因是他们没有钱。

大隋朝的 Taxi 没有轮子，那是一些黑人，脑袋后面留着小辫子，赤身裸体，只穿一条兜裆布，手里拿着一条帆布大口袋。问好了去处，他就张开口袋把你盛进去。一个大钱一公里，他可以把你驮到任何地方，身上也不会沾一点泥。但是在坐 Taxi 前，必须在他脸上摸一把，看看是真黑人，还是鞋油染的。有些无赖专门冒充 Taxi，把人扛到臭水坑前面，脑袋朝下地往下一栽。这些无赖以为这样干是有幽默感，其实一点也不幽默，因为这样一栽常常把别人的颈椎栽断。别人的颈椎断了，他们就把钱袋摸

---

① 意为"出租车"。

走。这也如你今天乘出租车时，也必须研究一下司机和车子，万一乘错了车，就会被人把脸打扁。众所周知，Taxi只对外国人和阔佬是安全的。

坐Taxi出门太贵，又有折断颈骨的危险，所以在洛阳城里，大多数人平常出门时都是全副武装，十分累赘。只有那些走街串巷的妓女最潇洒。那种人身穿皮子的短上衣和超短裙，溅上了泥后，等干了一刮就掉，顶多剩下一点白色的痕迹。过街时只要招招手，就有老黑来把她扛过去，连钱都不要。当然，走在路上时Taxi的手不老实，要占点小便宜。她们什么都不带，因为什么都用不着，只带一个小手提包，包里有刮泥点子的竹片子、手纸、小镜子等等，但是没有很多钱，钱多了流氓会搜走。但也不能一点钱都没有。那些流氓穿着黑绸子的长袍，头发用榆皮水梳得贼亮，嘴里嚼着蜜泡过的老牛皮（当时已经有了阿拉伯树胶做的口香糖，但是太贵，一般人买不起）。妓女的包里要是没钱，流氓发起火来什么事都干得出来。好多年以前，洛阳城就是这样。好多年以前，李靖就是这么个流氓。

【二】

我在讲李靖的事时，他就像一座时钟一样走着。但是这座时钟走得并不总一样快。讲到别的人时也是这样。举例而言，现在是故事的开头，时钟就相当缓慢。也不知讲到什么时候它就会突然快起来，后来又忽然慢下去，最后完全不走了。这是我完全不能控制的。因为不但李靖，连我自己也是一座时钟，指不定什么时候快，什么时候慢，什么时候会停摆。

我们现在知道，李卫公是个大科学家，大军事家；其实他还是个大诗人，大哲学家。因为他有这么多的本事，年轻时就找不到事做，住在洛阳的祖宅里（那座祖宅是个土墙草顶的房子，草顶露了天，早该换草了），有时跑到街上来当流氓聊以为生。在这种时候他只好尽量装得流里流气，其实他很有上进心。年轻时李靖住在洛阳一条铺石板的小巷里，有时一天只吃一顿饭，晚上点着蓖麻油的灯熬夜。那种油是泻药，油烟闻多了都要屙肚子。当时他可没有当大唐卫公的野心，只想考上个数学博士，在工部混个事儿就算了。但是这样的事他都没找到。

我知道李卫公精通波斯文，从波斯文转译过《几何原本》，我现在案头就有一本，但是我看不懂，转译的书就是这样的。比方说，李卫公的译文"区子曰：直者近也。"你想破了脑袋才能想出这是欧几里得著名的第五公设：两点间距离以直线为最近。因为稿费按字数计算，他又在里面加了一些自己的话，什么不直不近，不近者远，远者非直也等等，简直不知所云。除此之外，还有一些段落具有维多利亚时代地下小说风格，还有些春宫插图。这都是出版商让加的。出版商说，假如不这样搞，他就要赔本了。出版商还说，你尽翻这样的冷门书，一辈子也发不了财。因此李靖只好把几何和性结合起来。这是因为这位出版商是个朋友，他有义务不让朋友破财。每次他这么干的时候，都会感到心烦意乱，怪叫上一两声。但是他天性豁达，叫过就好了。

李卫公多才多艺，不但会波斯文，而且会写淫秽小说，会作画，他的书里的插图都是自己画的。有时候他也用烧红了的铁笔给自己在木板上画名片，用大篆写上"布衣李靖"，写完了又觉得不过瘾，于是擅自用隶字加上了一行小字："老子第十六世孙"。这么写也不纯是唬人，因为姓李的都可能是老子的后裔，但是第十六世可一点依据也没有。他每天早上用冷水洗澡，不论春夏秋冬；上街时拄两丈长的拐，那拐是白蜡杆制的，颇有弹性，所以他走起来比马车还快。现在有些年轻人骑十速赛车，走起来也比汽车快。当年李靖遇到红拂时，他很年轻。

后世的人们说，李卫公之巧，天下无双，这当然是有所指的。从年轻时开始，他就发明了各种器具。比方说，他发明过开平方的机器，那东西是一个木头盒子，上面立了好几排木杆，密密麻麻，这一点像个烤羊肉串的机器。一侧上又有一根木头摇把，这一点又像个老式的留声机。你把右起第二根木杆按下去，就表示要开2的平方。转一下摇把，翘起一根木杆，表示2的平方根是1。摇两下，立起四根木杆，表示2的平方根是1.4。再摇一下，又立起一根木杆，表示2的平方根是1.41。千万不能摇第四下，否则那机器就会哗啦一下碎成碎片。这是因为这机器是糟朽的木片做的，假如是硬木做的，起码要到求出六位有效数字后才会垮。他曾经扛着这台机器到处跑，寻求资助，但是有钱的人说，我要知道平方根干什么？一些木匠、泥水匠倒有兴趣，因为不知道平方根盖房子的时候有困难，但是他们没有钱。直到老了之后，卫公才有机会把这发明做好了，把木杆换成了铁连枷，把摇把做到一丈长，由五六条大汉摇动，并且把机器做到小房子那么大，这回再怎么摇也不会垮掉，因为它结实无比。这个发明做好之后，立刻就被太宗皇帝买去了。这是因为在开平方的过程中，铁连枷发挥得十分有力，不但打麦子绰绰有余，人挨一下子也受不了。而且摇出的全是无理数，谁也不知怎么躲。太宗皇帝管这机器叫卫公神机车，装备了部队，打死了好多人，有一些死在根号2下，有些死在根号3下。不管被根号几打死，都是脑浆迸裂。卫公还发明过救火的唧筒，打算卖给消防队，但是消防队长说，猴年马月也不失次火，用水桶也能对付；这个发明就此没卖出去，直到二十多年以后，才卖给了大唐皇帝。当然，卖了的唧筒是铁铸的，不喷水，而是喷出滚烫的大粪。这东西既不能救火，也不能浇花，只能浇人。浇上以后就算侥幸没有死掉，也要一辈子臭不可闻。皇帝把它投入了成批生产，命名为卫公神机筒。假如老百姓上街闹事，就用屎来浇他们。卫公有过无数的发明，都是一辈子卖不出去，最后卖给了太宗。太宗把它们投入生产，冠以"神机"之名。现在我们一听到神机两个字，就把它和虐待狂画了等号，怎么也想不到消防和开平方。卫公年轻时，做梦都想卖发明来救穷，但是一样也卖不出去。等到他老了以后，这些发明倒全卖出了大价钱，但是这会儿他已经不缺钱了。

据我所知，李卫公年轻时只卖掉了一件发明，那是一架用手摇动的鼓风机，他把它卖给了邻居的饭馆，卖了二十块钱。做成了这个买卖之后，他高兴得要了命，以为从此自己有了正当的生计，不用再当流氓了。——在此之前，饭馆里都用人来吹火。每个灶眼都要雇五个人，手持吹火筒轮番上前。有些人干了一辈子，就再也用不着吹火筒。他们的嘴唇长了出来，好像鸭子，稍一用力就能形成个肉管子——谁知过了不到三天，人家就把被火烧煳了的鼓风机送了回来，不但让他把钱退回去，还想要他包赔几乎造成火灾的损失。其实卫公做的鼓风机再好使不过，只是不能倒过来摇。假如倒过来摇就不仅不能鼓风，反而要把灶膛里的火抽到鼓风机里，把木制的叶轮烧着。这个例子告诉我们的是，再好的发明到了蠢货手里也不能起作用。可惜的是这世界上的蠢货总是那么多。但是人没法子和蠢货争论。人家要他退钱，他就老老实实地说道：花完了，退不出了。然后就伸出额头来说道：打几下吧。他老拿额头来付账，以致上面老是有三道以上的紫印子。不认识他的人总以为他像一些老婆子那样，喜欢把脑门子刮紫，并且以为这样做了以后百病不生，其实不是的。有关这件事我们还可以补充说，这架鼓风机后来也卖了出去，还是卖给了大唐皇帝。而大唐皇帝还是用它来打仗——在风向有利时，用它吹起石灰粉和研碎的稻糠，可以迷住敌人的眼睛。但皇帝的御厨房里依旧用人来吹火，而且那些吹火的人的嘴唇像融化了挂在半空的麦芽糖。

我们还可以说说古时候的人怎么开平方——工匠需要知道平方根，不管在哪朝哪代——干那件事首先是需要小棍子。古时候用筹算法，除了职业数学家谁也不把算筹带在身上，以免别人怀疑你是个卖筷子的。所以你走在隋朝的大街上，吃着烤羊肉串，发现有人鬼鬼祟祟地跟着你，千万不要诧异。那都是些木匠的小徒弟，在给师傅找算筹，图的是你手里的那根竹签子。有些人图简便，就把平方根表刺在身上，但是中国字占地方，数表又长，脸上手上的皮远远不够。所以刺得浑身都是，干着活就会突然脱到光屁股。因为这个缘故，所以大隋朝的法律规定泥水匠当街干活必须戴斗笠。这东西不光是为了遮风挡雨，还可以在查平方根时把前面挡上。

李卫公老年时是大唐的名臣，所以不知他还能不能记得年轻时驾两丈高双拐走在洛阳大街上的事。当时每个走在他下面的人都恨他恨得要死。这是因为他总从别人头顶上跨过去，使别人蒙受胯下之辱，还因为他在那件黑绸长袍底下什么都不穿。这一点在平地上不是个问题，悬在半空中就十分让人讨厌。当时洛阳城里的女人在巷口看到一对白蜡长杆从面前走过，感到一个影子从天顶飘落，遮住了阳光时，大多马上尖叫一声，闭上眼睛蹲在地下，表示她什么都不想看。也有些泼辣的娘儿们见到这种景象就怒吼一声，从家里拿出顶门杠，踏泥涉水地猛扑过去，追打那对白蜡杆，要把李靖从天上打下来。这也很难得逞，因为李靖的速度快着哪。他飞快地跑掉了，留在街上一串奸笑。只有在街边上徘徊拉客的妓女，才会嚼着嘴里的老牛皮，扬起脸来看半空中的李靖——他长袍下襟下露出的两条毛茸茸的腿和别的东西。但是她们对这些东西早就司空见惯了。为了引起她们的注意，李靖在腿上和别的地方都刺了骇人听闻的图案。这件事就是这么古怪：李靖在地面上时，她们服从他，千方百计地讨好他；而等他到了天上后，事情就反了过来。假如一个流氓在街上走过时，没有妓女的喝彩，那他就很难在洛阳城里混了。所以流氓要在天上表演各种花样，就像演员在台上表演一样。

　　李靖在天上行走时，就像一只大鸟。这是因为他站在拐上时撅起屁股，把上身朝前俯去。这种乘拐姿势在洛阳城里得到最高的评价——被认为是最帅的，但是现在看起来却像个淘气的女孩子尝试站着撒尿一样，说不上有什么好看。他在街上走时，两腿叉得很开，一条腿踩在街的左边，另一条踩在街的右边，这样重心稳定不容易摔倒；而且假如有一辆横冲直撞的马车迎头撞过来，也只会从他两腿之间冲过去，不会碰着他。李靖在洛阳城里走动时，就像一只在小河沟里觅食的鹭鸶，脚下是一条污浊的水道。用这种姿势行走时，他的阴茎朝前伸着，阴囊缩紧，从下面一看就如天上的一只飞鸟一样。假如仔细看的话，还能看见他的龟头上刺了一只飞翔的燕子，这是那时的时尚。其实这样的行走方式一点都不好，万一失去了平衡，会从天上摔下来，而且根本不知道会掉到什么地方——这就像飞机失掉了控制，掉到哪里都可能，甚至会掉到粪坑里。除此之外，他还能感到一股污浊的水汽从他两腿之间升上来。在他两边是深褐色的屋顶，有些铺着长满了苔藓的瓦，有的铺的是树皮——上面长了叫作狗尿苔的菌类。他耳畔响着一座城市熙熙攘攘的声音，鼻端充满了这座城市恶臭的气味。这种时候他总是在为生计奔走。直到他从那两根长杆上爬下来时，才不是在奔走。但那些时候他又在为生计老着脸皮求人，或者厚颜无耻地敲诈别人，卫公年轻时的生活就是这样的。后来他成了大唐的卫公，这就是说，后世的人再也不好意思、也不敢说起他在洛阳街上行走时，因为不穿内裤，又因为受到污浊水汽的熏蒸，经常患上阴囊瘙痒症，那东西肿得像火鸡的脸一样，这种情形被在他身下面的妓女看到了，就会受到耻笑，所以他只好用姜汁把患处再染成黄色。这样不但受到瘙痒的煎熬，还要忍受姜的刺激，感觉实在很不好。

　　李靖在洛阳城里当流氓，却是流氓中最要不得的一种。这就是说，他想向市场上的小贩要保护费，却不好意思开口，也不好意思伸手，这就使问题复杂化了。假设你是洛阳市场上一个小贩，见到一个穿黑衣服梳油头的家伙从你摊前过来过去，满脸堆笑地和你打招呼，你也想不到他是要讹诈你吧。然而他来的次数多了，摊面上就会发生一些可怕的事：不是雪白的布面上被用狗屎打了叉子，就是汤锅里煮上了死蛇。假如你对这些事情还能熟视无睹，就会有活生生的大蝎子跳到你摊上来。以上过程一直要重复到你在摊面上放了一叠铜钱，这叠铜钱无声地滑到他的袖口里为止。反正都是要钱，不明说的就更讨厌。向妓女要钱的时候他也板不起脸来，只是嬉皮笑脸地上前纠缠，和人家讨论音乐和几何学，直到对方头疼得要死，掏出钱来为止。所以无论小贩还是妓女，都对他切齿痛恨，希望他早患时疫瘟死。这种敌意表现在人们看到他时一点笑容都没有，而且谁也不搭理他。他的笑脸就像一个个肥皂泡，掉到水里不见了。他这样做的原因，是因为他自以为是知识分子，要面子，不能对别人恶语相向。晚上回了家以后，他脱掉黑绸的长袍，换上白麻布的短装，用灶灰水把头发洗得蓬蓬松松披在肩上，就跑到小酒馆或者土耳其浴室一类的地方，和波斯人、土耳其人，还有其他一些可疑人物讨论星相学、炼丹术等等，有时还要抽一支大麻烟。那种地方聚集着一些自以为是的知识分子，而且他们中间每个人都自以为是世界上最后一个知识分子。那些人都抽大麻，用希腊语交谈，搞同性恋；除此之外，每个人都像李靖一样招人恨。他们就像我一样，活着总为一些事不好意思，结果是别人看着我们倒觉得不好意思了。

据我所知，自从创世之初，知识分子就被人看不起。直到他们造出了原子弹，使全世界惶惶不可终日，这种情形才有所改变。李卫公年轻时被人说成大烟鬼、屁精、假洋鬼子，也没有卑鄙到想造原子弹来威胁人类。他在土耳其浴室里吸了一根大麻烟，迷迷糊糊地想出了毕达哥拉斯定理的证明，就像阿基米德一样，大叫一声"欧力卡"！光着屁股奔出澡堂跑回家去，连夜把定理写了出来，把门板锯了刻版，印刷了一千份，除了广为散发，还往六部衙门投寄。其结果是后来被衙门里捉进去打了一顿板子，罪名是妖言惑众，再加上那天晚上裸体奔跑，有伤风化。其实他无非是想让当官的注意他的数学才能，破格提拔他当数学博士。挨板子的时候，他又证明了费尔马定理，但是他这回学乖了，一声也没吭。

　　李卫公年轻时在洛阳城里，总想考数学博士，然后就可以领一份官俸，不必到街上当流氓。这是知识分子的正经出路。但是他总是考不取。这倒不是因为他数学不够精通，而是因为考博士不光是考数学，还要考《周易》，这门学问太过深奥，而且根本就不属于数学的范畴（我看属于巫术的范畴），所以不管他锥股悬梁，还是抽大麻，总是弄不懂。所以每次考试他只能在《周易》的考卷上写上"大隋皇帝万岁万岁万万岁"，再署上自己的名字交上去。这样的卷子谁也不敢给他零分——实际上他得的是满分——但是考官觉得他在取巧，就给他数学打零分。这种结果让李靖完全搞糊涂了，他怎么也不敢相信自己把那些小学的四则运算题全算错了，痛苦得要自杀。假如他知道内情，就该在数学答卷上也写皇帝万岁，这样就能考取。但是这些事不说明李靖笨。事实上他聪明得很。那次因为投寄毕达哥拉斯定理被捉去打板子时，他很机巧地在衣服底下垫了一块铁板，打起来当当地响，以至那位坐堂的官老爷老问"谁在外面打锣"。但是像这样的小聪明只能使他免去一些皮肉之苦，却当不了饭吃。当然他的聪明还不止此，打完了板子之后，他还要被拉到签事房里去在屁股上涂上烧酒——表面上这是为了防止伤口化脓，并且表示一下领导上对被责者的关心；其实是要看看是否打得够重，是不是需要补打几下。这时李靖把铁板藏起来了，他的屁股上早就涂了烟灰水，看上去乌青的一大片，涂酒时，公差的手也变成了乌青一片，好像也挨了打，故而大家都说打得够厉害。挨了这顿板子以后，李靖幡然悔悟，决定不再装神弄鬼，要做个好流氓。

出了衙门，见到第一个妓女，他就把眼睛瞪到铜铃那么大，走上前去，不谈几何，也不谈音乐，伸手就要钱。而那个女人则瞪大了眼睛说道：钱？什么钱？这个女人就是红拂。李靖这样讲话时，已经不像个知识分子了。知识分子有话从来不明说，嫌这样不够委婉。

【三】

在本节里作者首次用到了"想入非非"这个词。对此也不能做字面上的理解。作者是指一种人类与生俱来的性质。意思和弗洛伊德所说的"性欲"差不了太多。

李靖在天上行走时，不光可以看到脚下污浊的街道，还可以看到远处的景物，一直到地平线。地平线上一层灰蒙蒙的雾气，雾气下面是柳树的树冠，遮住了城墙。树冠里面是高高低低的房顶，还有洛阳城中高处的石头墙。那堵墙有两丈多高，遮断了一切从外面来的视线。住在墙外的人只知道里面住了一些有身份的人，却不知道他们是谁，怎样生活。李靖想过，假如再从城外运来纯净的黄土，掺上小孩子屙的屎，再多加些麻絮纸筋，就能筑起一座五丈多高的土楼——你不可能把土楼修得再高，再高就会倒掉——然后在土楼上再造一座五丈高的木头楼（木头楼顶多也只能造到五丈高，再高也会垮），然后再在木楼顶上用毛竹和席子搭起一座竹楼，这样三座楼合起来就有十好几丈高了。事实上没有人肯在那么高的地方造竹楼，因为来一场大风就会把竹楼吹走，连毛竹带席子你一样也捡不回来，而且这两样东西都还值一点钱，别人捡了也不会还回来。但这在李靖看来并不要紧，他只想在那座竹楼被风吹走前爬到上面去，看看里面到底是什么。自从有了城市以来，所有的城市都分成了两个部分，一座uptown，一座 downtown。李卫公住在 downtown，想到 uptown 去看看，这也叫想入非非。我现在得闲时，总要到学校的教授区里转几圈，过过干瘾。那是一片两层的小楼，大面积的铝制门窗，只可惜里面住的全是糟老头，阳台上堆满了纸箱子。我喜欢从窗口往里看，但我没有窥春癖，只有窥房子癖。李靖在天上行走时，还看见红拂在下面街边上木板铺成的人行道走着，穿着妓女的装束。于是他把双拐插在道边上的烂泥里，从空而降，截住了她的路。

李卫公从拐顶滑下来时姿势潇洒，就如一只大鸟从天上落下来，收束翅膀，两脚认准地面。好几个过路人都准备要喝他一句彩，只可惜他落得匆忙，不小心把怀里那些东西摔了出来——其中有一条死蛇，好几只活蝎子——这都是给小贩们准备的——所以那些人就把喝彩收了回去，给他一阵哄堂大笑。这种在妓女面前出彩的事叫人很难忍受，假如是被别的流氓碰到，一定会把红拂杀死来藏着。但是李靖只是羞红了脸皮，伸出一根手指摸了一下鼻子，根本就没起杀人的念头。这说明李靖虽然下了决心要当个好流氓，但他还是当不了。他狠了狠心，决心管她要双倍的保护费，但她却一个子儿也不给。然后他又狠了狠心，把这耍赖的娘儿们吃饭的家伙没收掉。那东西就是羊尿脬做的避孕套。没有这东西，做起生意来就会赔本——所挣到的钱正好够付打胎的费用，而且付了钱还不一定能打下来。

我以为应该给发明避孕套的人发一枚奖章，因为他避免了私生子的出生，把一件很要命的事变成了游戏。但是奖章一般只发给把游戏变得很要命的人。李靖要是早明白这一点，年轻时也不会这么穷。

在李靖看来，红拂是很古怪的娼妓，她的身材太苗条，个子太高；远看起来，有点头重脚轻的样子，因为她梳了个极大的发髻，简直有大号铁锅那么大。她的皮肤太白，被太阳稍稍一晒，就泛起了红色。她就这个样子站在街边上东张西望。李靖走过去，伸手把她的皮包抢下来，翻来翻去，她就瞪着眼睛看他，一副忍不住要说话的样子，但是终于没有说。最后李靖把包还给她，瞪着眼吼了一声：你把钱藏在哪里了？红拂说：我没有钱。李靖又说：你把那东西藏哪里了？红拂就问：什么东西？李靖说：岂有此理。搜了哇！红拂就伸直了胳臂闻自己的胳肢窝。把两边都闻遍了以后，说：我每天都洗澡，怎么会馊。李靖瞪了一会儿眼，后来笑了笑，挥挥手让她走了。李靖后来说，他在红拂的兜兜里发现了好多进口货，像西域来的小镜子、南洋的香粉等等。她穿的皮衣皮裙都是真正摩洛哥皮的，又轻又软；不像别的妓女，穿着土硝硝的假摩洛哥皮，不但咯咯作响，而且发出臭气。她身上还散发着一种撩人的麝香气，麝从来就不好捉。像这样的妓女没有钱，叫人实在没法相信。要是真正的流氓遇上了这种要钱没有的情形，一定要当街闹起来，会把她推倒在泥水里，会把她的包包扔到房顶上去。但是他没有做这样的事，只是在她走过以后留下的香气里停留了一会儿，就爬上拐顶去，在那里东摇西晃地找了一阵平衡，然后朝前走了。这件事说明了李卫公这次幡然悔悟已经结束了，很快他就开始想入非非：想象这个女人从哪里来，到哪里去，并且和她开始一场爱情。无须乎说，像他这样的人不堪重用。

假如红拂真被看成了妓女，就会有好多麻烦。所幸她那个装束只是似是而非，不但嫖客见了不敢嫖，连胆大妄为的流氓都不敢贸然过来收保护费。只有李靖这个愣头青上来就抢她的包。等到他走开以后，红拂听见一边有人说：好嘛，两个便衣碰到一起了。这话说得其实不对，就是女便衣也穿不起摩洛哥皮。但是洛阳街头的流氓有几个认得摩洛哥皮，更不要说知道它的价值了。非得像李卫公这样博古通今的人才知道，而李卫公的脑子里整天都在想几何题，所以发现了是摩洛哥皮，当时也没觉得奇怪。直到上了拐，走到大街上，才高叫一声妈的，不对头！当时他想要转回去再看看红拂，但是跟在他后面的一个赶驴车的却说：我操你妈！这是走路呢，还是拉磨？他就没回去；只是到东城去，见到那位出书的朋友后，告诉他今天撞到了一个穿摩洛哥皮的妓女。那位朋友说：好悬，准是便衣。她要是告你非礼，够你蹲半年大狱了。李靖说：别逗了，摩洛哥皮每平方寸卖二十块。那朋友说：高级便衣。李靖就说：算了，不管她什么便衣。告诉你，我证出了费尔马大定理。这个定理费尔马自吹证出来过，但是又不把证明写出来，证了和没证一样，而且也不知他真的证出来没有。李靖想让朋友给他出一本书，发表他这项了不起的发现，那位朋友却说：得了吧你，板子还没挨够哇。他让李靖给他画春宫图，每幅给十块钱，因为刚刚挨了一阵板子，李靖就答应了。这是因为画了小人书就可以拿到钱，毕竟是看得见摸得着，比之虚无缥缈的数学定理好得多。但是过了一会儿，就想到画一幅画只值半平方寸摩洛哥皮，这样的生活有什么意思。最后他终于把费尔马定理写到春宫小人书的文字里了，这说明他还是贼心不死，继续想入非非。像这样的事并不少见，比方说吧，中国古书里有这样两句顺口溜：

> 三人同行古来稀，
> 老树开花廿一支。

这竟是一种不定方程的解法，叫作韩信暗点兵——我不知道韩信和老树有什么关系。但是我知道这说明古时候有不少人像李靖一样淘气。如果我们仔细地研究唐诗宋词，就会发现里面有全部已知和未知的现代数学和物理学定理。现在我确知李卫公所写的春宫说明词里包含了费尔马定理的证明，但我没法把它读出来——这是因为费尔马定理的证明应该是怎样的，现在没有人知道，或者说，现在还没有人能够证出费尔马定理。它就如隋时发明的避孕套，到唐代就失传了，因此给了洋鬼子机会，让他们可以再发现一次。因为它已经失传，所以我也不知该怎样解释这些说明词。最简单的解释是：那是一些性交的诀窍。但是不应该是这样子的。不应该的原因是有我们存在。我们的任务就是把性交的诀窍解释成数学定理，在宋词里找出相对论，在唐诗里找牛顿力学，做这种工作的报酬是每月二百块钱工资。所以我也常像李卫公那样想：这样的生活有啥意思。

我和卫公的心灵在一部分可以完全相通，另一部分则完全不通，其他部分则是半通不通。相通的部分就是我们都在鬼鬼祟祟地编造各种术语，滥用语言，这些念头和那些半夜三更溜进女宿舍偷人家晾着的乳罩裤衩的变态分子的心境一样地叵测。不通的部分是我证不出费尔马定理，李卫公是天才；而我不是。半通不通的就是他不够天才或者我不够鲁钝的地方。但是这些区别只有我才能够体会，在外人看起来我们俩都是一样地神秘兮兮。我能够想象李卫公晚上在家里画春官的样子：他手里拿了一根竹签子做的笔，用唾液润湿墨锭，弄得满嘴漆黑，两眼发直地看着冒黑烟的油灯，与此同时，煞费苦心地把费尔马定理的证明编成隐语，写进春官的解说词。他就这样给人世留下了一份费猜的东西。我有一个朋友在翻译书，煞费苦心地把 totalitarianism（极权）译成全体主义。我还有一个女朋友在搞妇女研究，也是煞费苦心地造出一个字——"女性主义"（女权）。现在这个"权"字简直就不能用，而自己造些怪词，本身就是一种暗示。我现在写着这个古代大科学家李靖的故事，也在煞费苦心地把各种隐喻、暗示、影射加进去。现在的人或者能够读懂，后世的人也会觉得我留下了一些费解的东西。鬼才知道他们能不能读懂，但是不给后世留下一份费解的东西，简直就是白活了。

人们说知识分子有两重性，我同意。在我看来这种性质是这样的：一方面我们能证明费尔马定理，这就是说，我们毕竟有些本领。另一方面，谁也看不透我们有无本领。在卫公身上，前一个方面是主要的，在我身上后一个方面是主要的。好在这种差异外人看不大出来。在他们看来，我们都是一样地古怪。

根据史籍记载，李卫公身材高大，约有一米九十五到两米的样子，长了一个鹰钩鼻子，眼睛有点黄；身上毛发很重，有一点体臭。这说明他不是纯粹的东亚黄种。经过了五胡乱华，这原是常有的事。当时洛阳城里也有各方的人物。有大鼻子小眼睛的犹太人，兜售劣质的绿玻璃珠子，却一口咬定是绿玉做的；有戴斗笠穿肥腿裤子的高丽人，在路边生起冒黄烟的炉子烤咸鱼干卖，发出又甜又腥的味道；还有面色黝黑的印度人，按照相似疗法的原理出售各种药材：比方说，象牙是固齿的药材，斑马尾巴是通大便的药材，驴蹄子治脚垫，等等，其实都是没影的事。最不该的是说犀牛角壮阳——连想一想都不应该，角对犀牛来说不是性器官，抵架也不是性交，这里有黑色幽默的成分，需要想一想才能知道。这些人和李靖一样住在 downtown。这个地方李靖早已住腻了，他连做梦都想搬进石头墙里面去。但是等到他当了大唐卫公，尝到了这种滋味之后，却觉得它并不是太好。他真恨不得穿上黑绸子衣服再到市场上去。假如他这样做了，那他就是长安最老的流氓。

我对卫公的这一点倒是深有体会——他年轻时觉得眼前到处是机会，比方说，这世界上没有开平方的机器、鼓风机等等，这些机器都很有用，而且是别人发明不了的，而他不费吹灰之力就发明出来了。我相信爱迪生年轻时也是这么想的，但是爱迪生遇到的事可没落到卫公身上。假如他有爱迪生的机遇，中国就会有一个有千年历史的大国际公司：Weigong Lee, international。最起码要比什么贝尔实验室有名得多。满眼的机会抓不着，就有一种不得其门而入的感觉。

【四】

在李靖看来，红拂是很古怪的娼妓，不是 downtown 里所有的。但是在红拂看来，李靖也是很古怪的流氓。其实她并不知道真流氓是什么样子的，只是觉得他和街头巷尾扎堆聊天的那些穿黑衣服的家伙有区别罢了。李卫公身材高大，长一把山羊胡子，眼珠子是黄的，而洛阳的流氓全是蒙古人的脸相，五短身材。李卫公说话抑扬顿挫的很好听，而洛阳的流氓说话含混不清，好像没鼻子一样。因为这些原因，那些人都说李靖是个"雷子"，换言之，说他是上面派来的便衣侦探，或者是领某种津贴的线人。当年洛阳城里这种人可多了，比前东德所有的雷子加起来还多。在饭馆里吃着饭，就会有个人站起来，从腰里拿出个牌牌来，往桌上一拍说：刚才你说什么来着？再说一遍！听见这话的人就只恨自己为什么要长这根舌头。胡说八道就像今天闯了红灯一样，要罚五块钱。洛阳街头也有红绿灯，那是两块牌子，上面写着"下拐""回避"；遇到有要人的马车通过时就亮出来。闯了那种红灯会被关起来，就像今天胡说八道了一样。

人家说李靖是个雷子的事，红拂也不知道。她只知道当她站在大街上时，李靖没有像别的穿黑衣服的人那样，过一会儿就走过来，假装无意拍拍她的屁股，碰碰她的乳房。这是因为那些人怀疑她不是真正的娼妓，也是个雷子。假如是真的娼妓，在这种情况下就会叫出来：犯贱！找死！或者是：想干？掏钱！别占小便宜！这些话红拂都不会说，她只会瞪大了眼睛看着那些人。这是因为她也不是真正的娼妓。其实她是个歌妓。这一字之差，就有好多区别。所以别人碰了她以后，她还会追上去解释说：是真的——我没装假乳房。在洛阳大街上讲这些话，就像个疯子一样。

红拂后来一直记着她在洛阳大街上看到的景象——车轮下翻滚的泥巴，铅灰色的水洼子，还有匆匆来去的人群。这些景象和她所住的石头花园只是一墙之隔。假如你不走到墙外面来，就永远不会知道有这样一些景象。假如你不走出这道墙，就会以为整个世界是一个石头花园，而且一生都在石头花园里度过。当然，我也说不出这样有什么不妥。但是这样的一生对红拂很不适合。

红拂当年站在路边上看着泥水飞溅的大街时，她并不住在这里。泥水飞溅的洛阳城并不是全部的洛阳城，还有一个石头铺成的洛阳城。这两者的区别很大，泥水洛阳里只有娼妓而没有歌妓，石头洛阳只有歌妓没有娼妓。当时红拂是到了她不该去的地方，看人家在大街上乘拐来去，觉得很新鲜。石头洛阳里没有泥，也就没有拐。李靖和她分了手，就上了他的拐，好像乘风驾雾，转眼就不见了。泥水里还有好多人来来去去，高高矮矮的好像参差不齐的小树林。除了人，泥水里还有各种各样的车。实心轮子的牛车走起来向两边移动；平板小驴车只能坐一个人，拉车的假如是叫驴，看见了草驴就会站下来叫唤。还有自行车，好像装了两个轮子的长条板凳。乘车的人把两腿跷在前面扶着把，手里拿了两条棍子撑地前进。除了人和车，泥水里还有死猫死狗。在这些东西中间，有数不尽的苍蝇。而在石头洛阳里，苍蝇很少，领导就觉得苍蝇应该是可以灭绝的，发给每个歌妓、门客、厨子和奶妈各一个苍蝇拍，以为靠这些人就能把苍蝇打绝了。而在石头墙里，苍蝇是一种极可怕的动物，当你走在回廊上，苍蝇就"轰"的一声飞了出来，眼睛像两个车轮，嘴像一把剑，腿上还长着狰狞的毛，恶狠狠向你逼近，这一瞬间如果你不掩面痛哭，就不是一个淑女。但是在石头墙外就不是这样。这里有这么多的苍蝇。苍蝇一多，连个头都显得小了。

我已经两次用到了这个字眼——"领导上"，但我还搞不清它是动词还是名词。它的意思就像俚语"爷们"，简单地说，是指一个或一些男人。复杂地说，它指按辈分排列。比方说，我要是论"爷们"，可能是某人的二大爷，也可能是某人的大侄子——这个大字还是给我脸上贴金。这只不过是讨论字义，实际情况和这不一样。领导上这个字眼能叫我想起一张准备打官腔的脸，这张脸又让我想起一个水牛的臀部。这张脸到了会场上，呷上一口茶水，清清嗓子，我就看到那只水牛扬起了尾巴，露出了屁眼，马上就要屙出老大的一摊牛屎——这个比方里没什么坏意思，只是因为我听说美国人管废话叫作"牛屎"。坐在我身边的人把手里的烟捻灭，在手指之间仔仔细细捻烟蒂，直到烟纸消失，烟丝成粉，再点上另一支烟。这就是领导上出现时的景象。一般情况下它不出现，但总在我们身边。

红拂到了四十多岁还是很漂亮。她的头发依旧像二十岁时一样，又黑又长。但是她说自己已经老了。这是因为她的发梢都分了叉，就像扫帚苗一样。因为这个缘故，静夜里可以听见她身上发出沙沙声，好像一盘小蚕在吃桑叶一样。这是因为她的头发梢正在爆裂。在夜里还能看见她头发上爆出细小的火花，好像水流里的金沙。她的头发好像是一团黑雾一样捉摸不定，这是因为头发的末梢像一团蒲公英。而年轻时不是这样的。红拂的皮肤依然白皙平滑，但是已经失去了光泽，这是因为她已经有了无数肉眼看不到的细小皱纹，一滴水落上去，就会被不留痕迹地吸收掉，洗过澡之后，身体就会重两斤。她的眼睛已经现出古象牙似的光泽，而年轻时红拂的眼睛却没有光泽，黑色而且透明。她的身体现在很柔软，而年轻时她的身体像新鲜的苹果一样有弹性。所以红拂说自己已经老了。老了和漂亮没有关系。

到了四十岁时，红拂是卫公夫人，是大唐的一品贵妇。但是年轻时她当过歌妓，这一点后来很为人所诟病。其实歌妓不是妓女，不过是对她美貌的一种肯定。但是这一点却很难向大唐朝其他贵妇们解释清楚。当时她是在大隋朝的太尉杨素家里当歌妓，因此人们就说，她和杨素有不正当的关系。其实她根本就没见过杨素。当时她的头发比现在长得多，足有三丈多长。洗头时把头发泡在大桶里面，好像一桶海带发起来的样子。那是因为在太尉府里闲着没事干，只好留头发。这也是领导上的安排，领导上说，既然你闲着没事干，那就养头发吧。别的歌妓也闲着没事干，有人也养头发，还有人养指甲，养到了一尺多长，两手合在一起像一只豪猪。还有一些人用些布条缠在身上，把腰缠细，把脚缠小，等等。这和现在的人闲着没事干时养花是一样的；唯一不同的是养这些东西比养花付出的代价要大。养指甲的人要给自己戴上手枷，好像犯人一样，否则指甲难保。缠细腰的人吃过饭后，等到食物消化了一些就要喝肥皂水来催吐，这是因为到下面的通道已经堵塞了，饮食和排泄只能用上面的通道。缠小脚的坏处我们都知道的。说起来留长发害处是最少的，但是洗起头来麻烦甚大，只要你涮过墩布就知道了。

　　当年红拂当歌妓时，只有十七岁。当时她就很漂亮，而且是处女。本来可以去当电影明星，或者当时装模特，但是当年没有这些行当，只好去当歌妓，住进了那座石头花园。这就是说，本来可以当展览品，但是只好当了收藏品。不管是哪一种品，反正是艺术品，观赏价值是主要的。比"实用价值是主要的那些女人"强。

　　离开太尉府以后，红拂再也没有留过三丈长的头发。现在她的头发只有三尺多长，但是显得非常之多，满头都是，因为她的每一根头发刚长出来时是一根，到了末梢就起码是十四五根了。她就披着这些头发走来走去，告诉别人说，她的头发束不得。因为这些头发在自行膨胀，会把束发的缎带胀断。但是这一点没人相信。相反，人们却说，红拂每天晚上都用爆米花的机器来崩自己的头发，使它显得蓬松。她这样披头散发，显得很潇洒。有些小姐看了很羡慕，也把自己的头发弄成这样。她们的母亲就说：你怎么不学好呢？专跟当歌妓的人学！

我们知道，大唐朝的风气和大隋很不一样，官宦人家不但不养歌妓，而且伺候老爷太太的女用人都是些年过五旬，丑陋如鬼的老婆子。这说明大唐的女权高涨，也说明了唐朝的老头子们为什么经常和儿媳妇爬灰。大唐朝的小姐们从来没见过歌妓，听到了这个词就心里痒痒。她们全都无限仰慕这位当过歌妓的红拂阿姨。而大唐的贵妇们也没有一个见过歌妓，这是因为从隋到唐经过了改朝换代，所以贵妇过去都是在泥水里打滚的人；这也说明了大唐的老头子们为什么专门和儿媳妇爬灰。大唐的老头子们过去都是穷光蛋，也没有见过歌妓，这说明了大家见了红拂为什么要发呆。但是在大隋，哪个官宦人家不养歌妓，就像今天的官儿没有汽车，不像个真正的官宦人家了。但是说歌妓就是汽车，也有点不对。她们不像汽车，倒像些名人字画。大隋朝的官儿张三到李四家里做客，李四说，张兄，看看兄弟养的歌妓。打个榧子，那些姑娘跑出来给张三看，就像后来的官儿请人看自己的郑板桥张大千；其中的区别就在于字画不会跑，歌妓不能挂到墙上。看完后打个榧子，那些姑娘又跑回去。红拂见到李靖时，在太尉家当歌妓。那里歌妓很多，分成了三班，轮流跑出去给人看。不当班时，红拂就跑出去玩。这件事假如有人打小报告就坏了。像这样的生活问题，就怕同宿舍的家伙和你不对付。当时和她同宿舍的是虬髯公，是个男的。——这种居住方式叫作合居。我现在也在和别人合居，但是合居的确是古而有之——一般来说，男人不打女人的小报告。我就没有打过。

【五】

红拂初见李靖时很年轻，但是很不快活。这是因为没事可干，也没有人可以聊天。唯一一个经常见面的人是虬髯公，而虬髯公一辈子都在打麻鞋。红拂觉得他很讨厌。

　　我们知道，虬髯公是古往今来最伟大的剑客，他开始练剑的时候，以古树、巨石为靶。后来他对这些目标失去了兴趣，就开始刺击暗夜里的流萤、花间的蝴蝶、水面上的蜉蝣。再后来他对这些目标也失去了兴趣，就开始刺明月，劈清风。等到对一切目标都没了兴趣，他就跑到洛阳城里，坐下来打麻鞋。先打出像小孩子的摇篮一样大的鞋坯子，然后放到嘴里嚼，麻绳做成的鞋子就逐渐变小了。刚开始嚼时，新麻苦得要命，绿色的口水从虬髯公嘴角流出来，使他看上去像一只吐绿水的槐蚕。硕大的鞋坯子把他的腮帮撑到透明，透过去可以看见鞋底，整个脸都变了形，好像一个吹胀了的牛尿脬。嚼到后来，鞋子渐渐小了，他的脸相也就不那么难看。但是当他把鞋从嘴里吐出来时，模样还是非常地恶心。虽然打麻鞋的模样难看，他打出的鞋子质量却是非常好的，拿到手里冷飕飕、沉甸甸的，一点也看不出是麻做的。他打的麻鞋永远也穿不坏，放到火里也烧不坏，还有好多其他好处。但是鞋子也把他的腮撑坏了。到老时，腮就像两个空袋子一样垂在他肩上，把胡子都压到下面，使他的脸像个海蜇的模样。他一辈子打了二十来双麻鞋，其中一双就是给红拂打的。他们俩是老相识，在太尉府里就相识。那时候虬髯公是个门客，红拂是个歌妓。他们住在同一个院子里。除了给红拂打麻鞋，虬髯公还教过红拂用长剑去斩飞蝇的脑袋，太尉府里没有苍蝇，需要到外面捉回来。

　　虬髯公在杨素家里当门客时，当时他还没打过几双麻鞋，也就是说，他的腮帮子还没有后来那么宽大，他只不过是个面颊松弛的人罢了。杨素家里有个石头花园，里面的一切都是石头的，比方说，水池里的水是青石砌出来的，花坛是五色的碎石拼的；除此之外的一切都是白色花岗石砌成的。那些石头里包含的白色的云母片在太阳下闪着白光。正午时分，虬髯公总是盘腿坐在花园里，顶着阳光，嘴里费力地嚼着鞋子，这时候他满脸都是油汗。透过青色的半透明的腮帮，可以看见他的舌头像怪蛇一样在麻鞋中间拌来拌去，这个景象真是十个毕加索也画不出来。这时候红拂从外面回来，他总是费力地想站起来，想把嘴里的鞋子拿出来。而看到这种样子，红拂总是皱紧了眉头，加快了脚步跑开了。

石头花园旁边有一座石头房子，是两层楼。虬髯公和红拂就住在里面，那座房子也是白色的花岗岩做的，石头门扇，石头的窗棂，窗格子上镶着白色的云母，在阳光下，那些云母也在闪着光。红拂急匆匆跑过去时，身上穿着闪亮的皮衣服。这就是说，她到外面去了。有时候她也会穿着蓝底白花的蜡染布和服走出来，这就是说，她要向虬髯公学剑了。她从来没有和虬髯公说过话。如果这不可信的话，那么可以说她从来没有用自己的声音和虬髯公说过话。在太尉府里，姑娘们都用一种训练出来的嗓音说话，那种声音像小鸟"啾啾"的叫声一样，或者说像鸡脖子被踩住了一样，假如不注意就听不见。这是因为那种声音的频率太高，几乎属于超声波。看到了这种情形，或者听到了这种声音，虬髯公就把鞋坯子吐到地上（那东西湿淋淋软绵绵，就像刚生出的死羊羔），跑到屋里去把剑拿出来，教给红拂至高无上的剑法。这件事我以为是好的。我是过来人；年轻时过过艰苦的生活，受过严格的训练，所以我说这些事是好的。当然，我的艰苦不是每顿只准吃半个鸡蛋，头上蓄着三丈长的头发，刚洗过头时，头顶有二百斤重。我说的艰苦是指去插队，接受思想改造，等等。我所受的训练也不是用长剑斩苍蝇脑袋，而是要把整本的毛主席语录背下来。不管这些艰苦和训练是哪一种，总之是好的。未曾经历这样的训练，我们既没有观赏性，也没有实用性。经训练以后，两种性质就会都有了。

虬髯公说，红拂是他的红颜知己。可怜他连这位红颜知己的嗓音都没听见过。他只听见一阵阵"啾啾"的声音，虬髯公不知道在太尉府里谁说话都是这样的，他还以为红拂说话就是那种声音呢。他教红拂剑术倒是尽心尽力的，为此每天都要到外面臭烘烘的公共厕所里去抓苍蝇。除了气味难闻一点，苍蝇倒不难捉。最难的是要把剑磨到对苍蝇的脖子来说锋利，干这种工作最好是有显微镜，但是虬髯公却没有这东西。随着剑术的精进，还要练习斩蚊子，斩蠓虫，磨剑的任务越来越重。而红拂一点也不想分担磨剑的任务。幸亏红拂总是停留在斩苍蝇的地步，否则虬髯公一定要变成个瞎子。就是这样，虬髯公教了半年剑后，就变成了三百度的近视眼。幸亏他斩苍蝇用不着看，听声音也能砍到。

　　后来虬髯公也承认，红拂根本学不会用剑，她充其量也就能学到把苍蝇砍成乱七八糟的两块。这是因为女人不可能以用剑为主业，她们的主业是保持漂亮、生孩子等等。但是他还是尽心尽力地教，因为除了打麻鞋和用剑，他再不会别的了；而打麻鞋根本讨不到女人的欢心。教剑的时候，虬髯公又禁不住要一本正经。这是因为剑术是他的事业，他不可能不一本正经。他把每一只被斩落的苍蝇都捡起来，盛进一个小纸盒，把头和身子拼好，埋葬后，还要在地上插上一个写有"苍蝇之冢"的竹签。葬完了苍蝇，虬髯公要对红拂解释尊重对手（哪怕它是一只苍蝇）是剑客应有的道德，但是红拂早跑得没影了。

　　红拂永远成不了剑客，这是因为她不能从剑术的精进里得到乐趣。偶尔她砍中了苍蝇，就"啾啾"地尖叫着"砍中了"，扔下剑跑了。她不可能像虬髯公那样，剑尖垂地，认真地察看苍蝇的轨迹。假如那一剑正确地砍掉了苍蝇的脑袋，没头苍蝇就会呈螺旋状升上天去。落下来时，虬髯公正好拿出纸棺材来接住它。虬髯公不知斩过了多少苍蝇的脑袋，但是再斩时，他还是那么认真，不管它是绿豆蝇、灰麻蝇，还是大肚子母苍蝇。虬髯公还给红拂表演过斩蚊子，但是她打着呵欠说，这不好看。虬髯公还给她表演了斩蠓虫的绝技，红拂却说：你装神弄鬼地干什么？原来她根本没看见斩了什么。其实只要仔细看，是可以看到的。但是红拂不想仔细看，她只想换衣服去逛大街。女人就是有这种毛病。

【六】

李靖初见红拂时，她就是跑出去逛大街了。当时她穿那套衣服是杨府发的，上身是皮子的三角背心，下身是皮制的超短裙，脚下是六寸跟的高跟鞋。领导上还交代说，穿这套衣服时，要画紫色的眼影，装假睫毛，走路时要一扭一扭，这些要求像对今天的时装模特儿的要求一样。她们穿这套衣服给一个什么官儿表演过一次，那个官儿几乎当场笑死了，说道：杨兄，真亏你想得出来！和大街上的——一模一样！红拂记住了大街上那几个字，跑出去时，就是这副装扮。她不知这是妓女的装束。而妓女这个字眼她从来没有听说过，就算是听说了也不知道是什么意思。

那一天红拂是初次到大街上去。后来她又去了好几次——她很想再看见那个紫眼睛、说话好听的男人。但是李靖在家里忙着画春宫小人书，没有出来，所以她没见到。她只见到了很多黑眼珠、说话难听的家伙，那些人管她叫雷子。后来她从虬髯公那儿打听出来雷子是什么，就对那些人说：我不是雷子。人家就问她：你不是雷子，是什么？她又答不上来，只好转过身去，扭着腰走了。她不论到哪里都很方便，过街时一招手，Taxi！就过来了。那些黑人还争先恐后，说道：小姐，到哪儿我驮你去。咱们从来不欠税。等到乘上去就说：您认识管路考的那个胖子大叔吧？咱其实是扛得动他，可要跑那么快就费劲了。要不就是：我有个兄弟从索马里来，您能和管居留证的大叔过句话吗？原来这么巴结是想走后门。相比之下咱们中国的妓女都更有骨气，见了她，就瞪着眼，哑着嗓子说：甭过来，你丫挺的！这就使红拂觉得寂寞得很。

　　洛阳大街上的妓女对红拂是最不客气的了，动不动就转过身去，撩起裙子来，给她看光溜溜的屁股，见到了这些屁股后，红拂才知道这些人原来不穿裤。不穿内裤仿佛是要突出屁股，然而那些屁股本身并不好看。然后她们又转过身来说：想逮人吗？回去打听打听，老娘是几进宫！见到这种场面，红拂只好隔得远远地站着，看人家嚼嘴里的老牛皮，自己也拿出阿拉伯树胶制的口香糖来嚼。嚼烂的牛皮也能吹出泡来，但是没有口香糖吹得大。有时会有位木匠师傅走过来，提着小桶，手里拿着新的泡蜜牛皮，对每位妓女鞠躬，说道：姑奶奶，行行好。那些妓女就把牛皮胶吐到桶里去，拿一块新牛皮。原来嚼出的胶化熬出来的好，粘起东西来比焊的都结实。但是人家也不来找红拂。谁都知道口香糖不能粘椅子。假如硬要粘的话，就会粘出一件虚无之物，看着是有的，坐下去就没了。这说明红拂毫无实用性，连她嘴里的口香糖在内。红拂在这里也无事可干，只能逛大街。别人逛街是为了买东西，但是她不能买，因为她没有钱。本来她可以向虬髯公借，但是虬髯公也没有钱。杨府里别人也没有钱。石头洛阳里每个人都没有钱。有吃，有喝，要什么有什么，但是没有钱。钱这个字眼，她也没听说过。

　　红拂没有事干，又找不到李靖，就回去了。她想自己既不认识管路考的大胖子，也不认识管居留证的人，不该坐不花钱的Taxi。因此她就想穿小胡同回去。但是小胡同也不好走，因为到处都在盖房子，搭着高高的脚手架。有一些牛车从城外运来了黄土，又有些人在黄土里掺上麻絮，送上了高架，放到模版里筑。有人把自行车骑到了小胡同里，这里没了泥水，就把脚从车把上拿下来，有些人为争路而争吵，另一些人息事宁人地说：路窄人挤，最好大家都去坐地铁。在拥挤的人群尽头是一片开阔地，地上有一对华表。华表是一道国界。在华表里面是一片石头地面，连一点土都看不见。石头中间长了一些松树，全都向地面匍匐，越老的树长得越矮。假如有一棵树长到了五百年，它的树干就会紧贴在地面上。假如一棵树长到了一千年，地面上就只剩了树冠。根据这个道理，石头缝里的一簇松针就是更老的树。当然，最老的树只有把石头掀翻过来，才能在石块背面看见。但是没有人敢在这里翻动石块。一棵树不见了，就会有人到深山里去找一棵相当老的松树来补种上，直到它在石头花园里长到不见了为止。除了这些一览无余的空旷地方，就是一些石头墙围成的府邸，每个府邸的门口都有一对石头华表，没有门，也没有人把守。其中只有一个红拂能够进去。她除了那个地方无处可去。

李卫公在洛阳城里有一座祖宅，是用掺了沙子的土筑的。经过了很多年以后，四堵墙逐渐分开，出现了很大的缝，阴面长满了青苔，房顶上的草也逐渐稀疏。很显然，这房子逐渐趋向于塌倒。李靖很想为它干点什么，但是又不知从何下手。要知道李卫公虽然多才多艺，却不会做泥水匠，虽然掘土和泥的活计人从出世就会，但是他早把那些先天的良知良能忘掉了。现在他能干的事，除了装流氓唬人，画春宫，做出各种荒唐发明，就剩下一脑子的数学和几何学。首先，他证出了毕达哥拉斯定理，为此他挨了一顿板子；然后他又证出了费尔马定理，为此他又在洛阳城里待不住，不得不逃了出去。要说明后一件事，我感到头绪繁多，不知从何说起。首先应该说说费尔马定理应该是什么——用费尔马本人的话来说，是这样的：假设有 x，y，z，各代表一个未知数，另有一个已知的实数 N，设 z 的 N 次方等于 x，y 之 N 次方之和，当 N 大于 2 时，x，y，z 不得均为整数。但是李卫公绝不会这样表达——首先，说有 x，y，z 就太简单了，古人绝不会这样讲，最直截了当的说法也是"二友对弈，一人观局"。但这不是说真有张三李四在下棋，另有个王二麻子在看；而是以两个下棋者加一个观棋者代表 x，y，z。稍复杂的说法就要扯上紫微太乙之类天文学术语，或者黄帝素女东方朔一类的历史人物。考虑到李卫公的证明写在春宫里，后一种可能性相当大。再说说那个 N，古人绝不会老老实实说它大于 2、3、4；肯定要用两仪、三才、四象一类的说法代替；更可能说它是太极之象、河洛之象等等。根据这些原理，李卫公画的一幅春宫，上面有黄帝和素女在床上干好事，床下有个小矮子在看，半空中又画了个太极图，就是费尔马定理的表述，但是证明在哪里，我还没找到。因为整数、有理数、无理数这些概念，古人说成什么的都有，所以假如李卫公证出了费尔马定理，把它写成个什么样子实在是很难猜的事。到现在我也没把它猜出来。

我说李卫公把费尔马定理写在了一本春宫小人书里，有些同行说，这是不可能的事，春宫里不可能包括一个数学定理。但是你又怎么能相信"老树开花廿一支"是在解不定方程？任何事都可以举一反三，由不定方程的解法是一支顺口溜，可以推断出一个时期领导上不准大家解不定方程，但是有一个人解了出来，就把它编到了歌谣里。既然如此，李卫公年轻时，领导上也不准大家证费尔马定理，他证出来后，不把它写进春宫，又往哪里写？

李卫公证出了费尔马定理之后不久就从洛阳城里逃了出去，这是一件极不寻常的事。这是因为从来就只有人想方设法往洛阳城里混，没有住在城里的人往城外跑。隋炀帝在位时，常在洛阳城外招募菜人，应募者可以从城外搬到城里住些日子，有吃有喝有房子住。等到他养得肥胖，皇帝大宴各国使节时，就给他脑后一棒，把他打晕，然后剥去衣服，洗得干干净净，在身上抹上番茄酱，端上桌去招待食人生番。端上桌时是活人，端下来就只剩一副骨架。有时候碰上那些酋长的胃口不好，只把内脏吃掉了，剩下空梆子却活过来，那就是最可怕的事。那个菜人从盘子里醒来，抬起头来一看，原来鼓鼓的肚皮只剩了个大窟窿，总要惨叫一声："怕的就是这个！"据我所知，每次皇帝招募菜人，应募者都极多，这都是为了在被吃掉之前能在洛阳城里住几天。这一点在我看来很难理解，因为洛阳不过是个烂泥塘罢了，而且相当招蚊子，但是有好多人并不这样看。对于他们来说，洛阳是宇宙的中心，是太阳升起的地方。洛阳是古往今来最伟大的大城。除此之外，李卫公在洛阳城里还有一间房子，它对他不仅是财产而已。它是他唯一的财产。这种财产最不容易下决心放弃。

第二章

因为本章里提到红拂申请自杀指标的事，作者想起了一件相似的事：本年度北京城里交通事故死亡指标是一百九十二人，本区只有十七人。

【一】

李卫公老年时生活在长安城里，这是他逃出洛阳城的后果。我这样说时，他那座钟就往后拨了好几十圈。人家说长安城藏风避气，有帝王之相，这就是说，长安城在地理上有异常的地方，城外八两重的东西进了城就有一斤重，而城里一斤重的出了城就只有八两了。这也是说，在城里做官领到的俸银，拿到城外去花就不值那么多钱了，而在城里买到的柴米油盐都好像没有应有的那么多。除此之外，在城里烧火，烟永远不往天上冒，而是刚冒出烟囱就沉到地上来。到了做饭的时候，长安城里总是烟雾弥漫，伸手不见五指，而且假如你有哮喘，就会被熏得透不过气来。因此就有一条法律，从日出到日落，长安城里严禁动烟火。而天黑以后或者天亮之前，人是待在房子里的，可以少受烟尘之害。长安城里的人从来都是天不亮就吃早饭，吃完了再去睡觉，天黑以后再吃晚饭。至于中午饭只好吃冷的了。久而久之，长安城里得胃病的人特别多。但是李卫公可以不受这种罪，因为他发明了一种特殊的设备，用人力踏动一个飞轮带动一条特制的毛巾去摩擦锅底，所产生的热量不但能把水烧开，而且可以炒菜。但

是这种设备不是一般的人能用得起的，因为它庞大无比，而且要把一锅水烧开起码要把十条大汉累到精疲力尽。长安城还有一桩古怪的地方，就是只长槐树，别的树十有八九种不活。因此到了春夏之交，城里到处是一片虫啮树叶的沙沙声，白绿相间的槐蚕就如一场场倾盆大雨从空而降。长安城里的鸡鸭必须锁起来，不能由它们乱跑，否则必被胀死无疑。但是卫公家里的树从来就不长虫子，因为是蜡做的。偶尔有虫到他家里的树上吃几口，觉得味道不对就离去了。长安城里的水是咸的，喝久了这种水，长安的女人的嗓子都变成了粗哑的男低音，但是这也影响不到卫公，因为他家里喝城外运来的矿泉水，所以女人还是女人声。尽管他在这里住得很舒服，卫公还是讨厌长安城。他觉得这座城市了无生气，城里的人也呆头呆脑。

长安城里的大道是黄土铺成的。从早晨到夜晚，总有些穿着黄褂子的人站在路边上，用铲子往路面上撒黄土，再用长把勺子洒上水，然后用碾子碾平。过了好多年，长安城被废弃了以后，那些大道还在那里，只不过变得像用旧了的皮带一样处处龟裂，土块也像瓦块一样坚硬。不但路面，长安城的每一寸地面都像镜子一样平，从这个城门到那个城门，每个角落都碾得平平整整，寸草不生；卫公每天早上骑马去上班，一骑到马背上他就睡着了，打着鼾。因为他在马背上东歪西倒，那匹马也东歪西倒，卫公往东歪马也往东歪，卫公往西倒马也往西倒，这样他才不会从马上掉下来；但是这也有一个坏处，就是他们并不总是往班上走。有些时候卫公从家里出来走了两三个钟头，不仅没走到班上，而且离上班的地方更远了。好在像他这样的官员并不需要按点上班，而且像他这样的官员有权力在街上横着走路。到了班上以后他又接着睡觉，但是像他这样的官员当然有权力在班上睡觉。久而久之，卫公就成了一个嘲笑的对象。人们提到他时，脸上不由自主地带上了昏睡的表情，并且不由自主地伸手去挖眼角，仿佛那里有眼屎。但是卫公对此视而不见，或者是真的没看见，佯作不知，或者真的不知道。因为这种种缘故，虽然大唐皇帝对卫公恩宠有加，但是谁也不敬畏卫公。大家只不过把他当作是一个睡不醒的老头罢了。

李靖住在长安城里时已经老了，而且已经交出了兵权，担任了闲职，但这并不是说他可以没事了。有时候皇帝会把老人全召进宫去，组织一个合唱团，自任指挥，为全城的贵妇演唱，卫公担任领唱。这一帮老弟兄全都老得牙关不住风，而且个个五音不全，所以演唱的效果就如一位刻薄命妇形容的：像一塘青蛙一样！后来又改为由小太监伴唱，大家站在那里摆个样子，效果又是令人毛骨悚然，因为一大伙白胡子老头站在那里发出清脆的男童声，非常怪诞。除此之外，还组织过舞蹈团，大家穿上高筒马靴，手舞马刀跳骑兵舞。结果是程咬金当场发了心脏病，差一点死了。这不过是卫公老年要参加的各种社会活动中的两种。他还要每天上班写自传，因为他总是打瞌睡，所以老也写不完。皇上派人帮助他写，进度依然很慢，这还是因为他随时随地都会睡着。后来皇帝又把最漂亮、最有献身精神的女史派了去，进度依然很慢。这位女史还报告说，李卫公除了打瞌睡，就是发牢骚——"不让人安生"，再不然就是问："几点了？该下班了吧？"

李卫公老了以后，眼睛下面长出了两个泡，满脸都是皱纹，因为总是在伏案打瞌睡，所以眉毛平贴在了脸上，除此之外，别的地方没有什么大改变。尤其让人不敢相信的是他那么能打瞌睡，却一点没发胖。有关后一点，给他写传的女史认为有疑问，因为他睡得太死了，故而就不像真的睡着。为了刺激他的嗅觉神经，叫他保持醒着，她在身上洒了大量的麝香香水，以致在她走过的地方，公猫都要"喵"的一声怪叫，人立起来，然后就不按节气地叫起春来，而和卫公待在一个屋子里，他竟闻不见，照样伏案打瞌睡。对于这件事，只能有一个解释，就是卫公在装睡。为了制止卫公装睡，她又穿了极短的室内服，但卫公又视而不见，只是在瞌睡的间隙里提醒她道："裹着点斗篷，别着了凉。"后来她又给卫公做 head job，要把他弄醒，但是卫公还是打着鼾，而且他那个地方苦得叫人无法下嘴。原来卫公在小命根上涂了黄连水。卫公就是这样地刀枪不入，这使那个女史很痛苦。她丧失了自信心，以为自己长得不好看，哭了好几天。

【二】

李卫公在他过了六十岁生日后不久就死掉了。他的死因按现代的看法是心肌梗塞与年老、营养过度有一定的关系；但是这种病在古代叫作马上风，并且说它和性交有直接的关系。这是因为古人善于养生，除了在干那件事时，简直没有什么得心肌梗塞的机会。其实假如红拂不讲的话，谁也不会知道李靖是死于马上风，但是红拂越活嘴越大，十七岁时是一张樱桃小口，活到四十岁，就长出一张性感的大嘴来。她什么事都往外讲。李卫公死后面色不变，而且金枪不倒。这件事的可怕之处在于，那天晚上红拂和卫公做爱，也不知是和活人干还是和死人干。红拂一讲起这件事瞳孔就要放大，手背上还要起鸡皮疙瘩（别的地方别人看不见，也不知起了没有）。说完了这件事，红拂就说：卫公死了，我活着也没有意思。别人以为她是说说而已，谁知她真的递上了申请，要求殉夫自杀。别人就劝她说，卫公死了，我们早晚也要死，你又何必着急呢。但是她不听。

我们说道：卫公死了，这就意味着从此可以不把他当作一个人，而把他当作一件事。一件事发生了以后，就再没有变化的余地。现在我们谈到卫公骑在马上东歪西倒，再不是谈那个人，而是谈那件事。换言之，李卫公这座时钟就停在了这个地方，但是我们还可以把时钟倒拨回来。傍晚时分，他就这样摇摇晃晃地走过家门口那条大街。那条街上一个人都没有，只有满满当当的绿荫。这就是说，当时已是盛夏，被槐蚕吃掉的叶子又长了起来；而住在那条街上的人远远听到卫公的鼾声就躲了起来，只有那匹马横着身子，跨着踢踏舞的步伐走过来，走到卫公的家门口就猛地立住，卫公从马上栽了下去，但是他家里的人手里拿着绳床在门口等着，一兜，把他接住，抬进家里去。与此同时，新碾过的地面非常之平，新抹过的墙面非常之直，到处平整得像镜面一样；卫公的鼾声一直不断。一切都像精心安排过一样。一件事发生过以后就是这样的，正如一个人死后所有柔软的地方都会消失，只剩下一具干巴巴的骨头架。

卫公活着的时候，说过他很讨厌长安城，这是因为这座城市方方正正，缺少生气。所有的房子都坐北朝南，房顶由陶土预制板铺成，所以完全是些方盒子。正午时分，所有房屋的阳面全都闪耀着阳光，所有房子的阴面全都有些闪亮的白方块，好像一些晾着的白床单——这是对面墙壁的反光。假如有人走过，还会把人影投到反光里。所有的人都在阴影里走路，因为不必要地走在阳光里是被禁止的，但是像卫公这样的人走在哪里都可以。不论大街小巷都是那么干净，除了槐树看不到一点绿色，因为长安城里没有一棵草。最使卫公不舒服的是这种景象是他造成的，因为长安城是他建造的。李卫公不仅建造了长安城，而且建立了长安城里的一切制度。这都是因为当年皇帝这样要求："李爱卿，你去为朕造一座都城。"自己去造一座城，然后自己住在里面，再没有什么比这更糟的了。自己屙一些屎，尿一些尿，然后自己在里面沐浴，只有猪才会这样干；而且假如我有一点了解猪的话，还可以说，它们对此并不喜欢。

用现在的标准来衡量长安城，我们要说它是个很安静的城市，因为城里禁止喧哗。连小贩都不准吆喝，所以他们总是举着招牌去拦阻行人。草驴可以进城，叫驴不准进城，所以对于驴来说，长安是个同性恋的场所。城里可以养公猫，但不准养母猫，这样它们总是跑到城外去叫春。长安城里女人多，男人少，这对于我很有诱惑力。无须乎说，李卫公这样设计长安城，是为他自己着想。但是后来他又后悔了，因为女人一多，女权就高涨。长安城里还有一种特别的景致，就像近代城市一样，到处立了电线杆子，空中架有通讯线路，上面有些小小的老鼠拉着小车，车里是信件。要让老鼠送信并不难，只要在它前面用竹竿挑上一小块腊肉，它就会爬到该去的地方。在晚上那些小车上都点了一支香，所以长安的夜空中蠕动着一些火光。这又是卫公的发明。这种设施用起来很方便，但是他从来不用。而且他连看一眼都烦。

李卫公死后，他就保存在别人的记忆里。这时候他变得支离破碎，好像一个打碎了的盘子。比方说，那个女史想起卫公，就是这个样子：盛夏时节，满屋绿荫的时候，卫公坐在椅子上打瞌睡，他那张松弛的脸就像降下来的风帆，下巴上叠了四重肉皮。但是卫公并不胖。人在坐着睡觉时，不会有什么好模样。他那间办公室用桐油泡过的砖铺地，然后又磨光，就像经过抛光的黄铜一样。有一线阳光透过了树叶，透过了半扇开着的窗子照在地面上，在那里留下了一片光洁的地方，连多年前抛光时留下的划痕都能看见。然后阳光又反射到天花板上，好像那里点了一簇蜡烛。后来有一只绿色的小蝉，我们管它叫"伏天"的，从窗口飞了进来，一路"伏天伏天"地叫着，落到了柱子上。长安城里蝉非常稀少，而且只有小蝉，没有大蝉。那个女史本来正在给卫公做 blowjob，但她禁不住回头去看。等到她再回过头来时，正好看到卫公睁着一只眼睛看她——那模样好像是他天生只长了一只眼睛一样。后来他做了一个鬼脸，又闭上眼睛接着打鼾。这个场景正如一支英文歌里唱的：you do your way, I do mine。这件事被她写进了《李卫公二三事》里。事实上卫公对她来说，就只是这二三事。他什么都没有告诉她。除此之外，她还知道李卫公要命的地方刺了一只飞燕。她对这件事是这样看的：卫公年轻时的 sex symbol 是赵飞燕，但这又是个错误的解释。卫公年轻时是个流氓，流氓像小偷一样，必须有一双快腿，在那地方刺一只燕子是希望能跑得快的意思。我们大家都知道，燕子是飞得最快的鸟，但那个女史不知道。她生在长安城里，长安城里除了鸡鸭，没有别的鸟。

【三】

我是做科技史研究的。我的同事首先证明了中国人在周朝就证出了毕达哥拉斯定理，证据是什么算书里有那么一句：勾三股四弦五；所以这个定理就被称作勾股定理，纳入中国人名下。然后又有人证明了唐诗里有牛顿力学，宋词里有相对论，发表在各种学报上。现在我要证明是李卫公首先证出了费尔马定理，遇到的困难比他们大得多。首先是我必须先把费尔马定理证出来，其次我还要把这个定理解释到李卫公身上。当然，我也可以把它解释到我自己身上，叫作王二定理，但是这样一来就缺少了浪漫情调。最主要的困难是这个费尔马定理我根本就证不出来——最近三四百年来，所有的人都在证它，但是谁也没证出来。还有不少的人在证明费尔马定理不存在，也没有证出来。既然如此难证，那么李卫公把它证出来是为了什么？难道是吃饱了撑的吗？

要说明李卫公为什么要证明费尔马定理，就要说到当年在洛阳城的土耳其浴室的休息室里，李靖和大家坐在地板上聊天的情形。当时在座的有一个日本人，头剃得像卓别林的小胡子，身上穿着短短的蓝印花布和服，跪在地板上，他管李靖叫李样（桑）；还有一个巴尔干半岛来的人，长一张又宽又蠢的脸，鼻子上挂了一个金环，身上穿了一件浴袍，坐在一个软垫上；还有一个黄胡子的希腊人，拦腰束一条浴巾。李卫公自己什么都没有穿，盘腿坐在地上。他的身材相当健美，所以黑地里有好多贪婪的目光投到他身上——这个浴室是同性恋活动的场所。但是李卫公本人不是同性恋者，他到这里来，是因为浴室里有免费招待的大麻烟。那种烟盛在他们中间的一根铸铁烟管里，因为烟管十分沉重，所以下面有一个可以转动的支架，看上去就像一门火炮。人们转动烟管，轮流抽烟，看上去好像是轮流地饮弹自杀——但是这不重要。重要的是在吸烟的间隙里，那个希腊人用一支蜡笔，就着烟管上一支蜡烛的光，在地板上写下了费尔马定理，而且用打着嘟噜的汉语说，谁要是把它证了出来，谁就是世界上第一聪明的人。这些话就像一道流萤，飞进了李卫公黑暗的内心。证明了费尔马定理，就证明了自己是最聪明的人，这件事值得一干。后来他就证明了自己是世界上最聪明的人。我还可以指出，当他被按在地下，第十一下板子打在他臀部的铁板上，发出金属响声那一瞬间，他最聪明，等到第十二下板子落下，不仅他，而且全世界都没有刚才聪明。但是对他没有什么好处。作为一个中国人，不但必须有证明自己聪明的智慧，还得有证明自己傻的智慧，否则后患无穷。我把这件事写了出来，很可能证明了自己在后一个方面有所欠缺，给自己种下了祸根。

要说明我们干吗要到唐诗里去找牛顿力学，到宋词里去找相对论，就需提到我们在领导面前有所交代，要么证明我们有实用性，要么证明有观赏性，总之要有存在的价值。证明了相对论和牛顿力学都是中国人先发现的，弘扬了民族文化，就算有了观赏性。证明了别的，领导上也不爱看。

　　我现在还没有证出费尔马定理，但我已经把怎么发表它的办法想出来了，这个办法就是把它叫作李靖定理。有好多人有做出证明、发明理论的聪明，却没有发表它们的聪明。这件事的困难程度没有做过研究的人是难以想象的。假如一个定理有两三个世纪没有得证，你把它证出来时，三四十页肯定打不住，准会写成一本书。你还要找权威来肯定，然后才有发表的机会。但是权威起码也是七八十岁，活着都困难，哪来的精神看你这艰涩无比的论文？因此你只好怀才不遇，郁郁而终。假如把它叫"李靖定理"，说是李卫公的证明，发表就一定不成问题。实际上到底是谁证的，根本无关紧要。因为我在这方面表现得一点都不傻，所以我觉得没必要妄自菲薄。

　　对于我和卫公这样的人，有一种最大的误会。大家以为我们是自己选择了这样的生活方式——终日想入非非，五迷三道——所以我们是一群讨厌鬼。这种看法是错误的。我们这样，完全是天性使然。以我为例，假如我不想费尔马定理，就会去想别的东西，没准要去写小说，没准要去写诗，写出来的小说和诗准又是招人讨厌的东西，这种事连我们自己都无法控制。这也许是因为脑袋里长了瘤子。假如世界上充满了我们这样的人，就会充满一种叵测的气氛。这件事没有办法，只好就让它这样了。

　　李卫公是全世界最聪明的人，这一点在大唐人人都承认。大唐皇帝这样说：朕圣明，李爱卿聪明。故而假如有一个大唐的子民胆敢以为自己比卫公还聪明，人们就不仅要说他是个自大狂、神经病，还要把他送官府严办。皇上对李卫公优宠有加，常把红拂召进宫去叮嘱说：你要经常做鱼给李卿吃！鱼补脑。吃鱼吃得李卫公满身的腥味，饭后散步时常有大队的猫跟在身后。除此之外，还有很多让人头疼的事。因为大家都知道谁是世上最聪明的人，就把一切动脑子的事都推给李卫公去干。举例来说吧，连长安城里公共厕所都让李靖去设计。李卫公把厕所设计成了多角亭的样子，每个角里是一个隔间，有八角和六角两种，画好了图，交手下人督造。但是手下人没有他聪明，就把八角的做成了男厕所，六角的做成了女厕所。我们知道，长安城里女多男少，因此女厕所马上就不够用了。李卫公只好又设计了一种牌子，挂在每个隔间的门上，一面写着"乾"，一面写着"坤"，只要翻过来，就能把男厕所变成女厕所。这就叫作颠倒乾坤。为了区区的厕所，就要他操两次心，因此李卫公活得非常地累。为了逃避这些乱糟糟的事，他就开始装睡，做出一个得了老年痴呆症的假象。在家里和班上，他就是走路时也不睁眼。只是到了不熟悉的地方才睁开一只右眼，以防撞到树上。在这种情形下，他看上去好像一个准备开火的狙击手。假如有人看见了，他就可以解释说自己不但有老年痴呆症，而且患了早期的偏瘫，连左眼都睁不开了。只有在和红拂做爱时，他才把两只眼睛全睁开。他只相信红拂，相信她不会跑到皇上面前报告自己装病不忠。李卫公就是这样装傻，装了好几年，也没有被人揭穿。这件事的离奇处就在于，李卫公年轻时玩了命地证明自己是聪明人，老了又要装傻，前后矛盾。但这也是做一个中国人最有趣的地方。

【四】

李卫公装傻装病，最后终于穿了帮。出卖他的人，不是别人，就是他自己。最后他死掉时，不但是直撅撅的，而且两只眼睛都睁着。他应该先软掉再死，或者闭上眼睛再死，最好是又软又闭眼地死掉，但是当时已经来不及了，他死得非常之快。皇帝到卫公府上瞻仰他的遗容，看了就皱眉头，对身边上的人说：卫公不是患病，左眼睁不开吗？！这说明皇上说自己圣明，可不是瞎吹的。他常派小太监到坊间去买些高丽纸印的日本推理小说，只看一页，就能把全部案情推断明白。就算没人报告卫公是死于马上风，他看到棺材里卫公腰上鼓鼓囊囊，也能够猜出他死于什么病。死于这种病的人旁边必然还有一个人。这就是说，李卫公不但出卖了自己，还出卖了红拂——红拂明知李靖装病也不奏报，也是对皇上不忠。从卫公府上出来，看了长安的街景，皇上说：李靖这小子，设计的城市真难看！这说明皇上已经不喜欢李靖了。所幸的是他已经死了，皇上没法给他使坏。但是红拂还活着，这种情形对她很是不利。李卫公装傻不成功，虽然没有害到自己，却害到了自己的老婆。这说明作为一个中国人，在装傻方面一刻也不可以放松，一直要装到自己已经死掉了，还不能掉以轻心。最好是在死后还能继续装傻。卫公的情形就是个极好的例子。

假如李卫公想在装傻方面完全成功，就不仅要在外面装傻，在家里装傻，而且在和红拂做爱时也要装傻，闭着眼流着涎水往她身上爬。这样从外部来看，谁也不知道他是真傻假傻；而且得了马上风死掉后，也是个傻样子。皇上来了一看，抚棺大恸：李卿李卿，勤劳王事，累得自己的脑子变成了豆腐渣！然后含泪下一道旨意，禁止天下人吃豆腐，只他自己例外。这样干的不好之处在于和闭着眼睛流着哈喇子的糟老头子做爱，红拂会觉得很不舒服。但她也不能拒绝，因为她是一品夫人。一品夫人就是必须和一品大员做爱的人，这是她的本职工作。一品大员就该是闭眼流涎水的人，否则就该有口臭。假如不闭眼，不流涎水，又不口臭，一品夫人这份薪水就太好拿了。这说明一品夫人应该有一点实用性。在这种情况下她能做到的一切只是用自己画眉的笔在卫公的眼皮上画一双眼睛，再给他戴上口罩。

因为我是做科技史研究的，所以我必须能够理解古人。根据我的理解，李卫公年轻的时候想要证明自己是聪明的，那种心境一定就如率领着一支军队面对一座富庶的城池，急于攻进去。而到他已经证明了自己很聪明，又想装傻时，就如孤身一人受到千军万马的围困，哪怕钻狗洞，装猪装狗也要逃出去。我也能够理解大唐皇帝，他的心境就如一个善变的美人——喜欢李靖时，就肉麻兮兮地说：李爱卿佳人也！也不管别人听了起不起鸡皮疙瘩。要是不喜欢李靖，就说：李靖这个杀千刀的！和女人撒娇不一样的是，他说谁杀千刀，谁就得被杀一千刀，杀完了的这个人就变成薄薄的肉片，放到火锅里一涮就熟。

李卫公年轻时逃出了洛阳城，到老年时又建立了长安城。除了外表不一样之外，这两座城市很相像——比方说，都在严厉地控制之下，想入非非都属非法。这样卫公就像住在大洋里的珊瑚虫一样——这种低级动物住在坚固的石灰外壳里，假如你把它的外壳剥去了，它就会口吐石灰，再建造一个。假设有一种动物比我们高级很多，我们和它们的差异正如人和珊瑚虫的一样大，它们就会得出这样的结论：人这种动物就像是珊瑚虫，剥了他的外壳，他又会重造出来，最起码有一个叫作李靖的人已经这样干了。有一些珊瑚虫住在海洋生物学家的试管里，我想这些珊瑚虫对这件事并不理解。它们会以为试管也是很广阔的世界。而我们叫作"地球"的地方很可能就是一个试管。而我们自豪无比的五千年的文明很可能就是别人实验记录上的一页纸而已。那些该死的拿我们做实验的东西根本就不会相信我们也有智慧，正如我们不能理解珊瑚虫的智慧。这说明只要不是一个物种，就不能理解别人的智慧，所看到的只是一些古怪的行为。

现在可以谈谈李卫公年轻时证出费尔马定理的情形。假设是我证出了费尔马定理，而且是在乘轮船旅行时证了出来。然后轮船沉了，只剩我一个人逃到了小岛上。在这种情况下，我当然不忍心让我的心血埋没，就在一个短波发报机上把它胡乱发出去，根本就没想过会不会有人收到，更没想到会有什么回应。李卫公也是这样的。他被人打怕了，所以是用最隐讳的语言写出，并且写到了最不引人注目的地方，只求能把它印发出去，根本不想让人读懂（这就是我到现在仍不能读懂的原因）。但是这件事马上就有了回应，每个月的初五，他准会收到一张汇票。大隋朝的汇票和现在的大不一样，现在不论是 West union 的 Money order，或者是中国人民邮政的绿字汇款单，都能看出是谁寄来的。而隋朝的汇票是用烙铁烙在一张皮革上的一些花纹，不仅看不出是谁寄来，也看不出汇了多少钱。我们知道的只是：假如那汇票是牛皮的，那就是五十两纹银，假如是马皮的，那就是一百两纹银。但这两种皮制成革以后很难分辨，所以唯一的办法是找一头牛和一匹马，根据这两个动物谁闻了汇票流眼泪来确定其价值。李靖收到的汇票是牛闻了就哭的那种，所以是五十两纹银，正好是他一个月的生活费。这种汇票上可以有四个字的附言，假如你是给新婚夫妇汇贺仪，就在兑汇处要求工作人员烙上百年好合的字样。假如人家死了人，你汇奠仪，就要求烙上节哀顺变，等等。李靖拿到的汇票上却是免开尊口四个大字，叫人十分摸不着头脑。而且自从他收到了第一张汇票，他身后就出现了两个公差，不管他到哪里，那两个人都跟在他背后，并且手执一半红一半黑的棒子。这种棒子人称水火棒，有人说红代表火，黑代表水，合在一起是阴阳调和，风调雨顺之意，但我怀疑是否有那么吉利。红是流血的颜色，黑是淤伤的颜色。水火在古代是大小便之意，水火棒就是打你个屎尿齐出之意。李靖和别人说话，只要超过了五句，公差就给对方当头一棒，当场把人家打开了瓢。这样就不再有人和李靖说话，这使他很寂寞。他去问那两个公差，这是为什么，人家也不回答。问急了就用脚尖在地上写几个字：奉上级指示。这件事发生在李卫公年轻的时候，是他证出并印发了费尔马定理的结果。这样他就证明了自己是盖世的聪明，并且以这种聪明换来了每月五十两银子的收入。照我看这些钱相当不少。只可惜领导上看上了你可不是光给你钱而已。李卫公对此缺少思想准备，所以后来捅了大娄子也就不足为奇。

李卫公背后跟上了两个公差之后，就不再愤世嫉俗，而是感到很憋闷，很不自在。他开始挖空心思地摆脱那两个盯梢的家伙，在这方面他还有一些办法。方法之一是他上了高拐，在街上猛跑，让那两个家伙驾着短拐在后面气喘吁吁地跟着，跑上一段，就把他们甩下了。但是后来那两个家伙找来了一辆轻便的驴车，这一招就不灵了。两条腿怎么也跑不过四条腿呀。另一个办法是带助跑地跳过一座房子，然后就到了另一条街上。考虑到他踩着两丈的拐，这样的做法并不像表面上那样惊世骇俗，但是在另一条街上降落时，有可能把拐脚插进人家的天灵盖。你在马路上行进时，也不喜欢看到有些体重很大的人从空而降，所以卫公一干这种事，就变成了老鼠过街，人人喊打。后来他又发现了新的反盯梢方法，那就是手挽包袱去乘地铁，在一团漆黑中描眉画目，换上女人的服饰，装上假乳房，使那两个公差认不出。但是在黑地里做这些事很不容易，描斜了眉，画歪了嘴是常有的事，有时还会把假乳房装到背上，看起来像只骆驼。李卫公就是这样用尽心机，其目的只是想一个人清清静静地去喝一会儿酒。

【五】

李卫公死了以后，红拂也不想活了，她想自杀死掉，但是大唐朝制度严明，一切都要纳入计划，所以她每天都要往各种衙门跑，给自己办理殉夫的手续。官员们对她很客气，对她的打算也很赞成，但是还是要她等指标。她需要各种指标，首先，需要一个非正常死亡指标。这是因为长安城里每年只能有三百人非正常地死掉，死于车、兵、水、火的都在内，毒药也在内，只有病死老死不在内。这件事要由刑部衙门办理。管这件事的官儿查来查去，发现各种死法的人都已大大超过了指标，只有下月上吊死的人还有空额，所以就批准她上吊死掉。红拂对这种死法很反感，又皱眉毛又翻白眼。吓得那位官员连忙给她跪下来，说道：夫人，这件事一定要求你多多关照。假如你随随便便抹脖子死了，我们全科的俸银都要罚掉，大人孩子都要喝西北风了！拿到了准许上吊的批件后，又要到礼部去办手续，这是因为寡妇殉夫属于意识形态的范畴。礼部风气司的官员却说，这个季度殉夫的人太多了，使整个社会空气趋向悲观。所以起码要等到下一季度。为这件事又得和刑部扯皮。除此之外，还要在死掉之前注销各种注册、户籍、会员，等等。这些事情多得简直办不完。而且不能托别人办。不管怎么说，她有车子，有身份，已经占了好大的便宜。最起码到了礼部可以在贵宾室喝着香片等候接待，用不着像那些小寡妇那样，在办公室门外站队，战战兢兢地听到里面怒吼连声：光想自己立贞节牌坊，就不想想给我们的工作带来多少麻烦！

红拂是个极富想象力的人，偶尔听到人家在呵斥别的寡妇，就要联想到自己身上去。虽然每个人都对她说，大唐朝的命妇申请殉节她是第一人，就光这一点就很值得尊重，但是她还是觉得这些话是在说她。在礼部填写有关表格时，在"殉节动机"这栏里，她填上了"觉得活着太麻烦"。后来在别人的一再启发下，才添上了思念卫公。这样添了以后，她觉得活着更麻烦了。后来她又发现表格上有"殉节方式"一栏，就填上了"割腕"两个字。后来礼部官员看那张表时，就说刑部批您上吊，您怎能割腕呢。这份表只好重填，想要贴上张白纸条改过是不成的，因为这是命妇殉节，有关材料恐怕要呈皇上御览，有贴补的地方不行。可是那些表格少的也有三四十页，全都要用工楷填写，重填真是麻烦死了。

后来红拂才发现，想死掉也不容易，这些手续老也办不完，正是因为这些手续老也办不完，所以长安城里每个寡妇都在办殉节手续。这样可以寄托她们的哀思，同时也表示死了一个丈夫她不是无动于衷。有了这样的名声，将来再醮起来也方便。所有殉节的寡妇要去的衙门，墙上都贴满了征婚启事，而且有无数纨绔子弟在那里和排队的女人歪缠。有好多女人排了几次队，就和别的男人结婚了，真正坚持到底死掉了的，十个里也没有一个。而且就是那个死了的，别人还要说她是找不到对象绝望而死的。幸亏红拂有大唐第一美女之名，所以还没人说她是因为再嫁不出去才要寻死的，但是所有外面的人见到了她，总要说她有志气。家里的对她则有另外一种说法，比方说，她女儿就老说：妈，你都那么大年纪了，还出这种风头干吗？就和现在一个人报名去西藏时人家说他的一样。红拂被这种境遇逼得要发疯，但是手续还是办不完。有时候人家说，还要再研究一下。有时候人家说，已经报上去了。但是到上面去一问，却说没见到来文嘛——大概是送公文的老鼠碰上猫了。直到她忍无可忍，宣布说不办这些手续了，自己要去找根绳子吊死算了。这一下大家都着了慌，忙着给她四下催办。这样在李卫公死了六个月之后，红拂的殉节手续总算是办妥了。

有关红拂想要自杀的事，还有必要补充几句。作为大唐朝的一品夫人，她很少出门去为指标奔忙。这一点和别人很不一样——假如你是个小贩，对指标就不会这么陌生，月初月尾你都在各种衙门里，为自己的摊位指标而奔波，故而长安城里的市场在月初月尾总是空空荡荡，连瓶酱油都买不到。假如你是个泥水匠，对指标这件事也不会太陌生，因为不管谁来请你盖房子，你都忘不了问一句：搞到盖房的指标了没有？但是她也有需要指标的时候，最起码在自杀时是要的。虽然她说过要不办手续径直吊死，但是并未准备实行。这是因为她不是没有责任感的人。这就是说，她也怕人家骂她。假如我生在唐朝，是个做小买卖的，就因为邻居吊死了个李卫公夫人就要把我捉起来打一顿，我也要破口大骂。

作为一个贵妇人责任十分重大，最起码街坊邻居屁股的安危全系于她一身。等到手续办妥，尽到了对邻居的责任，红拂以为可以洗洗脸梳梳头就上吊了，家里却来了一大群人，其中为首的是个魏老婆子。这位老太太在宫里面工作，专门负责嫔妃上吊事宜。她来传达皇后娘娘的慈旨说，红拂这个小蹄子，干什么都是乱七八糟。魏大娘，你去替我指导指导。从那时起，红拂上吊的准备事项就在专家的领导下进行，和她自己没了关系。这件事已经列入了计划，拿到了指标，此后的事情虽然还很复杂，比方说，工部要行文到岭南，要当地砍一棵上等的楠木，来给红拂做棺材；国子监要把红拂写入明年魏征丞相的国情咨文内本年度社会风气继续好转一节；国史馆要把她修入正史；中书省要给她拟定谥号，等等，这些都和她没有了关系。她只管等到一个良辰吉日死掉就可。而且这一点也和她没有什么关系：不到那个日子，她想死都死不了，到了那个日子，她想活也活不成了。这就是说，虽然红拂暂时还是活着的，但是我们已经可以把她当作一件事了。

【六】

有关红拂殉夫自杀的事，还有些可以补充的地方。她初萌死志时，觉得自己在如何死掉这方面缺少想象力，就跑去逛自杀用品商店。据我所知，现代所有的自杀方式，在大唐都有了。比方说，现代有用手枪自杀的，唐代也有，只不过是用单手操作的短弩，对准自己的太阳穴发射一支七寸长的弩箭。现代有用管道煤气自杀的，而在唐代是用铜皮制作的烧炭的炉子烧出煤气来，再经过水洗冷却，用管道导到口鼻里，保证你吸到纯净的一氧化碳。只有触电自杀很麻烦，必须在雷雨天放出铁线风筝去招引天上的雷电。不管怎么说，在大唐朝的长安城里，想要死掉的人可以得到一流的服务。自杀用品商店甚至拥有一支打井队伍，供那些决心投井而死，但又不想污染水源的人服务。但是在出动那支队伍之前，店里的自杀顾问总要劝你淹死在一个水晶槽子里。那个槽子里养了各种金鱼热带鱼，还有几只绿毛乌龟，在那里你可以与家人挥手告别，一面就近欣赏美丽的水族，一面从容步入阴曹地府，这种死法实在很高尚——当然，也花费不菲。红拂虽然当时正在丧偶的哀痛中，见了这样琳琅满目的商品，也不免精神为之一振。你知道吧，女人就是喜欢这种景象。众多的式样，众多的质地，众多的选择。这就叫消费。当时她说：我恨不得把各种死法全都来过。等到和店里的经理谈过之后，才知道此地众多诱人的死法里没有一种是属于她的。她是朝廷命妇，死法要由领导上安排。当时她一气之下就大放厥词，丧心病狂地攻击大唐朝的制度，顺便也把已死的卫公骂了一顿，因为这些制度都是卫公制定的。像这样的话当然不能让她白说了，早上十点钟她乱说了一顿，吃午饭时现场记录就装订成册，冠以《李卫公未亡人反动言论》的题目，呈到了皇上手里。皇上看了勃然大怒，几乎要下一道旨意，宣布李靖是前朝反动头子杨素的走狗，是埋进大唐心脏的一颗定时炸弹；这样就可以"办"李靖，顺理成章地宣布红拂是他的同谋，把她抓起来收拾一顿。幸亏皇后及时劝说道：急什么呢？红拂没死，还在我们手里。皇帝以为此言有理，就没有下那道旨意。否则的话，我们就不会知道世界上有过一个李卫公，更不会知道他证出了费尔马定理。中国历史上有好多人都被"办"过，然后就消失了，好像从来就没存在过一样。

　　现在可以说说红拂为什么对大唐的制度不满意。李卫公在大唐位极人臣，红拂的地位也极高，两口子的薪水加在一起什么都买得起，但是什么都不能买。举例言之，假如红拂需要一件内衣，她本可以去买一件纯棉的，或是真丝的，或是开司米，或是毛麻混纺的；虽然最终只能买一件，但是当她在纯棉、真丝、开司米、毛麻混纺中选择一件时，就等于把上述织物一齐占有。作为女人，生命的很大一部分是为了纯棉或真丝或开司米或毛麻混纺，但是她只能拥有一件粉红色的厚法兰绒睡袍，穿上好像卡通片里的粉红豹。这就不是买不买得起的问题。说实在的，假如不嫌金子太沉、太冰人，她完全可以买件金片内衣穿上。主要的问题是她不能买。按照大唐的制度，一品命妇只能够穿法兰绒的粉红睡袍。而这种睡袍也只能够有一种式样，这种式样又是卫公做的设计——谁让他是大唐第一聪明的人呢，所以他除了设计城市，设计制度，还要设计女人的内衣。这种睡袍长及足踵，有一个风帽，还有六个盛东西的口袋，正面有二十四个袢扣，既不好穿，更不好脱，总体上像个结构复杂的布口袋。套在这种口袋里，红拂一尺七的腰围和肥婆三尺三的腰围就没了区别。李卫公还活着的时候，每天晚上红拂都要穿着这种袍子把他臭骂一顿。而在那种时候，李靖总是只睁一只右眼躺在床上，为她解那些扣子，等到扣子解完，红拂骂完，他才把两只眼睛全睁开。李靖一死，红拂没有了可骂的人，觉得活着没有意思，就想寻死了。这个故事说明，想证明自己是聪明人是一件很要不得的事，不但会给自己招来麻烦，还会连累老婆。但是李卫公当年急于证明自己很聪明时，根本就没有想到这些。等到已经证明了自己聪明，就没有了后悔的余地。

【七】

李卫公住在洛阳城里，背后跟着两个公差时，感到很大的压力。这件事的起因是领导已经知道了他是个聪明人，对聪明人领导上总是要严加防范。然后他就把全部聪明放在了摆脱那两个公差上，取得了很大成功。有一天中午，他一个人跑到酒楼上喝闷酒，喝醉了之后和酒保打了起来。李卫公是一个流氓，身上藏有凶器，具体地说，是一根带有倒钩的铁链子，人称蜈蚣鞭那一种，一下打在对方的脸上，把整张脸全扯掉了。后来这个酒保伤好了，每天出门前都要用蜂蜡在脸上塑出五官。看起来还是蛮漂亮的，只是不能喝热汤。只要他把脸对着一盆热汤，整张脸都要软化，下坠，甚至流淌，坐在他对面的人则有可能被吓死。卫公干了这件坏事，大家都觉得不能原谅他。全体酒保、大厨，甚至老板娘都拥到楼上来打他，手里拿着菜刀、火叉、顶门杠；别的客人则向他投掷酱油壶。李卫公不能抵挡，就从窗户跳了出去，落到了邻居的房顶上。这一下更糟了，隋朝的房顶是一层单批瓦放在椽子上，被他一踩稀里哗啦。房主在下面看得清清楚楚，一脚一个天窗。这种情形谁都不能忍受，所以那些人也跑了出去，捡起碎砖烂瓦就打他。有关这件事有需要补充的地方：不管哪朝哪代，总是砖比土坯值钱，瓦又比砖值钱。我们花了钱买了瓦铺在房顶上，可不是为了叫人踩碎的呀。

　　我年轻时在云南插队，有一阵子在副业队里，制过瓦。这种工作的烦难之处是要制出上等的泥巴。这种泥要能够在地上垛成矮墙而不倒塌，然后从泥垛上用弓割下一片泥，制成筒形，等它干了破成三片，就是瓦坯。这种坚韧的泥则是要用土和水经反复践踏来制成。这一步可以用老水牛来完成，但是必须制止它往泥里屙屎，不管多大的一摊泥，进了一泡牛屎就全完了。好在牛屙屎前要扬起尾巴，在这种时刻你必须猛扑过去，按住牛尾巴，把它拖出和泥的现场。而牛在大便时被人打断，脾气则会变得非常之坏，完全不肯合作。我常在干这种事时被它们甩出老远，甚至被甩到草房顶上。另一种办法是在干活之前找一块橡皮膏把它们的肛门贴住。但是干完了活非常累，往往会忘记把橡皮膏再揭下来。牛感到肚胀时（这往往是夜里十二点），它就来找我，撞开宿舍门，挑开蚊帐，来舔我的脸。我从睡梦中醒来，看到眼前一个硕大的牛头，就会想到自己平生所做的亏心事——它们准是我下到地狱，面对牛头马面的原因。我讲这些事是要说明瓦片来得不容易，应当珍惜。因而我要是生在大隋朝，一定也在追打卫公的行列里。卫公已经醉了，又被打得晕头转向，就在房顶上飞奔起来，所以追打他的人越来越多，后来还引起了一场骚乱。这件事表面上是因为李靖自暴自弃，酗酒过度造成的，其实却不是这样。这主要是因为一朝一代，一时一地容不下很多聪明人。举例言之，杨素是大隋朝的聪明人，他建立了隋朝的制度，建造了洛阳城，李卫公活在其中就觉得格格不入，早晚要在这里招灾惹祸。而杨素早就知道他要招灾惹祸。这是因为杨素也爱好几何学，发现了几种作图法，但是没有证明毕达哥拉斯定理。他也爱好数学，发明了以他的名字命名的"杨素级数"，但没有证出费尔马定理。因此李靖活着就有危险了。古代就是这么糟糕，总共就这几门学问，大家老撞车。相比之下，生活在近代是多么幸福。近代的领袖人物都喜欢哲学，那咱们就去搞别的学好了。偶尔有个把斯大林喜欢语言学，喜欢语言学的聪明人可以改行研究化学。现在杨素、李卫公、马克思都死了，我来研究数学并无妨碍。但我绝对不会去碰经济学、政治学，还有社会学，而把它们留给有身份的人。

以下的例子可以说明李卫公比杨素要聪明，但这种聪明是老年以后的事：杨素是个相当不错的数学家，自己编了以他的名字命名的《杨代数》《杨几何》，结果招致大隋皇帝的嫉妒，说他的数学书有政治问题，全部禁掉了，到现在一本也找不到。李卫公却把他的数学成就写进了大唐朝的历书，当然，用了一套极复杂的术语。比方说，说有一个变量 x 时就说是皇上、圣上等等，再有一个变量 y，就说母后、皇后；万岁是平方，万万岁是立方，万寿无疆是常数。故而一个 x 的多项式——二倍的 x 平方加 x 立方加一个常数项就可以表达为"皇上万岁万岁万万岁万寿无疆"。假如这个多项式等于另一个变量 y，就写作："皇后，皇上万岁万岁万万岁万寿无疆"。这样写成的数学书观赏性实用性齐备，当然没有政治问题，唯一的不便之处就是非常地难懂。我懂得他的一切把戏，又知道他的全部数学知识（费尔马定理除外），看他的书还是十分费劲。

李卫公年轻时是这样在洛阳城里招灾惹祸的——他喝醉了酒，在房顶上奔跑，引来了一大群人跟在他背后抛砖打瓦。这在看街的公差看来很像是聚众闹事的样子。当然，造成这件事的罪魁祸首是卫公，但是公差们不肯往房上看，所以把他漏过去了；他们只看到地下有成群的人在跑，就挥舞着棍子朝他们冲来。洛阳城里的百姓很是本分，见到官差冲过来也不跑，反而站在原地不动；见到棒子打过来也不躲，反而用脑门子去迎，然后就一人挨了一棍倒在地下。在这方面我可以举出一个例子来：假如我骑车闯了红灯，警察只要伸出一根手指一勾，我就老老实实地过去；他朝我大喝一声：你瞎呀！我就说：我瞎我瞎。他又说：瞎怎么骑车？我就说：刚才瞎了。就这样一问一答，直到他让我滚蛋为止。这件事到此本可告一段落——我们都已犯过错误，受过了惩罚，可以老老实实回家了，谁知又出了岔子。有人发现李靖这小子一下都没挨地跑掉了。于是大家就去和公差讲，然而公差绝不承认有什么李靖在房上跑。如果承认了这一点，就是承认了大隋朝的官差办事不力，刑名不公正，进而动摇国基。但是当时有上百人看见了李靖喝得烂醉，在房上奔跑。两边争吵了起来，吵到了最后，有成千的人聚了起来，围着公差起哄。官府里派出了更多的官差去镇压，起哄的人很快就多到了上万人。没上街起哄的人在家里也不肯闲着，找出个破铁罐乱敲乱打，很快整个洛阳城就变得像个黑白铁作坊。这种声音红拂在石头墙后面也听见了，很想跑出去看看，但是当时她刚洗了头发。我们说过她的头发有三丈长，刚洗过之后，有四百多斤，故而她只能躺着不动，一动就会扭断脖子。这种声音李靖也听见了，当时他在酒坊街自己一个旧相好李二娘家里，两个人已经上了床，所以不便出去看。他的判断是外面月食了，在这种情况下大家总要使劲敲盆，直到月亮亮了为止。其实不敲盆月亮也会亮，实在这是白费力气，还在铜盆上凿了好多坑。他们俩找了几块棉花把耳朵塞住了。幸亏他们没有出去看，假如出去了，未必能活着回来。当时街头的骚乱非常地厉害，官差镇压不了，当局已经出动了军队，千军万马正从洛阳的四个城门开进来。

【八】

我说过，大隋朝的人非常安分守己，但是也有起哄的时候，那时候大家围着官差乱嚷嚷。这种情形说明大家的头上都有点痒，需要挨上一棒。在大多数情况下，官差可以满足他们的愿望。但是那天晚上起哄的人太多了，官差打不过来，这就使起哄的人觉得嚷嚷不够过瘾，进而投掷砖头。这种情况说明需要有更多的官差和打人的棒子。一个壮年男子，假如棒子趁手，可以一口气打破十个人的头。这说明在洛阳城里，差民之比不应低于一比十。在骚乱时，洛阳城里没有达到这个比例。

那一天傍晚时分，大隋的军队开进洛阳城来镇压骚乱，队伍整齐，军威雄壮。来的有装甲步兵、轻步兵、铁甲骑兵、工程兵、炮兵等兵种，太尉杨素骑在一匹大象上指挥。我们知道，那支军队是杨素亲手设计的，那一次是首次上阵。他先派炮兵上前，用弩炮轰击暴民。那种炮也是杨素设计的，别人的炮发射梭镖、炮石之类，弹道是直线，他以为不好，容易闪躲，所以他的炮发射的是一种铁制的飞去来。这种炮弹飞旋而出，不但威力惊人，而且会自动飞回炮位上，所以永远不缺乏弹药。几次齐射以后，大路两边的树全被砍倒了，飞去来全钻进路两边的房子里去了。弩炮没了炮弹，只好退回来。然后他派装甲步兵上前消灭敌人。大隋的装甲步兵也有与众不同之处，本人并不穿盔甲，由两名助手举着盾牌挡护，看上去像个贝类。这样做的好处是他不受盔甲之累，不好处是当两名助手被飞来的砖头击中倒地时，他就失去了防护，好像正在蜕壳的爬虫，既可怜，又无害。杨素只好命令铁甲骑兵前去冲击，这种骑兵披着重铠，头顶钢盔，暴民投掷的砖头对他们构不成危害；而且三十匹马连成一排，冲起来威力强大。可惜的是城里的街道太窄，只要两边的马撞上了房子，中间的马就停住，马上的骑士全都摔到马前面去了。后来工兵又冲上去拆毁房子，平出了空场，但是暴民谁也不上空场上来，而是往后面的窄街里退。幸亏轻步兵抄了他们的后路，把他们撵到空场上来。铁甲骑兵就对准他们来了一次长矛冲锋。但是几经折腾，铁甲骑兵都累了，端不平手里的重矛枪，在全队飞奔的时候，那些矛尖往往扎到地上，于是骑士就被矛柄的弹性弹得满天乱飞，砸死了一些暴民，也砸死了一些在家里睡觉的老百姓，还砸死了不少自己人。睡觉者的死亡实属冤枉，他们在家里睡得好好的，忽然轰的一声响，房顶被铁甲骑士砸穿，骑士头顶上的盔枪直扎心脏。那些活着的暴民见了这种场面，一面哈哈大笑，一面夺路而逃。杨素率千军万马折腾了半夜，没杀死几个暴民，反倒折损不少军马。这种重大的损失，完全是李靖导致的。但他自己还一点都不知道。第二天早上他从酒坊街回家，看到了很古怪的景象：路边上净是烧毁了的房子，大街上净是杀死了的人，整座洛阳城净是焦煳味、血腥味，还有满街的马粪味，真是可怕极了。举例而言，每棵大树上都有一根梭镖，上面穿了五六个人，好像一根穿好了还没下油锅的羊肉串一样，这种景象决不能说是正常。有些人还没有死得太透，正在打哆嗦。卫公找到了一个看上去较有活力的家伙，朝他脸上连吹了好几口气，那人就醒了过来，说道：怎么这么臭（这一点倒不足怪，你要是大醉了一场，第二天早上嘴也会臭得像个粪坑）？然后看清了是李靖，就朝他脸上猛啐一口，啐得他掩面而逃。再往前走，就出现了赶着牛车的人，他们把死人往车上抬（要是像这样成串的人搬起来就较方便），遇上了死得不透的人就在他脑袋上敲一下。再往前走，有好多人手持蘸了石灰水的刷子，把烧得乌黑的废墟都刷白了。再往前走，就是一片白银世界，回头看也见不到一个死人，一点火烧的痕迹，一滴血。卫公眨了几下眼，以为见到了幻象，喝了很多酒之后，看见一些幻象也属正常（没喝酒有幻象也属正常），所以我们还是把它忘了吧。

那一天洛阳城里发生的事我们已经讲了一些，但从这些情形还不能解释第二天早上的景象，因为那只是前半夜的景象。杨素率军镇压暴民，前半夜很不顺利，到了午夜十二点，他又累又烦，就下一道命令：就地解散，明早上集合。然后骑着大象回家睡觉去了。那些兵听到这些命令欢呼一声，扔下手里的长枪，脱下盔甲，只穿内衣，拿短刀，三个一群五个一伙，朝小胡同里散去了。然后整个洛阳就变得死寂一片，到底发生了什么我也说不清了。我只知道从午夜到天明的四五个小时里，洛阳城里的男人死掉了六分之一。又过了整整十个月，全城的婴儿出生率猛增，而且那些孩子都叫"大军"、"小兵"（以上男名）、"丽军"、"芳兵"（以上女名）一类的名字，以至后来重名的人极多。这说明这些孩子的出世和当兵的有一定关系。其中还有一些孩子皮肤总是冰凉的，不管天多么热，总是不出汗，就是那些铁甲骑兵的作品。除此之外，当夜还发生了无数起火灾。但是洛阳城极大，也有些大兵没到的地方，酒坊街就是其中之一。正是因为这一点，李卫公后来就懵懵懂懂，根本不知道昨晚上发生了什么。大家恶狠狠地瞪着他，他还敢瞪回去。回到了自己门口，发现不是只有两个公差，而是四个公差在等着他，而且都是生面孔。昨天盯他的那两位已经因为玩忽职守被拉出去砍掉了。以后他再逃掉一次，背后盯梢的公差就要多一倍，根据这个道理，只要他逃掉十六次，身后就会有六万名以上的公差，像一支浩浩荡荡的大军，无比壮观。这是这件事光明的一面。不光明的一面是他将会连累死掉几乎是同样数量的公差，砍下的脑袋十辆卡车也拉不完。不幸的是李卫公只看到了事情的光明的一面，看不到事情不光明的那面。

李卫公年轻时在洛阳城里酗酒闹事，连累了半城的人，我却归咎于他心情不好，是领导上的问题。这种思想方法连我自己都觉得古怪，但我并不觉得它有什么不对。这是因为我和他一样是个中国的数学家。我现在证不出费尔马定理，也归因于领导上对我照顾得不够——工资不高，没有个漂亮的老婆，没有像样的住房，影响了我的情绪。你想想吧，李卫公证出了毕达哥拉斯定理，马上就往哪里寄？官府里。假如不是挨了一顿板子，证出了费尔马定理也会往官府里寄。我现在要是证出了这个定理，除了向学报投寄，恐怕也要复印几份，寄到上级机关。这件事好有一比：我们俩就像是浮士德，把灵魂卖给了魔鬼。做出了好东西给你，活得不顺心也怪你。当然，我也是有一点自知之明的，知道自己和卫公有一定差距。故此我可以想象那个魔鬼就坐在我的对面，狞笑着对我说：你连个费尔马定理都证不出，谁要你那糟兮兮的灵魂！你给我拿回去！（但是我不知道魔鬼为什么也爱好数学，这对我是个不解之谜。）这就是我不敢酗酒闹事的原因。我和我的同事都是这样的，工资很低，没有住房，但也只敢腹诽，不敢闹事，因为我们毕竟没有证出什么东西。但是卫公就不一样了，酗酒、闹事都是他有理。

【九】

　　我觉得我在很多方面可以理解李卫公。比方说，有一天，忽然所有的人都不和我讲话了，这是一个坏现象；每个月我可以收到相当多的汇款，这又是个好现象；还有好多警察跟在我屁股后面，这个现象的好坏难以判断。要从这些现象中推出我已经害死了半城的人，我就做不到。但是每次我摆脱了盯梢，背后盯梢的人就要加一倍，而且以前的熟面孔都不见了。在这种情况下，我还是想逃跑，因为酒坊街有我的老相好，漂亮的李二娘，我要跑去会她。但是这些新来的公差气色越来越不好，甚至显出了忍不住要打我的样子（实际上不止是要打，简直是恨不得吃我的肉，寝我的皮，但我还看不大出），我也会觉得有点不对头了。在这种情况下我要采取一点应变措施——因为盯梢者按几何级数增长，所以要谋而后动，更何况我还舍不得每月五十两银子——首先要做的事是锻炼身体。因为是在古代，干什么都要有把力气才行，跑得快相当于有一辆好汽车，手劲大相当于有把好手枪，能抡动一柄大铁锤相当于手里有了一支火箭筒，余类推。这就是每天早上卫公都到城边上去跑步的原因，他跑步时，那三十二位盯梢的公差一字排开站在跑道边上，像一支仪仗队。跑完了步，卫公还要练练单杠，那班公差就用环形的队伍把他围起来。除了锻炼，还要注意营养，这一点卫公也想到了，除了多吃牛肉，他还买了好多山羊奶酪吃。那种东西难吃无比，但却是高蛋白，吃下去长肌肉。锻炼完了，应该洗桑拿浴来恢复疲劳，这一点卫公也想到了，每天练完了他都去土耳其浴室。那班公差也跟着去，穿得衣帽整齐地坐在蒸汽浴室里，常常热得晕死过去。我能想到的卫公全想到了，只差这一点：我在那种情形下会找些类固醇来吃吃，这种药可以增强肌肉，虽是违禁药物，但我也不想参加奥运会。卫公没想到这一点，是当时买不到这类药。但是当时他比我现在年轻，身体底子也好，终于达到了极高的水平，完全可以竞选洛阳城的健美先生。做好了这一切，还是想去找李二娘，在此之前还是要把盯梢的甩掉。假如不能甩掉，和李二娘做爱时，这三十二个混账家伙就会拥进那间卧室，第一排卧倒，第二排跪倒，第三排站立，第四排找凳子，以这样的队形来充当观淫癖。这可不是杞人忧天，每次李卫公上厕所，这班家伙都跟进去，把所有的坑全蹲满了。李卫公这样锻炼身体和摆脱盯梢并不能说明他已经和领导上不是一条心，他只不过是多个心眼——我们马上就要知道，他的心眼天生就是特别地多。

等到洛阳城里闹过骚乱之后，红拂又跑到外面去玩，又看到了李卫公。但是没有机会和他说话，因为这时李靖已经不是一个人，而是一支浩浩荡荡的队伍了。他身后的公差已经多到了六十四个，说明了二进制的无穷魅力。当时洛阳城里正展开如何处治骚乱的罪魁李靖的全民大讨论，大家都必须提个方案来证明自己的善良——有人主张把李靖千刀万剐，有人主张把李靖五马分尸，有人主张把李靖烧成灰，和上泥做成砖头，砌到粪坑里；有人主张把他和五六口肥猪一道扔进绞肉机，做成包子馅，蒸出的包子全城一人分一个。领导上已经宣布，将来谁的方案被采用了，就可得一大笔奖金。所有的人都被要求提出方案，只有不可靠分子例外。这些不可靠分子是李卫公和他的狐朋狗友，其中还包括了酒坊街的李二娘。对这些不可靠分子，领导上也派人去打过招呼，所以他一点风声都没听到。走在街上时，他只觉得别人看他的眼色古怪，一点也没想到自己已经被看成了茅坑里的砖头和包子馅。说来可怜，当时他正在想一些微分学问题，这是因为他觉得证出了费尔马定理就得了每月五十两银子，这个买卖并不坏。假如开创了整个微积分，还不知能得些什么好处。假如拿我来打比方的话，就是这样：我在学报上写点小文章，从学校邮局取出稿费来，觉得这种生活还不坏——虽然没有自由，但还有点小刺激，所以走在路上原地起跳转体三百六十度，接着又往前走；丝毫也没看到系里的支书在朝我皱眉头，更丝毫想不到再过几天一大帮警察会拥到我住的地方把我拉到万人体育场批斗，然后再拉到卢沟桥一枪毙掉——像这样的事根本就不可能发生，这说明我生活的时代比隋炀帝时好多了——我们想不到这些，不是因为缺少想象力，而是因为我们不是托马斯·哈代。我们是数学家，故而我认为，卫公的价值不在砌厕所和做包子方面，但是这一点很难向别人解释。红拂看到这个未来的砖头面上毫无悲怆之意，不禁偷洒几点同情之泪。李靖看到了，心里就起了警惕之心。大天白日的，有人在朝我哭，这无论如何不是个好兆头。

第三章

在本章里作者首次使用了"人瑞"这个名词，用它来指一类人。比较流行的说法把这类人叫作"人才"，"人瑞"和"人才"虽然只是一字之差，却代表了不同的价值取向。

进入本章以后，"上面"这个词出现的几率①明显增多了。需要提醒读者的是：它并不完全是几何学概念。

【一】

现在该谈谈我的研究工作了。我最近的一项成果是发现了墨子发明了微积分，一下子把微积分发现的年代从十七世纪提早到了先秦。我的主要依据如下：墨子说，他兼爱无等差，爱着举世每一个人。这就是说，就总体而言，他的爱是一个无穷大。有人问他，举世有无数人，无法列举，你如何爱之？这就是问他，怎么来定义无穷大。他说，凡你能列举之人，我皆爱之；而你不能列举之人，我亦爱之。这就是说，无穷大大于一切已知常数。他既能定义无穷大，也就能定义无穷小。两者都能定义，也就发明了微积分。我在《墨经》里发现了不少处缺文和错简，一一补上和修正之后，整本《墨经》就是一本完善的微积分教程，可以用来教大学生，只少

---

① 几率，概率的旧称。

一本习题集。我又发现用同样的方法可以把《论语》解释成一本习题集，只是这样一来，我国的两位伟大的思想家孔子和墨子与前苏联的两位数学教科书作者斯米尔诺夫和基米诺维奇的著述就是一模一样的了，也不知是谁抄袭了谁。这种情形说明决不要轻易地相信我。我又把这个结果写成论文寄了出去，马上就登了出来，并且各报纷纷转载，说青年数学工作者王二的研究工作大有成效云云，吓得我好几天不敢出门，生怕遇上一个人啐我一口，说一声从来没见过像你这样无耻的人，所幸这样的事没有发生。其实我那篇稿子是三月下旬寄出去的，打算赶四月一号出版的四月号，谁知道阴差阳错，在五月号上登了出来。顺便说一句，我有个朋友是四月一号出生的，所以我总记着四月一日是愚人节。这件事告诉我说，对别人的幽默感切不可做过高的估计。

后来我把学报寄来的稿费取出来了，一共是二百三十元，说到这个数目的时候，我的心情比较好。这是因为假如有人真的发现了先秦有人懂微积分，绝不会只给这么点钱。但是到系里去了一趟，心情又坏透了，因为听说我那篇狗屁论文评上了校级先进成果，还要破格评我一个副教授。这种情形使我疑神疑鬼，怀疑有人在和我开一个大玩笑，或者是成心要出我的彩。

卫公去邮局兑汇，那邮局是个大房子，像所有的机构一样。但是它又不是什么要害部门，所以是土坯墙草顶，这房子非常大，草顶非常高，但是房上的草却不是太厚，以致阳光漏了下来，里面没有什么人（假如不是不可避免，谁乐意去看工作人员的面孔？），只有鸡在觅食，狗在乘凉。因为这个缘故，卫公率领大队人马走进去时，是真正的鸡飞狗跳。但是在柜台后面打盹的人并没有抬起头来——俗话说得好，谁怕谁呀。这柜台十分高，像卫公这样高大的人也看不到柜面。柜台顶上立着铁栅栏，还有几条铁链子拴在栅栏上，垂到外面。有些链子一端上还拴了些人的骸骨，看上去挺吓人的。卫公找到一根空的链子，搬来三块土坯垒起来，站在上面，才看到了柜台后面的人。他把汇票递进去，说道：劳驾，兑汇。那人看看汇票，又闻了闻，说道：是真的吗？使假汇票可是死罪！每次卫公都夿着胆子才敢说出"是真的"来。假如声音小了，那人还要瞪起眼来，喝道：你说什么？大声点！直到卫公拼着老命叫道：真的！！那人才从里面抛出一条铁链子来，说道：拴上。我去找别人看看。这才是真正惊心动魄的时刻，等卫公把链子围在脖子上，那人拿出一把大铜锁，把他像锁狗一样锁在了铁栅栏上，自己到后面鉴定汇票去了。

　　据我所知，大隋朝每一个兑汇的人都要像狗一样被锁在栅栏上，这是预防伪造票据的有力措施。假如你没使假票，人家自然会给你打开。但是李卫公站在那里心惊胆战，第一害怕身后的公差和他有仇，在这种情况下，那人只要把他脚下的土坯一脚踢开，卫公就会吊在空中乱踢腿；第二害怕那个兑汇的一会儿从后面奔出来，举着那片皮子大喝一声：你好大的胆，敢来蒙事——这是骡子皮！你要知道，卫公是个画家，可以分辨烙花的真假。但他没有做过皮鞋生意，不会分辨皮革。骡子有一半是马，另一半是驴，牛闻了不哭，马闻了只有一只眼掉眼泪，一下就看出是假的来。而牛皮和马皮都是专卖品，老百姓只能弄到驴皮和骡子皮，要伪造汇票只能用这两种皮。这下可把他坑惨了。马上派人到他家里去搜，从床下搜出了伪造汇票的工具，还有半张骡子皮。这是可以想象的，因为假如有人用这种办法来害他，当然会在这时溜进他家里去，往床底下塞骡子皮。这种把戏卫公完全能想象得出来：先给他寄几张真的汇票，然后再寄假的；与此同时，写匿名信揭发李靖这小子伪造汇票，这可以说明为什么现在李靖背后跟了不少公差。但是假如卫公被这么害死了的话，他一点也不佩服那个设计了骗局的人。因为他落入了这个骗局里，不是因为他缺少计谋，而是因为五十两纹银的魅力他无法抗拒。

最近有人证出了几百年没有证出的"地图四色问题"，但我一点不佩服，因为他们用了一架每秒钟运算上亿次的巨型机。我要是有上亿美元，也会买台巨型机。还有人验证了对于小于 100 的 N 和小于 10 的 6 次方之 x，y，z，费尔马定理均成立，但我也不佩服，因为也是用计算机做的。这算什么？显摆你有计算机。我佩服卫公，他只用了手指头、木头棍（筹算法）就证出了费尔马定理；要知道在隋朝末年纸可不便宜，所以用了笔算也算是仗着财大欺人。根据这个道理，我们随时准备受人欺骗而死，因为我们都会骗人；只要你骗得公平，不要仗着财势欺人。但是这回卫公没有受骗，那个兑汇的人从后面出来，满脸的不高兴，恶声恶气地说：汇票是真的。算你小子走运。拿家伙吧。卫公递进去一个包袱皮，那人胡乱包了五十两银子扔出来，喝道：滚吧。你怎么还不滚？卫公伸着脖子说：劳驾，给我开开锁。卫公兑汇票的事就是这样。这件事的意义是说明了卫公原来很本分，最起码他乐意被别人锁上。

【二】

卫公兑完了汇票从邮局里出来时，脖子上还有冷冰冰、沉甸甸的感觉。无论谁被人像狗一样拴了一次都会有一种屈辱的感觉，但是走到阳光里心情就好了。李靖当时还年轻，不会长久地为这些事而不痛快，只有到了中年才会觉得自己一辈子都像狗一样被人拴着，这样的生活有什么意思，不如早死——就此犯了精神崩溃。卫公有了钱，就想到酒糟铺路的酒坊街去见他的情妇，但是他一走动起来，响起一大片杂沓纷乱的脚步声，好像自己是一只硕大的蜈蚣，这种感觉实在是很不舒服。除了有一百三十只腿，还有一百三十只手，支支叉叉得很怕人，除此之外，他还像一条绦虫一样分了好多节，头已经跑进了小胡同，尾上的一节还在街上劈手抢了小贩的一串羊肉串。假如他骤然站住，回过头去，就有整整一支黑衣队伍冲到他身上来，拥着他朝前滑动，显示了列车一样的惯性；而当他骤然起步飞跑时，就好像被拉长了一样；而且不管他到了哪里都是鸡飞狗跳。李卫公讨厌这种感觉，就回家了。进了他那间小草房，把门关上，但是依然割不断对身后那支队伍的感觉，它就像一条大蛇一样把小草房围了起来，再过了一会儿，四面墙外都响起了洒水声。这是因为那些公差对李靖十分仇恨，就在他墙脚下撒尿。不消说，这对他的房子是有损害的。这是因为它在一个死胡同的尽头，赶牛车进城的乡巴佬卖了柴草之后，就把牛圈在这里，自己去逛大街。而那些牛缺少盐分，就把尿湿了的墙土啃去。久而久之，四面墙的墙脚都被掏空了，假如不是卫公在里面用绳子捆住，那四堵墙早就朝外倒掉了。就是这样，四堵墙的接缝处也有一尺多宽了，不但鸟能飞进来，猫狗能溜进来，连人都可以挤进来了。这就是别人在他墙下尿尿的害处，但是也有一点好处，就是自从有人尿尿以后，土墙的里面就会结出一层白霜来，这种东西就是土硝，有多种用处：首先，可以当盐用，但是吃这种盐就和喝尿没什么区别了；其次，和草木灰混合，溶解后再结晶，就可以得到硝石，用这种东西可以造爆竹。假如不是每个月已经有了五十两银子的收入，从人家尿在他墙外的尿里倒能得到一些收入。卫公躺在床上，看着小胡同里的景色，闻着透过了墙土渗进来的尿骚味（这种味道使他的房子里简直不能睁眼），自言自语道：这算个人住的地方吗？这种感觉就像我对我自己住处的感慨一样。

我和一个姓孙的女人住在一套房子里，她既不是我老婆，也不是我的情妇，而是我邻居。这种居住方式不叫同居，而叫合居。她在黑暗的过厅里放满了高跟鞋，每次我回家都要踢在鞋上，这时候她就在自己房里尖叫一声：我的鞋和你有什么仇？她还在卫生间里晾满了内衣，使我不敢把朋友带回家来，因为他们都知道我是个光棍汉。一旦她点少了一件，就敲我的门说是我给拿走了，好像我是个淫物狂一样。照我看她的内衣根本就没什么收藏价值，因为她趣味很低。除此之外，她还不定时不定点地叫嚣说自己要洗澡，让我有尿先尿。自从我满了三岁，还没有人命令我撒尿。这时候我正在想费尔马定理怎么证，听了这种声音简直要发疯。根据史籍记载，李卫公可以一面和李二娘做爱，一面想数学题。这种能力实在非我所能及。他有一心二用，乃至三用四用七用八用之能。因此我认为他在一颗大脑袋里盛了好多个小脑子，如果把他的脑壳切开，所见就如把一个石榴切开一样。他可以用一颗脑子和李二娘做爱，用其他的脑子想数学题。不过这个脑子是哪一个却不是他自己能够控制的，所以干着干着脸就朝右歪去，右眼角朝下垂，右边的嘴角也流出涎水，这就是说，右边的脑子在起作用。过了一会儿，同样的情形又出现在左面，这是左边的脑子在起作用——这都不要紧。可怕的是他想着想着就想到后脑勺上去，这时候他怒发冲冠，双目翻白，手脚都朝后伸，好像是发了羊角风。这时候李二娘就伸手在他前额上敲一下，让他前面的脑子起作用。当然，这么一敲李卫公马上就要变成个对眼，但对眼也比翻白眼好看。在这方面我完全赞成李二娘的意见。李二娘的皮肤很白，所以她就用黑色的床单。除此之外，她还把房间漆成黑色的，挂上了白窗帘，这间卧室就此变成了一张黑白图片。李卫公也在这间房子里——这种情形说明他又害死了六十四个人。

李卫公是从下水道里溜出自己的房子的，由此我们知道了大隋朝的洛阳城里有下水道，并且相当地宽敞，可钻得过人。后来卫公设计长安城时，就没给它做下水道，改用渗井——这种设备的做法是在地上打一眼井，再用砖头瓦块把它填上，供往其中倒脏水之用。可以想象这种井会污染井水，后来长安城里就经常流行痢疾、霍乱等肠胃道传染病。还有一次他往自己的脸上缠了布条，假装一个麻风病患者，谁也没认出他，就从胡同里溜了出来，故而后来长安城里禁止麻风病患者往脸上缠布，大家都把烂得一塌糊涂的脸露出来，在晚上常常发生吓死小孩子的事。李卫公也多次利用地下铁道逃跑，因此长安城后来就不修地下铁道，在交通繁忙的街段采用空中索道。那些索道悬在一些旗杆上，乘索道的人先爬上三丈高的杆子，把自己捆在一个套在缆绳上的竹筒上，手攀缆绳开始滑动，看上去好像在耍杂技，但是万一缆绳断了从空中掉下来就会摔得像压扁了的臭虫，而缆绳断掉的事时有发生。据我所知那种索道只有小伙子敢乘，而且那是一种表现勇气的把戏，而不是一种方便的交通工具。总而言之，假如李卫公是在长安城里犯了事，背后跟上了公差，他就再也逃不掉了。这样也就不会害死很多人。

　　监视李靖的公差们发现李卫公又跑了——这是很容易发现的，只要从墙缝往里看一眼就能看见，——就一哄而散，各自回家和妻儿道别，安排后事等等，然后就到衙门里去，等着被砍头。因为他们和刽子手是同事，所以挨刀子时还不忘记在自己的脖子上抹点润滑油，让他砍起来方便一点。与此同时，新一班一百二十八名公差出现在酒坊街，坐在各家的屋檐下黑压压的一大片。与此同时，李卫公一直在和李二娘做爱，一点也没有想到自己又害死了六十四个人。这些人被杀掉以后，脑袋都被送到各个城口悬挂，就在那里烂掉，每个进城的人一走到那里就打起伞来，以防自己头上掉落吃腐肉的蛆，像这样的事李卫公自己一点都不知道，他不知道这些事的原因是他一天到晚老在想数学题。假如他知道了，马上就会精神崩溃。

【三】

　　李卫公在酒坊街和李二娘在一起，这条街上铺了厚厚的一层酒糟，故而空气里有一股极浓的酱油味，浓到了人在行进时感到阻力的程度。这条街的两面有一些两层的土楼，李二娘就在其中一座二层的卧室的床上。她长得相当漂亮，只不过眼角已经起了鱼尾纹。和李靖做爱时，她用腿围着李靖的腰，脚在卫公身后绕在一起，看上去像个金属线头；双手按在他肩胛骨上，虽然在下面，却显出一种气势汹汹的样子。李靖问她听到什么有关他的消息没有，她说没有。这就是说，领导上派人来打过招呼了。但是李靖觉得她有点不可信，这不光是因为前一天在街上看到了红拂朝他哭，还因为他一到了李二娘家里，李二娘就拉他上床，一本正经地干起这件事来。要是在以前，起码要聊几句天。据我所知，这件事还是让它自自然然地发生比较好，要是一本正经地去干，反而不对头。领导上让她以后照样和卫公上床，在床上听到什么要汇报，她就是这么做的。这说明她片面地理解了为上面服务。当然，上面也不会让她白干，每月初五她会收到一张汇票，然后前往邮局，被人像只狗一样拴在栅栏上。顺便说一句，每月初五是国家雇员发薪的日子。这一天大家领了钱，然后就各自按安排行事。比方说，李卫公领了五十两银子，就该老老实实地研究他的微积分，直到领导上研究好了拿他怎么办，就把他做成包子或者砖头。李二娘领了她的二十五两银子，就该老老实实地和李靖做爱，直到李靖做成了包子或砖头，领导上再来研究拿她怎么办。据我的估计，大概是要把她竖着用两辆牛车扯成两半，或者横着腰斩，因为她毕竟是大逆分子李靖的姘头。不到了真正办起来的时候，谁也不会去想领导上要拿我们怎么办。研究过这些事以后，我觉得当领导实在有趣，假如有可能的话，我也想当当领导。

　　我的邻居小孙眼角上也起了鱼尾纹，她有三十五岁了，已经离了婚。照我看她还算漂亮，对我也算和蔼。有时我有些非非之想：领导上安排她和我住一套房子，没准已经有了安排。然后我又想，假设他们有了这种安排，下一步又是什么？这么一想就毛骨悚然，宁愿相信没有这些领导，把我的非非之想全部打消——我还是去想我的费尔马定理较好。因为我上过大学的数学系，现在又在大学里工作，所以领导上更可能是这样安排的。

　　现在可以说说李二娘是怎么片面地理解为上面服务的——她拿腿圈住了李靖，半闭着眼睛，嘴里胡七乱八地嚷嚷。其实她并没有得意到非这么嚷嚷不可，但是她觉得还是嚷出来好。这是因为她觉得上面给了她每月二十五两银子，就是让她和李靖做爱，所以应该多卖点力气，刚刚参加工作的人总是这样的。假如上面给到每月一百两银子，她就能把李靖耳膜吵破；假如上面给到一千两银子，她就能把李靖的每根骨头都拆碎。假如是这样的话，就不用拿李靖来做包子了。因为如果是拿死人来做包子，吃下去就会屙肚子，甚至会一命呜呼，这样李靖就又能害死半城的人了。其实上面给她钱是让她汇报李靖说了些什么，但她把这一条放在很不重要的地方了。她没听李靖说了些什么，只顾自己乱嚷嚷。直到干完了以后才问道：你有什么要说的吗？李卫公说道：你今天吃错药了吧？李二娘听了勃然大怒，劈脸就抓，两人就在床上打起来了。李卫公翻白眼时说的话对李二娘原本就深奥，不大容易记住的，这一打记得的就更少了。好在杨素本人是个数学家，看了报告之后还能明白这是一种微分方程的解法。但是李二娘为了表示自己没有白拿上面的钱，就在报告的头上写道：三次达到了性高潮。杨素以为是方程右边有一个三次方项，这样就越搅越糊涂了。

　　我现在能够想象李二娘是什么样子的——她梳个马尾辫，穿一身白连衣裙，外罩黑色围裙，看上去不仅像一张黑白照片，而且洋溢着青春活力。像这样一个女人居然会当奸细，实在出乎我的意料。当然，李二娘不会这样想。她觉得自己在为上面工作，是很光荣的事。不管什么时候，上面总是上面，所以我对这一点也没有什么不同意见。顺便说一句，她和李靖做爱时那么卖力，不是因为得了二十五两银子，而是因为受到领导重视，觉得生命有了价值。打完了架，她又和李靖重归于好，并且冲了一碗藕粉给他喝，并且把他送到了门外，叫他以后常来。李靖出了门，马上就置身于一百二十八名公差之中。那些人把他从四面八方围了起来，形成一个方阵，他往东就一齐往东，他往西就一齐往西，所到之处烟尘滚滚。李卫公在其中就如一位指挥官，指挥着自己的连队，不时地发出口令——向左转，向右转之类，假如不喊的话，哪里都去不了。不管是谁，遇到了这种情形，都不会想到这是自己变成包子的前兆。与此相反，他只会把自己往好处想，觉得自己现在就当了官。他就这样到处转悠了一阵，显示他的威风，直到天黑了才回家，进了门才发现红拂在家里等着他。发现这个词是相当恰如其分的，因为那一晚上他始终没有看到红拂，只是闻见了她，用指尖触及了她，并且猜到了她就是那个在路上见过的样子古怪的妓女。红拂来告诉他领导上正在考虑拿他做包子、做砖头的事，以及这件事的前因后果。按说李靖当时自我感觉良好，应当不相信。不过作为一个优秀的数学家，分辨真伪是他的长处，所以他还是信了。

　　李卫公在洛阳城里惹了事时，不仅李二娘，所有和他有关的人都当了上面的线人，这些人里包括邻居的小孩子，隔壁长胡子的胖老太太，还有市场上的小贩；有些人领津贴，有些人不领津贴。这种情形使我想起了迪伦马特的一个剧本《老妇还乡》。在那个剧里，有一位老太太发了大财，就回故乡小镇去报复那个对她始乱终弃的家伙——她把全镇连地皮带人都买下来了，非要那个欠下孽账的家伙死掉不可。在那个镇子上，每个人都是她的线人，后来终于如愿以偿。李卫公在洛阳城里的情形和那个故事大不一样：首先，他直到最后一刻都蒙在鼓里。当然，他也看出了大家的阴沉脸色，以及目光相接时勉强的笑脸。但是对这种现象有好多种可行的解释——大伙一下子都得了痔疮，皇上驾崩了我还不知道等等，最后一个解释才是我大事不好了。作为一个数学家，天性就是要穷尽一切可能性，所以最后一个解释卫公也想到了，甚至做了应急准备。但是穷尽了一切可能性就等于失去了一切可能性，因为实际上只有一种可能会发生，不能都发生。其次，洛阳城和迪伦马特的小镇不一样，这里的人火了以后虽然会上街闹事，但是心平气和时和领导上是一条心的。领导上叫我们当奸细，杀人，盗墓，抹上番茄酱爬上国宴的菜盘，叫干什么都会去干的。所以用不着收买，我们就是奸细、凶手、盗墓贼、菜人等等，只等领导上一声令下了。

【四】

每个人对自己是什么样子的都有一点好奇心。举例言之，我长得又瘦又高，面色憔悴，头发开始花白了，经常不按时令地在春秋天穿一双皮凉鞋，袜子上满是尘土，这些情形我完全知道。但是我不知别人背后是怎样看我，在其中尤其重要的是女人怎样看我，是否以为我还有魅力。李卫公大概也是这样的吧，虽然他是数学天才，擅长推理，但是自己背后的事情总是推论不出来。据我所知，李卫公年轻时虽然是个流氓，但却是个好流氓，虽然有在市场上收保护费、酗酒闹事等不良行为，也有足够的善行来补过。比方说，冬天官府要每条街出徭役去挖护城河，他总是第一个去，邻居的小孩子不见了，他又第一个下水井去捞（大隋朝没有拐卖儿童的事，小孩子不见了准是掉进井里了）。而且这条街上有了一个流氓，小偷也不大敢来。除此之外，他还是这条街上的业余消防队员、民防队员等等，为公益事业出力不少。所以我想，当他知道了自己是人民公敌之后，准会觉得这些事干得有点亏。这是从我的切身经历里推论出来的。要知道我也是个工会小组长，负责收会费和发电影票。所以一听说今年涨工资的名单里没有我，就觉得这些事都白干了。

这样的经历我体验过多次，想必也能使你想起些什么：我到系里去，听到一个办公室的门后某些三姑六婆在议论一些什么，当你推门进去时，她们都不说了。但是从那种意味深长的眼神里可以看出她们说的是我。我马上就想到了愚人节的论文——别的事我是不大在意的。对这种事，我的反应是晚上做噩梦，手提机枪闯进办公室把这些女同事通通杀死。干完了这件邪恶的事以后，心里又后悔，因为这些女同事没有一个未曾给我介绍过对象。唯一能安慰我的是这里是中国，机枪之类的东西不容易搞到。根据这些体验，我以为李卫公听说自己害死了半城（夸大的说法，正确的说法是六分之一）的男人，感觉就是噩梦成真。因为他是个流氓，社会地位低下，常常感到自己在受歧视，做梦时肯定也屠过城。但这只是做梦，并不是真的在干。假如我的噩梦成了真，我也以为不是我的责任。更何况在梦里我只杀掉了比较老、比较多嘴和比较难看的女同事，把年轻漂亮的全留下了。

我已经说过，卫公原本是个本分人，天性乐观，他从来也没想到全城的人都在策划拿他做包子，而且一点都不露口风。这件事让他很生气，觉得应该重新估价眼前的世界和做人的态度。至于他害死了好多人，应该给他们抵命之类的事，他一点没想。不管怎么说，卫公不过是喝醉了在房顶上跑了跑，并不是有意要害死那些人。当时屋子里黑咕隆咚，红拂也看不清卫公的表情，只觉得他的手直往自己怀里伸，她就使劲推他，心里还有点后悔，觉得自己到这个地方来有点欠考虑。就在这个时候，忽然房子四面响起了很猛烈的水声，好像这间房子的四邻全是淋浴室一样。虽然她早就嗅出了这里有很浓厚的气味，还是问了一句：下雨了吗？这当然不是下雨，而是那一百二十八个公差在房子四周尿尿。李卫公觉得全身的血都往脸上冒，大吼了一声"你妈逼"！在黑地里摸到一根绳子头往下一拽，四堵土墙就朝外倒下去了。这个把戏使红拂很惊奇，觉得李卫公简直是要风得风，要雨得雨。但是不容她说些什么，头顶上的房顶就掉下来，把他们都罩住了，而且轰的一声巨响，尘土飞扬。李卫公一跃而起，破房顶而出。不过在这时候他还干了他这辈子最后一件善良的事——抓住了红拂的手腕，拉着她一道跑了。

　　我现在知道，李卫公三十岁以前在洛阳城里本分为人，这段时期里他很善良，但不够伟大。后来他逃出了洛阳城，就再也不善良，但是很伟大了。但是在他善良时，身上有伟大的成分。比方说，上面来的人员在他墙下尿尿，把墙都要尿倒了，他也没有说什么，只是很本分地用绳子把墙拴住，让它倒不下来——这是他善良的地方，是主流大方向。不善良的地方是他把绳子打了活结，抓着绳头一拽就开，好像随时准备砸死谁。后来他真的用土墙埋住了好多人，而且趁着尘土飞扬时拉着红拂逃跑，在灰土里见到人影就照他两腿之间猛踢一脚，让他把双手夹在腿中间满地打滚——李卫公原来是流氓，最善于干这一手，但以前没踢过公差。他就这样跑掉了，至于土墙砸没砸死人，他又踢没踢死人，都一点也不重要，因为他跑了以后那一批公差反正都活不了。除此之外，街坊四邻也都遭了杀头之祸，他害死人的数目就此有了大批的进账。

【五】

在我们生活的地方，因为有了"连坐"这种事，一切都复杂了。举例言之，我们系里有个女人生了第二胎（这是不许可的），因此就要罚全系的奖金，一直罚到了我身上；而我是个单身汉，却要为别人生孩子而掏钱——我怎么也想不起我干了什么与此有关的事。李卫公从他家里逃走，犯下了杀差造反的重罪，按照一人造反十户连坐的原理，就要把相邻的十户人家满门抄斩，这又给刽子手造成了很大的麻烦，因为他只有杀男人的鬼头大刀、杀女人的坤刀，却没有杀吃奶婴儿的刀。而挥起杀大人的鬼头大刀去杀婴儿是不行的，会被人讥为小题大做，还会有人说他太残忍，所以他只好自己掏钱打了一把小刀子，后来不是总用得着，只好廉价卖给了杀羊的屠夫，到下次杀小孩子时再找他借。这些脑袋都杀好以后，就送到四门去悬挂，但是这一回人头多得没地方挂，只好用绳子串起来，远远看去，好像城门上在晾蒜。而李卫公本人却很卑鄙地逃跑了。当时正是半夜，所以没有逃出城去，而是找地方躲起来了。

"连坐"这种想法本来是这么考虑的：每个人都是在别人中间生活，所以他们天生小心翼翼，生怕招致别人的仇恨。假如一个人惹祸会连累到一大批人，那他一定会更加小心。这种想法是好的，但是对卫公这样已经害死了上千人的家伙却是不起作用的。假如我是他，到了这种地步也只好豁出去了。

那天夜里李卫公逃走的时候拽着红拂，而她老想转回去看看刚才为什么会轰隆一声房倒屋塌，故而他们是用两只蚂蚁争夺一个饼干渣的方式逃离现场的。因为李卫公长得人高马大，又锻炼过身体，力气比红拂大很多，所以逃得相当之快，但是逃到城墙边上一片菜园子里时，他还是觉得腰酸腿疼，而且背上的肌肉也扭伤了。这里有个荒了的土地庙，他就把她拉到庙里去。红拂说，她实在想知道一下为什么李卫公的房子会忽然塌倒。他就告诉她说，那是因为四堵墙都朝外边倒下去了，坐在墙上的房顶没了支撑，就掉了下来。而那四堵墙早就想往外倒，他用绳子把它们系住。在房塌前，他把绳子解开，那些墙就如愿以偿。红拂说她还是不明白墙为什么非要往外倒不可。李靖说，那是因为外面有人老往它们身上尿尿，这就使得它们很想倒下去压死那些人。墙倒时那些家伙正在尿……红拂说：你说那沙沙的响声就是尿尿？我不信。李靖说，男人尿尿就是这样的，你没见过男人尿尿吧。她就说：你尿给我看看。李靖就到外面去，解开裤带，亮出他那杆大枪尿了一回。红拂咬着手指看完说：真奇怪。下回你再尿尿叫我一声。李靖不禁轻蔑地想：她真是什么都不懂。李靖和红拂私奔的事就是这样。他们俩奔出来以后，他还傻头傻脑地问红拂道：你为什么和我私奔？她老老实实地答道：我也不知为什么。因此李卫公就觉得非常地莫名其妙。这一点后世的人也感到非常地莫名其妙，仿佛她应该继续在杨府待下去，让头发接着长。

据说头发长到了一定程度，就变得非常之硬，发带束不住，会向四面伸展开，然后像伞盖一样垂下来，红拂就变成了一棵观赏植物。指甲长到了一定程度，就会变成麻花状，这时候长指甲的人就会变成一架多工位的组合钻床。奶妈子喂奶久了，乳房也会长到像大棉花包那样大，里面盛满了流体，这时候她只好用一辆手推车来搬运自己；而且还要小心，万一有什么在她胸口刺了一下，她就会整个儿流光，在地下摊开一张皮。这些奇形怪状者加上九十岁还能穿针引线的老婆婆，一百二十岁还能使女人坐胎的老公公，都被称为"人瑞"，会被盛到一个大笼子里，放到洛阳街头去展览。他们坐在笼子里，背诵着领导上教的傻话。这被视为一种莫大的光荣，但按我的观点应该叫作折腾人。

从某种意义上讲，我也在变成一个"人瑞"的中途。假如我证出了费尔马定理，就会当上各种委员，到各种场合去表演端庄，一开大会就该坐到主席台上背诵傻话。这是因为我有能人所不能的本领，但是这种本领比较抽象。很少有人知道什么叫费尔马定理，更没有人知道它有什么用处，领导上所知道的只是没人能够证得出它来。这完全不像一个女人长了两个各重一百公斤的乳房，每天能出两桶奶那样直观。虽然如此，我也不能拒绝领导上的关怀。正如地里有一根麦子长了两个穗子，它就不能拒绝自己被人连根拔起，被称为"嘉禾"，裹上缎子，用快马送进京城呈给皇上御览。虽然假如你是那棵麦子就会知道，它不过是生而不幸为双头怪胎罢了。但是它能让领导上感到满足：你看，我们这里什么都有，包括各种怪物。我现在夜以继日地努力，正是要证明自己是个怪物。因为不能证明我是个怪物，我就什么也不是了。

第四章

本章首次提到了一个古国扶桑，有人说它是古代的日本。作者也乐意相信，但就怕日本人不肯承认有一个中国人做过他们的王，正如我们不承认成吉思汗是蒙古人，而非要说他是中国人一样。

【一】

人家说，虬髯公和红拂也有不正当的关系，这是因为虬髯公送给了红拂一双自己打的麻鞋。当然，这不是一般的麻鞋，甚至你拿到手里也看不出它是麻制的。红拂起初并不想接受这件礼物，因为这双鞋里含有太多的唾液，想起来有一点恶心。但她后来还是收下了，因为这东西有奇异之处，只要穿在脚上，就会觉得冷冰冰麻酥酥，好像赤足踩着了眼镜蛇，马上就想拔足狂奔，而且跑上几十里还是惊魂未定，一点也不觉得累。除此之外，虬髯公还送了她一对轻剑，用含混不清的声音告诉她说，这是他珍藏多年的宝物，送给红拂做纪念品——虬髯公的声音不清楚，是因为他总在嚼鞋子，不知不觉把舌头的一部分也嚼掉了——因为这些原因，红拂觉得他对自己很好，甚至到了最后被吊在空中时还在想念他。假如她知道在杨府时虬髯公总在打她的小报告，就不会这么想了。每天虬髯公都要向杨素交一份例行报告，说说红拂今天干了些什么。每次她跑到外面去他都报告了，这种报告一次两次对红拂没有什么害处，积累到一定的数量——比方说，一百次，就会产生效果，领导上会派人把红拂用一床大被子裹起来，乱棍打死，然后埋在后花园里。——到了大唐朝，人们把杨素的花园挖开来，发现那里就像红色高棉搞的那种万人坑。到了宋朝，又有人到长安去发掘，发现那里到处都是万人坑。所以像这样的事我们还是不要乱打听，知道多了以后就会觉得活着没有意思。——除此之外，他送给红拂的那对剑也不是什么宝物，而是铁片做的，一点钢火也没有，只能拿来斩苍蝇。这对剑是这么来的：他给领导上打个报告说：需要一对剑，以便送给红拂作为感情投资，领导上就发下一对剑来。在这种情况下领导上自然不会给什么斩金断玉的神兵宝器，而要给一对切豆腐也费力的铁片。这样比较省钱，也比较安全。简言之，虬髯公住在她的楼下就是监视她的，但是这一点从来他没有告诉过她。这是领导上交办的任务，不能告诉别人。

根据史籍记载，虬髯公很爱红拂，但是红拂不爱他。失恋以后他就出国去，当了扶桑的国王。这件事说明想出国就得赶早，早了可以当国王或者发大财，迟了只能当数学或物理学博士。现在再去，就只能在餐馆里打工了。不过当扶桑国王对虬髯公可不是件好事，因为他最不喜欢吃鱼，而扶桑的御厨天天给他做生鱼片吃。假如有一顿他对生鱼的胃口不好，那些御厨马上就很冲动地跑到大殿上来切腹自杀，所以血淋淋的场面总是不能避免，不是眼前血淋淋，就是嘴里血淋淋。这时候他已经老了，长出了一个鲇鱼嘴，这和他松宽的两颊倒是很相配。我们说过吧，他是脸上毛孔很粗的黑胖子，很容易出汗。在杨素家里住着时，除了要打小报告之外，他对红拂倒是很好，很喜欢和她聊天，告诉她有关李靖的事——虬髯公的消息相当灵通，知道李靖闹事的始末，知道他是个数学天才，甚至知道李靖在酒坊街有一个相好，这说明领导上很信任虬髯公，虬髯公前途无量。本来红拂逃跑了他应该受到连累，但是领导上很信任他，就不一样了。红拂逃跑以后，杨府只是宣布注销她的乐籍，以后回来永不接纳，仿佛现在红拂已经后悔了，跪在杨府门前似的。而李靖跑掉以后，衙门里却派了二百五十六个公差到处去抓他，并且悬赏缉拿。结果总是拿不到，因为洛阳城大着哪。

假如杨素雇我当顾问的话，肯定很快就能找到李靖。这办法就是出一通告示，贴到所有地方，宣布赦免他的一切罪过，假如有可能的话，再任命他做一个小官，用官费给他出版数学书。他就会马上兴高采烈地跑出来。等他出来以后，想拿他怎么办都可以了。当然，我也会建议不拿李靖去做包子或者砖头，但是我说了人家听不听就不一定了。这种方法是从我自己的切身经历里推出来的。二十多年前我从这所大学毕业，当时我面色红润，嗓音洪亮，百米能跑到十二秒六；现在头有点白，眼有点花，二十秒内能不能跑出一百米都是大问题，脱了衣服照镜子发现自己有点驼背，还是漏斗胸，肋骨像是些螃蟹腿。在这二十多年里我始终在这个学校里服务，头十年住在单身宿舍，一个房间里住四个人，睡上下铺。睡我上铺的是个大胖子，他经常很不自觉地放响屁，其声势穿透褥子和铺板直抵下层。后来又住了十年筒子楼，那里有些人很不自觉，上公共厕所屙了屎不冲。现在上厕所时则面对着一些乳罩和吊袜带，而这些东西和我没有一点关系。不管怎么说吧，我从来没有想过调到别的地方去，尽管在这二十多年的时间里有的是机会。假如这个例子不典型，那么我还到过一些贫困地方，那里的人男的穷到连睾丸都吊不住，女的像是一批大怪物，人家也没想到要背井离乡。事实上一种生活越是不像样子，就越是让人依恋，因为这是领导上的安排，自己受苦受难就是替领导分忧解难。根据这个原理，我认为李卫公在年轻时无限热爱那座泥水浸泡、雾气蒸腾的洛阳城，只要有一分可能就不逃跑。虽然他在其中常常吃了上顿没下顿。这件事一点都不深奥。稍有一点深奥的是李靖生在洛阳城，不管该城市多么地糟糕，但是它在李靖出世前就存在了，其结果是李靖有几分洛阳城，而不是洛阳城有几分李靖。而后来的长安的情形则恰恰相反。李靖从没想过要从洛阳城里逃出去。他只是被逼无奈。

【二】

我出生在北京城，故而我有几分北京城，虽然现在北京城和我出世时大不一样了。后来我考上了某个大学，故而我又有几分某大学。当然这大学和我初考进去时也是大不一样，当时校园里还有些地方有几分像草坪或是花园，现在则全然不像。现在到处都在盖房子，故而到处都像是堆料场。这也是没有法子的事，因为人多了，需要房子住。根据我的观察，北京城和某大学里的人都是一副人头攒动的景象，所以我不像一个人，而像是一大群的人。比方说，我在证费尔马定理，心里却老在想假如证了出来，一定能让同事大吃一惊。其实费尔马定理就是费尔马定理，跟同事又有什么关系？我为什么要惊吓他们？再比方说，我在学报上登了篇论文，心里就老在想不知小孙看到了没有。其实人家小孙是图书馆的文史部的，看数学学报干什么。我的脑子老像有一大群人在朝四面八方乱扯。李卫公和红拂跑到洛阳城的废土地庙里靠偷人家的菜过活时，他的脑子里也是这样。除此之外，他还老要自怨自艾，说：我干吗要去喝那些黄汤子呢？不喝也死不了的。我干吗要上别人房顶上去跑呢？人家打我两下就打两下吧——全是些不知所云的昏话。总而言之，他心绪纷乱，情绪低沉。

但是卫公毕竟是卫公，在这样的心情之下，干起缺德事来，分寸丝毫不乱。偷了人家的土豆、芋头，还知道把秧子栽回坑里去。人家来刨土豆，一看底下没结土豆，就以为是没长好。如果是偷南瓜，就用刀子把南瓜肉挖走，把瓜瓢装回去，再把外皮重新拼起来。人家收南瓜时，看到瓜大空心，就记在种籽商的账上，下回再也不买他的种。如果他偷黄瓜茄子，总是把大的偷走，在原来的地方移上中个的，中个的地方移上小个的，园主一看，以为自己见了鬼：满园的瓜果越长越小，最后都长没了。如果他偷别人一棵白菜，准把剩下的全拔起来，栽到相邻的园里去，让两位园主相互厮打。这说明缺德也有天才，卫公就是这样的天才。这片菜园子总是没有人，偶尔有人来收拾一下，也不久待。除了大家都有别的事之外，还有一个原因，因为这里有股气味，十分地厚重。红拂问李靖这是什么味时，卫公说是菜园子味。后来又说是蔬菜味。其实那是大粪味，只不过是经过发酵长了蛆的大粪，味道很特别——臭味虽然不够猛烈，但是十分滞重并且令人恶心。人们拿这种物质来浇菜。但是他不想这样告诉红拂，恐怕她知道了这些，就再也不肯吃这些蔬菜了。

在洛阳城的那个废土地庙后面有一口浅水井，井水绿油油的不大干净，里面还有无数的青蛙，当你走近它时，那些青蛙纷纷跳下水去，井里就扑通扑通地乱响。李卫公拿了一个棉花团浸了自己的尿，拴在一根线上放到井里捉青蛙，然后又从井里打水烧来喝。后来他又把这种水盛在一个大碗里叫红拂来喝。开头红拂想要提醒他一句：这水里有他的尿。但是又想到自己已经把头发铰了跑出来，这件事已经没有挽回的余地，就把水接过来，恶狠狠地盯了它半天，然后猛地喝了一大口。出乎意料地发现这种水倒没有很厉害的骚味——这件事叫我想起我在农村时淘井的事来，我们吃水的井底下其实臭得很厉害，谁都不愿意淘井，因为它可以使你对生活失去信心——除此之外，红拂还下定了决心，不为和李靖私奔的事而后悔，所以在任何时候都要往好处想。比方说，虽然现在要喝这种不干净的水，但是起码不用拖着三丈长的头发走来走去，实在轻松多了。三丈长的头发虽然好看，但是它要从头皮上吸收营养，所以就会使人头脑昏昏沉

沉，并且落下耳鸣的毛病。人家还说，蓄了一辈子长发的人死掉以后，你把她的脑壳破开，一下子找不到脑子——脑子已经缩到花生米那么大，附在后脑壳的某个地方，其他地方是空的。这种情形在那人活着的时候敲她的脑壳就能听出来，所以红拂在杨府里经常敲自己的脑壳，只是因留长发留得耳鸣，故而听不出空了没有。但是公平地讲，头发也有很多好处。因为它是活的东西，所以冬暖夏凉，比任何卧具都要好，在蓄长发的时候，红拂既不需要睡衣，也不要鸭绒被或者凉席，只要裹在头发里就可以睡着了，但是偏偏有那些东西。现在没有了头发，迫切需要睡衣、被子、席子，但又没有，只有泥地上的一堆茅草。

我们还没有说到李靖和红拂做爱的情形，李卫公以为红拂既然和他私奔，这件事就属自然。但是他首次向红拂提出时，她瞪了他好半天，然后才用喝水时那种毅然决然的神情说：好吧。然后就把衣服都脱掉，说：这件事我可是一点都不懂。等干完了以后，她坐起来说：这件事一点都不好玩。假如虬髯公知道她是这样草率地行了苟且之事，一定会气坏了。

有关这件事，红拂后来是这么说的：我从杨府里跑出来找卫公，本来是想找点有意思的事干干，谁知一见了面他就用那个肉棍子扎我——这件事有什么意思呀！这段话说明红拂对性生活的态度始终不积极，她私奔的理由只是追求有趣。在此之前她已经知道了卫公是个怪人，证明了费尔马定理，并且害死了半城的人，因此她就认定了卫公一定是个很有趣的人，跑来找他。这件事叫我想起了十五年前发生的事，那一年是一九七七年，我在一个小工厂里当工人。有一位数学界的前辈陈景润在哥德巴赫猜想的证明方面取得了进展，而且陈前辈当时是光棍一条。我的女同事们知道了这个消息，就纷纷写信追求他。她们的理由是陈景润证出了数学定理，他是多么有趣呀。其实纯数学，尤其是数论，乃是世界上最无趣的事。一个人如果不是悲观绝望到了极点——比方说，像我现在一样，就决不会去碰那种东西。这个例子是要说明，要分辨一个人是否有趣，绝不能拿他的数学造诣做判据。事实上卫公、我、陈前辈都不是最无趣的人，但是这纯属偶然。我知道很多数学家都无趣之极，但是我本人也是数学家，不能吃里爬外地把他们的名字举出来。

我们知道虬髯公在杨素府里很受领导上信任，这只是一部分情况。其实他本人也是个小领导，而且有责任心。因为这个原因，他只好整天坐在地上，除了嚼草鞋之外什么都不能干；这和今天的领导只好坐在那里，除了公文什么也不能看是一样的。这件事就叫作上班。一早一晚不上班的时候，他就干点以身作则的事：打扫卫生，修整花园等等，扫地时一直扫到红拂的房间里去。这件事的动机是不言而喻的：他是个老光棍；而红拂在自己房间里总是穿得很少，甚至什么都不穿。但是他一走进红拂的房间，就有一种强大的力量把他的脸扭到门口方向，不管怎么转身，脸部的方向总是不改，好像他的鼻子是指北针，门口就是北一样。不要以为像他这样的大剑客会轻易扭断了脖子，也不要以为任何人的脖子可以长久地扭下去。事实上，只要一出了红拂的房门，他的头就会一连转上好几圈，直到转回原位。还有一点要补充的地方，不是他自己要扭脖子，而是脖子自己扭了过去。对于这件事，红拂是这么评价的：假如虬髯公不是假正经的话，那他就是造大粪的机器。后来这种脾气使他在扶桑大吃苦头，因为他的后妃到他寝室里过夜时，为了郑重，总是把所有的好衣服全穿上。从傍晚到午夜，他像剥洋葱一样一层层往下剥和服，因为要做到郑重其事，所以半夜都剥不光。从午夜到天明他把脱下来的又重新套上，好像在包装磁器，准备出口欧洲，而扶桑女人为了矜持，一点忙都不肯帮。像他这样后妃成群的人还要用手淫来救急，叫人真不敢相信。假如我是他的话，就在床头放一把大剪刀。当然，像我这样的人也只能做工会小组长，当不了扶桑国王。如果不扯那么远，就该说到，红拂不穿衣服是什么模样，他一点都没看见。假如我写道：当时红拂的乳头是鲜红色的，好像两个血管痣，或者说，像两小粒刚摘下来的鲜草莓，看上去很好吃；红拂的阴毛乌黑油亮，仿佛经过梳理；虬髯公就会对我的书闭上眼睛，大叫一声：淫秽！

　　虬髯公后来说他是爱红拂的，不过不是用眼睛来爱，是用鼻子爱。他喜欢闻红拂的气味。但我不知他到底是爱红拂还是爱香水。他还说他爱红拂的声音，也就是说，用耳朵去爱，这也很高尚，不过那是假嗓子。我用手捏住脖子也能发出这种音响，不知他会不会爱上我。每回扫过地以后，他把红拂脱落的头发都捡起来，洗干净，收藏起来，就像个捡钢镚的老财迷一样。等到红拂剪掉自己的头发逃出了杨府，那些头发堆在地上逐渐失去了光泽，他看了又觉得可惜，就把它们都缠到身上，让它得到人体的滋润，却把自己缠得像个乱线团。他还捡到了红拂扔掉的两双旧袜子，洗干净之后揣在怀里。我觉得他是个不折不扣的变态分子。除此之外，他在红拂面前嚼鞋子也是故意的，他觉得这样显得勤劳朴实，能给红拂一个好印象，但是红拂却觉得他很贪吃，还觉得他能把整个的猪头放进嘴里去。根据我的经验，只要你在女朋友面前吃一次猪头肉恋爱一定会失败。类似的食品还有鸡屁股，猪肠子，有点臭了的炸带鱼，整根拍扁的黄瓜等等。很不幸的是这些食品我都爱得要命。这就是我总在打光棍的原因。但是这些事扯得太远了。红拂逃走以后，虬髯公终于能够不扭脖子地走进她房间里。那时这间房子里好像炸了一颗炸弹一样，因为红拂临走时收拾了一下，但不是收拾房子，而是收拾行装。虬髯公看了这个景象很伤心，不仅是伤心以后再也见不到红拂，而且也伤心红拂居然逃出了杨府。在他看来，杨府非常好。假如不是得了精神病，就不该离开这里。

【三】

李卫公不见了以后，满城的公差都在找李靖，尤其是那二百五十六个即将被砍头的公差——其余的也很急，因为按这种速度很快就要轮到他们——有人想到了李二娘这条线索，于是就闯到李二娘家里去，逼问她李靖上哪儿了。李二娘说不知道，那些公差就动手逼供，就地取材地找了四根筷子夹在她左手的指缝里，用力一捏。李二娘的那只手马上变得像只在地上被人踩了一脚的小鸡，在这种情况下她当然是晕过去了。醒过来一看，自己的右手也在那些人的挟持之下，就说：能让我拿手绢擦擦眼泪吗？擦完了泪，她又要求去小便一下。等这件事做好了之后，她回来坐在椅子上，把手指伸到筷子中间，深吸口气，做好了惨叫的准备，就说：捏吧。那些公差看她这个模样，以为她不知道李靖在哪里，就不再问她，全都离去了，临走还给她带上了门。其实李二娘完全知道李靖在哪里，但是一开始她觉得李靖是她的老相好，假如未经拷打就说出去未免是不够意思。等到经过拷打了以后，她又觉得很疼，因此仇恨这些公差，更不肯说出来。这就是说，虽然她愿意出卖李靖，却没法子出卖他。正确的做法是先打她一顿，然后去道歉，然后再打。就如先把一个人打成右派，然后给他平反；然后再打成他个什么东西，再平反；不管什么东西都经不住这样折腾。李二娘知道准是李靖藏在菜地里，因为过去他们常到那地方去玩。那地方原来是片沼泽地，后来虽然把积水排干了，蚊子还是特别地多，虽然不是每只蚊子都咬人，但是扑到脸上也很讨厌。他们俩在菜园子中间的小路上遛弯时，李靖常常纵身跃过篱笆，到里面采一朵黄澄澄的南瓜花出来，一本正经地献给她。那种花像破纸片一样，很难看，有好多讨厌的花粉，而且是偷来的。但是假如豆角不开花，在菜园子里就不可能有更好的花了，所以李二娘把它戴到头上，然后它就在那里变成了烂糟糟的一团，好像一团屎。她还能准确地知道李靖是藏在那个破庙里，因为有时候李靖把她带到那座破庙里过夜。这种想法和有饭不在家里吃跑出去野餐是一样的。她对烂纸头一样的南瓜花，对破庙里那些扎人的茅草都恨得要命，就像她痛恨李靖一样。李二娘是个二十六岁的寡妇，到了这个岁数，人就该理所应当地痛恨一切。李二娘只是不痛恨上面，因为大家都应该尊敬领导。但是上面来的人闯到她家里来，把她的手捏坏，所以她连上面都恨起来了。那些公差走了以后，她跑到后面的作坊里去，把手插进酒糟里止痛。对于没有见过酒糟的人我要解释说，这种东西的样子就像是牛粪，因为正在发酵中，它的气味臭不可闻，但总是热烘烘的，可以起到热敷止疼的作用，但是与此同时，酒糟的气味也染到她身上，藏在衣服里面和头发里。现在我们提到一位造酒的风流寡妇，总要想到她满身酒香。其实不然，她们全都是满身糟臭，好像从酱油缸里钻出来的一样。李二娘在街上走动时，身后留下一道气味的长廊，走到她身后的人闻了总要失口嚷道：酒坊街的！李二娘听了以后气得发疯，大叫起来：我是酒坊街的，干你什么事？

　　洛阳城里破土地庙边上的菜地有老大的一片，简直有半个洛阳城大。除非到了家里没有菜或者该收拾园子的那几天，谁都想不到有这么个地方。那里沟渠纵横，渠边上长着柳树，有半数以上死掉了，树皮绽开，掉下来成堆锯末似的虫子屎，日暮时分，不管是活柳树还是死柳树，都在天上留下黑色的剪影。除此之外，水边上还长满了茅草，那种草是三棱的，异常坚硬，把它割下来苫房顶是再好也没有了。李靖看到这种草，就想到应该割上几担去补补自己的房子——但是已经晚了，他的房子已经不存在了。因为这个原因，李靖就挑了几担胶泥，把破土地庙抹得平平整整。这件事说明，修整自己的家是人们的天性。我住的房子里，厨房是黑油油的，过厅里鞋子纵横，而且有一股馊臭的气味。这叫我感觉心情郁结。于是我就努力收拾了一次，从灶台上刮下了半斤多油泥。这种东西实在弃之可惜，因为里面含有大量的食用油，但是留着也没有什么用。然后我又把自己的房门打开（这是给过厅照明的唯一方法，因为它没有自己的窗户，而灯泡又坏了），收拾过厅，先是清洁了地面，然后去对付那些鞋。我想把它们配好对整齐地放起来，但是遇到了很大的困难，因为左脚的鞋很明显是比右脚的多。这种情形只有在小孙长了两只左脚时才有可能，但这和我平时的观察又不一致。就在这时候，门打开了。小孙睡眼惺忪地走了出来，找了张椅子坐下来说："你折腾什么呀，真讨厌！"我也很想对她说她那个样子很难看，但是没有讲出口来。因为我知道这样说得罪人。后来她发现我在捡她的鞋子，又显示出一点惭愧的样子，不过还是说：这房子还不知道能住几天呢，瞎折腾些什么？这种话我一听就头疼。不过最后她还是受到了我的带动，把厕所里的便器刷出来了——未刷时，那东西呈旧茶缸子的色泽，刷了以后就有五六成新。

李卫公在菜地里又发明了把地面抹得像镜面一样平的方法，他把白膏泥调稀了灌到屋里去，让它慢慢沉淀，地面就变得异常平整，人走到上面都有倒影。然后他又把四壁抹好，用河沟里捡来的卵石抛光。这间房子就此变得像正午时分的沙漠一样亮堂，散发着水和石灰的气味。后来他在这间房子里以红拂为模特画了好多裸体画，这些画里不包含数学定理，也没有政治寓意，画的也不是领袖人物。所以每一张都是伟大的杰作。这些画都没有流传下来，因为画上的人物既美丽又性感。而根据我们国家的美术理论，画上的人物绝不能美丽，更不能性感。这件事实在可惜，因为这是卫公一生艺术成就的精华，而且他作这些画的态度是非常认真的。举例言之，假如他觉得在一幅画上红拂的眼睛不够黑，就往她眼睛里滴眼药水，使她瞳孔散大；如果觉得太黑了，就用另一种眼药水使她瞳孔缩小，以致她经常什么都看不见。假如在一幅画里红拂乳头的位置稍低，他就用一根

翎毛去挑逗，使它翘起来，假如位置太高，就往上面哈气使它松弛。这种
调整是如此地频繁，以致她说：要长茧子了。

【四】

洛阳城里有一片低洼地，里面全是菜园子，李卫公犯了事的时候躲在
里面。后来他建造的长安城里就没有低洼地，城墙里面的地面是黄土铺
成夯实的一个平面，公差在半寸之内，夏天下起了猛雨，积水都不知自
己往哪边流才对，经常平地积起一尺多深，但是等雨停了之后，整个长
安城里没有一个水洼，而且城里也没有杂草，故而夏天城里一只蚊子都没
有。据说生在长安城里的人身上不长汗毛，也没有阴毛和腋毛。这一点一
定让欧美女人羡慕不已。长安城里没有一只狗，一只青蛙，天黑以后连鸟
也不来，故而是寂静无声，十分瘆人。李卫公怕皇帝不喜欢，就设计了一
种机器青蛙和一种机器蝉，命令每家都要各买十只，天黑以后上足了发条
放出去。因为上面写有自己的名字，所以别人捡了以后一定会送回来（留
在手里没有用处，只是累得自己多上几个发条罢了）。那种青蛙就呱呱地
怪叫着到处乱跳，假如在你家的后墙下别住了跳不动，就会吵得你一夜睡
不成觉，因为它的全部发条动力都用来叫，可以把你耳朵吵聋。在这种情
形下，唯一的办法是出门去把它找到，这时它的行走部分往往已经发生故
障，再也跳不动了，但你可以用三重棉被把它裹起来，放到箱子里，等天
亮再做处理；或者是扔到邻居的院子里，让他去解决这个问题。机器蝉放
出去以后会一面吱吱叫，一面沿一条极不规则的轨道飞行，因为怕它撞
坏，所以机器蝉的外壳是铁铸的，所以对走夜路的人相当危险，撞一下就
会头破血流。防止这种危险的方法是天黑以后不出门。李卫公还设计过

一种机器萤火虫，在试用阶段就造成了几起火灾；设计了一种机器看家狗，但是在试用时发现它谁都咬，尤其是喜欢咬主人；所以这两种发明就没有投入生产，虽然不是没有改进的余地。他还发明了一种机器母猫，会叫春，会搔首弄姿，但体内有个夹子，一旦公猫受到诱惑去和它做爱，就咔嗒一声把它阉掉。这件发明做成功以后，他就把它放出去，自己躲在屋里，用望远镜远远地监视，一旦有公猫上了当，就拍手大笑。做这些发明时，卫公只有五十多岁，精力旺盛，经常干对不起红拂的事，身上常有各种香水味，脖子后面和耳根子后面常有唇膏印子。红拂指出来的时候，他就觍笑着去洗脖子。后来他忽然就蔫了，只睁一只眼。这就叫老年吧。

李卫公老了以后装傻，是因为他对一切都失去了兴趣。这时候他觉得拼命去解决数学问题实属无聊，因为就算你不去解那些问题，后世的人也会把它们解出来；做那些古怪发明也实属无聊，因为你不去做那些发明，别人也会把它们做出来。唯一有趣的事就是睡觉。这种想法和我某些时候的想法很相像。我说的这些时候就是我想费尔马定理想累了的时候。——我已经证明了四十八个引理，每个引理都有二十页厚，而且都证得非常漂亮。这说明我的证明能力非常强。可惜的是这四十八个引理都和费尔马定理没有一点关系。——在这种时候我就躺倒睡觉，一睡就是四十八小时。无须说明，我睡觉和李卫公睡觉是不同的，他是在证明了一切以后睡觉，我是在证明一切以前睡觉。但我不是利用一切机会睡觉，他却总在睡。年轻人和老人的区别就在这里吧。人在年轻时充满了做事的冲动，无休无止地变革一切，等到这些冲动骤然消失，他就老了。

根据红拂的回忆，李卫公一生活力最旺的时刻是他躲在菜地里的时候。从傍晚到午夜，他都在用各种姿势和红拂做爱。而红拂的精力没有他充沛，所以经常干着干着就睡着了。午夜时分他跑出去挖河，表面上的理由是河道里有积水滋生蚊子，实际上是剩余精力无处发泄。天还不亮他又跑回来继续干那件事。这种情形使红拂从青年到中年一做爱就要睡觉。假如条件许可的话，她总要在背后垫上五六个鸭绒枕，然后就是黑甜一梦。醒来以后如果发现卫公对她进行了肛交，就打他一嘴巴。事实上自打她逃出了杨素的府邸，就觉得自己已经进入了梦乡。和精力充沛的人在一起就会是这样。在这方面我有切身体会，我们的系主任就是这么个精力充沛的人。他是个黑胖子，每天系里系外狂奔乱跑，假如在办公楼门口遇上我，就在我背上猛击一掌（那力道简直是要打死我），说道：小王，看了你的论文，写得好哇。再写几篇。然后就扬长而去，把我剩在楼道里，目瞪口呆，脸从上到下，一直红到了肚脐眼。这时候我总想，等他发了论文，我也如法炮制："领导，看了你的论文，写得好！"然后一掌打得他鲜血狂喷。当然，我得事先练练铁砂掌，现在无此功力。他开了四门大课，又带了二十多个研究生，这还嫌不够，星期二、五还要召开全系会，从学生考试作弊到厕所跑水说个不停，全是他一个人说。我到了会场上就伏案打瞌睡，睡着睡着，觉得有人在掐我。睁眼一看，是位四五十岁的女同事。她带着怜悯嫌恶的神情说，看来你该带个围嘴。原来我的涎水把裤子都打湿了，好像尿了裤子。假如脸朝天就无此情况，但是领导就会看见在会场上有人头仰在椅背上，四肢摊开，大张着嘴，两眼翻白。不管怎么说，现在我还是尊重领导的，不想这么干。红拂是在背后垫上枕头，两腿跷得高高的，然后就睡着了，我则是头往前一趴就睡着了。这两种情形在表面上有很大的区别，实际上却是一样的。等我睡着了，随便你干什么。

因为红拂的缘故，我对爱睡觉的人很有好感。我本人就是个爱睡觉的人，假如不是要证费尔马定理，我恨不得整天都睡。而小孙就是个爱睡觉的人，我经常听见她高叫一声：好困哪！然后她就蓬头垢面，把身子裹在一件睡袍里，跑出来去厕所。我痛恨合居这种生活方式，它使人连睡都不好意思；我还很想回答一句：你睡吧，怕什么。但是没有说出来，因为那话不一定是对我说的。转瞬之间水箱轰鸣，她从厕所里出来奔回去接着睡了。我很同情小孙，作为一位女士，她肯定没有在哪儿都睡的勇气。我不但在全校、全系、教研室的会上酣睡，而且在歌咏比赛上也睡着了。那一天是五一节，校工会组织歌咏比赛，要求教职工全体参加。我和大家一样，换上了白衬衫蓝裤子。就在后台等上场的当儿，我倚着墙睡着了，结果就没有上去唱歌。这对我是一件好事，我的位置是在最后一排中央，站在三级木台上。万一在那里睡着了，从上面一头撞下来，不但我自己性命难保，还要危及校长。因为我准会撞到第一排中央，他就在那里坐着。根据这种切身体会，我认为杨素家里也老开会，有一位老虔婆老在那里做报告，从节约眉笔到晚上别忘了洗屁股，什么都要讲到。红拂就在那里睡着了。但是睡觉也不敢闭眼睛，因为在杨府里犯了错误，就会被乱棍打死葬进万人坑。因此与其说是在睡，不如说是愣怔。相比之下，能够生活在今天是多么幸福啊，我们可以相当安全地睡了。在这方面我的觉悟很高，就是在熟睡中被领导上提溜起来训上一顿也不回嘴，因为我深知我们的处境已经大大改善了。"文化革命"里我插队时，遇到了一位军代表，他专在半夜一两点吹哨紧急集合，让大家敬祝毛主席万寿无疆。谁要是敞着扣子，就会受批判。所以我们都是穿戴整齐，头上戴帽子，脚下穿球鞋地睡觉，看上去像是等待告别的遗体。这位军代表是包茎，结婚以前动手术切开，感染了，龟头肿得像拳头那么大。有同学在厕所看见了，我们就酾酒相庆。我喝了一斤多白酒，几乎醉死了，以后什么酒都不敢沾了。

【五】

　　我自觉得是精力不够充沛的人，和红拂是一样的。对于我们这样的人来说，能够睡觉是一种幸福。伴随着睡眠到来的是漫长真实的梦，根据我的统计，一个小时的睡眠可以做出二十个小时的梦，所以睡觉可以大大地延长生命。另外一方面，醒着也没什么有意思的事可干，除了胡扯淡，就是开会。所以后来红拂说，躲在菜园子里的时候是她一生最幸福的时期，那个时期真实和梦境都混为一体——死柳树的黑色剪影，篱笆上蓝色的喇叭花，洼地里的积水，表面上蒙满了飞虫，偶尔飞进房里来的大如车轮的白蝴蝶，等等。她还在三十多度的纬度上看到了北极光，这是地理学家无法想象的。她拿出一个皮面大本子给别人看——那些别人都是些达官贵人的小姐、不良少女之类——里面是卫公在土地庙里给她画的裸体像，因为画的是她，她就以为是自己画的了，这是个不小的疏忽。她还告诉她们说，大幅的都丢了，真是可惜呀。那些女孩传阅那本画册，画册里有一幅红拂的身体全是些棱面。有人就说：这是立体主义吧。红拂大笑着说：什么立体主义！这是睡茅草垛的！还有人神秘兮兮地问道：红拂阿姨，当时性生活一定很和谐吧？她马上就警觉起来，说道：不能告诉你们，你们是未成年人。别人劝了她一阵，她才说：卫公家伙很大。再过了一会儿，她就什么都说了，而且还格格地笑了一阵。既然如此，还不如当初不警觉。警觉了以后再讲这些，腐蚀青少年的罪名就更加铁板钉钉。

　　和我们相比，虬髯公是精力充沛的人，所以他就当了大领导——扶桑国王，把腰板挺得笔直，一天到晚主持会议：臣子们的御前会，后妃会，王子会，公主会，每周还要接见乡下来的老人，忙得不可开交。不管家里家外，事无巨细，他都要过问。所有的人都说他是好国王，只有后妃们对他不满意，因为他身上缠着红拂的头发，像个大蚕茧，而且睡觉也不肯解下来。那些女人给他起了个外号，叫大棕包。有时有人气不愤，想要切腹自杀，他又一本正经地召见，劝解。劝解无效又一本正经地安排一切：自杀穿的衣服，切腹用的刀，等等。等到一切都安排好了，那个女孩子走进指定的房间，在四角点上蜡烛，就在人家找准了肚脐眼要下刀子的时候，他又一头撞进去说：务请铺好席子，拜托了！血水流到了地板上要招蚂蚁。假如不是扶桑少女，准会一刀捅到他喉咙里去。但她只是鞠上一躬，说道：哈依！有一点我们都要承认：扶桑人比我们抗折腾。

红拂从杨府里逃走之后，虽然领导上并没有责备虬髯公，但他觉得自己有责任。这件事其实是合情合理的，你想想看，假如杨府逃了一个歌妓领导上出赏格缉拿，岂不显得领导贪恋女色，很没有水平？另外，悬赏缉拿又会使歌妓们觉得自己很稀罕。而另一方面，假如红拂逃了就让她逃了那也是不行的，这样所有的人都会逃光。解决这个矛盾的方法就是要有不需要领导上讲话就会出来做事的人，而虬髯公就是这样的人。他还知道红拂是和李靖跑了，因为跑以前红拂老是打听李靖。因此他就请了长假，到酒坊街，土耳其浴室一类李靖过去常去的地方打听。而打听这种活儿虬髯公干起来最为熟练，他像一切剑客大侠一样，总是天一黑就换上夜行衣，到所有的人窗下偷听，一听见里面性交的人属通奸性质，就闯进去把他们砍成四半。而官府来验尸时，一看是四半，马上就知道是剑客所为，不再追究了。

有关虬髯公的所作所为，有一点需要补充的地方。虽然他口口声声说道红拂是他的红颜知己，他永远爱她，其实这是个神话。而要解释这个神话，起码要提到以下三个方面：第一，他和红拂之间既没有肌肤相亲，又没有海誓山盟，假如他真的终身不渝地爱上了她，那就是柏拉图式的爱情，很高尚。第二，他说自己只爱红拂，这样可以吊吊后妃们的胃口；至于害死了多少女孩子他倒是不在乎。第三，他当扶桑国王虽然是合法的，工作也是无可挑剔，但毕竟是外国人。扶桑的爱国志士们喝醉了酒，总要大吼大叫：咱们堂堂扶桑，难道没人了吗，让外国人当国王？然后就去刺杀他。虬髯公虽然多次遇险，但总是毫发无伤。他几乎是刀枪不入，因为身上缠了一寸多厚的人头发。身为扶桑王，满身缠这些捡来的东西，弄得又馊又臭，又长痱子又长虱子，总要有点高尚的理由吧。红拂就是这个理由，因为头发就是她的，虽然她后来不要了。解释了这些，就该说到有一阵子虬髯公想把红拂抓回杨府，以便乱棍打死葬入万人坑，并为此到处奔忙。当然，虬髯公又是一个善良的人。他确实决定了在红拂被逮回去行将乱棍打死时给她讲讲情。但是我们都知道，像这种讲情连狗屁都不顶。像这类狗屁一样的说情话我听得多了。比方说，在分房会上有人这样讲：分房首先考虑某主任——然后是某教授——当然了，像王二那种与人合居的情形我们也该适当考虑一下。别人都考虑过了，拿什么来给我适当考虑？我听了这种话，总是说道：不要考虑不要考虑，我住得挺好的，邻居是女的，还很漂亮。他们听说我这样的男光棍和一个漂亮单身女人住一套房子，当然很是痛心，但是房子紧张，也无法可想。我讲这些话其实一点用没有的，但是对狗屁就是要顶它一下，最起码要让狗肛门出气不畅。

　　我说小孙很漂亮，这也是一种神话，最起码不能够一概而论。有时候漂亮，有时候不漂亮。她刚刚睡醒时，坐在过厅里的椅子上，失魂落魄，脸上的光泽就如死人一样灰暗，披头散发，看上去就如一棵正在落叶的榆树。她伸直了脖子两眼发直，又有点故作深沉的模样。但是你要是问她怎么了，她就说：睡觉睡累了。这种说法也有一点道理：比之坐在会场上不动脑子的信口雌黄，睡觉是比较累。但是要与证数学定理相比就太轻松。这个女人坐在过厅里时，身上穿一件人造丝的睡袍——那种料子假装不起皱，其实皱起来一塌糊涂，——露出很大一片胸膛。她乳房上面有好几道皱纹，这种现象说明她趴着睡觉，压到了那里。作为一个女人，连自己的乳房都不认真对待，肯定是不可信任。我想她们领导上也是这么想的，所以在图书馆里她虽然也算是个老资格，但始终不受重用。

【六】

我们从书上可以知道中国历史上有很多名人，还能知道他们之间的交情如何，谁是谁的人等等，就是不知道他们吃什么东西，那些东西是怎么做出来的。据我所知，红拂和李靖躲在菜地里时，吃的是熬芋头和煮茄子。芋头不是北方产的小芋头，蒸熟了绵软那种；而是南方的独头大芋头，二三十斤一个，越熬越硬，最后就变成一锅白汤加上几块碎砖头的模样。而茄子不是北方的大圆茄子，嫩时紫得发黑；而是南方的长条茄子，有黄有绿，只是顶上带一点紫色，煮了以后软绵绵糟兮兮，吃到了嘴里也不知是什么东西。这两种东西在烹调时有很大的简便性，既不需要油，也不需要盐，只需要若干柴火。我们插队时没东西吃，领导上就让我们吃这些东西，还说这都是现在才能吃到的美食。但是我越吃越觉得难吃，吃芋头觉得它太硬，噎得透不过气来；而吃茄子感觉相反，只觉得嘴里有一堆软软的东西往下钻，好像嗓子里进了爬虫，毛骨悚然。我绝不是个胆小鬼，所以当时吃下了很多煮茄子，但是后来绝不去碰这种草本的果实。但是红拂的情形和我有很大不同，她以前吃过的一切和这两种物质有本质的不同，所以也就不知如何来评价。她一边吃一边看李靖的脸色，心里想：只要他一皱眉，我就说难吃；只要他一咂嘴我就说好吃，但是卫公始终毫无表情，所以她也不知道如何发表意见。后来她就想：发表什么意见干啥，我就跟着瞎吃算了。这说明她对这些事一无所知，这样的好处是不存偏见，坏处是显得呆板。吃完了饭，李靖又拿吃剩的芋头汤刷墙，红拂也跟着刷。她觉得这件事比较有意思，就说：你别管，我都刷了。根据这种叙述，红拂说她躲在菜地里时最为幸福，也是一种神话。那里不过是一大片洼地，里面充满了"菜园子"味，闻惯了的人一定会说很难闻。但是红拂没有闻惯——杨府里到处都是麝香味、檀香味，浓烈得能熏死苍蝇；人吸多了那种气味，也会觉得头晕眼花，鼻塞气重——她闻到了这种气味，倒觉得鼻子通畅，神清气爽。那里还有好多蚊子，但是不大叮她。据那些蚊子反映，红拂的血味道古怪，和以前吸到过的血大不一样，再说她的皮肤太紧凑，叮起来有困难。早上她醒来时，一团冷冰冰的白色雾气闯到房子里面来，还有一个几乎是陌生的男子用扑过来的姿势睡在她怀里，头发粗糙得像马鬃一样。他浑身冰凉，肌肉坚实，用手指轻轻一捏，感觉捏了一匹马。他身上还有一股种马的气味。这种感觉莫可名状，所以她想：这就是幸福吧。这种将信将疑，捉摸不定的情绪持续了很久，直到李靖当了卫公，建好了长安城，还是没有改变。而卫公每天早上醒来时，看到自己躺在一个如花似玉的女人怀里，也要想上半天才能记起来发生了什么事情。他终日劳作，但并不太知道自己都干了些什么。这是因为他脑子太多，一个脑子干的事，另一个一点都不知道。与此同时，那二百五十六个公差像发了疯一样满城找李靖，却总找不到。过了十天的期限，他们的脑袋也被砍掉，然后送到四门去悬挂。因为这一回人数较多，领导上派了四个刽子手，还派来了四辆牛车，供运输人头之用。为了把头分得平均，在砍头以前先把他们分成了四队，脸上分别写上了"东"、"西"、"南"、"北"，好像一些麻将牌。砍完了以后把他们堆在牛车上运走，这时候那些人头诧异怎么会有如此多的人挤在自己脸上，就彼此瞠目而视。李卫公从自己家里逃走后的事情就是这样的。

第五章

【一】

李卫公躲在菜园子里，好几百个公差也找不到他，洛阳城因此出了毛病，虽然还不能说是病入膏肓。公差们找不到李靖，是因为他们用不着菜园子，想吃菜尽管到小摊上拿。而且公差这行业是世袭的，故而他们不但用不着菜园，对这个概念也很陌生。怎么也想不到洛阳城里还有一大片用竹篱笆隔成方块的地方，里面飘着菜园子味。而别的人就算想到了李靖在菜地里也不会告诉他们，巴不得他们都死光。这种情形不但在公差中引起了悲观情绪，而且在刽子手中间引起了大恐慌，因为假如找不到李靖，到了秋天他们每人一次要砍掉好几千个人头，这是无论如何改进刀具也做不到的。所以他们就自动集合起来改进工艺，自己出资造了一台木头的砍头机。这台机器的目的是加快砍头的效率，不是提高砍头的质量，所以无论从外观到原理和法国人后来发明的都不一样。它有三层楼高，立在城中心衙门门口的广场上。假如计入顶上的风车，就有六层楼高；用风力的原因是要节省人力。这机器设计严谨，构造复杂。因为太复杂了，所以可靠性有一些问题。拿肥猪做实验时，有时候砍下的猪头大家争到打破头，因为那不仅是猪头，而是猪的前半身；有时候砍完了的猪还能一溜烟地跑回家去，从此以后嗡声嗡气地讲话，因为鼻子被削去了。有时正在砍头，风却停了，做实验的猪发出一百多分贝的叫啸，过路的公差听了以后两脚发软走不动路。而拿死囚做实验时，平时最乖的死囚见了这台机器都要拼死挣扎，并且都表现出了惊人的力量，非有二十个人不足以把他按进机器里，在机器上写上了"快捷，舒适，新潮"的标语也不管什么用。当然，这台机器还在改进之中。除此之外，还有人建议在市中心到四门之间挖掘运河，以便浮运人头，领导上正在考虑之中。那一年对洛阳城里的猪和公差可不是个好年头，就像一九五七年对聪明的中国人不是什么好年头一样。

那一年李卫公正在离开洛阳自己的家前去建立长安城的中途，这是一个重大事件，在咱们这里，每件重大事件将要发生，总要伴着一些鸡飞狗跳的现象。比方说，本系就要有一位同人到美国去参加一个年会，或者又要多出一位正教授。这是最重大的事件，肯定会使每个人都互相仇恨。比较重大的事件有：自从年初以来，我们的副主任就脸红脖子粗地找人干仗，真是可怕极了；最近她总算是退休了，我们可以有一位没到更年期的副主任了。这类事件在别的地方可能算是比较小，可以没有预兆地发生，但在我们这里就是大事，因为没有再大的事了。现在我身边也有一些鸡飞狗跳的现象，都是因为我开会打呼噜引起的。这是否说明我就要证出费尔马定理呢？

后来这伙公差总算是找到李靖了，但这不能说明这一批公差比他们已被砍头的同事高明，因为不是他们自己找到的。他们只是跟踪了李二娘，这个小娘儿们身上穿了一件深色的印花绸衫，左手包了一块白布，右手提了一个大漆的食盒（那种东西有好多屉，看上去像个有把手的档案柜），迎着风走在前面，风姿绰约，假如不是顺风飘过来的酒糟味，简直可以说是绝代佳人了。他们跟在她身后，很容易就找到了菜地里的土地庙。按说李二娘也实在太笨，因为她只要回回头，就能看到背后跟了张牙舞爪的一大群人。但是她没有回头，这是因为有一个黑胖子早上跑到她家里来说，李靖和一个叫红拂的漂亮女孩一路跑了，这个女孩是他的女朋友。李二娘听了心里乱翻翻的，赶紧收拾了点吃的，拿着就往土地庙里跑。这一点和我是一样的。假如有人来告诉我说，城里有个人证出了费尔马定理，我也会马上骑上我的破自行车往城里跑，路上还要买条烟做礼物，根本顾不上回头看。我必须马上看他一眼，以便证实此定理是否真被人证出来了。假如我看见一个软绵绵的人待在一间黑屋子里，说起话来低声下气，但是逻辑清楚，就会觉得大难临头，天旋地转，简直回不了家。要是见到一个怪诞的家伙，狂得不知东西南北，就可以定下神来骑车回家，一路上可惜我那条烟。这是因为我就算证不出费尔马定理，也能看出谁能把它证出来。李二娘对李靖还有旧情未断，故而她急于看看红拂长得什么模样，就把公差们引到了土地庙里。而那些公差去跟踪李二娘，也是因为有个黑胖子跑来告诉他们说，李二娘今天准要去找李靖。这个黑胖子就是虬髯公。虽然他这样帮忙，也没有救了那些公差的命。因为他们虽然找到了他，但却没有逮住他。李卫公不但跑了，而且跑出了洛阳城。因此这批公差就成了洛阳城中心那座砍头磨坊的第一批正式牺牲品。

据我所知，那座砍头磨坊后来一直立在洛阳城中央，在不用或者想用而没有风的时候四面用帆布和竹席遮挡，看起来像一部冬季开工的钻机。这是洛阳城出了毛病的象征。假如它不出毛病，用几个刽子手就够了。而这个毛病的起因，仅仅是其中有个叫李靖的家伙在想入非非。后世的人很充分地吸取了这个教训——以后列朝列代，想入非非都是严格禁止的。

【二】

现在可以谈谈李靖是怎么从公差手里逃掉的了。那天下午大伙跟踪李二娘到了土地庙里，就把那座庙围了个水泄不通。这时候公差对李靖丝毫也不敢掉以轻心，所以每人都带了一件可以发射的兵器：会用弓的带了弓，会用弩的带了弩，什么都不会用的也用包袱皮包了一大堆鹅卵石，扛在背上压弯了腰。他们就这样包围了土地庙，好像一大群猫张牙舞爪地围住一只小耗子。有一件事可以证明李靖相当警觉，李二娘一进了那座土地庙，他马上就在门口探头探脑。公差弟兄一见到李靖的头，就禁不住猛烈开火，但他又把头缩回去了。矢石如雨，都打在破门板上，转眼之间把两扇门都打散了架，好像一个栅栏。然后大伙就喊：里面的人出来投降，手抱在脑袋后面！也有人喊投降出来里面的人，脑袋抱在手后面的，那都是紧张之故。虽然是一堆乌七八糟的乱嚷嚷，但还听得出是什么意思。当时李靖除了出来投降别无出路，因为那五百人一拥而上足可以把土地庙推倒，还能把筑成土地庙的每一块土坯踩碎，把修建土地庙的每一根木料都捡回家当柴火，只在地下剩一堆干土，到了那个时候，李靖自然也不会还是一个问题。所以他长叹了一声，抱住了后脑勺，回过头去看了看吓白了脸蹲坐在地下的李二娘，还有直挺挺站着面无血色的红拂——红拂虽然面无血色，但是挑着眉毛，双目炯炯有光，咬着下嘴唇，整个脸表示出一定程度的倔强。——然后他就走出了土地庙去投降。这时候他心里什么都没有想。他只知道待在庙里没有出路，所以他就出去了。

　　李卫公抱着脑袋出来投降时，红拂跟在他后面，也抱着脑袋。公差们不知道庙里原有二女一男，所以看到出来了两个人就心满意足。至于进庙的李二娘身材小巧玲珑，长一个娃娃脸；出来的红拂亭亭玉立，秀发披肩，身上没有酒糟味却有香水味等不同之处，其实有不少人看出来了，只可惜没人想到不是一个人。大家都以为这座庙有点灵异之处，应该把老婆带来，让她也走进去。李卫公出来投降时，一副万念俱灰的样子，大家看了也很放心，全站了出来，围过去要给他套链子，这一来四周的人就少了。正在这当儿，庙里忽然有声音，大家又一分神。李靖趁此机会一膝盖撞倒了一个人，就往草窠里钻。钻进去他自己都大感意外，原来这些日子他日夜操劳，在草棵墙根等等不显眼的地方都挖了沟，仿佛准备好了要钻沟逃跑的样子。公差弟兄们见到他逃跑当然就追，却又纷纷陷进了坑里。原来他又在附近一带挖了好多的坑，坑里灌上了散发着菜园子味的物质，表面上撒了浮土。这又仿佛是存心布置了一些陷人坑。他做了这么多布置，却一点都没告诉红拂。这当然不是有意的，他长了一大把脑子，这个脑子干的事，那个脑子都不知道，事情一忙，行事就乱七八糟。他拔腿逃走时，这么多脑子又没有一个想到要拉红拂一把。好在红拂和他在一起过了这些日子，对他的品行也有点了解。李卫公一启动，她就跟上，像跑接力时交棒一样，把手腕往他手里一塞，娇叱一声：给！在这种情况下，他当然不好意思不拉住。红拂还用另一只手往后一揽，想把李二娘也捳上，但是没想到李二娘根本就没跟出来。李卫公逃走时的冲力非常大，根本就不容她回头看，就把她拉跑了。好在李二娘也用不到她操心，人家在破庙里自杀了。

那一年夏天，有一天刮着很好的风。全洛阳的人都到城中间来看那架风车砍人头。当然这件事不是说开始就能开始得了的，有好多准备工作要做：首先必须给机器上足了油，否则它就会嘎嘎乱响，正在撒尿的男人听见这种声音就会连打寒噤尿不出来——女人的情形不了解，推想也是一样的。其次要把风车上的六面大帆升起来。我们国家的风车都是卧式的，和欧洲的不一样，一个大圆盘上立了几根桅杆，架在离地好几丈的地方，看起来像地上的帆船。卧式风车的好处是省材料，坏处是效率不高。一起了帆就猛转起来，把升帆的人从上面甩了下来，赢得了观众的一阵喝彩，至于那六个升帆的人当然是摔死了。这台机器的不足之处是缺少开关或者刹车制动一类的设备，只能靠升帆启动，降帆停车；故而每次开动都要牺牲

六个升帆的人，停车时往往也要死人，因为你看着风停了，上去降帆，没
准就会来一下阵风，故而杀人的批量一定要大，否则得不偿失。除了这一
点不足，转得还是蛮好的，木齿轮在做圆周运动，滑块做直线运动，于是
就把第一个公差推了进去，结果砍出来一堆烂咸鱼似的东西，连脑袋都找
不着了——当然，该脑袋并未消失，而是搅进了齿轮，后来在远处一棵树
上找到了——只好随便捡一块挂在城门口示众，让过路的看着就纳闷，猜
不出是什么东西。后来那机器出了毛病，齿轮做椭圆运动，滑块的轨迹做
波浪形，把人轧成内燃机曲轴的样子。总而言之，那天的情况惨烈无比，
以致过了好长时间，洛阳城里的公差一听见刮风就打寒战。有人建议上面
出点钱，在该磨坊周围加一圈绳网，免得砍下来的人头总找不着，再把机
器做好一点，以免它分不清什么是砍，什么是碾，但是领导上说用不着，
这样可以激励公差们尽心于公事。出了这样的事，大家都怪虬髯公。他能
够找到李靖，却不帮着捉拿。他觉得百口莫辩，也逃出洛阳城了。后来在
扶桑，假如有人问起这件事，假如你是同情公差的，他就说：我爱红拂
呀！我不能出手捉她。假如你是同情红拂的，他就说：那么多公差无辜丧
命，你不痛心吗？总要给他们一个机会吧。假如你两边都同情，他就说：
我又爱红拂，又同情公差，只好这样办了。做人难呀。不管你怎么提出问
题，他都有办法解释。当领导的人就是这样的。

【三】

　　有关洛阳城里的事，我们可以这样来解释：这座城市出了毛病，起初
有毛病的只是李靖。本来他还不足以构成大害，后来又遇到了红拂，这种
毛病就变得不可收拾。本来安分守己的李二娘居然会跑到菜地里给他们送

饭，足见受到了传染。任何毛病都会给领导上制造麻烦，故而当领导的就讨厌任何有毛病的人。我还有点自知之明，知道自己也是有毛病的人，从来不怪领导讨厌我。除此之外，我还是挺自觉的，除了证证定理，一点出格的事都不敢干；当了四十多年光棍，从来没犯色戒。

红拂第一眼看到李二娘，发现她是一副不尴不尬的表情。与此同时，她自己也有点不尴不尬的感觉。但是只过了不到一秒钟，那表情就变成了一副瞠目结舌的样子。这时候无数弩箭和石头正在撞击门板，李靖退回庙里来，说道：糟糕，被围上了。红拂就慌慌张张地问：他们怎么找到这儿的？李靖就说：废话，当然是跟着她来的。这时候李二娘瞳孔马上大起来，两只眼睛都变得像黑玻璃球，皮肤变得像蜡做的，汗全没了。红拂结巴着说：怎么办？李靖说：出去，看咱俩的造化。他就出去了。红拂也跟着出去了。后来他们逃掉，而李二娘却死了。后来红拂想起这件事，就觉得很痛苦。直到她被吊在半空中时，眼前出现了李二娘那双黑洞洞的眼睛，心里还有点慌乱。她心里想：我真不想见到她！假如两个女的追一个男的，见了面就是这样的。

我是个光棍，这就是说，我在女人眼里没有魅力。但这不是说我永远没有机会。现在这年头，不管是学历史，学哲学，还是学人类学、社会学，假如一点数学知识都没有，就会遇到困难。假如连计算机也玩不动的话，麻烦就更大了。假如此人是男的，还可以从头去学。女孩子就非求人不可了。我虽然尚未证出费尔马定理，应付一般的问题还绰绰有余。而且我也求得动。这就是说，我也算有了一点实用性，为此应当感谢冯·诺依曼和图林。这些女孩子一开始并不觉得像我这样一个头发白了一半而且瘦干干的男人有什么危险，可很快就会感到我的果断坚毅。举例言之，前一段我帮历史系一个研究生干活，在计算机房一坐就是一下午。到了晚饭时分，那女孩就说：王老师，我请你吃饭！而我斩钉截铁地答道：不用！同时眼睛盯着荧光屏。她又说：那我给你打点饭？我又简短地答道：包子。这使她很快就觉得叫我王老师不合适，改称一个亲热的"哎"字。后来她又提出到我家里去看看。我想这和我有房子住有一定关系，并不是每个单身男人都有一间房子住的，还有不少人在下铺上睡，闻上铺的屁。那女孩不错，夏天的晚上在校园里穿一条白色的运动短裤，露出的腿相当美好。我现在把她的脸都忘了，腿还记得。我已经想好了，当她进到我的小屋里，就用米兰·昆德拉小说里人物的口吻对她说话。那人说的是："Take off your clothes.①"我说起来就简短得多："脱！！"当然，这样讲了以后也许会挨一耳光。但是挨嘴巴这种事就怕没准备，有了准备就不怕。冷不防挨一下，会出脑震荡，有了准备顶多就是脸上肿肿罢了。但是我没有挨嘴巴，我甚至没有机会说这样的话。我们回家时小孙在家，她把我的事搅黄了。这个娘儿们从自己房间里衣冠不整地冲了出来，倒茶倒水，简直像个有窥春癖的老头子一样，但是她出来得太早，因为在这个阶段还没什么可看的。弄得人家不尴不尬，最后几乎是逃走了。后来我告诉这个女孩子，那姓孙的不过是我的邻居，她就不尴不尬地笑着说：其实你和她挺般配。这是怎么一回事，我始终不大明白。

　　像这样的不尴不尬我也体会过。我们有个校内刊物《数理化》，一听这名字你就知道是好几个系合办的，每季度出一期，印上几百份，除了在校内散发，还和外校交换。最后还要剩一大批，分到各系卖废纸，算是一小笔收入吧。我负责数学栏的编辑，无非是每三个月花半天看看稿，丝毫也不觉得麻烦。但是领导上又派了一个人来，让我们俩共同负责。现在我一见到那人就感到难堪，甚至觉得自己活着实属多余。到底是像红拂一样

---

① 意为"脱掉你的衣服"。

上吊，还是跑到别的地方去，我还没有想好。

　　那位酒坊街的李二娘活了二十六岁，然后就用一片小镜子割了脖子。那个镜子是铜铸的，已经用旧了，为了保持光亮经常要磨，所以磨得非常地薄，边上比刀子还要快。当时老娘儿们打起架来总是右手持镜，左手前伸，做要割别人鼻子之势；然而终其一世，很少有人真的割掉了别人的鼻子。李二娘也没有割下过别人的鼻子，割破的只是自己的大动脉，然后血就喷得土地庙里到处都是。血喷出来时，李二娘非常害怕，叫了一声。就是这声惨叫分了大家的神，被李靖逃走了。说来也很奇怪，对于在场的人来说，这声惨叫最该分掉李靖的神，因为只有他能听出是谁的声音并且知道发生了什么事。但是他却没有。后来别人发现，听说或看到别人死掉时，李靖总是格外镇定，不管死掉的是谁。这就是将帅的胸襟，因为不管是在战场上或者别的地方，死掉一个人就是发生了一些变化，需要集中精力来对付。像这种有将帅胸襟的人一般的公差当然是逮不着的，所以他就逃得无影无踪，追的人倒有一大半掉进了粪坑。满身粪稀地回来，到土地庙里搜索时，看到李二娘蜷在墙角，已经死硬邦了。大伙在气愤之下，就用棍子揍了她几下，踢了她几脚，然后到外面征了一辆牛车，把她装上，就往回走。走到半路上，这些人渐渐想起自己的脑袋也将不保，就陆续散去了。最后只剩了那头牛记着要把李二娘拉到酒坊街。但是到了以后，酒坊街的人又要把它打出来。这是因为谁也想不到车厢里那个衣衫破碎满脸污垢的死人就是李二娘。那头牛就拉着那辆车在城里漫游，不知道拉到哪里去了，后来想找都找不回来，李二娘的尸身就此不见了。这件事后来让领导上很是气恼，因为李二娘犯了知情不举之罪，虽然死了也该枭首示众的。后来只好找了个饿死的叫花子，把他脑袋切了下来，把耳朵上扎了两个窟窿挂上耳环，挂到了城头上。

　　这位李二娘就这样死掉了。就是她活着的时候，也不大引人注目。她最喜欢干的一件事就是在井台上贩卖小道消息，凡是她知道的事都卖出去，一分钱也不要。就是因为她那张碎嘴，酒坊街的每个女人都知道了李卫公在干那件事时不透气，干完了才呼吸。李卫公像河马一样气长，可以憋半个多钟头也不会把自己憋死，所以这件事红拂一辈子都不知道。这说明她有很强的观察力。有一阵子领导上想利用她这个特长，把她列入了领取上面津贴的线人名单，那时候她受到了领导的重视，受命进入了新阶段，但不久又觉得她太笨，把她撤了下来，所以又退回了老阶段。这也算不了什么大事，因为在我们每个人的一生中，都会有那么一两次领导上想提拔我们，后来一看烂泥扶不上墙，就把咱们放下了。最后一次领导上想到她，是想要她的脑袋。后来找不到，也拿个别人的凑数，也就算了。只有李靖会想起她来。他到她家里去时，她会把大门关上，脱得光光的，赤脚在家里走来走去，别人不一定是这样。这孩子虽然身材矮小，但是精力充沛，最喜欢采用女上位来干那件事，张牙舞爪地往李靖身上爬。她的乳房不大，但是很结实，是她身体的组成部分。不像有的女人，那部分美则美矣，但好像要从身上游离出去。她的卧室里的窗户下面放了一排长椅子，下午时分她把木头窗扇推开，躺在底下晒太阳。有时候她胆子很大，有时候胆子很小。胆子大的时候人家把她左手的指骨都捏碎了也不知道怕，胆子小的时候就把自己的动脉割断了。其实活在这个时代，最好把自己的胆子忘掉。后来李卫公想到她时，总能够看到她在眼前走来走去，那对小乳房跳动不已，他就叹一口气，摇摇头，赶紧把这事也忘掉。但红拂就不是这样。她老记得那位李二娘提着些吃的东西，在太阳底下走了一头汗，到破庙里看她，看见了以后就把小嘴瘪了起来，仿佛马上就要说出一句刻薄话，但是庙外面的人没容她说出来，因此红拂连李二娘的声音是什么样都没有听到。李二娘这座时钟到此就弦尽摆停了。在庙外开始逃跑之前，红拂的确是听见庙里"噢"的一声，不过她当时以为是猫叫。后来知道了那是李二娘在惨叫。从这声叫唤里可想象不出李二娘讲话是怎样的。

【四】

虬髯公看不上李靖，我们系的副主任也看不上我。那孩子只有二十八九岁，细皮嫩肉，梳个小平头，圆圆的脸蛋，屁股甚为丰满。他所以能当上副系主任，是因为他是留美博士，而且出身于名牌学校。因为有了这些本钱，所以他比正主任还要猖狂。但是我也看不上他，除了懂些洋文，他比我强不到哪儿去。比方说费尔马，他也证不出。而且他的古文底子甚差，典籍也不通，这方面比我差得远。有一天我到系里去，听见他和别人说：咱们系怎么净是些怪物——比方说王二。扯到这里，猛一眼看见了我，就满脸通红地住了嘴。我请他接着讲，给出几个人来和我做伴，他却抵死不肯说，把我一个人晾在那里。这话我当然不能让他随便讲了，所以马上散布小道消息说他只有一个睾丸，而且那个睾丸也只有鹌鹑蛋大小。其实我根本不知道他睾丸是一个两个还是三个，每个有多大，只是信嘴胡说。但是很快就传得连女学生都知道他只有一个蛋，这正是我的目的。我想他看不上我的原因是我形容枯槁，失魂落魄，这和虬髯公看不上李靖的原因不一样。虬髯公是大剑客，可以斩掉蠓虫的脑袋，李卫公简直什么都不是，就会踢别人睾丸。虽然在致人死命方面这两者难分高下，但毕竟不在一个层面上。红拂跟李靖跑掉了，虬髯公觉得受不了。这就叫嫉妒吧。其实他可以找到李靖，把他砍成一百块，但是他不好意思。于是他只能想方设法地给李靖捣鬼。我们的副系主任也可以打发我去卖咸鱼，但他也不好意思，尤其是我说了他只有一个蛋之后。其实我们的安危就取决于领导上不好意思，还有他实际上有两个睾丸。如果他真的派我去卖咸鱼，就坐实了他只有一个睾丸，谅他也不敢。假如他只有一个睾丸，那么不管他毕业于加州伯克利，还是其他的学校，都要被人看不起。我编造这个谣言之前，早把这些都考虑在内了。

　　我和副系主任的纠纷已经闹过有一个多月了，现在想起来，觉得这件事不能怪他，更不能怪我，主要是有一种思维定式在害人。思维定式这个字眼是从时文中学来的，传统的说法就叫成见——我也有点喜欢用新名词。他以为大学的数学系里所有的教学科研人员都该像他那样面颊丰满（我说的面颊包括脖子上面的和腰部以下的），五短身材，毕业于加州伯克利，所以看到像我这样两腮尖尖，又瘦又高，毕业留校的家伙就感到古怪。这也怪不得他，吃惯了米饭的人让他吃一顿馒头都要叫苦不迭。现在的问题是我就是这个馒头，对准了那个厌恶面食的南方人暴跳如雷——我怎么啦？我哪点不好吃？养得白白胖胖的来喂你，你还推三阻四！这显然不是个馒头应有的态度。好的馒头应该给人家一段适应的时间。与此同时，我自己的脑子里也有一些思维定式。比方说，我很想结婚，但又以为我老婆应当是青春佳丽，在新婚之夜必须是处女。为什么就不能考虑年龄大一点，结过婚的女士呢？新婚之夜是处女，以后也不会总是处女。刚结婚时是青春佳丽，以后也不会总是青春佳丽。这种定式把人的思路限死了。

　　我说过红拂和卫公出奔之初，卫公对她不大热情，这就是因为卫公脑子里有定式或者成见在作怪。红拂的身材像个时装模特儿，三丈长的头发剪掉后还剩了三尺多长，与李二娘的短头发相比，仍然长得不可思议；而且红拂对性生活很陌生，干这件事总需要别人来摆姿势。而卫公和李二娘搞惯了，总觉得女人应该是短头发，矮矮的身材，在这件事上应该很热情；等到李二娘死了之后，这种成见才消失了。在这方面，红拂倒是没有太多的成见。首先，她是个女人，其次，她当过歌妓。所以假如她有成见的话，就是一个馒头的成见。一个馒头只要自己正在被吃掉，就没有什么怨言可发。当然，和良家妇女相比，她的成见就太多了。小时候我们家里是姥姥做饭，一旦家里没了起子，她就蒸些半透明的死面疙瘩——那时候还没有袋装的酵母粉。那东西吃下去倒是顶饿的，只是很不好吃。我以为古代的良家妇女就像些死面疙瘩。假如发面馒头还能有些想法的话，死面疙瘩准是没有的。

【五】

我讲这个故事虽然和中国大陆、大唐朝等等有密切的关系，但并不是全部只能在这里发生。这就像数学上所说的：有一些算术法则在整数域上成立，推广到其他数域也不见得完全不行，就算不能够百分之百成立，起码也能成立个百分之一多些。数学方面的例子太过专门，我就不举了。我们可以设想这个故事发生在法国巴黎，我还是一个数学教师，这没什么不可以的。据我所知，他们的数学和咱们这里是一样的。我年轻时插过队，可以改成我年轻时当兵服过役。后来我回城当了工人，也可以说成我在餐馆端过盘子。年轻人的遭遇在世界各地都是一样的。至于我仪容不够英俊，领导上嫌我不是加州伯克利，可以说成我是前苏联跑出来的犹太难民，只有张喀山大学的文凭，鹰钩鼻子大舌头，头顶秃秃的，剩下的头发分成三小绺，两撮长在太阳穴上，一撮在后脑勺上。为了抵偿数量的稀少，我把它留得极长，一遇上风就要像飘带一样飞扬。具有这样的形象，再加上没有证出费尔马，不肯给别人代课，那些高傲的高卢人怎能看得上我？一定是想方设法炒我的鱿鱼。至于大唐皇上，我们可以说他是路易某某。李卫公，咱们可以说是某个红衣主教。虬髯公后来到一个古怪地方当了国王，当然是去了英吉利。这个人物他们不喜欢，巴不得栽给英国人。只有关于红拂的故事必须全部删掉。因为他们会抗议道：我们对待妇女的态度不是这样，少拿你们东方的事来给我们栽赃！但是这也不要紧，因为到现在为止这故事已经成立了百分之五十五强。

　　这个故事要是放在中华文化圈里，成立的就更多了。李靖、红拂、虬髯公是我们共有的，不成问题。港澳台也都有数学系，那里也有人混得不得意。唯一不成立的就是我和这姓孙的住一套公寓。孤男寡女住一套房子，成什么话？邻里间必定议论纷纷，还会有三姑六婆之辈在电梯里问小孙什么时候抱娃娃。她不堪羞辱，就搬走了。只剩我一个人住一套宽敞的房子，多好哇！

　　李靖和红拂逃出洛阳城时，正是傍晚时分。头顶上是整整的一大片云，像个大锅盖。这种锅盖是木头制的，盖在铁锅里，上面满是泥垢，乌黑乌黑。而云下又被夕阳涂上了一些红色，故而从头顶到天际，都是漫长完整的黑红两色。他们俩站在洛阳城外的土坡上，背后是豆青色的城墙，眼前是洛阳城外的大道，路上车辙里的积水现在宁静了，带有一份闲暇地反射着晚霞。那条路实在是糟糕，在平原上毫无拘束地伸展着，有些地方宽，有些地方窄，无论到了哪里，都有无数条车辙纠缠着。它对步行的人是一个考验，所以所有人的足迹都出现在离大路尽可能远的草地上或者田里。天就要黑了，走夜路不是件愉快的事，但是必须走。李卫公叹了一口气，朝前走了。走了一会儿，他伸出手来，拉住红拂的手。他们把洛阳扔到身后了。他们走了以后，洛阳城里还在继续捉拿李靖，又杀掉好多公差。最后洛阳城里剩下的公差走投无路，起来造反作乱，占领了整个洛阳

城，而大隋朝的军队又把洛阳城包围起来，经过好几年的围攻才冲进城里去，把所有的人全杀掉了。虽然大隋还有别的城市，但是洛阳一毁，它的气运就完了。

　　李卫公离开了洛阳城，在黑地里走路时，感到自己非常地孤单。要不是身边有一个几乎是陌生的女人，他就要倒在草地上大哭一场。假设有一个贝类离开了自己生长的壳，在海水里游了起来，感觉就会是这样子的。他心里放不下洛阳城，放不下那些泥泞的街道，泥和屎筑成的城墙，更放不下他那间散发着陈尿骚味的老房子，虽然这些东西乍看起来简直是一文不值。这就像一个破破烂烂的家，堆满了乱七八糟的家具，充满了油腻的气味，长满了蟑螂一类的昆虫，但是你已经住惯了，闭着眼睛走进去也不会撞到腿。从小到大我有过几个家，每一个都是低矮的平房，茅坑式的厕所，好唠叨而且凶恶的邻居，但是每个家都在我的心上。住在老家里，人就不会孤单，也不会老，只是会与草木同腐，和老房子一起倒塌。这样的事不能像学数学一样去学习、理解、推导，只能去感受。只要你见到了我，稍一感受，就能发现我生在北京城，在几条小胡同里住过。

　　红拂离开了洛阳城，走在黑地里，闻到了草地上的牛屎味，草上的露珠味，精神为之一振。菜地里的土地庙她已经住腻了，正想到别的地方去。那座土坯筑成、墙皮剥落的小庙正在她心里变成杨府的后花园，那地方我们已经说过，是石头筑成的，反射着阳光，惨白一片，在她看来是死气沉沉的。她时刻准备从一个死气沉沉的地方逃出去，就如植物的种子随风飘走，换个地方开始生长。我也想变成头顶秃光光的犹太教授，忍受一下法国人的傲慢；或者到香港什么大学里去当个长了啤酒肚的教授，不尴不尬地讲几句带粤语味的英文。我甚至很想变成红拂，穿着被露水打湿了的百褶裙在草地上走路，透过自己的发香闻到李卫公身上浓烈的汗臭味。不管是什么人，都会感到时光在身上流动，受到这种启迪之后，自己也想像风中的芦花，水里的浮萍一样流动。但是我把这种流动深藏在心底，不让它表现出来。在表面上，我像虬髯公一样木讷、可以信任。我也不想当什么领导。作为一个普通数学教师，这样就足够了吧。

第六章

本章内作者提到了他年轻时当司务长的事。正如"司务长"这个名称所提示的那样，那时候他常常拉着一匹老马，在乡间的小路上行走，给大家采办伙食。假如不是满脸苦相，骨瘦如柴，那个时候他有点像好兵帅克的模样。他和帅克还有一点重要的区别，就是假如没有了啤酒，帅克会干渴而死，而只要河沟里还有水，王二就不会渴死。

【一】

本书的这个部分是关于我自己的，可以拿它和李靖、红拂的事做个比较。我住在一座高层建筑里，这座楼是绿色的，楼前面有一小片枯黄的草坪，草坪边上还有些怪头怪脑的器具。假如你乐意相信的话，那是给小孩子玩耍的滑梯和木马，但是小孩子切不可坐上去，否则就会弄上一屁股土，假如他的屁股还完整的话——我这么说，是因为滑梯上有好多翘着的竹片，那些竹片都很锋利。这座楼还有黑暗的楼道和亮着荧光灯的电梯，这个电梯常常把我提升到第十七层，然后我就在破自行车和包装纸箱里夺

---

　　* 本书这一部分受到了乔治·奥威尔的经典之作《1984》的影响。有人说，《1984》受到了摩尔爵士《乌托邦》的间接影响，假设如此，本书作者就是从这两本书内获得了益处。虽然本书是如此地粗陋，得到的有益影响又是如此令人遗憾地微不足道（这是因为本人的鲁钝），但是作者仍要在此表达对两位前辈大师的感激之忱。

路而行。这种经历常常使我自以为是毕加索或者是别的什么画家，在画廊里展出我画面杂沓的画。在楼道里我经常闻到炸辣椒或者是烧黄花鱼的味道，但是和我住的那套房子没有什么关系。我们的厨房里灶台上积了厚厚的土，因为已经是夏天，用不着烧开水。我喝自来水，和我同住的小孙也喝这种水，虽然听说北京的水很硬，喝生水要得结石症。有时候她裹在一件睡袍里，两眼发直地坐在过厅里，有时候则穿着西服裙子和白衬衣，脚上穿着高跟鞋。这取决于她是不是要出门。我就住在这么个地方，晚上点一盏八瓦的日光灯，想着怎么证明费尔马定理，不知不觉就活到了四十一岁。这个地方和泥水满街的洛阳城，和黄土碾成的长安城没什么两样，都是合情合理的一个地方。

我说过，我在和小孙合居。合居仿佛是一种暗示，指出我们俩之间要发生性关系。凭良心说，我对这种卑鄙的暗示不能安之若素。它使我想入非非，夜不能寐。虬髯公和红拂合居时就比我强，虽然是五十步与百步之分，但是毕竟是强。小孙是个高个女人，有时候梳马尾辫，有时候梳披肩发，这些都无关紧要，反正是那些头发。假如她要出门去，就穿上白衬衫，西服裙子，这样腰就显得比较细。虽然她个子已经很高了，但还穿着高跟鞋，这样姿势比较好看一点。现在她留了刘海，这样脸显得短一点。对于这些事我知之甚详，因为我就是她的穿衣镜，她经常打扮完了跑到我房里叫我看怎么样，但是从来不听我的意见。照我看她怎么打扮还能看出是原来那个人，就建议她把头发染红，眉毛染蓝。这样保证她亲妈也认不出来。但是领导上不会同意她这个样子来上班，他们会叫她把头发和眉毛全刮掉，活像一颗大鸡蛋。总而言之，她要出门时总是一种合情合理的打扮。假如什么都不穿，也不知是什么样。

我最近和小孙搞到一起了，这个女人除了眼角有些鱼尾纹之外，长得很漂亮。锁骨上方长了一颗痣，是肉色的，和她的乳头是同一种质地。

这件事没有什么出人意料的地方，在我看来甚至是顺理成章。别人看这件事，可能觉得不够合情合理，这是因为我不是个合情合理的人。在这个方面，我也是有自知之明的。夏天到来的时候，我经常隔着她半透明的衬衣研究她的乳罩，看到出了神，就会把昆德拉教的话喊出嘴来。头一回听见我喊这个，她又哭又闹，还说要找我们领导；后来就不哭了，只是罚我去刷厕所。其实我没有什么坏意思，只是魂不守舍，什么都能讲出嘴来罢了。

我刷马桶时用硫酸配上重铬酸钾，这是洗试管的配方，然后又用洗衣粉刷，每回都把它洗成全屋最光彩夺目的东西。别人到我们家里来，看到了乌黑油亮的厨房以后再进了厕所，总是要大吃一惊。来了客人我总要引他们到卫生间去看看。最近她再听见我这样叫，就不再叫我刷厕所，也不说要找我们领导，只是笑着说道："下回吧。"我已经说过，昆德拉教的那句话是一个"脱"字。她说下回吧，就是说，下回脱给我看。但下回还有下回，如此循环递归，永无止境。我也没想让她把这个字当真，因为我也不知道这话是从脑子的哪一部分里冒出来的。不过自从她不让我刷厕所，我们俩是越来越友好了。每回她那边来了客人，都引到我这里来看看，介绍道：王二，数学家。他在证费尔马定理，还会写小说。我这边来了客人，她也来探头探脑，尤其来了女客。有一回有个同学到家里来找我，他嗓音高亢优美，属于男童声的范畴。小孙来窥探了几次，还是不满意。等客人走了跑到我房里来往床底下看。我问她犯了什么毛病，她说，听着你房里有个女人，怎么没看见？你们把她藏在哪里了？

我平常不锁门，小孙可以随便进我房间。假如她的客人是抽烟的，就上这边来拿烟和烟灰缸。我桌子上总放一盒烟和烟灰缸，虽然我自己不怎么抽。除此之外，还放着两份手稿，一份是费尔马定理的证明，另一份就是你现在看到的《红拂夜奔》。第一份谅她也看不懂，第二份她大概全都看了。经过了这件事，她就常常闯进我屋里来，在这份手稿上乱写乱画。她用一种紫墨水，是用红蓝墨水各百分之五十兑出来的。假如你能够看见这份稿子，就会发现它像脂砚斋版的《红楼梦》，夹满了眉批。举例来说，有关她使人不尴不尬的那一节被她批了三十五个"狗屁"，本节的"四十一岁"前，又被她批了"你埋怨谁"。在后面说她有两个乳房那一段，被她批上了"难道长三个吗"，我没有这个意思，但是假如长出了三个，我也不反对。质量虽然重要，数量也是很重要的。

　　我们搞在一起这件事是这么发生的：有一天下午，她把我叫到她房里，着三不着两地说了好多话。你要知道我们在一起住的时间太久了，不管说什么都引不起我的注意。我只是注意到她衣帽整齐，还穿上了高跟鞋。除此之外，我还看到她脸上有薄施脂粉的痕迹。这似乎说明她就要出门。也许她要我替她浇花，或者叫我替她照顾些别的事情。在这种情况下，我常是听都不听就答应下来——之所以不听，是因为我马上就会忘掉，所以听了也没用——我只是透过半透明的衬衫看她的内衣，那是一件白底的乳罩，上面还有一些花，就像某种搪瓷器皿一样。当时是下午，她那间房子有点夕晒，阳光晃我眼睛。而且她额头上有些刘海，那些头发略微有一点发黄。她的脸红扑扑的，下巴和脖子上有些汗点。这也不足为怪，假如你找到一个温度表看看，就会发现有三十五度，光这个温度就能使一些人晕倒，其实没这么热，要把阳光直射考虑在内。我就这么直盯盯看着她，就信口把昆德拉教我的话嚷了出来——讲完心里当然很害怕。说实在的，我根本就不知她说了些什么，这么不知上下文地乱插话简直是在找死。所以现在我就等她伸手一指，马上就奔出去找硫酸。说实在的，马桶也该刷了。但是这回她没有指，安安静静地站在那里，神态威严，好像一个雇佣兵队长。后来那间房子就暗了下来，原来是她把窗帘拉上了。后来她就把衣服全脱掉——她胸口长了两个乳房，样子还不坏，好像树上结了两个果子；小腹上有些阴毛，乌黑油亮，仿佛染过似的。整个情形就是这样的。这是我一生遇见的唯一一件不合情理的事。

有关我自己，还有好多可以补充的地方。我这个人生来十分老相，现在拿出十七岁时的照片来比较，除了头发白了些，脸上变化不大。换言之，十七岁时我就一脸的褶子，又瘦又高。插队的时候大家嫌伙食不好，领导就派我去做司务长，大概是觉得我老成吧。这个工作困难的地方是大伙儿都是北方人，一定要吃馒头。拿大米换白面不困难，找蒸笼和蒸锅也不难，难就难在发面。假如面团没发时是多大，发了以后还是多大，蒸出来一定是死面疙瘩。有人把这种馒头打回去切了做刀削面来吃，切起来都有困难。我想象一等贵妇就是这个样子，白天板着脸，晚上躺在床上像具棺材板。领导上一般也是这个模样。面要是发好了，按起来有弹性，蒸出来白白的很好吃。红拂虽然戒马半生，但是评了贵妇以后却既活跃又守本分，李卫公对她也很满意，二等贵妇大抵都是这样。最糟的面团发得胀出了面缸口，表面上炸开了好多气泡，软塌塌地一碰就粘手。这种面团蒸出的馒头又馊又臭，同学们见了就拿它当手榴弹，朝我猛扔。后来我有了经验，每次把面发大了就在开饭之前躲到树林里去，等他们吃完了饭再出来。三等贵妇和这种馒头相像的地方在于她们都有非常怪的脾气，来自于更年期综合征、神经官能症和妄想狂，就像馊馒头味儿。她们的丈夫总是在外面躲着不回家。作为女人，她们的终身事业都已失败，就如我被从科研岗位精简下来卖了咸鱼。这不意味着我丧失了科研能力，只意味着我在领导上那里丧失了好吃的味道。后来领导上发现我不可靠，就把我撤掉换了别人，但是别人干得比我还糟糕。

我年轻时当司务长，伙房里养了一匹驮马，是云南产的小个子驮马。那马和我的交情甚好，见了面就舔我的手。拉交情的诀窍很简单，就是人能吃到些什么就给它吃什么，不管是白菜还是黄瓜，它都很爱吃，只是不肯吃茄子。我牵它去买菜时，总是骑在它身上，它也不反对。只是见了路边有沟就下去走。因为它的个子矮，下了沟我的腿就拖在沟沿上，我们俩合并使用六条腿奋力行进，看上去像一种奇异的昆虫。走到有树荫的地方我就躺倒睡觉，让它自己去吃草。这是一匹马帮上淘汰的老马，当然年龄比我还是要小一点。我把它当兄弟看待，并且常拿我们的命运做些比较。它的情形比较特别，有个人做哥们儿，所以没有代表性。就以一般马帮里的驮马和我们来做比较，结果对我们也不是太有利。那种马早上吃草，其他时候喂料。对于它来说青草不是什么难吃的东西，相当于新鲜芦笋或者脆炒豆芽。至于料豆，相当于我们的馒头和面包。这种伙食本身没有什么可抱怨的，主要问题是能不能吃饱。我所见过的马多数不是太肥胖，但也过得去。可是你见过年轻时我们什么样吗？假如你给十八岁的男子每月十七公斤大米，不给任何别的东西，再让他们去干农活，就休想见到一个胖子。驮马总是在运东西，这相当于让我们背上五十公斤的重物在北京和天津间奔走。这对于年轻时插过队或者服过役的人来说，也不算什么骇人听闻的事。在生活的一个最重要的方面，我们绝对不如它们，就是春天到来的时候，我们那里的马不论公母都不圈，全部放到野地里去，它们在那里想干什么就干什么，用不着送玫瑰花，也用不着到单位开证明，改户口本。而我呢，在四十一岁前没有过性生活。圣人云，人有异于禽兽。这就是提醒我们，对生活不要提出过多的要求。我在年轻时见过不少自杀了的人，就从来没见过一匹马走着走着路一头跳进山涧里，这就是原因之所在吧。这些话的意思是说，我和我的马在草地上休息，假如一觉醒来发现我匍匐在地变成了一匹马，而它变成了司务长，我绝不会感到悲伤，而感到悲伤的恐怕会是它。

我想到这匹马的事是觉得女人对我的态度没有母马对它的态度好。当然，我也不是期望她们像母马那样慷慨大方，因为我也没有公马那样善良，谁要骑在我背上，我准把他扔下去。所以要看一眼就必须大费周章，这也算合情合理。何况人家小孙也不是让我光看看，还有下文。我这个人一贯会漏掉上文，用她的话来说，就是"你这家伙总是恍恍惚惚的，怎么没个拍花子的把你拍走"，但是我对自己很有信心，就像一辆旧自行车，放到哪里都不会丢。简而言之，在这件事发生之前我对她大喝了一声"脱！"说了那句话之后我很怕会挨一嘴巴。所幸她愣了一会儿，红着脸说了这么一句：现在天太早吧？有了这种头绪，我就能发挥我言语简洁的魅力了——不早——口气像是一种命令，看来她很喜欢听。后来她去把窗帘拉上了。但是事后这些话从我的脑子里马上溜掉，不留一点痕迹。像我这么一个四十来岁的老光棍初次干起这种事来，表现当然是乏善可陈，虽然我也尽了最大的努力。干那件事时，我听见一种"托托"的声音，回头一看，是她在拿脚指头打榧子。

我和小孙合居的结果就是这样的，这件事说明了我们都经不起诱惑。事实上我没有诱惑她，她也没有诱惑我，我们俩都受了合居的诱惑。但是这也说明了我们俩都欲望高涨，到了一触即发的程度。不知为什么，领导上总以为让大家处于这种状态下比较好。当然，我也能替领导上想出些道理来：假如人饿得要死，渴得要死，"色"得要死，就会觉得馊窝头好吃，马尿好喝，老母猪看上去比较顺眼。因为大家都这样想，我们水平较低的现状就能一片光明。"文化革命"里有个笑话，说相声大师侯宝林给华罗庚前辈出了一道题：如何用三根火柴摆出两个三角形？解法大概你已经知道了——先摆出一个三角形，然后把你的右眼按得歪离眼眶去看这个三角形。假如领导上真是这样考虑的，那就和侯大师想到一块儿去了。

后来小孙对我解释罚我刷厕所的事，是这样说的：要看可以，不准鬼鬼祟祟，把人都看歪了。后来她只要不穿衣服，就要用正面对着我，好像我是一台照相的座机一样。这使我想起了座机只有一个镜头，所以左眼越睁越大，右眼越来越小，脖子也歪了起来。与此同时，正襟危坐，好像已经上了底片的样子。我说怎么有些现代画家画的女人体是歪歪斜斜的，原来他们已经染上了窥春癖的恶习。

小孙对我写的我们俩干事的一段不满意，她说，人家卫公还给红拂画了一本画册，你就这么简单几笔，实在是不对头。所以我重新来过。那天非常地热，她那间房子又有点夕晒。我坐到她房间里时，阳光刚刚照到窗子上，玻璃外面有好多金黄色的尘土，这叫我想到好久没下雨了。她坐在床上，太阳穴上有一片凉席印子，眼睛还有点红。这说明她刚睡醒。但是不能说她衣帽不整，上身穿了一件白色的衬衣，下面穿了一件西服裙子，脸上还有施过脂粉的痕迹。以前她要和我说话时可不是这个样子，所以我影影绰绰觉得有件什么事要发生，就恍恍惚惚的。虽然没听见她说些什么话，但也想到自己要出大毛病了。后来才知道，这个毛病就是我从司务长变了一匹马。这种变化假如是在我二十岁前发生，我一定极为欢欣鼓舞，但是我已到了四十多岁，在欢欣的程度上就有很大不同。

小孙告诉说，她找我谈这事之前考虑了很久，觉得我们这样住着，彼此却不理睬，实属矫情。她和我说的就是这些话，假如我听见了一定会表示同意，但是我没有听见。要是别的女人见到我这个样子，一定打我一个嘴巴就算了。但是她和我住了这么久，了解我，明白想和数学家做爱就得有这种精神准备，所以就没有打我，只是带着三分绝望，三分无奈，还有四分不理解看着我。但是事实证明只要是对一个活人说话就不会白说，不管他是在睡觉还是在发呆。她说话时，我想到的事和她讲的话就不是一点关系都没有。我把这些材料推荐给心理学家使用。总而言之，迷糊劲一过去，我就说："脱！"这话单听是不大对头，但是考虑到她说的话，也算合榫。然后我的左面颊就开始抽搐，显然是那一部分以为要挨打。不过它只是虚惊了一场，我的建议她接受了。

晚上我和小孙享受非法的性生活之前，她躺在我的膝盖上，而我平坐在床上。这是我们俩当时姿势的要点，其他的情况还有：我背倚在墙上，她的头和腿放在床上，整个身子向上形成一个弓形，我一低头就正好看到她的肚脐眼。可以想象李卫公和红拂逃到洛阳郊外，在没人的地方也是以这种姿势开始非法的性生活。过不了很长时间（在梦里是一年，现实中二三十年），红拂就要变成一个瘪嘴老婆子，卫公就要变成一个驼背老头子，那时我们现在做的事就做不成了，以后能干的事就是吃饭和屙屎，了此残生。现在的问题是除了这件事还要干点什么，或者什么都不干。我告诉小孙，我一定要把费尔马定理证出来，否则死不瞑目。她问我这东西有什么用处，我告诉她毫无用处，只是能使后来的人可以不再死不瞑目。这种说法也靠不大住，因为可以让人死不瞑目的东西可不只是费尔马，而是多着哪。其实我只是中了魔道，非把这件事干成不可。她说她喜欢，和中了魔的人性交格外地有快感。李卫公对红拂讲的可不是费尔马，因为他已经把这个定理证出来了。他说的是自己将来要建造一座城市，和洛阳城怎么怎么不一样——整个一个乌托邦。红拂听了他的鬼话，觉得他疯得厉害，所以兴高采烈，快感如潮。但是连卫公自己都不知道过了仅仅十几年，这座乌托邦就建成了。他和红拂住在里面，感觉无比地糟糕。李卫公脑子里是整个的长安城，包括大街小巷，每一棵树，每一口井，还有砖头砌的马路牙子。他要下令让多少人上街扫地，多少人出来除草，还要关心今天有多少粮车进城，多少粮车在路上。简单地说，他成了一台大型计算机，存放了很多数据，并且依据这些数据做出判断。真是个倒霉鬼。

小孙躺在我的膝盖上，身体的正面拉得很长，乳房变成了竖的椭圆形，甚至菱形，连肚皮也变得细长。我很怕她的腰椎会出毛病，造成偏瘫等等。她让我少操心。她还说她练过艺术体操，教练说，她的脊椎是全身最好的部分。后来她转过身来让我看，她的脊椎果然不凡，我好像看见了一条鲟鱼的背。把性这件事考虑在内的话，人几乎是任何机器不能取代的，不管它是 IBM 还是 HP 公司的产品。当然，不把这件事考虑在内，取代人就容易了。李卫公设计的长安城里，下流客栈里放了些木制的女人供脚夫们使用，但是鲜有人问津，因为外形虽然是无可挑剔，却总是出故障，一坏就把人卡在里面，疼得鼻涕眼泪直流。急忙找老板娘要钥匙，打开一看已经像进了夹子的耗子一样，血肉模糊。除此之外，那些脚夫还敲着木头人问：能生孩子吗？一听说不能生孩子，兴趣就小了。后来这个发明还是卖给了皇上。皇上制造了一大批，发给了远征军，让他们在撤退的路上抛撒，这种东西用现代的军事术语叫作"饵雷"，夹坏了大量的突厥人、鲜卑人、高丽人，并且让他们断子绝孙。这件事说明了卫公虽然机巧无双，离开了大唐皇帝就将一事无成。

　　但这些都是晚上的事，白天还有一次呢。白天是第一次：她把窗帘拉上以后，屋里就变得暗起来。她把裙子解开，裙子掉到地上，形成了一个暗色的圆圈，而她是白色的，好像正从圆圈里钻出来。后来她把衬衣脱掉，脸朝墙，跪到床上去。这些时间非常之慢，我又在恍惚之中。后来她朝我嚷道：你也不能一点忙都不帮！我就过去帮她把乳罩挂钩摘下来，然后眯起一只眼到前面去看。你要知道，我从来没有近视过，故而老花得非常之早，现在已经有三百度了，离近了一点都看不清楚。但是看不清就往前凑是我一生的积习，绝不会因为现在老花了就有所改变。其结果是我什么都没看见，从始至终都是稀里糊涂。看来我是得配副老花镜了。但这件事看得见看不见都是无所谓的。除了某些特别的感觉，总的来说，干那件事和爬一棵特别光滑的树没什么两样。

　　爬树这种事以前我经常干，比方说，当司务长时，和我的马兄弟在一棵大青树下睡觉，醒来我就爬树，而且把全身的衣服脱得光光的，只穿一双袜子。然后站在一根很暴露的大枝杈上狂呼万岁，这时候我那个东西直挺挺的，仿佛在行纳粹礼，周围几里地都能看见。但是那个地方很荒凉，周围几里之内都没人。一直吼到它礼毕，我才下树回家。我就是这样勤劳公务——上十里地外买趟酱油能去两天两夜。再加上给大家吃酸馒头，所以后来不让我当司务长，我也没的可说。当然，小孙这棵树绝非任何大青树、野梨树、白皮松等等可比，爬起来是极为过瘾的。后来我就这样告诉她。她说：谢谢你把我看成一棵树，你自己当时的样子也很好，睁大了眼睛上上下下地看，乳头插到你眼睛里还没看见。我觉得自己简直是在给你治眼病。——这些话叫我想起了在工厂里当工人的时候，假如烧电焊时忘了戴眼镜得了电光性结膜炎，就会痛痒难当。这时唯一的办法就是认一位哺乳中的少妇当干妈，让她挤点奶到眼睛里去。我就有过一位干妈，年龄比我小好多，但是奶头却大很多——后来我站起身来，就什么都能看见了。她的腰很细，乳房很完整，脸上红扑扑的，等等。和隔着衣服时猜得差不多。到此为止，我一生所见的第一件不合情理的事就算发生了。

【二】

后来我和小孙干那件事时，总是在她的房子里。她的房间比较大，还有一张双人床。点上十五瓦的台灯，屋里虽然暗，但是比白天看得还清楚一点。在干事之前她总要用手捏捏我的那东西，然后就若有所思。我想这个毛病是买菜时挑黄瓜练出来的，她们用手指代替硬度计。我那个东西在这种时候还是蛮像样子的：又粗又长，而且相当硬邦，在各方面都像根哈瓦那雪茄，但也耐不住指甲掐。由这种体验可以知道黄瓜们对长指甲的女人的看法。我问她在想什么，开头她不肯告诉我，后来又说：讲了以后你不要介意——从你的外表来看，这东西不该是这样子的。我说我外表怎么了？她说你外表相当萎靡。这件事我还是不明白，但是她不想再继续下去，就说：别扯这个了。饭烧熟了就吃，别等它凉了。这是个优雅的比方，说明她还有点淑女风度。等到事情干完之后，我才想到已经中了她一暗箭。她是说我外表是一副阳痿相。既然我是一副阳痿相，她还要和我干这件事，就是一件怪事了。对于这个问题，她笑了一下说：我看你整天愣愣怔怔，觉得挺逗的（但是后来她又觉得我这样不逗了）。她还说，我看你呆头呆脑，不知在想什么，想知道一下。一个女人想要知道男人的秘密，只能用色相来引诱，甚至要把两腿分得开开的，把他的脑袋往乳房中间按（小孙在此批道：谁按你了？由此我才知道她没按过我）。这个说法听起来荒唐，其实是相当可信。圣经上说：得人如得鱼。得人就是知道一个人吧，这事是很有趣。有的人只要看看就能知道了，这就是条臭带鱼。有的人只有和他性交才能知道，这就是条金枪鱼。我就是后一种人。后来她就管我叫金枪鱼，看来我对这些事的感觉是对的。与此有关的是我这辈子遇到的第二件不合情理的事——我把那件硬邦邦的、像黄瓜一样的东西插到她体内去。

　　李卫公和红拂逃出了长安城，当晚宿在一个土坡上，一棵大树下面，因为天已经黑了，看不出是什么树。他们就在那棵树下做爱。红拂躺在李靖怀里，在一团漆黑之中，她雪白的身体越伸越长，好像一条正在流淌的牛奶河。她开始用亲热一点的口气和李靖说话，比方说，李郎，谈谈你的长安城。这声音逐渐远去了。这是否说明他们中间有了一点爱情呢？虬髯公一直在跟踪他们，躲在不远处的草丛里，听了这样的话，嫉妒得要发疯。但是听见这些话又感到一星半点的满足，好像在看有床上镜头的电影一样。我和小孙也在干这件事，在干之前，她对我说，这回你别发愣了，好吗？但是这件事也不是我能做得了主的，后来她就捏我的鼻子。我对她假惺惺地说道：我爱你。她回答道：少废话！等到干完了她又问我：刚才你说的话是真的吗？这时我早就忘了讲过哪些话。她勃然大怒，转过身去拿屁股对着我。这也不坏，她有非常好看的臀部，这个部分有点像馒头。也不知为什么，一说到女人，我就要想到馒头。如果我用手触触她那里，就会得到一句恶狠狠的呵斥：没事别乱按！这说明她正没好气，也说明她的脾气非常之坏。后来她给我买了一副三百度的老花镜，恶狠狠地摔给我说：戴上，看清楚一点！真是奇怪的逻辑——我看不见于她又有何损。

　　我和小孙做过爱以后，有时也考虑一下是否要结婚的问题。这件事以前是不用考虑的，我的意思是说，一定要登记结婚，因为过去干这件事很有油水。六十年代可以得些布票，七十年代可以得张买大衣柜的票，八十年代可以得几天婚假。而且登记不要钱。现在则没有什么油水，只能够得到些免费的避孕套，登记还要好多钱。小孙去要避孕套，还要详细地告诉别人我的尺寸，这等于把我暴露在光天化日之下，因此不如去买。对别人来说，可以在分房上得个有利地位，对我们就不是这样。我们要是两口子住这套房子已经超标准了。本来还可以得到生一个孩子的指标，但是小孙已经和前夫生了一个孩子，所以未必能得到。更何况我对生孩子也没有什么兴趣，虽然看到自己的精液盛在花钱买来的避孕套里冲进了抽水马桶也觉得怪可惜的。作为一个中国人，我天生地会可惜东西。但是这样东西可惜不得。我知道一份精液里有十亿个孩子，假如都生了出来，并且都管我要馎馎，我还活不活？除了可惜我自己，我还可惜这个世界，假如有十亿我的孩子来到了这个世界上，哪怕他们像蚯蚓一样掘土为食，也会把到处都扒得不成样子。因此我一想到要生孩子，就浑身起疹子。对我来说，只有满足了两个条件的事我才干：首先是无害，其次是有趣。所以我只能去证明数学定理。而卫公建立的长安城在两个方面都适得其反，既有害又无趣。在此还有必要引用一下小孙对这一段的评点，她在我有关结婚的论述底下批道："别不要脸了，谁要和你结婚？"她的所有评点中，就是这句最让我高兴。因为我也很害怕结婚。

现在应该解释的是我为什么老是愣愣怔怔，这是因为我老觉得自己遇见的事不合情理，故而对它充满了怀疑。比方说，我上班时遇上了开会，想道：开这些屁会干什么？难道有人乐意开会？事实上谁也不想开会，但是非开不可。不知道你怎么想，反正我觉得这不可理解，就发起愣来。但是哪天我去班上碰上没开会，又会发愣：怎么搞的，回回开会，今天却不开了。结果是为了开会的事要发两回愣。至于我自己直撅撅的事也是这样的。以前是诧异它没事直起来干吗，现在是诧异它直起来以后居然有了事情。总而言之，对我此生遇到的一切事，只能用一句话来概括，叫作"学无止境"。

白天我给小孙解乳罩，那东西"嘭"的一声弹起来，像两个风帆一样飘在前面，就像要远航一样。这件事使我联想起揭高压锅的盖子，假如里面有压力的话，也是"嘭"的一声，搞不好还会撞到鼻子。后来她像个青蛙一样趴在紫色的床罩上。紫色池塘里的白色青蛙。我也像青蛙一样爬到她身上，然后那个硬邦邦的东西就把我们连起来了。这东西很重要。

我和小孙在漆黑的房子里做爱时，感觉到自己就像热带雨林里一根大树枝，她是一只白色的树獭，在漆黑的夜里，她在我身下爬动，大概是要横渡一道小河吧。或者我是一只大猴子，正在树枝上爬动，她是一只小猴子，挂在我的肚子上，有一根特殊的脐带把我们连起来。这根脐带就是她像掐黄瓜一样掐过的那东西。这种景象就如一张黑白底版一样。在我们周围有无数的叶子在响。在黑暗里看不见叶子，大概都有锅盖那么大吧。还有些雨点落下来，打在叶子上发出些金属的声响。这种时候小孙就说：老这样，不要停。可惜好景不长，一会儿我就想到费尔马那里去，雨林和猴子全不见了。后来她就敲我的脑袋，说道：你真讨厌！费尔马不是早证出来了吗？我说证出来不等于写了出来，想要写成像样的论文，还要费些脑筋。再说这也不碍你什么事。她说她宁要大马猴，也不要数学公式。这样身上像是堆了一大堆的数学符号，好像碎玻璃，站起来一抖，稀里哗啦。这真是怪诞的想象，费尔马可以使我变成硅酸盐。要是在白天干这种事，我就能看见红土山丘，自己也咴咴地叫唤，好像是变成了我的马兄弟。人这种动物干这种事时实在呆板，躺在那里一动都不能动；而马则是在跑动中完成，难怪小马一生下来就会跑。时隔二十多年，我的马兄弟大概也死了，顶多剩下几块皮，也被制成了革，做成了皮鞋。不管在这种时候我看到的是什么，闻到的气味总是一样的，是含有酵母的生面味道，甜甜酸酸的很好闻。这大概就是她的味道吧。闻到这种气味，我就觉得那个地方热辣辣的，一些黏黏的东西流了出来。这件难以置信的事就算发生过了。

【三】

等到我证明了费尔马定理（这件事马上就要讲到，它是我这辈子遇到的第三件不合情理的事）后，在和小孙干事时，就把老花镜戴上。其实这是故作郑重状，因为老花眼隔得远时是能看见的。这时候我心里正在得意，想到我已经成为了人瑞，还有因此我生活将要发生的变化。这时她把两手平伸开握住床栏，全身构成一个白色的 Y 字形。我还想吻她一下，但是她把头躲开了，说道：你小心眼镜！我把眼镜摘了她还是不让吻，还说，你不要装神弄鬼。这种说法十足是不讲道理，活在这个世界上不装神弄鬼怎么成。我的问题不是装神弄鬼，而是装不像。据我所知，别人和女人做爱前，总要说些"我爱你"之类的鬼话，然后再亲吻她几下。这种事想必她是喜欢的，要是不喜欢，何必要和我好呢。她说：放屁，谁和你好。我说要是不和我好，何必要干这种事。她说这是因为没有别的事可干。我说那好，咱们就干吧。她说混账，你现在在干的是什么？我们俩当时精赤条条，正在性交，但我把这件事给忘了。我总是这样的，所以不足为奇。奇怪的是这个女人总是和我拌嘴，却不妨碍达到性高潮。当然我也有贡献，我虽然愣愣怔怔，五迷三道，干得却是相当生猛。事后我对她说：你不要怪我。心不在焉，胡思乱想，这是我的生活方式。这时候我倒是相当正经。她说：谁怪你了？口气也相当温婉，我们俩就搂在一起。过了一会儿，她说：你有什么话就说吧。我说没什么话。她说：回你房里去，我要睡了。我站起来就走，走了一半，忽然想了起来，说道：对了，我爱你。她说：滚蛋！拿上你的衣服！从这天晚上的事，你就知道我为什么当了四十一年的光棍。小孙老说我有病，让我去安定医院（这是北京最大的精神病院，用做一切精神病院的代称）看看。但我坚信我没有病。我只是保持了年轻时的光荣传统。

我年轻时在生产队里干农活，烈日如火，肚子也没吃饱，就难免要两眼发直。那时候不光是我一个人这样，人人都是两眼发直。还有后来上了大学，听政治课时系里要求双肘在桌面上，双眼直视老师。这个时候大家也都是心不在焉，有以下事实为证——下课铃一响，我后心上就挨了狠狠的一拳，打我的小子说：王二，昨天那道题我做出来了！然后他就讲给我听，用的纯是数学用语，不带一点政治课的内容。事实证明，在我们年轻时，只有心不在焉、三心二意才能够生活。我只是把这种品行保持到了中年罢了。我把这些事讲给她听，她却不肯相信，说道：我比你小不了几岁，你经过的事我差不多也经过。我怎么没有你这些毛病？因此我又解释道，这毛病是在数学系里养成的。我们班有个女同学结婚后给她丈夫下挂面，把拖鞋下到锅里面。她漂亮极了，像天仙一样，但是后来找了个糟老头子。我们班上也有些英俊的小伙子，但是谁都不找本系同学结婚，因为两个糊涂蛋生活在一起，就有生命危险。

我们提到卫公建立的长安城时，给它一个负面评价，其实它也不是一点优美之处都没有的。尤其是在早上阳光斜射的时候，这座黄土碾成的大城被露水滋润，呈现出浓烟的黄色，房屋墙壁棱线分明。这也是槐花香味最浓的时候。偶尔会有几个姑娘曲线毕露，婀娜多姿地到井边去取水。但这只是昙花一现的景象。等到太阳刚升起来，大街又充满了嚣张的人群和粗厉的嗓音；还有踢踢踏踏的脚步声，尘土飞扬。幸而这时小巷还有一些安静和清凉。但是过一会儿小贩就要侵入小巷，挨家挨户地敲门，卖咸鱼，卖柴火，卖招苍蝇的臭黄酱，卖豆面饽饽，到处是吵人的讨价还价声。现在只好退回家里去。但只清静了一会儿，一个小孩子又嚷了起来，絮絮叨叨，没完没了，要吃饽饽。很快就有五六个童稚的嗓子加入了这个大合唱。然后一个粗哑的女声就骂道：操你妈（该孩子的妈就是她，难道要和自己搞同性恋吗？）！才吃了早饭又要吃饽饽！再过一会儿又说：我没钱，找你爸爸要钱！没有钱，这伙小崽子就会把当爹的耳膜吵破，衣襟扯碎，而住在小胡同里的人钱可不能够这样花。好吧，就让他去和那些缠人的小崽子纠缠吧。但此时你不胜诧异地发现，该爸爸就是你呀！我说过，我一个小时能做二十个小时的梦，所以一睡着了就在时空里漫游，一不留神就可能跑到大唐朝去，在那里变成一大窝小崽子的爸爸。我以为这比做梦变成了一只猫被车轮子轧了尾巴还要糟，所以在梦里和女人做爱，我都忘不了戴避孕套，甚至有幸梦成了大唐皇帝本人时也是这样。皇后对我说：圣上，你这是干啥？咱们又不是养不起。我就答道：梓童，咱们还是防着点好。万一过一会儿你变成个蓬头垢面的老婆子（这在梦里是常有的事，与此同时我往往也要变成一个穷兮兮的糟老头），咱们就养不起了。因为这种事，常挨皇后的大嘴巴。人活在世界上会做各种各样的梦，梦里一切事都有可能发生。但是对我而言，最常做的一个梦就是我是王二，坐在家里冥思苦想，要把费尔马定理证出来。我把这个梦叫作真实。我想，这样说是正确的吧。这说明我生活在长安城里也要发愣，或者是人活在世上不发愣根本就不成。不管是长安城还是洛阳城，哪里都有合情合理的地方。但是正如我们都知道的，最为合情合理的就是我们眼前的世界。

有关豆面馎馎，我有一点要补充的地方。小的时候，姥姥常给我做这种东西吃。其实把它叫作豆面馎馎是一种夸大其词的说法，它是用玉米粉掺入少许黄豆粉，贴在底部有水的铁锅里烤成，另一个名称叫作贴饼子。虽然不难吃，但也不是什么山珍海味。唐朝没有玉米，所以是用小米粉，这一来就不好吃，尤其是用连壳碾的小米粉来做，相当拉嗓子。但是比之高粱粉制成的各种食物，就算是相当好吃。大唐朝种植的是矮秆的杂交高粱，这是穷人的标准食物。过了一千多年，又在华北平原上大量种植供农民食用，那种物质在煮好以后是灰白色毫无光泽的一堆，质地及气味都属怪诞，如果拿去喂猪，猪也是一边掉泪一边把它吃下去。考虑到这种情况，假如有小孩子向我要求豆面馎馎，我就给他。当然，给不起的情形例外。在这种情形下就只能给孩子一嘴巴，虽然简便易行，但是惨无人道——这从一个侧面说明了戴避孕套的必要性。

我和小孙干这种事从来都戴套——越是非法性交，这种东西就越不可少。它可以把这件事的意义变成只是玩玩而已。就在玩着的时候我忽然想到了费尔马定理的证明——这纯属偶然。数学和性没有一点关系。绝不能由此得出一个结论道：当你想数学题想不出来时，就该和女人发生性关系。

小孙对我说，我最讨厌的就是你那个费尔马定理。你居然在这种时候把它证了出来，真叫人恶心。我想一个数学定理没有任何令人恶心之处，她讨厌的是我那种一心二用的方式。我想这个定理都想了半辈子了，随时随地都要想，简直就像感冒了就要打喷嚏一样。你总不能要求一个感冒了的男人在性交之前用胶纸条把鼻子粘上吧。而且只有现代才有胶纸条，古代只有贴膏药。膏药贴上就揭不掉，揭下了纸背，剩下的是乌黑的一团，好像得了恶性黑瘤。这就未免得不偿失了。

【四】

我把费尔马定理写成了论文，亲自送到了学报，送到一位大学同学手里。在此之前我还送给几位教授看过，他们笑呵呵地说：证出了费尔马？好哇好哇，放下吧——好像我在行贿，要放下的是钱一样。这些老家伙谁要是看了一页，太阳肯定要从西面出来。我同学告诉我说，这论文他一定要看，因为我证得也不容易。然后又告诉我说，他在这里待不了多长时间了。这是因为他很快就要到一家计算机公司里去干事，以便多挣些钱。我一听，就知道他纯粹是在扯淡，他根本不会看这论文。这定理我证了十年，他要想看懂，起码要全心全意看一两个星期。三心二意永远也看不懂。所以我告诉他说，这论文我还要改，就把它拿回来了。我走的时候已经和他搞得相当地不愉快。那位同学说：你搞这些东西有什么用处？他的意思是说，我证明费尔马定理，这件事不够有害。因为有用就是有害。举例而言，我的那个东西，假如戴了避孕套，那就什么用也没有，但是也无害。假如不带套子，就十分有用，但也十足有害。像这样的例子比比皆是。我在大太阳底下走了半天回家，几乎中了暑，而且想到我十年的心血，得到的居然是这种对待，一怒之下点火要把论文烧掉。小孙看见了猛扑过来，把火熄掉。这件事叫我感到一丝快慰——毕竟还有人珍视我的劳动。后来她翻开那份从火里强抢出来的稿子看了看，又递给我说：接着烧吧——我还以为你在烧小说哪。这件事使我愤怒异常，我把所有的数学书都扔了，发誓以后把数学全忘掉。但这件事又有不合情理的地方——我在数学系供职，把数学全忘了怎么混饭吃？

晚上小孙对我说，你以后就写写小说吧，别弄数学了。数学又费脑子，又没意思，而且派不上什么用场。我告诉她说，她的意见有偏颇之处。她不懂数学，又识中国字。假如反过来，必定要说，别写小说了，就搞数学好了。要学会繁难的中国字，绝不比学数学用力少。更何况读小说还需要文学鉴赏力，不仅仅是识字。事实上任何事都得费费脑子才能有意思。只有最后一句话还有些道理，就是无论纯数学还是小说，都没有什么用处。一泡屎屙出来还可以肥田，而数学定理和小说在这个方面简直连一泡屎都顶不上。当年在卫公的长安城里就有这样的规定：有敢证数学定理和写小说的，一律杖三十。其实杖三十的不光是数学和小说，还包括一切无用的想法。所以每个十字路口都有人在监督，见到有两眼发直的人走过来就把他拦住问道：你想什么来着？如果你是死了妈，或者是对眼，天生两眼发直，就要街坊开出的证明。没证明一律要打。犯这种错误的净是男人，所以衙门里打男人的衙役算重体力劳动，每月供应五十斤带皮的谷子，比打女人的多了十斤。

至于李卫公夫妇吃多少斤定量倒是不难考证，他们两口子的定量都在五千石以上，每人一个月的粮食，一百口大肥猪吃一年都吃不完。每个月初用一百辆粮车拉到卫公家里来，他睁着一只眼出去点收之后，就全卖到粮店里去了。他配给自己这么多粮食不是因为他是个大饭桶，而是他是全城最有用的人。直到不久之前，我还吃三十二斤粮食定量。这说明我很不受重视，比打女人屁股的人还没有用处。但是我对这一点并不在乎。我只在乎自己是不是很有趣。小孙说，对对，有趣，有趣！哇！她用腿死命地夹我，并且乱撕我的头发。我当然知道这是怎么回事，但我认为她是乱打岔。我有趣可不是只在那个地方。也许我该找个女数学家做老婆，她一听说我证出了费尔马定理，就性欲勃发，跑到卫生间换上性感内衣。不过女数学家可不太多，偶尔有几个长得也不好看。现在我搜索枯肠，只想起了一个女数学家，叫作某某某某娅，不是波兰人就是俄国人，贡献在概率论方面。她要是还活着，没有一百也有九十了，所以不能指望她。假如不是这姓孙的勾引我，我可以谁都不指望。现在已经不能后悔了。女人这东西就如海洛因，染上了就放不开。

我因为投递费尔马定理的证明和小孙闹翻了，她一见到我就说：你和你那个一百多岁的俄国老太太做爱去，我不勾引你！然后就在我面前把自己的房门摔上了。你知道，我是个勤勤恳恳、任劳任怨的人，虽然自己心情很坏，又受了她的刺激，但还是恍恍惚惚地把厕所刷了。过了一会儿，忽然想到厨房也很脏，就去刷了锅台。这些事证明了我心地善良，但是姓孙的却在门后笑。后来她打开房门，说：混账！还不快滚进来。有一件事我很满意，就是无论厕所还是锅台，后来我都没再刷。而且我还发现她的腰很细，在一片昏暗的灯光下就像一座白白的小窄桥，我从上面从容地走了过去。她的腿又细又长，非常好看，跷起来时绷直了脚尖，好像芭蕾舞女，非常地优美。这跟她练过艺术体操有一定关系。我这样说，是因为我很坏，从小就没守过规矩，长大了又没有干好过任何事。我死了以后肯定要进地狱，但是还没有死。根据一切标准，都该把我的屁股打烂，它也没有烂。不但如此，我还在和一个相当美丽的女人做爱，她因为我喜欢数学而仇恨我，但我还是骑在了她身上。我对世界都充满了恶意，但我未受惩罚。我占了很大的便宜。小孙说，你正在满足我的需要，占便宜的是我。但她是装神弄鬼。事毕她哭了起来。本来我应该想到：我把她气哭了，我又占了便宜。但是我又想：不能够这样心肝全无。我在黑暗里陪她坐了一会儿，然后说：好吧，别哭了。我再去刷厕所。但是她一把揪住我说：难道你非要把我气死吗？我说：不把你气死该怎样呢？她说：搂着我躺一会儿。这件事我会做，于是就这样躺下了。躺下以后她又哭了一会儿，然后不哭了，问我说：从什么时候开始你就是个二百五？我说：十岁。想了一会儿又说：三岁。她猛地翻过身来骑住我，抄起一条长筒袜子勒住我的脖子，喝道：说你爱我，不然勒死你。我说：我是个二百五。她说：不管你是不是二百五。我就说了。与此同时，有个毛扎扎的东西顶在我后心上。这也没有什么，反正现在是阴盛阳衰。有一件事我必须说明白，我说自己是个坏蛋是往我脸上贴金——我坏起来没心没肺，根本是个操蛋鬼。我成天失魂落魄，做坏事也做得很糟。我在床上抱住她——双人床很大，就是让两个人躺的，她身上很光滑，就是让人抱的——心满意足，进入了梦乡。

我说的这整件事都有不合常理的地方，所谓的不合常理，就是它不合现实世界的常规。在现实世界里有个数学家王二在证费尔马定理，证了十年没证出来，这是合乎常规的。假如他证了出来，无法发表也合乎常规。气得昏头涨脑地回家，把论文手稿烧了，这也合乎常轨。最后有个漂亮女邻居和他做爱，安慰了他，这就是不合常情。合乎常情的说法是他在绝望中手淫甚至自杀。还有一件不合常情之处，就是那论文的手稿我有两份，烧了的是复写稿。从小孙那面来说，像她那样的单身女人，所到之处都有常理在，但那是她的事，我不大清楚。回到家里，邻居住了一个操蛋鬼，这是她不合常理的最后机会。用她自己的话来说，就是："我没什么可挑的了。"好在我们俩又吵又闹，已经使这件事尽量地合情合理了。

有关情理，还有一点补充。假设我们俩两情相悦，欲望如火，但是始终克制，不逾矩，直到某位领导或者某位长者注意到了这一点，站出来给我们撮合——这样就像一台合情合理的电视剧。但是也可能没有这样的领导和长者出来撮合，这样的剧情不合情理，却能让我们倒一辈子的霉。对于情理这样的东西，我们不可以太天真。

【五】

最近我出了好几次差，比方说，去开学刊会。我兼着《数理化》的数学编辑，这种事是推不掉的。走到火车站里，闻见一股尿骚气，大家横七竖八地躺了一片，这股气味就是从人身上冒出来的。古怪的是厕所里没有这样的味，只是觉得杀眼睛。车厢里热得厉害，简直是蒸笼，所有的人都在不停地吃东西，把蛋皮、果皮扔下车去。所以我想到应该把肥育中的猪牵上车来喂，因为坐火车是这样地刺激食欲。到了这种时候就想到自己应该成为人瑞——售票处挂着牌子，凭十四级介绍信售给软卧包厢票，据我所知，人瑞相当于行政十三级。所以我又把费尔马定理的证法尽量简化，期望别人一看就能承认。人只要做过了行人，就会发生一些改变，不论古今。

我当了人瑞后（这事的详情见后），也行万里路出了一次国，去美国参加一个数学年会，是和加州伯克利一块儿去的。提着大箱小箱，穿过了海关机场，既晕机又晕时差。然后穿上了不合身的西服，到会场上坐得笔直，十句话里倒有九句听不懂，感觉实在是很不好。影影绰绰听见加州伯克利说，费尔马定理是他和我一道证出来的。很想驳他几句，却只有干瞪眼的份儿，因为舌头落家里了。开完了会我跑到三个 X 的电影院里躲了一夜（这是因为不想看见加州伯克利），决心以后再也不出来。等到回到了家里小孙说我的模样变了。原来是一副浑浑噩噩、天真未凿的样子，现在风尘仆仆、眼露凶光，很是成熟。这说明人都是在路上成熟的。

现在可以说说我怎么成了人瑞，以及费尔马定理是怎么发表的。我们系里那个加州伯克利的副系主任找到我说：听说你证出了费尔马？我回答说：对。他说：拿给我看看。我说：不。他又说：你不要保守，也有自己证错了还不知道的情况。我心里说：小子，论爷们你还得叫我大叔！但是也不能不给他看。据说他看完以后说：不管怎么说，他也没去加州伯克利留过学——这就是说我证对了。假如我证错了的话，准是这么说：先去伯克利留了学，再来证费尔马——仿佛费尔马定理和加州伯克利是拴在一起的。后来系里出了证明，论文在校刊上登出来。以后我总算成了一个校级的人瑞，每月可以多得一百块钱，这比我以前指望的要少，纯数学没有以前值钱了。不管怎么说，对别人总算有了交代。但是我心里非常不高兴，不知自己这辈子干了些什么；在我当过的扒土的人，变态分子，头发灰白形容枯槁的人，和我现在当着的人瑞之间有什么关系。我只做到了人瑞，还没有当上领导。假如当上了领导，还不知该会怎样地晕头涨脑。

等到我也成为了人瑞，才知道自己过去的浅薄。原来我以为是领导的人，也只不过是些人瑞。我现在作为"有突出贡献的中青年学者"，也能够出席一些头面人物的会，会场上不光有过去常在我后心上击一猛掌的黑胖子（我后心现在天阴时还有点麻痒），有险些把我送去卖咸鱼的加州伯克利，还有书记，有校长，还有些更有头有脸的人物。我们系里那两个领导到了这种地方就掏出了笔记本，听见一句没咸淡的话就马上记下来。领导——他们哪里配。我自己到了这种地方也不敢睡觉了，甚至连想入非非都不敢，只敢瞪大了双眼，等着校长的目光扫到我脸上就装出个会心的微笑。与此同时，我生理上也发生了重大的变化：原来一上午要尿三次尿，现在长到了六次。原来每周要和小孙做三到四次爱，现在减到了一次，而且在这唯一的一次里也不够硬，这使我暗暗心惊：原来仰之弥高，钻之弥坚的东西，当了人瑞就如此地不行，要是当了领导，岂不是要缩回去？

　　最近加州伯克利又升了一级，当上了理学院的副院长。他找到了我，管我叫老王（这是当了人瑞的好处，否则就是王二），说要和我合写文章。他还解释说，我的文字很好，总能把乱糟糟的理论说得很清楚，他自己的文字原本也很好，但是现在英文太好，中文就退化了。我听了以后也没有什么话说，我们俩合写了一本教科书，那本书里百分之百的段落全是我写的。现在正在写第二本，伯克利还答应在学术委员会里施加影响，让我早日评上教授。对此我没有什么可说的，只有一句话：生活就是这样的。假如我不遇上一位懂数学的副主任，费尔马证出来也是白证。以中国人总数之大，智商之高，谁都觉得应该做出恒河沙数的成绩。但是掰指头一算，也算不出什么；这就是原因之所在吧。

　　我现在正在写一本数学史专著，名叫《中国无算式》，这个名字是从雷马克《西线无战事》里变出来的。所谓算式，就是英文 algorithm，也可以叫作程式。这本书的内容是说中国的数学有问题，有答案，但是没有算法算式。凡是研究过《九章算术》《周髀算经》的人，都会同意这个结论——比方说，勾三股四弦五，勾三股四是问题，弦五是答案，算式不见了。这里面涉及了一个带本质的问题，就是中国人认为算式就是人本身，所以没法把它写出来。举例言之，一个人会开平方，他不是以为自己学会了开平方的程式，却以为自己身体（准确地说，是在心脏部位）有某种构造，以致能够开平方，因此就没有开平方的程式，如果你硬要这个程式，就只好开膛破腹，把心脏血糊淋拉地掏出来给你看。同理，假如要在勾三股四和弦五之间写出个算式，就只能把个大活人捆在那里。这是个带有根本性的发现，可以解释很多数学之外的问题。加州伯克利没做过数学史方面的研究，甚至不知道雷马克是谁，却硬要把名字署在我前面。而且我不让他署也不行了，因为所有的人都知道我是他的研究伙伴和助手，所以就算我在稿子上没写他的名字，也会有人不容分说地添上。

再次写到这一段时，距我证出费尔马定理已有一年了。一切都是去年夏天发生的事：我和小孙从合居到同居，写完了《红拂夜奔》，发表了数学论文，当了人瑞。这一切已经经过了一个烟雾腾腾的冬季和一个忽冷忽热的夏季。这本小说原来就到这里为止。在我看来，一切线索都已完备。有李靖，他才智超群，性格天真，探索人生，等待机会；有红拂，姿容绝代，在石头花园里终日徘徊，偶尔也出去看看；有虬髯公，和红拂合居，并把这看作领导上对他的考验。还有我和小孙。只有一点没有明确地写出来，但它是不言而喻的——我们大家都有所期待，就如出席一个没滋没味的 party，之所以不肯离去，是在等待一个意外惊喜。后来我证出了费尔马定理，他们从城里逃走，这 party 就结束了。再写什么纯属多余。

在我看来，大千世界芸芸众生，无不在做白日梦。乞丐在做黄金梦，光棍在做美女梦，连狗都会梦到吃肉而不吃屎。一个数学家梦想证出个大定理，也是合情合理。在这个世界上总有一点可能好梦成真，但也可能不成真就到了梦醒时分。我们需要这些梦，是因为现实世界太无趣。我现在已经没有了梦想，但还活在人世上；因此风尘三侠逃出了洛阳城，故事还远没有结束。

第七章

　　本章主要是谈李卫公的事迹，他和作者一样，都受到了欧几里得《几何原本》的影响。作为一个数学家，作者认为欧几里得的上述著作是他智慧的启蒙书，正如别人曾受到《圣经》《可兰经》《论语》《毛主席语录》和《资本论》的启迪一样。

【一】

　　李卫公和红拂逃出了洛阳城，往北方逃去，而虬髯公紧追在他们后面。李靖说他在太原城里有些朋友，可以落脚安身。因此他们就走在被车轮子碾得稀烂的大路上，过往的车辆又不断地往他们身上泼泥水，所以走了没多久，他们就变得和雕塑家做的黏土模型一样，走累了休息一会儿，就满身裂缝。这是因为不久之前下过雨，假如不下雨就是另一种景象：到处尘土飞扬，过往车辆又在播土扬尘，以致每个行人都像未下班的面粉工人。假如我生在大隋朝，肯定拣雨天上路，因为脏点没什么，可不要得了矽肺。不管下雨不下雨，有一点都是一样的，就是只要在逃的犯人逃到了路上，你就再也别想把他逮回来。所以卫公和红拂就很放心，丝毫没想到还有人在跟踪他们。走在路上，天下就乱了。他们俩跑到太原去投了军。而虬髯公跟到了太原，也没得到亲近红拂的机会，觉得很无聊，就到扶桑去了。他们三个人离开洛阳的事就是这样。

　　离开洛阳城对于风尘三侠来说，意味着以前的生活结束了，这一点对谁都没什么两样。但是他们每个人以前的生活都有不同的内容。李靖离开了洛阳，就再也看不见那些泥泞的街道，看不见大街上高高矮矮的行人，再也不能到铺满了酒糟的酒坊街去找那位小巧玲珑的李二娘。他再也没有一间属于自己的土房子，再也闻不见房子里的尿骚味。这些都结束了。旧的游戏结束了，正好开始新游戏。但是李卫公对洛阳城始终恋恋不舍，这是因为在洛阳城这一局里，他还没有赢。不管是在什么游戏里，先赢了一局，再开下一局才有意思。而只有赌输了的人才会依恋旧的赌法。假如他在这里考上了博士，主管了工程，贪污了工程费（考博士就是为了主管工程，主管工程就是为了贪污工程费），再讨一个小家碧玉为妻，逃走的时候可能心里会更得意一些。李卫公不得不离开洛阳城，这时候他心里充满了被淘汰出局的感觉。所以他是怀着懊恼的心情开始新的游戏。他早就忘掉了自己是从什么样的一局里逃了出去——在这里他差点被碾碎了做成包子。假如他记着这一点，后来就不会那么卖力地建造长安城了。

　　虬髯公在泥水里艰苦跋涉，浑身冰凉，心里想着杨府里的面片汤。在杨素门下做门客时，假如天气潮湿，晚上就吃面片汤。那种汤里有小孩子皮带那么宽的面片，里面不但含有白面，还有荞面。汤里有细丝状的紫菜、虾皮、芫荽等等，加上胡椒，非常地好吃。后来他在扶桑想吃这种东西就吃不上，因为他不大会说扶桑话，而且扶桑厨子脾气又很坏，听他说了两句，就把厨刀往他手里一塞，说：你自己做！然后就奔出去切腹自杀。所以以后他再也吃不到这种食物。在杨府吃面片的时候，他手里拿了个橡木桶——瓷器是贵人用的东西，漆器是女人用的东西，所以门客们用木器，像他这样习武的人饭量大，所以用个小号的桶，因此就被人讥为饭桶，但这无关紧要，桶的容量大，盛来的东西能够吃饱。

在杨府上吃饭又有规矩，女人们吃饭不准有声响，因为她们可能会和贵人同桌吃饭，而门客吃饭必须咂嘴，因为他们并不是贵人。所以他们又被讥为是一群猪。但是这些都无关紧要，反正他可以吃到想吃的东西。他在盯红拂的梢时，就是这么三心二意，又想往前走，又想回洛阳去。但是他在泥水里继续前进，盯住了同样在泥水里的红拂和李靖。不管怎样，他不想再回到杨府的花园里，嚼着麻鞋坐在地上，鬼鬼祟祟地偷看女人了。当时他想的是要把红拂抢到手里，但是不知为了什么，他后来又把这事忘掉了。虬髯公离开洛阳的理由可能是嫉妒，也可能是绝望的爱情，不管是为了什么吧，这种强烈的感情出现在近乎木讷的虬髯公身上，可真是够怪的了。

　　而离开洛阳城对于红拂来说，就意味着再也看不见杨府里那些石头道路，那些青翠的没有树干的松树，再也回不到她那间石头楼上的卧室，也再不会泡进屋角那个洗头的大橡木桶里。对于这些她丝毫没有懊恼之情。这件事使我想起了十六岁时离开家到云南插队。插队这件事对于十五六岁的孩子来说是足够糟糕的，因为它意味着从此吃不饱，得不到医疗上的照顾，不适应的气候条件等等。去了以后不久，就死了一些人。不管怎么说，一种条件能让实验动物中一部分死去，对于活着的动物来说就是足够恶劣的了。但是我们这些人离开家前去插队时全无悲戚之情。我们以为自己离开了北方，到了热带地方，以后就该遇上一些有趣的事情了。这说明我们都太年轻。红拂离开洛阳时，比我去插队时也大不了多少。对于她这个年龄的人来说，离开一座居住已久的城市，还不像终止了旧的一局开始新的一局。因为对她来说，旧的一局也没有开始。

【二】

本书的这个部分是关于李卫公的。我早就说过，我和卫公不是一样的人，他比我精力充沛得多——虽然我们俩都是数学家。他逃出洛阳城后在唐军里作战，就以精力充沛闻名。那个时候红拂和他在一起并肩作战，却没有他有名，虽然红拂杀掉的敌人一点都不比他杀的少。打仗时，红拂穿一身皮甲，骑一匹小马，坐在侧鞍上——像一般战士那样骑马是不行的，女人分开两腿跨在马上会被敌人笑话——手里拿着小弓细箭。这样骑马不能和敌人正面作战，很容易把脖子扭歪，所以那马侧着身子用舞步前进，红拂是端坐着正面接敌。这样的骑术敌人见了也要喝彩的，不知不觉就到了弓箭的射程内。红拂弯弓，发射，姿势美妙，然后挥手和自己的目标们告别，回到自己阵上去。对方在鼓掌喝彩之中不知不觉倒下了好多人，因为她射得非常之准。这种作战方式非常女性，虽然非常有效，但敌人并不害怕。而卫公作战的方式则是男性的，他身披铁甲，站在八匹马拉的战车上，有如天神，手舞铁制的狼牙棒，吼声如雷，冲锋陷阵。特别要指出的是此时卫公的男根直撅撅地露在外面，非常地显眼，也非常地放肆。不管谁看见了都禁不住想往上砍一刀。需要说明的是往上砍的不光是敌人，还有战友，因为并不是每个人都佩服他的。一刀砍中以后总是火星乱冒，虎口迸裂，假如那把刀没有弯掉，就算它打得好。至于刀刃，自然是锛得一塌糊涂。但是说穿了就不是那么伟大，因为那其实不是卫公的男根，而是一根实心的铁棍，外形和男根一模一样，外面拿颜色画过。只要不动电气焊，谁也莫奈它何。他脸上带了铁制的彩绘的面具，也十分像他的脸，但没有下面那个东西有威慑力。在战场上人家一箭射在他脸上被弹了回来，不过是惊叫一声：好厚的脸皮！要是一刀砍在那个地方，崩坏了刀口，就会惊恐万分，落荒而逃。因为这个缘故，他有军中第一奇男子的美称。老有人问：李将军，成天挺着不累吗？卫公就答道：一打仗它就是这样，我也不知为什么。所以李靖被尊为军神（还不如说李卫公的阳具被尊为军神），青云直上。因此他觉得很得意，晚上睡觉也不摘下护裆。但是晚上宿营时，红拂常和他在帐篷里打架，大吼大叫：李药师，你这捣鬼的家伙！捣到我这里来了！这件事不但说明了当时的人有男性生殖器崇拜，而且说明了李卫公最善装神弄鬼。所谓装神弄鬼是指这个方面：别人打仗时，心惊胆战，大汗淋漓，他却能够直挺挺，似乎是个人瑞——但却是个假人瑞。相比之下我是个诚实的人，软就是真软，硬就是真硬。假如能证明我是个人瑞固然好，不是我也不装。小孙看到了这个地方就和我吵起来：我嫌你软了吗？我嫌你软了吗？说呀！

毛主席教导我们说，世界上怕就怕认真二字。这话着实有几分道理。小孙为了一个硬字和我争起来，叫我无言以对。李卫公脸上挂着面具，一点表情也没有，这叫人觉得他毫无幽默感，为了一句玩笑话就能打你的小报告；腰间挺着个铁阳具，这叫人觉得他没完没了，坚持到底，为一点屁大的事能够和你纠缠三天三夜。这两种样子合在一起，就让领导上觉得他是个可以信任的人。后来他就当了官，并在大唐建国以后被委以建造都城的重任。而这恰恰是他梦寐以求的事。而这些事被虬髯公知道了后就说：装神弄鬼不是真本领。这话可不是白说的，虬髯公的脸就像死了一样，别说没有笑容，连哭容都没有。至于坚持到底，根本就是他的本性。

李卫公开始装神弄鬼之后，告诉红拂说：我可算是找到了做人的门道了。这话可不是白说的，自从发现了这个门道之后，李靖就一帆风顺，一直做到了卫公，出将入相，只在一人之下，却在万人之上。这个门道就是做假。战场上金鼓齐鸣，刀枪并举，血肉横飞；男人见了这种景象，无不是阳缩如蚕，他却装得勃起如坚铁。会场上气氛凝重，人人昏昏欲睡，他却眼如铜铃；无怪他能得到领导上的重用。这样干了以后，他还能得到一种把大家都骗了的快感，因为这种缘故，他才能够几十年如一日地坚持下来。后来才发现，除了装得精神抖擞，他装病装死也是一把好手。

李卫公设计长安城时，还保留了他想象力丰富、爱好发明的本性。这种本性就是红拂爱他的原因。最早他想把长安建在海边上莱州一带，理由是海边上风大，有取之不尽的能源。假如这个方案被批准了，长安城就会是一片重重叠叠的石头高塔，塔顶上是无数的风车。住在里面的人靠风力来提水，磨粉，就连出门也要坐在带帆的小车里，在石头铺砌的道路上前进。李卫公还设计了风力灯，那是一对风力带动的火石轮，靠磨擦打出火星来照明。有风的时候大家出来工作，没风时躺倒了睡觉。这一点和我们这里是一样的：来电时工作，没电时睡觉。除了能源方面的考虑之外，李卫公还特别喜欢海，想要夏天和红拂一道到海里去游泳，把身上晒得黑油油。但是这个方案被皇帝否定了，理由是"朕的都城当与风磨有异"，除此之外，皇帝也不喜欢海，身为一国之君，在海滩上赤身裸体，不像个样子，晒黑了也有碍观瞻。后来李靖又把长安设计在峨眉山腰上，这样长安城就由各种水道组成，这些水道通过水闸，带动数不清的水轮，水轮又带动登山的缆车，碾米的碾子，还有水力灯。整个城市都用木头建造，到处是木头掏成的水槽，木制的水轮，这样的长安城就像个半山上的威尼斯，在不停的旋转之中。李靖还喜欢登山，尤其是草木葱茏的山。他想和红拂一道去打猎。但是它又被否定了。理由是"朕的都城当不同于水碾"，而且皇帝也不喜欢山，尤其是草木葱茏的山。最后李卫公才提出了用泥土建造一座长安城，像古往今来中国的一切城池一样，用人力来驱动。为了防止人力想入非非，采用了一切必要的措施。皇帝这回满意了，没有说"朕的都城当不同于猪圈"，而是说："李爱卿有一颗聪明的脑袋，但他不知道怎么用。"这就是说，经过了他的提醒，李卫公总算知道了怎么使用自己的脑袋，也就是说，李卫公尽管聪明盖世，却不知自己是个什么人。

我说过，卫公和我一样，是个数学家。真正的数学家不相信自己就是程式，认为自己是个学习、推导程式的人。这样比较经济。如其不然，一个简单的常微分方程，里面包括乘方开方等等运算，就要一个排的人来表示，一个复杂定理的证明就要一个团的人，而一本数学教科书就要把一个集团军都拉来才够。这样中国人再多也有不够的时候。但这不妨碍他在设计长安城时，把每个人都做成一种程式，比方说，"吃饭——干活——听话"。但他自己却不肯成为一个程式，领导上想看到他是哪一种程式，他就装成哪一种。真是缺德死了。

【三】

李卫公设计了风力长安，是因为他喜欢风，尤其是海风。他到了海边上，就坐在石头上，闻着海风的腥味。那种风简直能把人的耳朵刮掉，但是很可爱。海风是蓝的，带一点云彩的白色。他对红拂说，我将来一定要在海上建一座城市！但是这个决心因为不合皇上的心意，所以落空了。他也喜欢水，尤其是山上流下来的水。那种水冰冷刺骨，虽然透明五色，但是总带点绿荫的黄绿色。只是没听说过他喜欢人。虽然红拂说，李靖一直很讨人喜欢，就连在装神弄鬼的时候也有些可爱之处。但是一开始搅到人力长安的事里就不再讨人喜欢了。

李卫公设计了长安，采用了永久性原则。这就是说，要让这个城永远不出毛病。在这方面他倒是驾轻就熟，因为他毁掉过洛阳城，知道保住一座城市的关键所在，就是让里面的人永远不要想入非非，所以他就把这座城造得四四方方，土头土脑。这一点其实非常重要，有先贤的论述为证——罗素大师说过：古埃及人呆头呆脑的，怎么能知道地球是圆的？希腊人聪明无比，怎么就不知道地球是圆的？这其中的原因是这样的，埃及那地方光秃秃的，举目四望，除了周围圆形的地平线什么也看不见，所以他们呆头呆脑；希腊人抬头一看，四周有海有山，风景如画，所以满脑子古怪。但是在希腊很难看到地平线，故而不知地球圆，反而以为它是个大沙盘，驮在鲸鱼背上，鲸鱼一蹭痒就闹地震。幸亏扶桑人不知道这件事，否则准要把这条鲸鱼打了去熬油，他们才不管咱们大伙儿会沉到什么地方。李卫公学贯中西，设计出的长安城让大家住进去之后，既呆头呆脑，又不知道地球是圆的。这样就把长安城建在了极坚实的基础上。我们大家看着四周方方的城池，只知道天圆地方，像个茅坑的模样。因此就很不自觉，到了哪里都随地大小便。

我们说长安城土头土脑当然不是无的放矢，因为这座城除了土坯泥巴，就是砖瓦陶器，不是黄就是灰。除此之外，大多数的人都穿土黄色的衣服，以致近视眼都看不到对面有人，非要撞到怀里才知道。城里的房子也都一模一样，有一个土坯墙的院子，一个高高的门楼，走进去是一条砖铺的甬道，左手是一个水井，从里面打水来用，右手是一个渗井，把用过的水再倒回去，如此循环往复，以至无穷。站在井台中间往前看去，在一片屎黄之中立着一个灰色的瓦顶，这就是大堂的所在。没有事的时候，主人和主妇就并肩坐在这里，男左女右，这座院子的主轴线从男人的右肩和女人的左肩之间通过。长安城里每一所房子都是这样，只是宅基地有大有小。长安建好了之后，城里就再也没有过一丝风，连飞鸟都不来。有一种下流的说法，说是在长安城里住久了，屁眼都会变成方的，会屙出四方形截面的屎橛来。假如真是这样，也没什么可怕的。大家都惊异于这座城市的严整，说卫公真是天纵之才，仿佛他天生就是个人瑞一样。但是据我所知不是这样的。卫公从来就不是真正的人瑞。他和我一样是假装的。后来他被人砍了一刀就蔫掉了，真正的人瑞绝不会挨了一刀就蔫掉。大清朝的雍正皇帝养了一帮血滴子，看谁不顺眼就派他们去砍该人一刀。只要没砍死，那人后来必然会努力工作，每夜加班到凌晨四点。这些人才是真正的人瑞呢。

　　李卫公建好了长安城的城墙、房舍之后，就给它制定各种制度。如前所述，这些制度是为了防止大家想入非非，但是他不以为防止的对象应该把自己也包括在内。除了制定各种制度，他还在发明各种器具，想起一出干一出，而且完全不分轻重缓急。皇上看一份官制方面的奏章，发现有墨迹从背面透了过来。翻过来一看，竟是一份放在小客栈里那种木头女人的设计图，图边还有一个箭头指向她的阴部，有一行小字注着"里面用绒布"。皇上正在摸不着头脑，李卫公从外面闯了进来，嘴里大叫着：臣忙昏了头，把奏章和图纸写到一块儿了。待臣回去誊清了再奏吧。说完劈手把奏章抢过来，拔腿就跑掉了。他还借口工作忙，做了一双木头旱冰鞋，在皇宫大内的砖地上滑行，发出可怕的噪声，连小太监见到他过来都要双手掩耳。但是皇上容忍了他，说道：李卿性情活泼，很可爱！但这不是说他对李靖完全放心了。据皇上的贴身太监说，皇上确实说过：李靖这小子造木头女人，用的是谁的钱？是我的钱呀！

　　皇帝对李靖不放心是有理由的。这个人除了举止张皇颠三倒四之外，还有想入非非的毛病。他的风力长安、水力长安都被否定了，但他依然不死心，还在做实验。他家里大堂上有三个大沙盘，左面一个上贴了个标签"风力长安"，上面有纸浆做成的高塔、风车、街道等等，有一个人拿着扇子，不停地对它扇风。右面的一个贴了"水力长安"的标签，有水轮水道等等，顶上有个蓄水池，有个人用水桶往里灌水。中间一个是土黄色的沙盘，似乎上面什么都没有，仔细地看才能看到房屋和街道，这就是人力长安的模型。这三个模型的居民都是蚂蚁，而且每只蚂蚁身上都糊了一张纸，写明了它的身份。不但有庶民蚁、公卿蚁，还有三只蚂蚁大逆不道地当了皇帝。所幸当时是大唐开国之初，各种制度尚未完成，否则连李靖带他的三只蚂蚁，都该受千刀万剐之刑。李靖完全知道这一点，他嬉皮笑脸地说：我就是钻这个空子。实验的结果是风力长安里的蚂蚁比较聪明，水力长安里的蚂蚁比较强壮，人力长安里的蚂蚁最为安分守己。这个结果证明了皇帝的圣明。皇上始终知道李靖在干什么，还知道他得到的结论，但只说了一句：朕之圣明何须他来证！

【四】

长安城刚建好的时候，李卫公只有五十来岁。长安城黄澄澄的，四四方方，好像一块用玉米面蒸好的新鲜切糕，而李卫公精神抖擞，就像糕上面一粒蒸熟了的小枣儿。有一伙法国人远涉重洋而来，在长安城中间的十字路口上修起了一座大磨坊，出售法国式的面包和面点。这座磨坊是靠风力推动的，但是长安城里没有风，所以只好修了一座高入云霄的高塔到天上去找风。那些法国人每天早上三点就要起身往塔上爬，五点钟可以爬到工作岗位。李卫公每天起绝早到这里来，买一根新鲜的长棒面包，撅下一大截装在裤裆里，把剩下的吃掉做早点。这样在上班的时候他就显得雄赳赳气昂昂。人家问他为什么这样，他就说：给公家干活，为主上分忧时它总是这样。我们还要补充说，刚一打完仗，红拂就把他的铁棍扔掉了，所以他要用面包来壮大自己。除此之外，他还描眉画目涂红嘴唇，使用镜子的频率比红拂还要高，假如被红拂看见了，就用手指刮脸来羞他。当时正是大唐开国之初，无论君臣，都在拼命地抖擞精神，就像我们这里评定职称之前一样。假如人人都像卫公一样，就是比谁裤子里藏的面包大。幸亏不是人人都装神弄鬼，否则就太浪费粮食了。

我觉得我的毛病就是不会装神弄鬼，所以现在是这么一副失魂落魄的模样。好不容易证出了费尔马定理，却不知怎么把它发表。当然，我可以把它叫作"李卫公定理"，发出去没什么问题，但是我已经不乐意这样干了，因为它是我证出来的，和卫公没什么关系。其次，我可以说是我证出来的，但我需要一个故事：我为什么要证它。要给自己编个故事，就必须不那么肉麻。假如说我是为国争光，在数学事业上拼搏，那就太过装神弄鬼。满脑子崇高的思想，拿什么去想数学题？这就像卫公在战场上直挺挺一样不可能。这一条暂且不论。最后我还得说自己是怎么把它证出来的。这在早两年倒不成一个问题，因为必须说是读了某一条毛主席语录后，心胸豁然开朗，等等。实际上我证这个定理的动机是想自己露一手，并且是在小孙的肚皮上证出来的。但是这些情形都不能讲。最后只能求助于加州伯克利。相比之下，费尔马根本就没有证明这个定理，却名震四海。这完全是因为他会装神弄鬼。

现在该说说装神弄鬼是什么意思了。在我看来（再说一遍，是在我看来），这世界上最重要的定理是这样的：凡以两足直立行走，会使用一种语言的，都是人类，不管他是黄白黑；反正饿了就想吃，困了就想睡，性交以前硬，性交以后软。还有一系列重要特征，比方说听报告就犯困，贫困时就会想入非非等等。这些都是不能改变的，谁要说他不是这样的，就是装神弄鬼。由此派生出第二个重要定理：就是自打有了人类，就有人装神弄鬼。当然了，一开始是想占点便宜，但是后来没便宜也要装，这就叫人百思不得其解。但是我这个定理不能把虬髯公包括在内，因为他是有史以来最难猜的东西。

李卫公实际上设计了三个长安，但是人们看到的只有一个。他不但设计了城市，还有和城市有关的一切东西。在第一个长安（风力长安）里没有城墙，因为城墙挡风。为了防御，每一座高塔都修得十分坚固，可以住上千的人。那里的人都穿白色的紧袖衣，白色的灯笼裤，头上的无檐帽有黑色的飘带，时时刻刻提醒每个人风从哪里吹来。这些人驾驶着风帆，从所有的地方运来必需的物资，修理索具和风车，使用六分仪和航海时计，必要的聪明实在是必不可少。为了头脑的需要，就得多吃鱼，而且必须吃好鱼，比方说金枪鱼、马林鱼之类。这些鱼可不像我们现在吃的带鱼、橡皮鱼那样好捞，只有驾了大船到远海才能钓到。这样我们就要变成一个航海民族了，每个人都是黑黝黝的，我们的都城也会沉浸在大海的腥味里。一个航海民族的兴衰取决于头脑聪明，技艺高超，所以不会有这么多的人。在我国首都的石头墙上，一年四季都渗入了大海的蓝光。我对此毫无意见，因为我精通球面三角，在那里不当船长也得当大副。

在第二个长安里也没有城墙，因为要让水流通过，所以用巨木为栅栏，整个城市淹没在一片绿荫中——到处都是参天巨树或者是连片的绿竹，因为没有木头竹子简直就不能活，除此之外，还特别潮湿，连皮大树旋的水槽下面，木板墙上，到处长满了青苔，林下也长满了草。那里的人都穿黑皮衣服，衣襟到衣襟还有半尺宽，中间用皮条系住，以便露出黢黢黑毛。不管是砍树，还是扛木头，都得有把子力气才好。所以人都是一米九高矮，百公斤左右的大汉。像这样的人必须吃肉，所以我们就变成一个吃肉民族了。一个吃肉民族不会有很多的人，因为必须留有放牧畜群的地方，藏有野味的树林，不能哪儿都是人。这样我们的首都就会是一些崎岖之地，在树荫的狭缝里有一些零星的天空，而且不分晴雨，头顶上老落水滴——树林子里总是这样的。我对此也是毫无意见，虽然我身体瘦弱，人家准叫我去牧牛或牧猪，但是我喜欢动物，不管是哪一种。甚至见了眼镜蛇和老鼠，都不愿把它们打死。只有人力长安对我不合适：像我这样失魂落魄，想入非非，一定常被捉到衙门里去，这样我既不是船长大副，又不是牧人，而成了个挨打的屁股。但是像到哪个长安去这样的事必须由领导上拿主意，我们说了都不算。

李卫公在世的时候，长安城气派非常。这不是说长安城里都是石头砌成的高楼大厦，门前有青翠的草坪和喷泉，而是恰恰相反——长安城里见不到一片石头，一棵活着的草，一股流动的水。所有的房子都用砖瓦木料，并且全是一层的。那时在长安路上骑马的人都带一包土，假如自己的马在大街上撒了尿，就要马上下来，把流动的尿用土盖住。更没人敢当街倒脏水。长安的房子很矮，但是街道很宽。地上没有草，但是每一寸地面无不印着笞帚的痕迹。在街上走的人自动追上前面的人，或者放慢了脚步等待后面的人，以便结成队伍，迈开齐步走的步伐。但是一旦跟上了队就不好意思从队伍里离开，所以原准备到隔壁看看邻居，就可能被裹着走遍了九城，直到晚上才精疲力尽地回家，把看邻居的事也忘了。那时候的外国人到了长安，看到大街上尘土飞扬，大队人马在行进，常常惊讶得张大了嘴巴再也闭不上。不过长安刚刚建好时，里面的居民有三分之二是退伍老兵，擅长队列科目，对于齐步、正步、向左向右转等等，都是无比熟练。而别的人想要迁到城里来住，也要经过三个月的队列训练。这一点外国人并不知道，只以为是水土的关系。他们对自己的懒散很惭愧，故而拼命喝长安城里又咸又涩、带有轻微尿味的井水，不喝优待外国人的矿泉水；并且到了饭馆里就说：把你们吃的东西给我来一份！这样做的效果不显著，就去买来嫩核桃把自己染黄，动手术把双眼皮缝上，装出单眼皮的模样。虬髯公派来的大批的遣唐使，还未来得及学习大唐的制度，看了这种景象，就跑回去赞不绝口，说咱们永远赶不上——除非从现在开始不吃鱼，光吃小米饭。但是扶桑这个地方不吃鱼就要闹粮荒，而且谷子不耐涝，那个地方雨水又特别多，所以就没有完全照卫公的法子办，只是采用了他发明的礼节。光这一条就够他们受的了。

我们知道长安城里有一座钟楼一座鼓楼，钟楼里有一个老兵在绕钟走动，每走一圈是一分钟，走满六十圈就击钟一次。长安建城之初，这座钟非常之准，简直不下于英国的大笨钟。过了一些年，这个兵脚上长了鸡眼，这座钟就慢了下来，逐渐慢到了每天慢两个小时的程度，长安城里开始日月颠倒。又过了些年，这个兵又得了痛风病，这座钟就达到了每天慢二十四小时的程度，于是长安城里就出现了两种时间，公家时间和太阳时间。按公家时间一小时行人可以走二十里，按太阳时则减半。按公家时间每天太阳升起两次，按太阳时也减半。你在长安城里问一个半老徐娘年纪，她说二十岁，实际是二十公岁。你去问一位老人家高寿，他说七十岁，那就是太阳岁了。这样就增加了计时的复杂性。等到那座钟楼一天慢七十二个小时，公家时间就被废掉了。那时候该老兵已经中风患了半身不遂，还在挣扎着绕钟行走。好在他已经没有击钟的力量，敲出的声音只在钟楼里才能听见了。

而那座鼓楼的故事是这样：楼里有个大鼓，由鼓手在上面击出鼓点来，让全城的人踩着它行进。这种工作十分累，要用一大群健壮的人以便轮换；而且它又非常枯燥，所以有些鼓手后来就精神崩溃了，不顾一切地在鼓上击出些花点，让全城的人不走正步，而是扭秧歌或者跳迪斯科。干完了这样的坏事，他就说：要杀要剐随便吧。因为这个缘故，后来击鼓的制度就被废除了。好在那些老兵也都到了风烛残年，也觉得走正步太累，也没有提出意见。

长安建城之初，假如有人在路上捡到了铜钱，就把它交给领导，领导上再设法交还给丢钱的人。令人遗憾的是虽然人人拾金不昧，但是铜钱的总数也不会增多，大伙儿还是那么穷。既然是那么地穷，所以丢钱的事也很少发生。后来领导上又规定，一枚铜钱经过了一次拾金不昧，就在上面打一个钢印，可以当两枚花。这使大伙儿在路上故意抛撒铜钱，长安市上的钱很快都打满了钢印，造成了严重的通货膨胀。不管打不打钢印，铜钱是一文不值了。长安城里拾金不昧的好事总数却直线上升。但是后来大家发现没有了铜钱很不方便，就把这项制度也废掉了。

【五】

上节所说人力长安的故事只是故事的一半。这座城里既不靠山又不靠海，城里倒有好多人要吃饭，所以就有一大批脚夫专门到黄河边上背粮食。这些人五十人为一队，左臂上有嵌进肉里的铁环，铁环上有皮条把他们穿成一串，肩上扛了一条大口袋，有十丈长，能盛几万斤粮。他们就像大蜈蚣一样，成年累月在黄河码头到城里粮仓间往返不停。久而久之，成了一个奇特的人种，浑身上下都没有肉，只是在小腿上端有一块小足球大小的肌肉，还有一双两尺多长的大脚丫子；而手却因为老不用退化了，就如一对鸡翅膀。据说脚夫们的脚极为灵活，就用脚拿碗吃饭。粮食到了城里又要有人把它摊晒扬净才能入库，就有一批手持木锨的库丁，不分昼夜地扬场，最后也变成了大手小脚的奇特人种，出门就拿大顶。至于城市近郊的菜农，他们四肢并用，公家就发一条大皮带，让他们把腰牢牢束住，多干活少吃饭。后来长安的菜农的体形就变得无比性感，让人看了怦然心动，有些不争气的家伙就把菜地撂荒，跑到城里当男妓。

卫公把长安城建好了以后，心里非常高兴，当时长安城崭新崭新，一点毛病都没有。他觉得这是自己一生最伟大的发明，远胜过证明费尔马定理、造出了开平方的机器，因此他就向皇上建议说要把长安城更名为"新洛阳"。皇上一听，马上不尴不尬地笑了一下说：李卿，朕的都城叫这么个古怪名字，恐怕不大好。但是李卫公正在兴头上，还是继续讲他的理由——多年之前，他和红拂从洛阳城逃了出来，当时他就下了决心要建一座大城等等，所以叫这个名字有纪念意义等等，讲着讲着皇上就不见了。于是他就回自己的衙门去，丝毫也没看到皇上当时的模样，好像正在发疟子。皇上觉得这是两个可怜虫的古怪游戏，把它讲出嘴来实属肉麻。不管怎么说，他是皇上呀，倒霉的李卫公居然把这一点给忘了。晚上下班时，刚一出门，路边跳出一个黑衣人来，砍了他一刀，正砍在钢盔上，火花乱冒，把他都砍愣了。幸亏当时正是大唐建国之初，不论文臣武将，出门都穿礼服。卫公的礼服不仅头上有钢盔，身上有铠甲，还佩有腰刀。他一面想：我设计长安时，可没把刺客这个行当设计进来呀！一面就去拔刀。但是他的卫士长站在他身后，一把按住他的手。李卫公急忙嚷了起来：有人刺杀我，快去逮他！那人却笑着说：没有哇！李卫公回头一看，那黑衣人正在前面飞跑，就急赤白脸地嚷嚷：还在那里！快去逮他！嚷了半天不见有人动弹。连忙回头一看，只见他的卫士长正在甩着手走开。这一惊实在非同小可，自己一想，白天和皇上胡扯了一阵，犯了错误。原来长安是皇上的都城，不是他的新洛阳。所以他回了家赶紧写辞职报告，皇上不准。再过了几天，卫公就病了。不管怎么说，这是个重大的损失，因为要找卫公那么聪明的人，一时还找不到。而虬髯公在扶桑得到了这个消息却说：像这样一个只有点小聪明的不可靠分子居然钻进了国家的庙堂，只能说明大唐朝无人了。这种话别人讲出来就该打嘴巴，他讲就不同了。虬髯公后来活到了二百岁，在一百五十岁上还能御女成胎，统治扶桑一百余年，何止是百岁人瑞而已。但是当过他太子太孙的人就倒霉了。这些中日混血儿读过中华的典籍，一句都记不住，只记下了《论语》上的一句话：老而不死是为贼。

　　长安建城之初，李卫公就这样一时兴之所至，在皇上面前胡扯八道，结果是挨了一刀，然后就蔫掉了。这个故事远比在这里讲到过的复杂，并且涉及了生活的一些基本的方面，暂时不能完整地叙述出来。现在我们可以对事件做最简单的理解：李卫公造长安城，就如瓦特先生造他的蒸汽机。经过很多日夜的努力，蒸汽机终于造好了，运转自如，而且既不爆炸，也不大漏气。瓦特先生很高兴，跑到大街上唱歌跳舞，抱住过路人亲吻，结果被警察打了一棒。这一棒对于不列颠是无关紧要的，因为烧煤的机器已经造了出来，烧汽油的机器一直要到得克萨斯的油田开发出来才有需要，所以打了也就打了，没什么损失。但是对卫公的一刀砍得却是太早了。当时他正在编小学一年级的课本，已经编了四课——一、皇上万岁；二、皇后万岁；三、王爷千岁；四、王妃千岁。假以时日，让他完成这项工作，就能从根本上防止大家想入非非。除此之外，他还有好多工作在朝气蓬勃地进行。假如全部完成，大家就不再需要想了。不想就不会非非。

　　想要防止想入非非，必须由最擅长想入非非的人来制定措施。李卫公正是合适的人选，有一段他正在兴致勃勃地办这件事，谁知后来事情起了变化，卫公开始整天迷迷瞪瞪的，裤裆里那直撅撅的东西也不见了。他再也不管长安城的事情。这座城市就如没人照管的院子一样，马上就长满了荒草。大家都把院子向大街上伸展，街道很快就变窄了，路边上的水沟里也有了积水。后来长安城里的地皮也不够了，开始出现了楼房。甚至在一些小巷里，人们不待批准，就用石板来铺地。照我的观点，这种事态和好多因素有关，比方说，人口增多，商业发展等等。但是大家都把注意力放在了卫公身上。好多人以为只要卫公能重振雄威，所有的事都能变好。前面提到有一位勇敢的女士给卫公做过 blowjob。当时她的确是想从卫公嘴里套出话来，但也有部分原因是要挽救长安城——只要卫公能直起来，长安城就有救了。后来她发现卫公那地方苦极了，其实那是黄连水的味道，但是她一点也没想到卫公有幽默感，只是摇头晃脑地背诵起孟夫子的名言：夫天将降大任于斯人也，必先劳其筋骨，苦其心智。卫公的那个地方要是不苦，倒是怪了。她想使自己聪明起来，就每天吃一副猪苦胆。吃到后来，一吃糖就觉得苦，吃饭也觉得苦，只好永远以胆汁佐餐。到了最后整个人都变成了绿的，所到之处，丈余方圆，全部笼罩在一片苦雨腥风之内。但是据我所知，卫公那地方的苦是假装的，所以她吃了那么多苦也没使自己聪明起来，相反，因为胆酸中毒，倒变得有点傻，换言之，白白变成绿色的了。不过她倒是因此成为了人瑞，被公认为大唐最伟大的史家，因为像这样怪模怪样的人再也找不到了。

想要挽救长安城的还有大唐皇帝本人，他异想天开地研究了几本医药书，给李靖开起药方来。有时候他派太监给卫公送去自己研制的"至宝三鞭酒"，但是这种酒他自己从来就不喝。那种药酒里除了像海马、鹿茸那样的壮阳药物之外，还泡进了各种动物的鞭，包括鹿鞭、虎鞭、大象鞭等等。为了保证疗效，他还让宣旨的太监当场倒出一碗，眼看着卫公喝下再回宫去。倒酒时卫公看到酒坛子里泡了整整一具猩猩鞭——那东西和男人的生殖器一模一样，酒是淡红色的，看上去好像是稀薄的血，味道就像洗咸肉的水，还有点陈腐的尿骚味。勉强喝下一碗，肠翻胃倒，脸色苍白，撑到太监离去，就狂呕起来。要不了十分钟，就变得面如死灰，双手冰凉。人都到了这个样子，还得不到红拂的同情。她说：该！谁让你装神弄鬼！至于卫公的同僚下属，对卫公的情况更是关心，从天南海北给他找来各种补药，但是他都不吃。可怜大唐的君臣都没发现症结所在。卫公直不起来，是因为那几个法国人做生意赔了本，关掉磨坊回乡去了，长安城里再没有长棒面包供应。所以解决问题的办法是应该把那些法国人找回来，并且禁止在长安城里蒸馒头，这样他们就不会再赔本，可以源源不断地供应长棒面包。但是这样做了之后也未必能解决问题，因为卫公早就觉得活得太累，不想再干了。人要是动了这种念头，不管是至宝三鞭酒，blowjob，还是长棒面包都不能让他重振雄威。

李卫公精神不振，大家把这笔账记到了红拂账上，最起码是她没把卫公的伙食管理好。除此之外，皇上也说过："这小子（指李卫公）还有用，不该拿刀去砍他。"但是这话大家没有听到。因为这个缘故，皇帝就派御厨接管了卫公的伙房。从那一天开始，卫公吃的每一口肉里都有骨头，蔬菜也大多是竹笋一类看起来挺然翘然的东西。他餐桌上最常见的是炸鸡腿，整根烧的猪肘子，而且端上桌时还是竖直地立在盘子里。给他吃的饭也都硬得厉害，几乎是生米。偶尔卫公提出要吃顿面条，那些面条像钢丝一样硬。御厨一滴滴往面粉里加水，和成了世界上最硬的面团，又用斧子砍成面条，卫公吃了几口，险些噎死。以后他再也不敢说要吃面条。但是给他吃的烙饼也像鞋底子一样硬，他一有机会就从餐桌上偷走几张，让红拂给他揣在怀里，焐软了再吃。

【六】

现在可以说说丧失了卫公的管理之后，长安城是什么样子。这时候大街小巷都铺上了石板，好像一些乌龟壳。大街两面都是铺面房，那种房子正面都是木头门板，年代一久，被油泥完全糊住。屋檐几乎要在街面上空汇合，所以街上非常之暗，只有铺街的石板上反射着一点点天光。万一失了火，就要烧掉半个长安城，而卫公管事时，失了火只能烧掉一条街，这就是区别所在。偶尔有一个妓女，穿着短得不像话的裙子，露出了洁白无疵的两条腿，踏着钉了铁掌的木屐从街上快速地跑过，留下一街的火星，让大家看了都很过瘾。在卫公管事的时候决不准女人露着

大腿在街上跑，这也是区别之所在。卫公管事的时候规定了良家妇女上
街必须穿三条裙子，衬裙和围裙可以比较短，但是主要的裙子必须长及
地面。而妓女上街必须穿六条裙子，每一条都得长及地面，所以脱起来
甚为麻烦。谁穿的裙子不足此数或者超过了此数，就要抓到衙门里去打
板子。打以前先要用磁石吸她一下，看看裙子里是否夹带了铁板。这些
规定让卫公绞尽了脑汁，因为就连女人穿裙子数都要有典籍依据，或者
是从数学上证明。但是老百姓偏不体谅他的苦心，专门来找麻烦。有一
个服装商生产了一种裙子，下面有三层滚边，看上去是三条裙子，其实
只是一条——不就是想省几尺布吗。还有个商人生产了一种护臀板，是
木头做的，磁石吸不出来，但是打上去梆梆响——不就是怕打吗。卫公
也怪不容易的了，你让他打两下子怕啥。出了这种事，卫公又规定遇到
屁股上有木板的女人，掌杖的衙役必须用三倍的力气来打，连木板带屁
股一起打烂。但是那些衙役又抱怨说粮食不够吃。由此你就知道大唐朝
的长安城里，各种人都有粮食定量，和后来的北京城一样。在后来的北
京城里，牙医吃钳工的定量，乐团吹大号的吃翻砂工的定量，规定得十
分合理。而在长安城里打女人屁股的衙役原来吃中等体力劳动的定量，
因为女人往屁股上垫木板长到了重体力劳动，那些人还不知足，说是抡
棍子打木板，撞得手上起了血泡，肩膀也疼，这两种毛病应当算是职业
病。按大唐的劳保条例，职业病应当全薪疗养。手上打了泡就可以吃干
薪，实在太便宜。卫公想了半天，决定发衙役几双线手套，而那些衙役
领了回家，交给老婆拆了织袜子。这说明那些衙役根本就不怕手上打泡，
而是以血泡为说辞，向公家要更好的待遇。像这样的事太多了，吵得卫
公脑子疼。最后他装病躺倒不干了。长安城没有了他，就变成这个鬼样
子——想穿什么裙子就穿什么裙子，想多长就多长。又有一些老百姓说，
这简直是在毒害青少年。群众来信成麻袋地寄往卫公府上，但是他只静

一只眼，所以连看都不看，就把信送到厨房烧火了。

卫公病了乃至死了以后，他制定的各种制度依然在乱七八糟地起作用。比方说，红拂要自杀，经过了各级机构的批准，皇上已经派了魏老婆子来办这件事，为了让她死后更好看些，正在把她倒吊在房梁上，这时老有人到门口找她。这时候只好把她从梁上放下来，把她搀到门口一看，是几个糟老头子，是从市政司或者其他鬼衙门来的，一本正经地对她说道：卫公遗制，皇上恩准，寡妇殉节本司有一份福利。李张氏签字收领，谢恩！这就是制度的作用。小孙在图书馆工作，每月领两副套袖，回来当抹布擦桌子。福利就是不管你用着用不着都要发下去。再看那些福利，或者是陈仓老米，本身是大米，却黄澄澄的像玉米；或者是干的咸鲐鲅鱼，不知有多少年头了，绿的地方是霉，不绿的地方一片金黄。咸鱼发了黄，就是哈喇了，带有一股桐油味。再不然就是一口柳木棺材，板子薄得透明。红拂一面签字一面骂道：这个老鳖头子，他死了倒干净（这是骂卫公）。魏大娘，给我拿个垫子来。魏老婆子问：要垫子干什么？她说：我操他妈的，跪下谢恩呀！后来回到屋里去，一面被倒挂上房梁，一面说：魏大娘，看来咱们得用个滑车了。后来她又在房梁上大头朝下地说道：姓李的这家伙是自己作死，把我也连累了。照她看来，李卫公既然是个想入非非的家伙，就不该去装神弄鬼。而皇上知道了这些话，就为自己辩护道：我早就知道李靖是个想入非非的家伙，但是我现在正用得着他！这话的意思就是说，在领导面前，装神弄鬼是没有用的。李卫公的种种小聪明，早就被领导上识破了，他应该为不诚实付出代价，但还没到时候。但是作为一个群众，我不相信领导的话。我觉得这是他们编出来吓唬我们的。

我把卫公的故事都写完了，但还是不知道怎样来评价卫公，正如我活到了四十岁，还是不知道怎样评价自己一样。我十五岁时开始学习平面几何，以《几何原本》为课本，以日本人长泽龟之助的《几何学辞典》作为习题集——独自坐在一间房子里，面对着一本打开的书，咬着铅笔杆——像这样的经历卫公也有过，不过是读波斯文的《几何原本》，用波斯人写的习题书。这和就着《朱子集注》读《论语》可不是一回事。前者是一种极为愉快的经历，后者则令人痛苦。虽然有这样的共同经历，我还是不能完全了解他。他是这样地喜欢演戏，像个演员一样活在世界上。这一点我永远都学不会。在这个世界上，再没有什么比像个演员活着利益更大，也没有比这危险更大的事了。

第八章

　　本章的内容受到了卡夫卡《变形记》的影响。这位前辈大师的人格和作者极为近似。

<h1 style="text-align:center">【一】</h1>

　　本书的这个部分是有关虬髯公的，他是个方头方脑的人，十分粗壮，长了一双圆柱形的眼睛，这就是说，他的眼珠子往外凸，好像得了甲亢。他出生在中国，后来住在扶桑，人家也看不出他不是本地生人，因为这种相貌很平常。扶桑是一个傍海的地方，石头岸上长了好多小松树，看上去好像才长出来，其实已经有好几百年了。虬髯公住在木板钉成的宫殿里，吃着生鱼片，无限怀念洛阳城，怀念杨素府里的伙食，还怀念红拂。杨素府上所有的房子都是石头砌的，窗户上镶着透明的云母片，从里面看很明亮，从外面看却像白内障病人的眼珠子。虬髯公再也住不上这样的房子了，因为在扶桑要盖这种房子，就得把所有的人全赶到山上打石头采云母。扶桑的女孩子也没有红拂好看，她们还特别不会打扮，总是在脸上扑极厚的粉，每次亲热过后，都要掸半天衣服。这一点后来特别叫他伤心。他对扶桑女人用的粉过敏，后来得了哮喘病。而他越是喘，那些人就越要扑粉。

　　虬髯公初到扶桑时方头方脑，后来就变了模样。他的眼睛后来也不凸了，哮喘病也好了，不再怀念红拂和杨府的伙食，但这是个漫长的过程。人从生到死是个漫长的过程。虬髯公先是没有甲亢和哮喘病，后来同时患上了这两种病。再后来这两种病都好了。这就是本章将要讲到的故事。

　　我自己的一生是这样的：二十多岁时响应毛主席的号召去扒土，但没有扒出个名堂；三十多岁时像个变态分子一样，见到漂亮女孩子就盯住了猛看，但也没看出个名堂。四十多岁证出了费尔马，按常规就该一辈子没法发表，像个老处女到了这般年纪嫁不出去了一样，但侥幸成了人瑞。当然，这种经历毫无代表性。有代表性的是扒一辈子土，当一辈子的变态分子。我的这种经历颇像虬髯公，他本来该在洛阳城里当一辈子的变态分子，后来却跑到了洛阳城外（当时他也是四十多岁）。于是一代名侠，就此堕落了。

　　虬髯公没有堕落时，总是坐在地上嚼鞋子，从新麻的苦味里体会人生。这时候他的眼睛和正常人是一样的，既不凸也不凹，而且从来也不喘。太阳晒在他的脸上，汗流到他眼睛里，像红拂这样的绝代佳人从他眼前经过，都不能使他有所动摇。只有在半夜里性欲难熬的时候，才拔剑出去，仗义行侠，发泄心中的欲念。被他杀掉的奸夫淫妇，总是七零八落，需要仔细分拣才能分开，盛进两个箩筐。这种分拣的工作谁都不想干，但又不得不干，因为男女有别，死了以后也不能混在一起。对虬髯公来说，只要偶尔感到红拂从身边走过时的森森凉意，嗅到她身上的气味就够了。像这样长发委地，肌肤如雪的女人只是用来欣赏的。等到他将来老了，领导上会给他一个奶水流尽了的奶妈做老婆。那种女人脸上皱纹特别多，牙齿虽未脱落，但是齿缝特别地宽，以至牙床好像一把用旧了的梳子；她的奶袋平坦而广阔，好像鳐鱼（这种东西俗称老扁鱼），或者大象的耳朵一样，假如能够扑动，可以试着飞上天去。领导上还会给他分配一间住房，是谷仓里隔出的小间，就如我过去住过的筒子楼，这个女人就会在黑洞洞的地方做针线。他们俩在这间小房子里交配，生孩子。用不着领导上提醒他，虬髯公就知道这是所说的幸福生活。但是在住到谷仓里之前，还要在阳光下住很多年，嘴里嚼着鞋子，看着红拂苗条的背影。我不知你在这种情况下会怎么看，反正虬髯公把这看作领导上对他的考验。

　　虬髯公尚未堕落时，红拂对他来说不过是一棵特别美丽的植物，比方说，一棵大柳树，她头上的万缕青丝就像是柳条；或者她是一条幽静的小溪，那万缕青丝就是水流里飘荡的水草。虽然他也起过等红拂走过时往地上一躺，从裙子底下看看她的腿，或者趁教授剑术时从她领口进去偷看几眼等念头，但他不是总那样的。偌大一个洛阳城都会出毛病，何况一个虬髯公。总的来说，他一直知道自己是什么人——是一个系红色的丁字布，被海边上的阳光晒得黧黑的人，这个人是一个扶桑的渔夫，清洗大海里捞出的鳐鱼，撒上盐，再把它晒干；或者是一个围草裙的人，在暗无天日的森林里被沤得黑不黑白不白，这个人是个马来西亚的象奴，每天都要给大象洗耳朵；或者像我这样的人，每天晚上用双手揉着小孙皱皱巴巴的乳房，眯着老花眼看她趴着睡觉压出的纹路，她还说假如她得了乳腺癌不能早期诊断就要唯我是问。总而言之，假如这样的话，我们就都是一样的人，没有什么非分之想，丝毫也不想把红拂这样的女人环抱在怀里。这就是说，那时他是经得起考验的。但是堕落了之后，一切都会发生改变。

　　现在可以说说虬髯公在路上盯李靖、红拂梢的事。那是一条什么样的路呀，简直可以说是蜿蜒于田野和草地之间的泥沟。假如你抱怨路不好的话，就可以回答你说：谁让你出门？假如你说：我有急事非出门不可。回答就是：这我管不着。假如一位官员或者有身份的人出门，就有整整一支筑路大军在他前面修路，而他没经过的地方，路还是很糟。他走过之后，路马上又坏了。所以抱怨路不好，还不如抱怨自己是个老百姓更实在些。

假如你不是老百姓，就会想到：我要什么就有什么，何必要有路。而假如你是个老百姓的话，就会想道：我要什么都没有，岂止是路？

李卫公、卫公夫人，还有后来当了扶桑国王的虬髯公，在年轻时候都这样行过路——遇上什么吃什么，比方说路边上有绿色的麦子，就顺手捋下一把，搓去外壳放到嘴里；遇到什么地方就睡在什么地方，比方说草垛、树林子、牛圈、驴棚；遇到什么水就喝什么水，走着走着，路就向田野里岔去，那准是通向一眼泉水。当然说它是泉眼，未免太好听。它是麦田里一个水坑，周围的麦子都被行人踩得精光，好像一片打麦场。路就是这样的，总是通向有吃有喝有住的地方。但这对于住在路边上的人就不是什么好消息了。因此路上到处都是断头沟，成团的酸枣刺，牛圈驴棚里都屙满了人屎，泉水里有牛屎，甚至人粪。行人经过村子时，别人都是怒目而视，时而还会成为小孩子弹弓的靶子。尽管如此，人在这一辈子里，总有几回要成为行人，否则就不能算成年人。因为不行万里路不知天下之大，契诃夫就去过库页岛，苏东坡也去过海南岛。

虬髯公和李靖、红拂走在路上，实际上路不止一条。除了那条泥水飞溅的车道，还有无数条人走的路，好像一束没有绞紧的毛线，走到了崎岖的地方束紧成一条，到了空旷的地方就散开成一片，践踏着青苗，走到了河边，人路就和车道分道扬镳，车子走到渡口或者桥上去，而人却朝僻静无人的地方走去，在河边上散开不见了。这样可以省掉摆渡或者过桥的钱，也可能会在河里淹死，但是对于没有钱的人来说，这后一条没有什么可怕的。这是些绿油油的河，河边上长满了绿油油的芦苇。那是一条处处淤塞水流迟缓的河，所以里面的水不是清而是绿，但是红拂下去以后，河水好像是清了一点。那条河边上芦苇有海带那么宽，可以采下来包粽子。水边上还长了不少的马兰草，所以连捆粽子的带子也有了，只是不知到哪里去找糯米。李靖和红拂找到了没人的地方，脱光了衣服下水，虬髯公在岸上的芦苇丛里看见了，觉得他们好得意，就禁不住妒火中烧。后来他不管何时何地，想起了这件事都要妒火中烧，尽管红拂和李靖不是一生总得意。没有人能够一生总得意。

好多年前我插队的地方也有这样一条河，长满了这样的苇叶；到了河边我就想到了粽子的问题。按照我的意见，只要有了糯米，不吃粽子就吃黏米饭也可以。但是在这方面我说了总是不算的。想要说了就能算数可不容易。假设有一条天然的河流到了开阔的地方，并且没有人管它——换言之，不在岸边上打桩护岸，植柳筑堤等等——它就会在田野之间拿起弯来。久而久之，在某些地方宽得好像跑马场，河水流到了那里就散开，变成几十条细流在沙滩上流过去，在另一些地方形成绿油油的河湾，两边都是绿油油的芦苇——那种芦苇叶的样子好像芭蕉叶。现在我回想起当时的路和河流，就要联想到拓扑学。我学的一切功课里，就是这一门最让我头晕。

后来虬髯公越活越老，他的后妃都死掉了，就和孙媳爬灰。这时他的眼又凸，气管又喘。这个时候他还常常想起李靖和红拂，但是到了这时，不但李靖已经死了，红拂也死了。他老是想起那条绿油油的河，红拂就在这样一条河里，她的头发剪短了，到了水里好像又长了起来，并且和水流合为一体。从后面看去，水里不但有红拂的头发，还有她的臀部，圆滚滚的像个海豚的脑袋。后来她翻了个身，在齐腰深的水里站了起来，露出了雪白的身体，还有两个乳头，是浅红色的。照我看来，这种景象不过是好看而已，但是在虬髯公看来就大不相同了。据我所知，他从洛阳城里跑了出来，原本就打了个杀掉卫公取而代之的主意。所以到了这时，他腰间的宝剑在鞘里"咔咔"作响。作为一个做科技史研究的人，我知道宝剑不遇到变化的磁场是不会响的，不过这是个象征的说法。不象征的说法是他勃起了。假如他跳了出去，谁也救不了卫公。这家伙横着和竖着简直是一样的尺寸，体重在二百公斤以上，卫公虽是个健美的男子，也绝对敌不过。

卫公在水里光着屁股，想装神弄鬼也装不出来。更何况他毫无防备，从水里爬出来，从后面去抱红拂。而红拂嘴里含了一口水，一转身喷了他一脸。后来红拂找了一片向阳的沙滩，躺在那里，揩去了阴毛上的水珠，把两腿分开，而李靖爬上去了。看到这种景象，虬髯公浑身发抖，好像发了疟疾症，照我看来实属不值当。事实上他就是在那一回得了甲亢和气管炎。我不能想象自己也会这样。这就是我当不上领导的原因吧。

虬髯公在河边上看到了红拂和李靖做爱。那个时候他浑身颤抖，简直马上就要散架子了。这种抖动是有很多原因的，比方说，回想起自己在杨府想要偷看红拂一眼又不敢，以及偷偷把她遗落的头发绕在身上等等。到了这个时候，每个男人都会得出个结论，就是自己的前半生是个变态分子。比方说，我和小孙初次做爱后就得出了这样的结论，因为当时自觉得发泄出去的不是正常性欲，而是变态性欲。但是与之而来的还有另一个结论，就是这一切都已经结束了，从此之后我是个正常的男人。像这样的结论虬髯公就没得出来，自从那一天在河边开了眼界后，他的变态就变本加厉。本来他可以跳出去杀死李靖，强奸红拂；但是他没有这种勇气。他敢干的事只是跑到扶桑来，强奸他合法的大老婆小老婆。那些人的乳房虽然还不是鳕鱼和象耳朵，毕竟也差不很多。这种事干多了以后，假如遇上一个乳房圆圆的女孩子，他倒会阳痿了。对这件事要是给一个结论的话，那就是虬髯公出毛病了。

【二】

虬髯公到扶桑去，找当地的每一位有名的剑客决斗。在这方面他是有真实本领的。这不光是因为他剑术高明，还因为他做任何事都很认真，像个当领导的模样。每回斗剑前，他都要眯着眼（他眯眼时像个守宫，那种动物的眼睛是个球形的庞大器官，但是眼珠子甚小，像个天文台），把对方打量半天，然后说道：您的身材短粗，躯干短粗。我要把您横着砍为三截。那扶桑剑客说道：我们长得都这样！你敢侮辱大和民族！八格！舞着剑猛冲过来，转眼间就被砍成了三截。假如对方下盘功夫好，还能砍出奇迹来。比方说在小山上决斗吧，上半身倒在了山上，腰以下的部位能够冲到山下的路上。假如虬髯公见到了身材好的人，就说：您身材颀长，姿势优美。我要把您竖着砍开。那人听了很高兴，说道：谢谢！请关照！这就像听见外国人说我们经济发展快一样。结果就是竖着被砍开。有人说虬髯公竖着砍人时，发出"咔"的一声锐响，非常动听，横着砍就是"垮"的一声，不好听。要是碰见了身材一般的人，就把他们斜砍成两截，声音一般。总而言之，每砍一个人他都要大动脑筋，每一回都取得了胜利，后来就当上了扶桑国王。有了这种国王，扶桑人也就变得特别地认真。他当了国王，理所当然地把自己造成的寡妇全召进宫里当了后妃。那些女人和他有仇，就成心整他，他召谁谁就穿上二十层衣服，衣带也打了些死疙瘩；当然这样干自己也难免要长些痱子。她们还在身上贴满了膏药，假装有皮肤病，揭下了纸背后，身上一片一片的乌黑，看上去好像荷兰奶牛一样，散发着刺鼻的药味。但是人家早就豁出来了。在这种时候他格外地怀念红拂，因为他觉得红拂应该是他的，是被李靖这家伙抢走了。他这样想的理由是红拂非常漂亮，而且她认识他。只有这两条牵强的理由，他就觉得足够了。想要阻止这种人的非分之想，就必须长得不漂亮，或者不认识他。

　　虬髯公长了一双大眼睛，眼白多，黑眼球小，充分地体现了三度空间。这样的眼睛在现代画家的自画像上常能看见，他们和他一样都有窥春癖。在扶桑他最爱干的事就是洗温泉，这是因为扶桑是男女混浴。他总是很卑鄙地往人家女孩子的胸前看，这时候眼珠子几乎要努到人家乳房上去——另一个比喻是他把两只眼睛都变成了牙膏，要往人家胸口挤——看到漂亮的女孩子还要给人家擦澡。后来扶桑女人洗澡时都带了呼吸管，见到像虬髯公这种卑鄙的家伙就潜下水去。他的卑鄙之处就在于他宫里有温泉，还要跑出来洗，并且说，我这是与民同乐——但我不知道乐在哪里。我们校长也是这样，他有自备的轿车，偏往校车上挤，弄得大家在车上谁也不敢说话，因为在领导面前讲话可得小心点。而且他那么胖，谁也不好意思让他站着。他在车上假惺惺地问食堂伙食好不好，大家对评职称有何意见，大家都没心思理他。坐上了校车，大伙的心都回了家了。要征求意见，怎么不占点工作时间？

现在可以说说虬髯公是怎么当国王的了。当国王最重要的事是和后妃做爱，而那些后妃和他都有杀夫之恨，要是别的地方的人，早就把他杀掉，阉掉，最起码要咬他一口，怎么也不肯让他使用身体。但是扶桑人特别地守规矩，谁都不能拒绝国王，所以只敢穿好几重衣服，再在身上贴满膏药。等到这些衣服都被脱掉，膏药露了出来，那些女人只好循规蹈矩地把两腿跷了起来，与此同时，咬牙切齿，把眼睛瞪到四面露白。这种情形如果发生在小孙身上，我绝对不敢把事继续下去，只敢客客气气地问：我怎么了？但是虬髯公就不这么想，因为他是国王。所以他就只管干自己的，只是在事情弄完之后才拍拍人家的屁股，假惺惺地问道：你怎么贴了一身的膏药？有病可要保重身体。至于人家掩面痛哭，骂他是衣冠禽兽，让他去死等等，他就假装没有听到。实际上他也可能是没有听懂，因为他不懂日文。但是中日同文，在古代就更接近，要是斯文起来就是同一种语言。所以有时他也能听懂。简而言之，人家说他好，他就能听懂，骂他就听不懂。今天当领导的人也是这样子的。当领导的要诀就是自我感觉永远良好，不当领导的要点却是自我感觉永远不良好。

　　虬髯公在扶桑的宫殿非常地宽敞。头顶上是树皮做的瓦铺成的，这部分就像个成熟后干裂了的松果一样。下面从屋檐到地板伸展着一些木头板，这部分就像个特大号的包装箱。整个墙壁是扶桑纸糊成的，这种纸十分地坚韧，所以这部分就像我小时候糊的模型飞机翅膀。我做这些模型飞机时，大概是十三岁吧。以后我就开始变态了。——偷看同龄女孩正在隆起的胸膛，暗恋漂亮的女老师，直到看到橱窗里陈列的乳罩和女用内裤都要想入非非。我这一辈子没有写过一封情书，也没有和谁情话过，虽然我熟练地掌握了一门语言，能听懂这门语言的女人在世界上又是最多的。根据这些情形我觉得自己过去是个变态分子，但只是恒河沙数的变态分子中的一个。虬髯公也是这样的，他躲在这样的纸墙后面，亲近那些松松垮垮的女人。不管怎么说吧，他总是一国之君，只要下定了决心，要找一个像红拂那样的女人，总能够找到。然后再和她一道赤身裸体地投入大海，或者在午夜时分到星光下去，假如他这样干了的话，那么虬髯公这一辈子也就算得意过一回了。但是他没有，这说明他不是得意不了，而是他不想得意。

　　我们知道虬髯公在中年时曾有过短期的堕落，他对这一点坦然承认，并且说，这是他的"圣德之玷"。到了老年他幡然悔悟，向相反的方向发展。举例来说，过去他在红拂面前总是屏住呼吸，以免自己的气息吹散了红拂的气味，而后来他就肆无忌惮地在女人面前放响屁，终于在后妃中得了个"号手"的外号。过去他喜欢偷看红拂的长发如云，后来他就要求所有的女人都剪短发或者梳小辫。过去他喜欢偷看红拂隆起的酥胸，后来他要求所有的后妃都把自己勒扁。他用这种方式来忘掉在红拂那里受到的挫折，终于把自己变得很古怪了。

【三】

虬髯公说，像红拂那样苗条性感的女人虽然好看，但是看她是堕落。这样说了以后，他就忘掉了什么是好看，把不好看叫作好看。他还说，杨府里的面条汤虽然好吃，但是吃它也是堕落。这样说了以后，他就忘掉了什么叫好吃，把不好吃叫作好吃，原来吃生鱼片甚为勉强，现在吃起来没有够，而且不需要切成片，拎起一条鱼的尾巴，就把它放到嘴里去，然后再把鳞片、鱼头、鱼尾吐出来。他可以一口气吞下十几条新鲜鱼，这时看起来就如一台收拾鱼的机器在表演。扶桑人见到了这种景象，感叹道：真吾王也！假如他从开始就可以吞吃生鱼，就不需要把人砍成两段，就能当上扶桑王——这种说法的实质是虬髯公经过深刻反省，懂得了当领导的美德，终于赢得了扶桑人拥戴。另一种说法是他当国王，别人不服他，故而他装作不喜欢漂亮女人，喜欢吃生鱼等等，简言之，他是在装神弄鬼，吓唬别人，但是装到了后来，连自己本来的样子都忘掉了。不管哪种说法对，结果都是一样的——虬髯公后来既不喜欢漂亮女人，也不想吃面片汤了。想通了这一点，他的眼睛就缩回了眼眶，喘病也霍然痊愈。

现在可以说说虬髯公为什么要弄些仇人的老婆来做后妃了。当领导的总是这样的，什么东西越不该有，就越要什么。我做科技史研究时发现有位皇帝专喜欢喝鸟的奶，闻鱼放的屁，只可惜把他的名字和出处忘掉了（我当了人瑞之后记性变坏了）。这条资料不详不实，可以不要。现在的领导一吃饭就要吃国家一二级保护动物，可以算一条吧。我们现在上大街，就要冒被高级轿车轧死的危险。而按我国的经济状况来看，领导用车应该是德国大众的甲壳虫车，其实跑的却是德国奔驰、法国标致。虬髯公说，什么样的女人都可以要，所以先把仇人的老婆要了再说。这种事后来的人也干过，比方说朱洪武，打下了天下，就把陈友谅的原配抓去当老婆。那位老太太早就过了绝经期，不仅不想过性生活，而且很不想活。首先她不肯吃饭，想把自己饿死，所以洪武爷从北平请来了填鸭师傅，每礼拜填她两次。其次她不肯屙屎，想把自己憋死，所以隔三岔五要给她灌肠。再其次，她坐着不肯动，想要坐出痔疮流血而死，所以只好派了宫女拎住她的耳朵，使她走动。最后她不肯让洪武爷近身，所以每次要用二十个人把她按住。好在我们中国有的是人力，不怕她耍赖皮，要是在虬髯公那个人力稀少的国家，就只好给她后脑勺上，一擀面杖。要是打死了，就是奸尸犯了。虬髯公的后妃虽然还没有赖皮到这个程度，但是也很糟糕。但是他只管稀少不稀少，不管糟糕不糟糕。在女人方面和其他方面一样，虬髯公后来完全是黑白颠倒。所以等仇人的老婆都被他折腾死了以后，他娶的后妃一个比一个难看，一个比一个低智，简直要把扶桑的漂亮女人都气死。那些漂亮女人都很想进后宫来，被他折腾死，并且她们一直有这种资格，现在忽然就没有了，心里就很难受。因为得不到这样的机会，她们只好去嫁贵族，但是贵族也在向国王看齐，竞相娶低智的丑女为妻。最后她们只好去当艺妓，被别人折腾死。

　　虬髯公后来说道：人是世界上最好的东西，他有两条腿可以负重，有两只手可以干活，还有一个脑袋，多少也有点用处。力气很大，假如加以鞭策，还可以更大；吃得很少，假如你不怕他饿死，他还可以吃得更少。死了以后埋起来也不占什么地方。像这样的好东西完全应该大量生产、大量制造。假如遍地都是人，那就什么都好办了。你看到什么地方没有路，顺手一指说道：要有路！马上那边就有一条路。他说这话的时候已经是扶桑国王了。后来他就在扶桑鼓励生育，搞得遍地都是人。我的看法和他不一样，有时候内急去上公共厕所，进去一看，满地都是屎，真不知为什么要修这座房子，挖这些坑。人这种东西实在脏，假如遍地都是，还不知要变成什么样。但是不管他怎么努力鞭策，扶桑也没有中国人多。好容易人多了起来，一场伤寒病发过，他又得重新来过，并且下一道严令道：有男人敢行体外射精者，杀无赦！但他自己却是个例外，因为他的小王子已经太多，而且都不得伤寒病，或者说因为吃得好，得了伤寒病也不死，为了争权夺利天天打架，搞得他头疼无比，所以他总是体外射精。如果公允地说，就是无论王子还是平民，多了都不好。但是谁能做到公允？就拿我来说，虽然对人多很反感，但是假如满街都是漂亮女人，我也不会反对，反正她们不会把男厕所弄脏。

【四】

红拂在杨府里是许多美丽的处女之一，提到杨府里许多美丽的处女，就会使人想到植物园里热带花卉的花房。这里有闷热的气候，还有许多美得诡异的花。她在其中，有时候裹在头发里从花园里走过，从头发里露出一张漂亮的小脸和别人说话，一边说，一边吹着脸上的发丝。说完以后又匆匆走开，留下一路模糊不清的处女香气。或者她坐在长凳上，好像一颗黑色的蚕茧，从发丝下露出一只小脚来。这只脚像婴儿的脚一样稚嫩，足以让拜脚狂者崇拜一辈子，而虬髯公就曾经是这样的拜脚狂。假如她把腿跷了起来，就会露出光洁的小腿。这提醒人们，她什么都没有穿，身上除了头发一无所有。虬髯公看到了这个景象，想到她竟是这样的赤身裸体，就心跳不已。等到她后来铰短了头发，露出了模特儿的身材，在河滩上和李卫公做爱，情况就发生了很大的变化。其中最大的一个变化，就是她不再是处女了。假如红拂知道了虬髯公在这样想，就会去质问他：我是不是处女，和你有什么关系？这说明她不是明白事理的人。她是不是处女，和所有的人都有关系，尤其是和虬髯公有关系。虬髯公是伟大的剑客，假如现在还有这样的人，我们大家的命都悬在他的手里。他知道了我和小孙干的事，就会闯到我们家里来，把我们俩连床一挥六段，让我们都找不到下半截。虽然我和她的屁股长得不一样，被砍了一剑后未必还能记得住到底有什么不一样。这个例子是说明我们活在世上必须要循规蹈矩，以免刺激了别人。而像虬髯公那样的人则必须小心翼翼，以免受了刺激。这样说是假设虬髯公和我们一样，都是群众，只是分工不同。等到红拂和李卫公在河滩上不自重地做爱，刺激了虬髯公之后，他就再也不能当群众，非当领导不可了。这是因为在此之前，虬髯公的全部心灵都在红拂身上，嗅着她模糊不清的异香，抚摸着她飘忽不定的发丝，跟踪着她轻灵的脚步，最后却发现她在光天化日下跷起腿来和别人……对于一个群众来说，这是无法可想的。你可以把她杀掉，却不能要求她什么。而领导就不同了。从古至今，领导这个词用一句话便可概括，就是对别人的权力。真正的领导不得喘病，眼睛也不会凸出来。

　　虬髯公后来当了很大的领导，但还是管不到红拂，所以还是不能冲消红拂对他的刺激。因此他就对自己进行思想改造。思想改造这个词在西方被叫作洗脑，这是一种曲解。脑子这种东西在人活着的时候是洗不着的，只能由自己进行改造。而且正如我们过去听说的，越是当了领导，就越需要思想改造。以虬髯公为例，未当领导之前被一个漂亮女人刺激着了，所以后来就觉得女人还是不漂亮为好。

　　我想，我是把加州伯克利刺激着了。他现在每天都来找我，谈教科书稿的事，让我给他带研究生的事，以及合写论文的事，总之没好事。我觉得这个刺激和性没有什么关系，因为他闯到我屋里来时，桌子上有时还有一盒避孕套未及收拾，床上还放着小孙的性感内衣，但他都视而不见。这一定是因为我在他眼皮底下证出了费尔马。我也把小孙刺激着了，她不但买了性感内衣，还买了一管药膏，抓在手里伸到我鼻子底下让我看，但是这个距离对于老花眼来说实在是太近了。我问她这是什么东西，她说是丰乳霜，"你不是嫌我不丰满吗？"这纯属误会。但是她说：你给我抹上！后来那管药膏就放在卫生间里，我看不清楚拿它刷了一回牙，虽然觉得味道不对就吐了，但是整整一天感觉都很坏，自觉得满嘴要长出乳房来。这个刺激和性大有关系。不管是哪一种的刺激，都能够激发别人来做我的领导，还能激发我服从别人的领导。这就是我和别人不一样的地方。

我和加州伯克利一道出去，他总对别人说，这是我的助手、合作伙伴（在正式场合，后半句他常常忘掉）王二。我想到自己的满头白发和老花眼，总害怕风大了把他舌头吹走。而小孙现在只用女上位一种姿势，还要象征性地掐住我的脖子。这使我感到不像性生活，倒像是受到了严刑逼供，只是不知她想叫我招些什么。虬髯公受到的刺激也是来自性的方面，所以他必须要当领导。而在东方，领导的最重要的方面就是在性的方面。既要改造自己，也改造别人。有关这一点，我有个实例，就是上礼拜在系里，遇上已婚女职工在发洗衣粉。工会的老太太扯着粗厉的嗓门吼道：没上环的不准领！环者，节育环也。有人问道：我们使套，不行吗？回答是：不行！我不知道有多少人受了这种刺激后改为上环，但是——你管人家使什么干吗？

这件事使我联想到虬髯公在扶桑发肥皂。你知道，扶桑人最喜欢干净，而扶桑又不长皂荚树，鲸油肥皂就是生活的必需品。那种东西是草木灰和鲸油一起熬出来的，虽然像牛粪一样，但就如中国的盐一样，严禁私人制造。每月他都派人到村里去发这种东西，那个人还高叫着：没怀孕的不准领！有人说道：我们刚结婚，每天都干，快怀上了。先领不行吗？回答是：不行！这说明他喜欢看到每个女人的肚子都圆滚滚的，好像蝈蝈一样，这说明她们在为扶桑王国的兴旺出力；或者看到她们乳房扁平，阴毛稀疏地躺在那里，好像挨了饿的虮子，这说明她们已经出过力了。现在需要的是让她们再次出力。在这种时刻假如他脑子里出现了红拂在河里的样子，就给脑袋狠狠的一巴掌，把她拍出去。这是因为当领导的人看见一个如花似玉的女人在沙滩上和男人性交就会受不了。这两个狗男女正在臭美，而这种臭美居然和领导没有一点关系！但是一个扁平的女人在家里干这件事就不同了。这里面没有臭美的成分，而且不管是和谁干，都是给我造孩子哪。这说明了什么叫领导素质——它就是某个人全力地营造一个新世界，不管这个世界实质上是多么糟糕。而我就没有一点领导素质。加州伯克利提拔我当教研室主任，主要工作是在每周五下午两点半组织全室同人开会。我总是提前到达会场，刷出五把茶缸子（这是全室的人数），仔细烫过，以防肝炎传染；等大家都来了以后，我给大家沏上茶，就坐到屋角去抽烟——小心翼翼地不要舔破烟纸，不要把烟丝吃进嘴去。不知为什么，大家一提到我当了室主任这件事就要捧腹大笑，甚至在地上打滚。我有三个男同事，两个女同事，女同事之中有一个长得像狒狒。这样讲，不知道漏掉了谁没有。

【五】

我想，在性的方面和别的方面一样，存在着两个世界。前一个世界里有飞扬的长发，发丝下半露的酥胸，扬在半空又白又长的腿等等，后一个世界里有宽宽的齿缝，扁平的乳房，蓬头垢面等等。当然，这两个世界对于马也存在，只不过前一个世界变成了美丽的栗色母马，皮毛如缎；后一个世界变成了一匹老母马，一边走一边尿。前一个世界里有茵茵的草坪，参天的古树，潺潺流动的小溪等等，后一个世界则是黄沙蔽日，在光秃秃的黄土地上偶尔有一汪污泥浊水——简言之，是泥巴和大粪的世界。这两个世界对于猪来说也存在，而且和我们所见到的没什么不同。假如把可能性的问题放在一边，选择哪一个世界，这在动物来说根本不是一个问题。我的马兄弟对小母马有兴趣，对老母马没有兴趣。当司务长失败了以后，我又放了一阵子猪，开圈时它们很乐意出来，但是想让它们回圈，就得用棍子打。这就是说，它们都乐意去前一个世界。但是对人来说就是个很大的问题。前一个世界里有所谓优美，但它是想入非非的产物；后一个世界里只有是领导和不是领导的人。虬髯公从洛阳城里出来盯红拂的梢，那时他是想进入前一个世界的。后来觉得自己不属于那里，又退回来了。另外一方面，中国人，尤其是汉族人，喜欢泥巴和屎，勾践就吃过屎，别人则吃用屎种出来的东西。这就是我们有异于禽兽的地方吧。尽管虬髯公后来当了扶桑王，但他还是个中国人。后来他在扶桑造出了几百个孩子，并且终日和乳房扁平的女人鬼混。久而久之，自己也变得扁平，手脚之间长了厚厚的肉，好像一只鼯鼠。再后来他又变得像一条比目鱼，既不能直立，又不能翻身，只能够在地面上爬动，好像乌云飘动一样贴地而行。等到他老死的时候，只有一寸厚，嘴脸都长在背上，但是有半个排球场那么大，完全没有办法把他从房子里弄出去，只好用锯子来锯，然后一层层地放进了棺材。假如不放进棺材，而是洒上盐的话，完全可以当腌鳎鱼来卖。唉！真是糟踏了东西！

虬髯公到了老年，四肢都长成了平摊的形状，好像螃蟹腿的上半截一样，固定在水平方向上了。好在他的手指和脚趾都变得十分发达，每一个都长到了一尺多长，可以用于行走，所以他就有二十条腿了。这样他能够比年轻时跑得更快，更不知疲倦，更像飞行，只不过是在离地面一尺的平面上。他的全部骨骼也变成了平板状，长到了身体的正面——或者说是下面，而且变得柔软而有弹性，这样任何一堵墙都挡不住他，因为假如有门的话，他就可以从门缝底下滑进来；没有门的话，他可以从墙头上飘过去，就像风吹动的一幅床单飘过墙头一样。他的面容就如一幅画像，绘在了他本人的背上，不管怎么说，大家还能认出这是古往今来最伟大的剑客虬髯公，扶桑人也能够认出这是他们杰出的国王。这个时候他可以入水而不沉，起大风时还能在天上飞行；但是他已经很难被看到了，这是因为他可以随着环境改变颜色，到了草地上就是绿色，到了沙滩上就是黄色；所以只有一些小孩子在草地上玩耍时误踩了国王一脚，遭到了呵斥；或者是渔夫在海滩上收网时犯下了大不敬罪，被砍掉了双脚。这时候他们可以看见国王。这个时候他早就把朝政交给了首相，自己去云游四海，而云游这个词对他来说才是真正适用的，他可以早上从京都出发，中午时分就到达北海道，傍晚时候回来。这个时候他有时还要爬灰，但已经是和曾孙媳。我国古代的哲人说，他到了七十岁就能够随心所欲不逾矩。假如能活到一百五十岁，肯定就会长成虬髯公的模样。扶桑人深为自己有这位了不起的国王而自豪，到处都悬挂了他的巨幅画像，但是因为他本人行止不定，所以大家都以见不到他本人而遗憾。其实这种遗憾是多余的，事实上每个扶桑人都见过他。据我所知，虬髯公平常栖身的地方就是他自己的画像。他最喜欢爬进画框，用本人把画像取而代之。这样干除了舒服之外，还可看出谁敢对他不敬，以便爬下去咬他的后脚跟。但是扶桑人是杰出的民族，谁都不会对国王不敬。所以他就没有咬过几个人的后脚跟。

变扁了以后，虬髯公眼睛里的世界就变得像两个碟子，每个碟子都像一个鱼眼镜头拍摄的画面。鱼眼睛看东西扁，是因为它们的眼睛是扁的，而虬髯公的眼睛比任何鱼的眼睛都要扁，而且他的脑子也是扁的，扁到了不能把两眼的画面合一的程度。到了这时，虬髯公才体会到了鱼的美德。众所周知，鱼类没有阴茎阴道这类的玩意儿，更不用肉麻兮兮地求爱、做爱，大家只是十分本分地把卵子精子都屙出来，然后就可以诞生出无数的小鱼。这样就可以彻底灭绝想入非非。后来他就用这种美德来教诲他的人民，只可惜大家过于鲁钝，一时不能体会。他只好退而求其次，每到夜晚就在各地游动，看看谁在偷懒。假如看到了男人和女人各自躺着，就怒吼一声："干什么呢！"他的臣民听见了，就赶紧趴到老婆身上去。假如谁不听国王的督促，他就飘进来，从女人的身上飘过去。只这一飘，女人就受孕了，而且不是七胞胎就是八胞胎，生出来不是呆傻就是豁嘴。因为他的缘故，当时所有的扶桑女人都把丈夫抱在身上睡觉，丈夫不在家就抱着公公。这种行为，加上安分守己，逆来顺受的态度，合起来叫作"鱼德"，在当时的扶桑被奉为金科玉律。因为这是对领导最为恭敬的态度。而这种美德正是我们所缺少的。除了提倡鱼德，他还要和自己的后妃做爱。这对那些女人来说，是一种极为可怖的体验，一件冷冰冰黏糊糊好像一摊鼻涕的东西，也不打招呼，冷不防就涌到你身上来；然后也不知他干了些什么，就飘走了，只在你下半身上留了些绿油油滑溜溜的东西。这件事实在叫那些女人感到莫名其妙。而虬髯公自己也是莫名其妙，因为他的眼睛长在了后脑勺上，身体的下面也没有知觉，所以对身下的事一无所知。我对这件事也是莫名其妙，正如我不知道加州伯克利为什么要我也当个领导一样。我只知道虬髯公用这种方式造出了不少小王子，还知道人要是不装假就要变成一条鱼。

第九章

这一章是红拂的故事。作者对女人所知甚少，所以在很多时候是以一种推己及人的态度写女人。

【一】

李卫公年轻时住在洛阳城，害死了全城六分之一的男人加上六十二名公差，还使全城大多数妇女遭到了强奸，这对她们是一种可怕的经历，尤其是被铁甲骑兵强奸的女人——那些兵刚把护裆的铁片解了下来，那地方还冷冰冰的，使人觉得格外地不舒服——故而国人皆曰可杀。只有红拂同情李卫公，这是因为她天生很多情，还因为李卫公长得高高大大像一匹马，很有男性魅力，比那个整天嚼鞋子的虬髯公可强多了。后来她就成了李卫公夫人，并且在此事发生二十六年之后，为殉夫而自杀。不知你怎么看这件事，但我以为这是伟大的爱情。假如现在我干出了这样的事，全中国的女孩子都不会嫁我，包括跛一足、眇一目者在内；更不要说在我死后殉我了。

在这伟大的爱情产生之前，红拂住在杨素家里，除了梳头和洗头外没事可干。当时她的头发有三丈长，洗起来是相当地困难，要用十担温水和三斤鹅油肥皂。但是洗头时总有十来个人帮忙，还不算太难。只不过杨府里的人是吃公家饭的，工作态度自然不会太好，洗时总是连人带头发一道掷入大桶，乱搅一通；洗完了用大笊篱捞出来扔在竹板床上，别人就走了。这时候红拂就如一个大蚕茧，看起来很悲惨。她还要一点点把自己从头发里择出来，如果择不出，就永远是个乱线团，到哪儿都只能滚着去。这还不算可怕，可怕的是梳头。梳着梳着起了静电，全部头发会在屋里岔开，什么衣带啦，纸张啦，全都起了感应，飞到空中，电火花乱打。万一起了火，连头发带房子一块儿烧。这些工作虽然困难、危险，但总有干完的时候。这时候红拂觉得百无聊赖，就到处乱跑。她经常跑到厨房里要求帮厨，这在我看来没有必要。因为她已经洗了和梳了自己的头发，这些工作已经够繁重的了。

红拂跑了以后，杨府里的人回忆起来，觉得这个娘儿们很古怪。比方说，晚上到了掌灯时分，她已经洗过了澡，洗过了头，还不肯睡觉，裹着一件白毛巾的浴衣，跑到厨房里来。她总想帮厨子们干点活，但总被拒绝掉，因为把头发切到菜里，大师傅的脑袋就要被砍掉，却不会砍她的脑袋。那时候厨房里正忙着哪。第二天杨素老爷要吃禾花雀，那东西只有小指甲盖大，一盘子要有三千多只，光杀都杀不过来，更不要说煺毛，掏内脏了。最艰巨的工作是要把骨头都剔出来。当时这些小东西都活着，叽叽喳喳地叫着，而且都会飞。所以盛在冷布口袋里，要用手捏住嘴尖把它逮出来，用小片刀杀好，沥干净血，再放到杯里煺毛。那些小鸟唠唠叨叨，说自己死得太冤了，要是它们是些大肥猪，那倒没得说。有二十个大师傅在忙这个，剩下的把已经杀死的小鸟放到冷布口袋里，放进油锅里炸。掌勺的大师傅提心吊胆，因为火候稍大，小鸟就炸成焦炭了。这还是好的，假如上面要吃烤象鼻，大师傅就要拿着鬼头大刀去杀大象，也不知能不能活着回来。看到这个场面，红拂也很自觉，就退出去了。这时一位奶妈拉着孩子，到厨房来要面口袋。大师傅说，口袋有的是，你随便拿。于是那位奶妈就拿了两条面口袋，坐在厨房外间的条凳上，就着昏暗的灯光，拿

两条面袋给自己做一副乳罩。这时候孩子又哭又闹，奶妈就用两条腿夹住孩子的脑袋，给他喂奶。那奶妈的奶无比之大，奶头子就像大号象棋子，塞进了孩子的嘴，噎得他目瞪口呆。这时候红拂也不知转错了哪根筋，说道：张妈，我帮你带孩子。那位张妈白了她一眼说，算了吧，大姑娘。你有奶吗？

红拂听了这句话，就开始发呆。后来她敞开了浴衣，把她那个小小的乳房拿了出来，和奶妈的那具庞然大物做了比较，发现毫无可比性。奶妈的乳房上布满了红蓝血管，粗壮有如泡发了的牛蹄筋。张妈说：这可不好比。人不是一样的人，东西也不是一样的东西。谁不知道小小的白白的好看，大大的黑黑的难看，可有什么办法，吃的这碗饭嘛。张妈被这两个肉球坠得都驼了背，但是红拂却不能体会。她脸上露出了惭愧的样子，捂着脸逃回去了。又过了几天，她就从这里逃跑了。

红拂离开杨府之前，把头发剪得短短的，把剪下来的头发堆在床上，自己跑掉了。那些头发没有了人体的滋润，很快就失去了光泽，变得像干海藻一样。而红拂失去了拖地的长发，姿色也要大打折扣。最起码是再也不能当歌妓了。当时是太平盛世，到处佳丽如云，没有一头秀发，任凭你三围标准，皓齿明眸，也当不上歌妓，只好去当尼姑。这不是把自己大大贱卖了吗？

红拂跑掉了以后，她的头发就被放到院子里展览，后来这些头发忽然不见了。现在我们知道，头发是被虬髯公偷走了，缠在身上，但是当时人们并不知道，还以为是狐狸精把它偷了。这个展览的目的是告诉大家她是多么地不知好歹，长了这么好看的头发却要把它剪掉，但是却忽略了非常重要的一点，就是她自己并不知道那些头发好看。她甚至以为那是世界上最丑的一堆毛。奶妈告诉她说，她那双小巧的乳房很好看，她却以为人家在讽刺她。她还有平坦的小腹和修长的双腿，但她也以为不好看。总起来她以为自己是世界上能走动的最丑的东西。为了这个缘故，她跑去找李靖之前先把头发铰短了，以为能好看一点。但是李靖正震惊于自己就要成为包子馅，根本没顾上看她。我也有个与此类似的例子。前不久有个漂亮的女研究生对我说：王老师，纯数学真美，是吗？我想回答她：放屁。但是考虑到对方是个女孩子，就答道：何有。她根本没听明白，继续喋喋不休。我简直想扇她个嘴巴，但又怕把她扇坏了，就拍拍屁股走掉了。回家一看，屁股上有两片青印。对我这种被纯数学折磨得只剩了一丝游气的人说它真美，简直是对自己的面颊和牙齿不负责任。

【二】

红拂在杨府里当歌妓时，养了一只大青蛙。这是她无数古怪之处中比较大的一桩。那只青蛙起初只有大拇指大，还拖了一条从蝌蚪变来的尾巴，后来就长到了有蒲扇那么大，四条腿都很肥，上半截身子是墨绿色的，肚皮则是白里透蓝。每次她从外面穿着漏肩的背带裙子回来，就到洗头的木桶里把那只青蛙拎出来，放到被阳光灼红的皮肤上。青蛙的肚皮对于阳光的灼伤有立竿见影的疗效，但是半夜里它叫起来也是非常地讨厌。平常它就待在那个大木桶里，靠虬髯公捉来的苍蝇为生，每当红拂洗头时它就自动跳出桶来；而当红拂要在院子里散步时，它就跳到她怀里去，好像一只波斯猫。等到红拂逃掉了以后，大家想把它杀掉，不让它夜夜蛙鸣，要知道它叫起来实在吵人，但是那只青蛙也逃掉了——一跳就上了房顶，三跳两跳就不见了。对于这件事，大家的结论是红拂这种捣乱分子，养的青蛙也是捣乱青蛙。等到红拂逃出了洛阳城，就把自己养过青蛙的事忘掉了。但是别人还给她记着，一直记了好久，并且以此为据，说她是个女巫——这是因为青蛙和猫狗不同，它不是一种好东西，就算不养在家里也会成精作祟——蛇、青蛙、黄鼠狼、狐狸、刺猬，是为五仙，一贯成精作祟，是养不得的。

红拂从杨府里跑出去找李靖，然后和他一道逃出了洛阳城，这件事大家都知道了。因为她跑去找男人，所以就被看成是奔女；虽然卫公在世的时候大家不好意思这样说她，但是心里都把她看成是淫奔下流之辈。等到卫公死了，这话也就能讲出口了。当然，就是在大唐朝，女孩子长大了也要嫁人，并且可以有情人，这就是说，女人最终要和男人生活在一起，但是奔向一个男人总是显得太下流。故而大唐朝的正经女孩子刚学会了走路，就用棉绳把双脚拴住，使她们只能走不能跑。久而久之，有唐一代，女人只会走不会跑，哪怕是走在路上下起了暴雨，或者是家里起了火，也只走不跑，除非她是不正经的那一种。有人到驿站去接久别的丈夫，恨不能立即投入他的怀抱，但是又跑不起来，急得蹲在了地上。只有一个贵族妇女敢于在大庭广众之下飞跑，那就是红拂。为此她做了一条裙裤，看上去是裙子，实际上是裤子。穿着裙裤她的一百米能跑进十二秒之内，但也不能参加运动会。大唐朝的妇女运动会径赛项目只有一个，就是竞走。假如有年轻女人问这为什么，就骗她们说：女人和男人结构不一样，只要跑起来，就会从中间裂成两半——红拂那种下流胚当然不在内。就算你不大相信，也不敢轻易去冒这种危险。但这已经是以后的事了。当时的事是卫公死掉了，红拂也想殉夫死掉。大唐朝的贵妇们知道了就说：殉夫？她也配！言外之意是她是个下流胚。而这些话传到了红拂耳朵里，她就说：配也好，不配也罢，反正我是不想活了。当时那座黄土压平的长安城进入了盛夏，这个季节风很多，把陕北高原的黄土全刮上了天空，然后像细罗子罗面粉，黄土面儿连绵不断地从空而降。这不是尘土，而是绵软的湿土。天上落一次土，长安城里的树叶都要不绿好几天。但是不管怎么说，这也不成为寻死的原因。

有关红拂被大家认为是个下流胚的事，以下事实可以证明：当时长安城里有身份的人女儿出嫁时，需要向她传授房闱之事，母亲总是让她去找红拂问。而那个女孩子总是这样来问：红拂阿姨，你和李伯伯当初是怎么弄的？红拂开头说：李伯伯拿出一根擀面杖来扎我。这还是相当正经的。这个女孩子进了新房就板着脸对新郎说：别以为我不知道你的坏心眼！把你的擀面杖拿出来！但是总要回答这类的问题，红拂就烦了，开始胡说八道，甚至教唆新娘在新郎的擀面杖上咬一口——众所周知，就是新郎的擀面杖也经不住咬，因为它毕竟不是木头做的。由这件事可以知道，红拂一点都不乖。这就是她后来没有好结果的原因。

以下是我对乖的定义：那就是听到尽可能多的信息，加上自己的感叹，把它到处炒卖。比方说，那个向红拂请教过房闱之事的女孩子，第二天就会奔遍全城，告诉所有的女伴说：你知道红拂阿姨说的那个擀面杖吗？它是肉做的。还是连在人身上的哎！别人听了纳闷道：什么擀面杖？什么红拂阿姨？什么肉？连在谁身上？这些她都不解释，就这样走开，去找下一家继续散布这个消息。一个女子这样奔忙时就显得很可爱。而红拂并不是欢迎一切信息，听到了以后也不感叹，而且不肯炒卖。所以她一点都不奔忙，也不乖。

我也是个不乖的人，什么消息到了我这里就死掉了。有人说，王二是个黑洞，只往里听不往外讲。这使别人都以为我甚傻，懒得管我的事。后来听说我证出了费尔马定理，大家就不再以为我傻，而是以为我不知道，必须来告诉我，从今晚上电视节目是什么到我该结婚了，都有人提醒。这就造成了一些误会。比方说，有人告诉我今晚上要演一个连续剧，我就按点把电视打开，从头看到了尾，没看出什么来。与此同时，我还录了像。那一夜我又看了四遍，除了彩电画面是三种单色像素组成的之外，什么也没看出来。而这一点我也是早就知道，只不过没在屏幕上看出来。我想别人告诉我晚上某点要演某个连续剧，决不是要我看像素吧。第二天我就去问那个人昨晚上你叫我看什么？他说没什么，那就是个连续剧。不知你会怎么看，反正我对这样的答案不满意。

还有数不清的人告诉我，该结婚了。这当然是件重要的事，提醒得对。不管谁说起这个话题，我总是很认真地回答说：我不想结婚。我想这解释够明白了，但是他们却不满意。有一天，有个同事对我说，你结婚后生不了孩子，可以领一个。我想了半天才答道：不。我宁愿养只猫。这样回答了以后，整整半天我都心神不安。你要知道，我根本就不喜欢猫，我讨厌猫尿的味。快到中午的时候我才想起来，我不必养猫，因为我能弄出孩子来。前不久因为操作失误，使小孙做了一次人流，是我陪着去的。为此她还一再敲打我的脑袋。但是这丝毫没使我放下心来，因为我更怕孩子吵。最后我终于想了起来：我根本不想结婚，所以更谈不上有孩子的问题。至于那位同事为什么要提醒我，据小孙说是这样的：人家以为我是害怕结婚以后不能生孩子，所以不敢结婚。但是我丝毫不记得自己宣布过自己是因为造不出孩子来所以不敢结婚，所以直到现在，我还是弄不明白他为什么要这样说。

李卫公一死，红拂就遇到了麻烦。人家说：瞧她那个妖艳的样子——卫公要是不早死才怪哪。红拂听了这句话大吃一惊，赶紧跑回家去照镜子——都活了半辈子了，忽然知道自己很妖艳，这应该说是个意外的发现。但是她没有因此苟且偷生，不想死掉。尽管大家都说她是不配死掉的。

我现在也遇到了麻烦，当然麻烦的性质和红拂遇到的性质有所不同——现在我还没碰上要死要活的问题。所有的人都问我为什么不结婚。

千万不要说什么"结婚不结婚是我的自由"之类的傻话。你的自由就是别人干什么，你就干什么；或者别引人注目。至于后一条，我已经触犯了。我现在是个数学人瑞，大家都认识我了。

对于我来说，证明了费尔马定理就是证明了自己是个傻瓜。每到月底，全楼的水电煤气费都是由我来算的，一直算到我出现了脑缺血的症状。其实我完全顶不了一个计算器，而一个计算器也值不了多少钱，就掏钱去买一个好啦——但是这样说又会得罪人。李卫公造好了长安城，自己就被困在了里面。还有一个小伙计给人家糊顶棚，把脑袋糊在了顶棚上面——这些事全是一样的。我正在考虑今后该怎么办，甚至想到了和小孙一道跑回过去插队的地方去当野人。当野人只是各种考虑之一，其他的考虑有：到洛杉矶去做一段研究工作（有这种机会）；改行当作家；下海经商（卖煎饼）。我不想去洛杉矶，因为我对数学已经不再有兴趣了，而且我肯定学不会开汽车。在我这个年龄，在饱经沧桑、被纯数学折磨得奄奄一息后去当作家，显然是对现存作家智力的藐视。要说到下海经商，我肯定是只会赔本。当野人会踩上猎人的夹子，那种夹子可以一下把脚骨夹碎。所以现在我是走投无路。但是我显然不能再这样下去了。

【三】

好多年前，在我插队的地方，我叉手于胸，面对着一片亚热带的红土山坡叉开腿站着，用这种姿势表示我永不妥协的决心。这种景象和堂吉诃德有一回逃进深山时的情形很相像。堂吉诃德和他的名马在一起，我带着我的马兄弟，只少一个桑乔·潘萨。堂吉诃德发了一大堆恶狠狠的誓：要在一年之内不和女人做爱，不在桌布上吃面包，不穿内衣睡觉，等等。我一个誓也没有发。但是事实证明，我这个亚热带的堂吉诃德在任何方面都不比他差。永不妥协就是拒绝命运的安排，直到它回心转意，拿出我能接受的东西来。十七岁时我赶着马在山坡上走路，穿着塑料拖鞋，一双白的足球袜，除此之外什么都没有穿，光着屁股；我的衣服在马背上用皮带捆成一卷。那个山坡上的草都匍匐在地上，就像收过的白菜地上的菜叶子——草叶子很硬，叶边卷着，牛和马都不爱吃，这大概是被牛马吃出来的变种吧。我一副老相，面颊紧贴着嘴角，手臂的里面青筋裸露，往前走时，把屁股上的棱角留在后面。当时的情景就是这样，如果有人看到，那就是一个光屁股的男孩子跟着一匹瘦马在山坡上行走。阳光能把人烤熟。我就这么走过了阳光，走进树荫里。这个怪诞的行为表明我决心离开这个只有茄子和芋头可吃的地方，开始我的生活。它也表明我决心背弃我的马兄弟，虽然我爱它爱得要命，但是将任凭它在老年以后被人杀死制成皮革。顺便说一句，直到现在我也没有能力买下一匹老马把它养在家里。这件事说明我们为什么要爱女人——她们在值得一爱的动物中，如果不能说是最便宜，起码也该说是我们唯一负担得起的——但是这两种说法是一样的。我要离开那个地方的主要原因还不是因为伙食，而是渴望有一种智力生活，因为这个原因，后来就选择了数学，竭一生之力证明了一个数学定理。现在我已经后悔了。我不应该干这件事——我应该干点别的。

　　我十七岁时，满脑子都是怪诞的想象，很想写些抒情诗，但是笔记本不是一个可靠的地方。所以我总是等到夜深人静的时候爬起来，就着月光，用钢笔在一面镜子上写，写了又擦，擦了又写，把整面镜子都写蓝了。第二天有人拿镜子一照，看见一张蓝脸，吓得尖叫一声。但我只是躺着，什么都不解释。人家对我这些行为的评价可以用一句话来概括：王二，你可真豁得出去！这些事注定了不管我到哪里，总是显得很怪诞、很不讨人喜欢。这说明我和别人之间有很深的误会，但是我不准备做任何事

去弥合它。相反，我还要扩大这些误会。现在我老在想，面对十七岁时的
誓言，我做得是不是已经够了，可以不做了。

我现在正在考虑小孙的一个建议：辞了职到学校门口卖煎饼。这样不
但挣钱多，而且省心。最近我总在开会，坐得长了痔疮。假如有外宾，还
得穿西服打领带。我根本就不会打领带，只好拿着它在办公楼男厕所里等
熟人，简直把德行丧尽。卖煎饼未尝不是好主意，但是我未必吆喝得出
来。还有假如因为争摊位打了起来，我打得过谁。数学家的长处是不但要
考虑每个主意，而且要考虑周全。

红拂殉夫以前发生的事是这样的：长安城还没有完全建好，李卫公就
病了，眼睛再也睁不开。在家里的时候，他总把自己裹在毯子里，把脚放
在脚炉上，一年四季总是这样的。脚炉里的炭有时已经熄了，有时却会把
卫公的后脚跟烤焦，让他的脚看上去像只烤鸭子。但是你用不着为卫公操
心，他脚上的皮早死掉了，用热水泡透以后可以刮下一寸多厚的一层。从
这一点看来卫公是老了，虽然他还不到六十岁。

从别的方面来看卫公也是老了。他的胃气很不好，哈气时好像一窖冻
坏了的红薯，散发着甜而透苦的怪味，这种气味是有毒的，可以熏死苍蝇
和蚊子。当然，这和他的食物不好消化有一定的关系。他的手也抖了起
来，拿不住东西。而且他的头发全都白了，面容和嗓音却都童稚化了。这
就叫鹤发童颜吧。他总是坐在自己的书房中的一张躺椅上，周围是各种
正在发明中的器具——那些东西上面积满了尘土。卫公过去喜欢把一切家
具和自制的设备都涂上黑漆，所以这间房子里有点黑。卫公过去习惯把
工具和文具全放得乱七八糟，所以这间房子里还是乱七八糟。像一切科学
家一样，卫公禁止任何人打扫他的书房，扫房子的事都是自己来干；但是
他有好长时间不干这件事了。过去天刚一黑，卫公就要在房间里点满牛油

蜡烛。那些蜡还在那里，但已被耗子啃得烂七八糟，剩下的都太陈了，啃起来像肥皂，所以耗子也不肯再把它们吃掉。他的书桌上笔架里有各种毛笔：鹅毛笔、芦苇笔，还有牛皮纸、羊皮纸、绢纸、藤纸，但他已经好久不拿笔了。这间房子散发着腐败墨汁的臭味。他的工作台上有各种手锯、锉刀、量具、铜材、木材，但是他也有好久没有做过东西。这间房子散发着刺鼻的尘土味。与此同时，长安城也被他放到了一旁，好像一件没做好的器具，一堆垃圾。这座城市再也引不起他的兴趣。他只是坐在椅子里，看着被阳光照亮的窗户纸。这种情形就叫老年吧。

在卫公老了的同时，长安城里别的人也老了。他的同僚多数呈现出鹤发童颜的模样，有些人还驼了背，见了面一聊天，总是在说车轱辘话。这种情形使大家都感到惭愧，所以都雇了书记员，让他把说过的话题记下来，每重复该话题一次就在前面画上一画，积满了五次，就是一个"正"字。两位先生见了面聊一会儿之后，把谈话记录拿过来看，看到上面正字太多了，就握手告别。除此之外，大家撒泡尿都要半个钟头。大家都最爱说的话就是：我们都老了。

卫公有时感到自己已经很老了，有时却觉得自己还没有长大成人。每回他见到一堆沙土，都要极力抑制自己，才能不奔到沙堆上去玩耍。他喜欢拉住红拂的裙角，用清脆的男童声和她说话。他还很想掘土和泥，穿上开裆裤以便可以随地大小便。这种情形经常使红拂头皮发炸，因为她没有和他一起变老和变小；所以当李卫公用极为缠绵、极为可爱的神情和声调对她说"红红，做爱爱"时，她没有性欲勃发，反而要给他一个大嘴巴。这一嘴巴有时候能收到很大效果，卫公马上就长高了，嗓门也变粗了，厉声说道："你打我干什么？"其实他没有变得那么老（只有后脚跟是真正老了），也没有变得那么小。实际情况是：他好像是被魔住了，必须显得老和显得小。身为成年人，却没有负成年人的责任，就只好往老少两端逃遁。

这种装老情况在女人中也存在，所以红拂每天上班之前都要仔仔细细地化妆，把头发盘到头顶上，在眼角和嘴角上画上鱼尾纹。她还要戴上扇贝做的乳罩，那种东西的作用是把乳房压扁，假如贝背朝下，还能给人以下坠感，并且在乳罩下方挂上两袋水，戴上假肚子、假臀部（这个东西的作用也是使人产生下坠感），然后穿上衣服，洒上香水去上班，这种香水是从发酵的黄豆、淘米水、油烟里提炼出来的，散发着厨房的味道。假如洒得适度，还不是太招苍蝇。

至于上班的情形是这样的：长安城里每个人都得上班，不在衙门里上班，就去各种联合会。红拂得上贵妇联合会上班，这是因为她不在任何衙门里就职。每天早上她都骑着一匹灰色的母驴前往，那驴的样子像只野兔子，主要是脑门和耳朵像。走在路上听见那两袋水晃里晃荡，生怕它洒了，就用双手把它们扶住，显出一副愁眉苦脸的怪模样。据说得了小肠疝气的男人上了路也是这个模样，并且老要用手去扶灌进了肠子的阴囊。到了班上，看见大家都是这样的愁眉苦脸，并且都学没牙老太太那样瘪着嘴说话。不瘪嘴的话都是凑着耳朵说的："我得马上回家去，水袋漏了。替我应个卯！""我告诉过你了，别装水，装沙土。""漏一身土不是更糟吗！晚上到我家来打牌。""好吧。不过我不信你的水袋真漏了！"红拂上班的单位是二等贵妇联合会，简称"贵妇联（乙）"，同事的年龄都不太大，而且都有点赖皮。

长安城里除了贵妇联（乙），还有贵妇联（甲）和贵妇联（丙），全称是一等贵妇联合会和三等贵妇联合会。只是这一字之差，就有很多区别。贵妇联（甲）里面全是些老太太，什么下坠啦，瘪嘴啦，身上的馊味啦，都是自然形成的，用不着假装。而贵妇联（丙）的成员全部蓬头垢面，两眼发直，有些人还要穿着紧身衣由两名健妇押送前来上班。一位贵妇应该成为哪个团体的成员，是由她们婚姻的性质来决定的：假如她是明媒正娶，就是一等贵妇，自然是贵妇联（甲）的会员。假如她是事实婚、乱伦婚、爬灰婚、先奸后娶，等等，就是三等贵妇，成为贵妇联（丙）的成员。这种女人本身就有点五迷三道，就算原来达不到疯的程度，等被评上了三等之后，自然也就达到了。红拂的情况当然评不上一等，因为她不是娶来的，和三等也有一定的差距，因为她也不是抢来的。最后折衷了一下，评为二等。其实她在这里也不大合适。这个等级如果不算她，就是清一色的军旅婚。

军旅婚的来历是这样的：大唐的军队在平定四海的战争中，很多战士年龄很大了，但还没有结婚。在这种情况下出现了一种做法，每攻下一座城市，未婚的战士们就把贵族女校包围起来，把校长叫出来，用刀柄敲打着她的头说：把你的学生都叫出来，从我们中间挑一个做丈夫——否则血洗了你这个鸟学校！然后那些女孩子就走了出来，穿着白上衣、黑裙子，怯生生地看着脚尖；犹豫了好久之后，走到一个看起来胡子比较少、年龄不太大的大兵面前说：就是你吧。然后就大哭起来了。始终没被挑上的战士免不了怒火中烧，闯进学校，把教师、校长、女校工连同烧火的老婆子全部一扫而光，不过这些人都属于贵妇联（丙）的范畴。第二天早上，那些女孩子全跪在营帐前面给大兵擦军靴，压低了声音交头接耳：你的那个怎么样？罗圈腿。讨厌死了。你的呢？满身的毛，也讨厌。我不怕罗圈腿。我也不怕满身毛。于是就换了过来。那些兵大爷对新讨的老婆都认不的确，所以也不管。因为有这种换来换去、乌七八糟的情形，所以对于军旅婚的评价不能太高。但是军旅婚对于稳定军心乃至取得战争的胜利都起过很大的作用，而且这些女人都曾跟随丈夫行军打仗，还有人流过血负过伤，这种情况也不能不予考虑，所以就有了贵妇联（乙）这个等级。

贵妇联（乙）的成员都曾随丈夫行军，不过都是被皮条捆住了手脚，横担在马背上。战士们一面前进，一面高唱军歌，这些人也在马背上和前后的人聊天：早上起来不该喝水，现在憋了尿。你数数吧，能管点用。我这个老鳖头子捆起人来手真重。你拿他的狗皮褥子做护腕——等他睡着了偷偷地剪。打仗的时候也是横担在马背上冲锋，有人的确负了伤，都是被流矢伤在屁股上。到这时为止，这些女人对军旅生活的参与程度就如一卷铺盖——事实上在冬天她们正是卷在铺盖里。后来战士们找来了小盾牌给她们遮着屁股，她们也用并在一起的双手给战士拿弓拿箭，这就算有了感情吧。这种女人在长安城建好以后还是比较年轻，也比较漂亮；为了表现贵妇的风范，只好在脸上画鱼尾纹，挂水袋。不管怎么说吧，能被分到这个联合会红拂还是比较高兴，在这里可以听到一些小道消息，还可以说点出格的言论——在贵妇联（甲）里，只有大道消息和正面言论，而在贵妇联（丙）里，没有任何消息或言论，只有呓语和咆哮，一不小心还会被人把耳朵咬掉。

现在该说红拂和贵妇联（乙）的其他成员是怎么不合拍的了。在这里每人都有一个很长的故事：开头是原来家里是干什么的——最起码是个县官，有时还要用到枢密节度等等现代很少使用的词。与此相关的是家里有多少老妈子，多少丫鬟，多少厨房，厨子会烧汽锅鸡、炖熊掌等等。当然，这是前朝的情形，用中国大陆通用的语言，叫"万恶的旧社会"。菜名之类的知识，红拂还是有的，但是不大知道前朝的官名，轮到她讲时只好语焉不详。然后就是新婚之夜的故事，那个"老鳖头子"（这是贵妇联（乙）里对丈夫的标准称呼）怎么把她们扛到营帐里去，扔到狗皮褥子上，伸过一只穿了四十五号大皮靴的脚，让她拽住马刺往下拔。这时她怎样因为恐惧和羞辱，一点力气也没有了。拔掉了马靴，露出了一只被脚汗捂白了的大脚，臭味轰的一声冲上了帐篷顶，连盘旋中的苍蝇都纷纷坠地。由此可以看出前朝贵族女校里学生叙事时那种浮华、夸张的传统——她们用的都是同一种国文课本，而且在作文课上也惯于互相抄袭，故此故事大同小异——然后，那"老鳖头子"亮出了他那件天上没有、地下绝无的丑恶东西，并且撕裂了她的纯棉内裤。红拂没有受过这种教育，也没有这种传统，更没有经历类似的事情，所以说出来也就是寥寥的几句："我是自己跑了去的。我喜欢他。"那些二等贵妇听了，就齐声哄她。

红拂和贵妇联（乙）不合拍的情形，领导上早就注意到了。有一天下班的时候，她被几个穿太监服饰的人截住了。那些人亮出了大内的腰牌，对她说：请跟我们走一趟。红拂想：脚正不怕鞋歪。就跟他们去了。这些人下巴光光的，说话奶声奶气，看来是真太监。红拂跟着这些人七拐八拐，到了一个地方，遇上了一个人，让她给他们做奸细，汇报同事的各种言论。还说，你的情况我们了解，你是参加了兴唐战争的老战士，和那些前朝余孽不一样。我们正准备把你调到贵妇联（甲）去，在此之前，你要为我们做这件事。红拂干干脆脆地拒绝了做奸细，并且说，她一点儿也不想去贵妇联（甲）。那人就说：好吧，这也由你。今天的事不要告诉别人。咱们将来会再见面的，卫公夫人。红拂觉得此人不怀好意，回来后晚上睡觉时告诉了卫公。照她看，长安城里的一切事卫公都应该谙然于胸。卫公联想到不久前遇刺的事，就连打寒噤，说道：这不是我的设计。你不要去招惹他们。而第二天早上红拂就发现梳妆台上有张纸片，上面画了一个嘴唇，嘴唇上有个叉。这件事把红拂气坏了，走在路上见了穿太监衣服的人就冲他们喊道：我和我丈夫的悄悄话，你们也要偷听吗？那些在内廷服务，抽空出来买草纸的老实巴交的小太监听了，个个都是目瞪口呆。

【四】

　　和这些喜欢瞎打听的太监打交道，红拂已经不是第一次了，而且这也不是最后的一次。第一次是在评定贵妇品级的时候，人家把她请到个废库房里，让她说说当年和李靖私奔的情形——尤其是一切与性有关的细节。红拂说：这和你们有什么关系？结果马上就引起了误会，转眼之间就被剥光了衣服，倒吊在房梁上，在那里摇摇晃晃地像只蝙蝠似的说道：看来我是非告诉你们不可了——把我放下来吧。红拂简直是制造误会的天才，这一点和我是一模一样。她说这和你们有什么关系，意思是说：这是我和卫公之间的事，和你们其他人有什么关系？但是别人的理解却是：这是女人和男人之间的事，和你们太监有什么关系？像这样的话公公们当然不爱听，所以就把她倒吊了起来。在把她放下来的同时还给她上了一大课，换言之，狠狠折腾了她一顿，以证明性这件事太监也懂。但是这一课讲的什么，红拂又没有听懂。她对太监们说：你们用的这些代用品比李靖的那个家伙差得远。于是那些太监就面面相觑，搞不清是把她再吊起来好呢，还是放在地面上。不过那一次人家记录了她的交代材料后就放她走了，还给她熨了熨剥皱了的衣服。第二次是请她做奸细，这一次相当客气，既没有剥衣服，也没有倒吊，因为奸细要自觉自愿的人。这两次都算是例行公事吧，你要知道，领导不知道别人的隐私事，又没有奸细，就不成其为领导。但是第三次就不一样了。那些太监见了她就笑嘻嘻地说：卫公夫人，说过我们要见面的，果然见到了吧。而红拂一面和他们寒暄，一面就自己脱下衣服，身手矫健地爬上了房梁，把自己倒吊在那里，然后说道：你们问吧。我准备好了。

　　说起自杀这件事，我以为有各种各样的情形。有人自杀使人觉得可怕，有人自杀叫人觉得可恨，还有人自杀叫人觉得莫测高深。虽然红拂自杀已经得到了领导上的批准，是为夫殉节，但是谁也不信红拂是因为思念卫公才想死掉——众所周知，早在卫公死前好几年，他就只会闭着眼睛打呼噜了（如前所述，李卫公并不是只会打呼噜，但是这一点别人并不知道），谁要是思念他，就是热爱噪音。更何况红拂现在是一品夫人，人又漂亮（如前所述，这一点她自己并不知道），想找多少情人都能找到，不论是男情人还是女情人。故而红拂的自杀是使人莫测高深那一种。红拂这一辈子尽干叫人莫测高深的事，对于这种人，领导上理所当然地对他们没有好印象。

我虽然岁数不很大，但知道不少自杀的人。根据我的记忆，领导上对死人往往比对活人还要仇恨，给他们一大堆罪名——自绝于上面，自绝于人民，遗臭万年等等。但是这些罪名却吓不着死人。不管怎么说，他们给领导上留下了一个大难题，就是如此美好的今生今世，那些狼心狗肺的家伙怎么忍心弃绝。就以红拂为例，假如她真的因为丧夫而求死，这倒是可以原谅，怕就怕她言不由衷。假如是这种情况，就得趁她尚未死透问个明白。但是这件事要留到后面去讲述。现在要说的是红拂是怎样在长安城里制造误会。这些事由我说来娓娓动听，因为我最大的专长也是制造误会。

如果我说，生活是件很麻烦的事，其中最大的麻烦是避免误会；最起码红拂同意。对我来说，次大的麻烦是我不够聪慧，一个费尔马定理就证了十年，这样我在智力生活里所得的乐趣就抵不过痛苦——假如我是牛顿、笛卡尔，特别假如我是欧几里得，一切会好得多。这个说法对红拂就不适用，她以为自己最大的麻烦是不够漂亮，这大概是因为男女有别吧。男人总觉得自己不够聪明，女人总是觉得自己不够漂亮。因为这最大的麻烦和次大的麻烦，所以生活中快乐少，苦恼多。但我不抱怨，因为抱怨也没有用。

小的时候，老师就对我说过：看你也是两只眼睛一个鼻子，你怎么老和别人不一样呢？我听了甚为得意，正在飘飘然，忽然被老师狠狠掐了一把，她说：你以为我在夸你哪？等我长大了，一听到领导上说这句话（看你也是两只眼睛……）就能够领悟，用不到别人掐了。但是我这一辈子也就到了这个程度，没有什么进境，不知道怎样才能不让别人注意到我这种不幸的缺点（只长了两只眼睛和一个鼻子）。最近一次系主任找我谈话，也对我说了这句话，这是因为我听他说话时不专心。这是我的老毛病，而且为此得罪了很多人。后来我发现听别人说话时用力看着他，别人就不容易发现这一点。最早是看他的眼睛，左眼看他的右眼，右眼看他的左眼，研究他虹膜的颜色和质地，瞳孔的形状，看得久了甚至能看出他眼底的血管是否硬化了。但是这种看人的方法很是招人讨厌，现在改为看鼻子，看久了也能把对方的鼻头看到脸盆那么大。我们系主任的鼻子是蒜头形的，任何人都能看出他将来是个酒渣鼻。酒渣鼻是因为皮肤长了螨虫。我看得清清楚楚，螨虫怎样从他的这个毛孔钻出来，从另一个毛孔钻进去，但我爱莫能助——如果挥拳去打，虽然可以消灭螨虫，但他的鼻子难免就要受到伤害。红拂和我不一样，我们说到过，她向虬髯公学习过剑术，并且久经战阵；假如一名老兵枪打得很准，那也不足为奇。她和领导上谈话时也是盯着对方的鼻子看，看到了螨虫，就以迅雷不及掩耳的速度拔出佩剑把螨虫削去。这种助人为乐的行为在事后是很难解释的，因为螨虫只能在高倍显微镜下或者听了领导上半小时的训话后才能看见。所以她根本就不解释，转身收剑而去。别人看到的就是：一等贵妇和大内出来的太监正在和她说话，她忽然掣剑威胁人家。结论是红拂不仅狂妄，而且危险，后来就把她的佩剑没收了。

我和系主任说话时，不但在看他鼻子上的螨虫，而且嘴里还能讲话，这是了不起的成就。但是一心二用必然出错。他对我说：要想人不知，除非己莫为。我答道：您知道我早上吃了些什么吗？他说：天下没有不透风的墙。我说：这是对建筑行业的污蔑。他说：你这样子怎么为人师表？我说：您的意思是我不够漂亮，这是女生的看法吗？他说：你要知道我国的国情。我说：我怎么不知道？我每月挣30美元（这是按官价算，按黑市价远没有这么多）。后来他看出我在胡说八道，就说到我长了两个眼睛。这句话使我猛醒，原来他一直在劝我结婚。除此之外，他还知道我和小孙的不正当关系。这一点倒不足为奇，因为行房前后小孙老朝我嚷嚷——责怪我嫌她不丰满、皱巴等等，其实是没影的事——左邻右舍全能听见。他们听到必然到系里汇报我，否则左邻右舍有什么用处？我告诉他，我正在考虑结婚，他才满意了。其实这是一句谎话。我根本就没有考虑这件事。

【五】

我十七岁时在插队，晚上走到野外去，看到夜空像一片紫水潭，星星是些不动的大亮点，夜风是些浅蓝色的流线，云端传来喧嚣的声音。那一瞬间我很幸福，这说明我可以做个诗人，照我看来凡是能在这个无休无止的烦恼、仇恨、互相监视的尘世之上感到片刻欢欣的人，都可以算是个诗人。然后你替我想想该怎么办吧——在队里开大会之前要求朗诵我的诗？我怎么解释天是紫的，风是蓝的，云端传来喧嚣？难道我真的活腻了吗？这一切告诉我说，不能拿我所在的这个世界当真，不能拿别人当真，也不能让别人拿我当真。后来我就当了数学家。凭良心说，我当数学家真是不大合适，正如别人当诗人不合适一样。现在小孙老想让我背出一首十七岁时的诗，甚至为此骑上了我的脊梁，用长筒袜勒住了我的脖子——因为她这些轰轰烈烈的行为，我怀疑她是个虐待狂——但我背不出来。我倒能背出几百种艰难的不定积分的解法，但她对这些却不感兴趣。

红拂在长安城里生活，觉得无聊时就把李靖给她画的那些画拿出来看。那些画是画在用芋头汤浆过的纸张上，有些是用颜色画的，还有一些是用水画的。水能在芋头汤上留下永远不褪的痕迹，好像糖在水里溶化，或者阳光下的空气。在这些画上红拂好像空气里的一个精灵。另外一些画是用红蓝两色或者黑红两色画出来的，画中人的相貌除了一双大得惊人的眼睛之外，简直没有任何的近似之处，但还是能够看出画的是她。给她画这些画时，李卫公用了一大把竹笔。他把这些笔叼在嘴里，所以好像一只海豹。卫公给她画这些画时，他们住在土地庙里，四周都是菜园子味。红拂看到的天空是紫色的（这一点可能和吃多了茄子有某种关系），篱笆上开满了大得不得了的喇叭花。李靖告诉她说，喇叭花是女性生殖器的象征。红拂点头称是，显出一副心领神会的样子。其实她心里想：满篱笆这种象征是什么意思呢？人在年轻时都是这样的，有一肚子的问题要问，但又不敢问。等到可以问了，一切又都索然无味。她把这些画拿到贵妇联（乙）去给别人看，并且宣布说：这就是艺术，这就是爱情。而那些贵妇们却说：你们这些土包子懂得什么艺术、爱情！

红拂在贵妇联（乙）里被当作个土包子，因为她没有上过贵族女校，穿过白上衣黑裙子，缎面的布底鞋和白布袜子。那种袜子是五趾分开的，样子很怪。但是她被容许混迹于她们之间，参加每旬一次的party。据说这是因为红拂长得漂亮，人又不蠢，所以给她一点恩惠。其实这算不上是一种恩惠，因为贵妇联（乙）内敌视大唐的情绪早就引起了领导上的注意，这就是说，参加这种party的人最后肯定要倒霉，但不是现在。其实那些女人聚在一起时，只是穿起女校的校服，朗诵少女时代的纯情诗文，并且集资出版诗集，并且把丈夫叫作老鳖头子。我想女人这样并没有犯什么错误，错误就在于说没有上过贵族女校的人都是土包子，不懂艺术和爱情。贵妇联（甲）的成员知道以后十分气愤，大家分头致力于琴棋书画，还奋力去写爱情诗。但是这些娘儿们见了一等贵妇的作品就捧腹大笑，有人甚至笑出了盲肠炎。这就使一等贵妇们相信自己真的不懂艺术和爱情，再也不肯致力于琴棋书画，也不再去写爱情诗，而是致力于反对艺术和爱情，终于取得了很大的成功。事实证明人没有艺术和爱情也能活，最起码中国人有这个本领。而世界上没有了艺术和爱情，也就没有人会被叫作土包子了。贵妇联（乙）天天开会学习，改造思想。今天批判张三，明天批判李四。被批判的女人们不堪羞辱，纷纷自杀，而领导上也不加阻拦。红拂在长安城里的情形就是这样的。

长安城里没有风，但是城外经常刮大风，风一起就是天昏地暗。有人说，在城里可以看出这风的干燥程度，因为有时候天是灰黄色，就像干燥的土粉；有时候天是潮湿的黄色，好像风和黄土在天上和了泥。有人说，在城里可以看出风的深度，因为有时候天是浮土的颜色，有时候是地下深处土的颜色。到底是哪一种情况，大家都不知道——因为除了那些来去匆匆的外国人和脚夫、车夫，绝大多数的人只要进了长安城，就没有出过城。有些人下定了决心要到城外去玩玩，走到了城门口，看到了门洞里站着的两排守城兵就丧失了勇气，这种情形也像被魔住了一样——假如天色是深黄色，天上就会掉下土来，是长条形的，好像一种虫子屎。在这种天气里红拂下班回了家，先到书房里去看看李靖（她总怕他会突然无声无息地死掉，这种忧虑当然不是空穴来风，因为卫公就是一声不吭地死了的），然后回到自己房间里去换衣服。她脱掉外衣，解下胸前的水袋，拿掉假肚子、假屁股，然后把扇贝做的乳罩解开，那对乳房就像一对小兔子一样跳了起来（这对兔子上当然没有耳朵）。如前所述，当时外面是昏黄的天气，有一种殷湿的黄色被压到屋子里面来，红拂的身体则是白皙而有光泽的，在这种光线下就闪着蓝黝黝的光，好像她天生就是蓝种人一样。她的乳房上早印上了扇贝的痕迹，看上去好像两个笊篱，而且肚子上也有一大块红印。这使她本来美好的身体变得难看了。此时的感觉和当年在洛阳城里梳头时的感觉一模一样，因为现在面对的还是恼人的生活，了无生趣。就在这时候她忽然想到自己根本就没有逃出洛阳城，一切和以前仍是一样的，只有些表面上的变化。后来她有了一个主意，实际上还是故技重演，到了晚上睡觉时，她就策动卫公从长安城里再次跑掉，就如多年前从洛阳城里跑掉一样。卫公听了皱眉道：瞎扯八道！往哪里跑？红拂说：跑到海边上去——你不是喜欢海吗？卫公听完了就开始不吭声，一连好几天都皱着眉头，在想红拂的主意是不是有道理。据我所知，数学家都是这样的，不会错过任何一个建议，包括最异想天开的建议。我现在正在考虑小孙的一个建议：辞了职到学校门口卖煎饼。这样不但挣钱多，而且省心。最近我总在开会，坐得长了痔疮。假如有外宾，还得穿西服打领带。我根本就不会打领带，只好拿了它在办公楼男厕所里等熟人，简直把德行丧尽。卖煎饼未尝不是好主意，但是我未必吆喝得出来。还有假如因为争摊位打了起来，我打得过谁。数学家的长处是不但要考虑每个主意，而且要考虑周全。李卫公找来了一切地图和地理方面的书，考虑了从东罗马帝国到南美洲的一切地点，研究一切逃走的路线。假如红拂问起来，就说，就算要逃出去，也要策划周全。

每天早上刚起床的时候，红拂总是穿一身白纱的衣服去梳妆。这身衣服和透明的差不多。站在镜子面前，红拂有点不敢相信他们还能逃出长安城。她的下巴现在是浑圆的，脖子上接近下巴处有了一道浅浅的纹路，手背上有五个浅浅的窝；过去不是这样的。过去她是消瘦的。她的乳房现在很丰满，还能用柔软、圆润等字眼来形容。过去是紧凑的，假如那上面有表情的话，就是一种顽强不屈的表情，或者可以说，那是两个紧握着的小拳头。生了孩子以后腰也粗了，虽然只是一寸半寸，但这里讨论的不是形状，而是身体的表情。总而言之，红拂自己都不相信她还能激励一个男人从长安城里逃出去。现在的这个身体没有了挑战性，只能诱使男人和她做爱，却不能使他对生活不满意。

李靖也不相信他们还能逃出长安。他毕竟是快六十岁了，有关节炎，肠胃也不好。但是这些还不是最重要的事。最重要的是他感到疲倦，再也不想在路上奔波。所以他宁愿装得衰老或者童稚，以便能在长安城里平安地生活。但是这不妨碍他研究地图，在心里想象南洋群岛的热带风光，北极的冰山，大漠的荒凉；虽然他哪儿都去不了。而我呢，自己也知道除了现在干的事什么都干不了，虽然有时难免想入非非，但是"随心所欲不逾矩"。我们何必要逃出去？坐在椅子上想象也是一样的。我想领导上也该知道这些事。既然如此，就应该对我放心，让我少开几次会。

我现在经常照镜子，发现有好多硬毛从我脸各处钻出来，并不局限于下巴，简直是刮不胜刮，剪不胜剪。这种情形使我想到自己死时会变成一把板刷。红拂想到自己死时的模样，总要联想到"皮囊"这个词。大家都知道这是佛家对身体的指称。过去红拂从来没有想到过这个词，但到了感觉自己身体开始松弛时，就觉得这个词可悲地形象。由佛家的用语，联想到佛陀离家出走，托钵四方；由离家出走，联想到这个"家"字，它是宝盖之下的一只猪——这只猪又是谁呢。相比之下，别的语言就没有这样自己糟践自己。Home，就是 H——O——M——E，没有任何能让人联想到 pig 的东西。与此同时，长安城还是老模样，而且有趣的事越来越少。红拂每天都要花很多时间来看蝴蝶，但是长安城里没有好看的蝴蝶，只有一种幼虫吃洋白菜的白粉蝶，孤零零地在一片灰黄色上展开翅膀。为了招来白粉蝶，红拂还特意种了一些洋白菜。但是她不会种菜，所以菜后来都死了，粉蝶也不来了。她还想种些花草，但是一样也种不活，甚至连狗尾巴草也死了——这是因为长安的水土除了槐树，什么都不长——这一点和北京不一样，这里下一场大雨，遍地是杂草，然后居委会的老太太再组织人力把它连根拔掉。她还可以怨恨这一切，把怨恨当作消遣。但是这一切都是卫公的安排。她爱卫公，并且不想改变，虽然爱他这件事干得有点欠考虑。只剩下最后一件事可干，就是盖上贝壳乳罩，挂上水袋，穿上衣服，出去上班。穿上这套可怕的服饰，也就是截断了思想。她的倒霉之处在于只有脱光了衣服，对着一面镜子，或者是抱住了卫公才能想象，但是不能一天到晚总这样。我也不能不去上班，走到灰色的人群里去，一路走一路想入非非。活着成为一只猪和死掉，也不知哪个更可怕。

第十章

【一】

李卫公死掉以后，红拂殉夫而死。这件事大出人们的意料。这件事的原委是这样的：卫公死之前，他还在与红拂做爱。完了事以后，卫公说：胸口闷，头晕！说完就死了。事后红拂对别人说：干那事时，卫公还挺行的，那杆大枪像铁一样硬，直撅撅像旗杆一样，谁知他会死呢。这种话说起来，简直是对死者的大不敬，但是底下一句话却令人不得不敬：他死了，我也不活了！过几天就上吊！她不光是说说而已，还给皇后上了奏章，申请为夫殉节。自从大唐开国以来，国公夫人为夫殉节的事还没有过，所以这件事引起了很大轰动。嫉妒她的人说：这娘儿们不是好来路，丈夫死了，在长安城里立不住，想靠这个来挣面子；但是朝廷认为卫公夫人殉节，乃是大大的好事，不但证明了大唐妇女深明大义，还证明贵族阶级的道德水准很高。皇后下旨，旌表红拂为节烈夫人，并且派宫内主管刘公公去主持此事。刘公公觉得兹事事体重大，就请了长安城里办理贵妇自杀最有经验的魏老婆子来做顾问。所以红拂殉夫一事，从开始就操纵在专业人士手里了。

红拂知道，李靖一死，别人就把她当成了死人。说人们把她当死人还不全面，实际上是这样的：如果她表示对活下去有兴趣，别人就讨厌她，如果她表示出自己行将死去，别人就会尊敬她。在皇城边上，有一座温泉，那里只招待有诰命的女人。洗过澡后，还可以躺在铺了熊皮的短榻上喝上一杯冰镇果子露。红拂头天就在那里。她听见一个女孩的声音在背后说：妈，这个阿姨是谁？好漂亮！又一个十分熟悉的声音说：甭理她！那是卫公夫人——好没廉耻，死了丈夫还跑出来。红拂一看，是程咬金的夫人，带着女儿，就走过去说：程夫人，好一阵不见。明天我就殉了，抽空出来看看老熟人。程夫人一听，立刻肃然起敬：明天吗？您准备怎么殉？上吊？上吊好。韩国公的小夫人喝毒药，一连三天，上吐下泻，鬼哭狼嚎。最后只好叫了大师傅，拿擀面棍在脑袋上狠敲了几下，脑壳都敲扁了。眼珠子凸出来，像水泡眼的金鱼。还有人吞金针，吞下以后七窍出血，发高烧说胡话，那模样也是十分糟糕。总而言之，上吊是再好不过。但是女人在这种场合说的话都不大可靠，上吊未必真有那么好。站在一个行将上吊的人面前，大家都说上吊好；而站在一个行将投井的人面前，大家又都说投井好。红拂本来是讨厌上吊的，但是自从领导上分配她上吊以后，她也开始喜欢起上吊来了。这是她一生里从未有过的事。过去领导上分配她在洛阳城里当歌妓，她就不喜欢，和卫公一道跑掉了。后来领导上又分配她在长安城里当二等贵妇，她又不喜欢，想要鼓唆卫公再次逃掉。现在分配她上吊而死，她会喜欢，真叫人百思不得其解。

红拂这样想，站在朱漆的高凳上，脖子上挂着三尺白绫，只要两脚一蹬，就会进入虚无的世界。但是站在这凳子上实在不容易，因为人吊死了，会乌珠进出，舌头会伸出来，脸会憋得乌紫，还会大小便失禁，弄得臭烘烘。要是一般人，也就顾不了那么多。可是作为卫公的妻子，这样死掉有失体面。为了殉夫而死，她已经绝食三天，还请了医生，用原始的办法灌了肠。然后花半天时间化妆，在脸上敷了极厚的粉。然后穿上一身缟素，站到高凳上去，叫人用缎带把眼睛勒住，防止它掉出来。再叫人用带子把手脚都捆住，以防乱抓乱蹬，没了体统。做好了这些事，底下人就离开那间屋子，等待高凳翻倒的声音。只要凳子倒了，自杀者在概念上就是个死人了。其他人就可以哭丧，分遗产。但是她往往还没有死，为了防止颈骨扭断，官宦人家太太上吊，脖子上要垫上钢条，而绫带又很宽，所以起码要吊三四个小时才断气。有人悬在空中，觉得无聊，就叫家里人拿轿子把女友接来聊天，或者在半空荡来荡去，打起秋千来。这说明想要一蹬腿就进入虚无世界乃是一种梦想。红拂这样想，只是要把自己的处境想得好一点。

红拂殉夫一事，并非没有人劝说过她别这么干。比方说，红拂的女儿就说过：妈，殉夫是老太太的勾当。你这么干是假正经！其实红拂当年也有五十一岁，按大唐的标准算是个老太太了。但是她保养得非常好，看起来也就是三十岁的模样，并且美艳绝伦，姿容绝代，所以大家都不觉得她是老太太。这都要归因于她从四十岁起就不吃羊羔肉和水果以外的任何食品，每天做体操，并且从未停止性生活。别人尚未觉得她老，但是她自觉老了。这不但是因为脸上起了鱼尾纹，嘴里有了气味，还因为乳房已经开始下坠。这一点别人看不到，是她自己量出来的：乳头已经偏离了中心位置，并且乳房下面有了很深的纹路。除此之外，她开始忘事，说话颠三倒四，这些她从别人的脸色可以看出来。因此她常说：我老了以后，准是个招人讨厌的老太太。这些小事对于别的女人来说没有什么，有的人还以能招人讨厌为荣。但是我们不要忘了，红拂一直是以美艳著称的，而且她还老觉得自己还不够美艳。她受不了这个。所以她就决定死了。

红拂上吊的场面远比她想象的要壮观。卫公死掉以后，院里搭起了席棚，自从刘公公和魏老婆子来了之后，又把席棚大大地加高，以致好像来了马戏团。红拂想：这也有道理，原来死了一个人，现在马上就是两个了。棚子自然该加高。但是事实证明了她缺乏想象力：棚子里马上就搭起个架子来，有三丈多高，是门形的，用了三根大梁粗细的金丝楠木。红拂见了很诧异，把魏老婆子叫来说：这可是我家的院子，你们要干什么，总要对我说说。这架子是干啥的？那魏老婆子长得像条鲇鱼，穿着紧腿裤子，太阳穴上贴着小膏药，声音刺耳地说：您老人家早该来问了。这是送您归天的架子嘛。红拂说：好家伙！把我吊这么高！有没有搞错？我怎么上去？爬梯子吗？魏老婆子说：底下还要搭台子哪。自动升降，就像攻城的云梯一样。红拂说：这么个架子，底下还搭个台子——那不像是肉铺的柜台了吗？我挂在上面，岂不像一口猪？魏老婆子不高兴了，说道：太太，这事情您不明白，还是忙您的去吧。什么肉铺的柜台？这叫皇上的恩典——一点水平都没有，还当什么节烈夫人。红拂就去忙她的，坐上骡车，到温泉去洗澡，进了澡堂，身后还跟了个小太监。这也是魏老婆子的安排，派人盯住红拂，不让她吃东西，因为她正在殉节前的绝食期间。这可把红拂治得够呛，洗完澡出来，小风一吹，她就休克了。

【二】

红拂本人的模样，也是非常地壮观。皇上御赐了一道白绫，放到朱漆盘里，如果她出门，就有人手捧着这盘子走在前面。还有御赐的金枷玉锁，随时都要戴着。这是因为皇上知道红拂身手了得，怕她变了主意，突然跑掉了。这道枷真是沉得厉害，要不是红拂有武功，根本扛不动。

有关绝食的事，魏老婆子说：这是绝对重要的，起码要绝食十天，否则肠子里有东西，很快就会烂，更不要说吊起来时大便失禁，糟糕得很。卫公夫人奉旨归天，没准儿吊上去了皇上还要来看，可不能出一点岔子。因此到了最后几天，她叫红拂吃棉花，用棉花把肠子擦干净。除此之外，还让她喝藏红花熬的汤，直到红拂出了红汗。这两种东西无比地难下咽，尤其是没吃饱的时候，这时候吃莫名其妙的东西会犯恶心。红拂感到十分痛苦，就把刘公公找来，提出抗议：难道咱们要殉节的人，就没有一点人权？红花汤里起码可以放点糖嘛。而刘公公说：不可以，这是古代的验方，方子里没有糖。至于人权，那是没有的。这是因为红拂是奉旨归天，只有光荣，没有人权。所以吃饭睡觉全要听专家安排。

红拂上吊那天，皇上赐了一桌酒宴，红拂吃得好不开心。谁知乐极生悲，吃完了还得喝肥皂水，把它完全吐出来。而说到睡觉，红拂苦笑一声，魏老婆子根本就不让她睡觉。回到家里，刚想在炕上歪一歪，魏老婆子就叫来一群小太监，把红拂倒吊起来。这里的道理是：她将来是要吊死的，死时五官、乳房等等，都会下坠。趁着现在有气儿，赶紧倒吊，可以起校正作用。红拂的女儿去看她妈，只见她倒悬在梁上，面红耳赤，眼前是个小太监，捧着一本倒着的书。女儿就说：叫你别殉节你不听，现在难受了吧？告诉你，吊起来的滋味更糟！红拂就说：咳！咱不是没事，想找点事干嘛。你也别闲着，给我揉揉腿，都吊麻了！

魏老婆子说，伺候过多少上吊的，没见过像李夫人这么调皮的。比方说，官宦人家的小姐，被人家始乱终弃，坏了名节，成天哭哭啼啼，乖乖地叫干啥就干啥。或者是七十岁的老太太，躺在床上像个木乃伊，怎么摆布都可以。可这李夫人，好不容易给她弄得里外都干净，可以上吊了，她却还要到外面去兜风。从任何方面来看，她不像个想死的人。但是她也承认，李夫人非常大方，今天一锭金，明天一锭银，都从自己的私房钱里支出；办这档事可没少挣钱。魏老婆子对以下事实印象深刻：最后那天晚上，李夫人躺在帐子里洗蒸汽浴，她端了一大盆水去给她灌肠。这是很痛苦的事。但是卫公夫人毫不抱怨，她像一匹马一样趴着，把臀部高高撅起来。

李夫人的话魏婆子记了不少，后来她出了《节烈夫人殉节语录》一书，可挣了不少钱。兹在此摘录若干：

> 那天晚上，我和卫公干好事，就是这个姿势。——灌肠时的谈话
>
> 过一会儿就见着李靖了。那天晚上说，歇会再干，他可别忘了。——临终时的自言自语
>
> 将来你嫁人，可得找个岁数小的。干事之前一定要给他号号脉。——对女儿的赠言
>
> 等会儿我吊起来，要是勒出屁来，你们可别笑话我。——对众人的临终赠言

这本书除了语录，还有不少花絮，其中谈到了李夫人的最后一天晚上，须要举行净身仪式，把身上的汗毛都刮光。干这件事的是一群小太监。面对李夫人如花似玉的肉体，太监都动了心，个个魂不附体。李夫人就屈起中指，一指弹去，登时就是个紫疙瘩。等到净身完成，红拂就说：毛都煺完了？现在是蒸还是烤？

据目击者说，李卫公夫人殉节时，一身缟素，脸上施了淡妆，显得美丽非常。她从卧室出来，身穿白色睡袍，身后跟了两个小太监，捧着她的三尺青丝，走得非常快，径直上了平台。那平台上有不少伺候的人，底下的人摇动绞车，平台升了起来。那时虽是午夜，但是四下里灯火通明。席棚里人山人海，这是因为大唐卫公夫人殉节，各国使节都来观礼。红拂说，这么多人来看，真不好意思。也不知招待得好不好。刘公公说，这事不劳节烈夫人操心——您老人家的任务，就是死掉。说话之间，他就掏出了御赐的白绫，在红拂脖子上绕了三匝。这时红拂斜眼看了一下

铁钩和横梁，说道：我怎么看怎么像吊猪的。说话之间，台子四周搭起了黑纱帐，院子里的人就看不见他们了。然后的事情相当复杂，等到一切停当，刘公公问道：节烈夫人，您老人家有什么遗言？红拂答道：我操你妈，快点吧！

关于这件事，有不少细节要补充。比方说，一上了台子，红拂就找板凳，因为她以为，上吊一定要有板凳，但是那台子上并没有板凳。经过询问才知道，在她的事里不会有板凳出现，这是因为她不必在绳子套在脖上时跳起来，把板凳蹬翻。魏老婆子说，那方法不好，经常把人吊得歪歪倒倒。改进的方法是红拂用手来拉一根绳子，以此发动机械，使脚下的平台降下去。这是一项新发明，当然也就出乎红拂的意外。红拂拿着绳子试了试，觉得很没气氛。于是她说：这么大的事，你们也不问问我。我一直以为是蹬凳子呢，老在想怎么蹬！

说话间，有个小太监走过来说：节烈夫人，请您老人家玉手。红拂问：干什么？那人说：恕无礼，要把您老人家捆起来。红拂说：你们怕我跑了吗？魏老婆子就来打圆场说：不是的。待会儿您老升天时，要是乱抓乱挠，那多不好。何况谁都知道，您是一位功夫家，手上力气大，抓一把不得了。就请您受点委屈吧。好在您是要死的人，也不在乎这了。说话间小太监就把红拂捆了起来，捆成个五花大绑，动作十分熟练。红拂说道：你好像经常捆人。在哪儿学的？太监说：就为您的事儿，到衙门里学了三天。红拂说：可真难为你，赏你十两银子，找魏大娘要吧。魏大娘，咱们的银子还有吧？

魏老婆子苦笑了一下说道：有，有，您老人家尽管用。这事的原委是这样的：红拂的私房钱，除了给女儿的，都放在魏老婆子这里，讲好了红拂一死，就归魏老婆子。这时用得越多，最后剩得越少。所以难怪她有意见，又敢怒不敢言。小太监得了赏赐，非常高兴，说道：我是向徐哥学的。每回衙门里出人，都是徐哥主捆。这里好大的学问！捆男人，捆女人，捆贵人，捆强盗，都有不同。捆您老人家，是捆贵人的捆法。您看，捆得多艺术！她低头一看，果然不同凡响。首先，捆住她的是一条大红缎带，这就和麻绳不一样。其次，这根绑绳上打了很多蝴蝶结，挂在腋前、腹下等等地方。胸前是一个大花结，像牡丹花的样子。就是不上吊，也是蛮好看的。红拂笑了起来，说道：你要不说，我绝想不到是从刽子手那里学来的。我准以为皇上是个虐待狂，这是捆皇后的手法哪。

等把红拂捆绑停当，又有人拿来一条黑缎带，说道：请您老人家闭眼。红拂说：这是干什么？要把我眼睛蒙上？难道怕我看见啥？魏老婆子说道：这您就外行了。要是不拿带子把眼睛捆上，吊起来后乌珠进出，有说不出的难看。红拂说：啊呀，真是麻烦！我是自己要死，又不是死给谁看！魏老婆子大惊道：您是饿晕了吧！寡妇殉节，谁不是死给别人看！

红拂的眼睛蒙上了。一团漆黑之中，有人说道：给您老人家挂绳子了。请您直直腰。再直腰。好了。您老人家晃晃头——怎么样？正不正？

红拂说：正正，快把那根绳子给我吧。魏老婆子说，这可使不得，早着哪。现在把绳子往上紧。您老人家踮脚尖——好，再紧紧。于是把红拂笔直地勒起在半空。红拂说：咱们能不能快点？我非常不舒服。魏老婆子说：这可没办法。想舒服，您老人家别死呀。如此调整了有半个时辰，红拂觉得脚尖都发麻了。搞好以后，魏老婆子说：都好了，可以撤帐子了。于是听见撤掉帐子的声音。外面的风吹进来，十分清新。但是红拂想吸一点进肺，却办不到。红拂听见底下的人声，一片赞美羡慕之声。红拂说：好了，大家都见到了，把那绳子头给我，我可等不及了。

红拂那时头脑十分清醒，虽然被捆得像铺盖卷一样，眼前漆黑一团，但还记着动作要领，那就是临断气时，要猛绷脚尖，千万别死拳拳了。还有绳套勒脖子时，要把脖子伸直。这一点十分重要。有些人稀里糊涂地乱来，结果是挂在半空时也乱七八糟。有人吊得向左或向右，把颈骨扭断了，死得非常快，但是死了以后像棵歪脖树，难看得很。有人吊的位置太靠后，悬在空中像个被提住脖子的鸭子。这些不好的死相，都会被人耻笑。最糟的是套子的正面勒到了后面，人在空中仰着脖子，像个卧在沙滩上的大头鱼。因为没勒到地方，老也不死。别人也不敢把她放下来，因为放下来之后，她再也不肯试第二遭。因此只好十天半月地挂着。红拂想，我一定成功，因为年轻时习过武，身手矫健，这些体操要领拦不住我。她把魏老婆子叫过来说：咱们这是等的什么？魏老婆子说：皇恩浩荡呀，节烈夫人。皇上和皇后都要来看您。趁这工夫我也得吃点东西了。

如前所述，红拂直挺挺地站在那里等死，这一刻非常地长。在一团漆黑中，她等待和死亡会面，死亡似乎是最伟大的情人。这是因为它非常陌生。她的心越跳越厉害，禁不住挪动起屁股来。魏老婆子说：节烈夫人，您的样子不好看了。台下那么多人看着呢。

红拂以为死亡是最伟大的情人，故此心里慌乱起来。不但脸上发红，手也抖了起来。魏老婆子安慰她说：您老人家不要慌，到了这个时候，人人都这样。这时候红拂觉得魏老婆子真讨厌。生命完结的快乐，她一点体验不到。

红拂把绳头拿到了手里，心里怦怦跳起来。她很想拉动绳子，但是手不听指挥。魏老婆子说：您老人家后悔了吧？我伺候过多少太太小姐，到了这会儿都后悔。要不要我替你拉绳子？皇上在底下看着呢。我敢和您打保票，您是不敢拉这根绳。红拂说：扯你的淡吧。

红拂把手里的拉把一拉，脚下的平台望下一跨，登时挂在了脖子上。那一瞬间眼睛往外一鼓，可是被缎带勒住了。绫带勒住了下巴，牙关紧闭。魏老婆子马上走过来，凑在她身上一闻，说道：好极了。您老人家玉体干净，可以直升天界。感觉怎样？

红拂说：扯淡！我脚尖还在地上！魏老婆子说：就是这样的。这样半吊不吊的，死时姿势最潇洒。就是时候长点，您没意见吧？现在有啥感觉？

红拂说，憋气。声音好像猫叫。她又说，我怎么变了声？魏老婆子说，大家都这样。您眼睛里有几颗星？红拂说，一颗。两颗。这意思是一只眼一颗，两只眼两颗。老婆子说，不坏。慢慢会多起来。到了九颗时，就是您老人家升天之时。听见什么？红拂说，没有。静悄悄。老婆子说，那还早。快升天时，耳朵里很吵。您要不要喝点醋？喝了比较快。红拂说，不喝。她觉得醋太难喝。老太婆就说，像您这种情况，不喝醋要七天七夜。红拂叹口气，不知是觉得太长，还是太短。

老婆子叫放李靖的儿子女儿（都是小老婆生的）上来，大家大哭一通。有人说，娘呀娘，你怎么忍心？爹去了，您也撇开我们。红拂听了很感动，几乎不想死。可是魏老婆子说道：你娘还没死，这么哭不好。那儿子立刻说道：都吊起来了，谁说没死？红拂听了，立刻就不感动了。后来老婆子说，你们都出去。他们出去了。进来一批丫鬟下人，又是哭爹叫娘。红拂听了，十分不耐烦，在半空中扭动起来。老婆子把别人都撵开，然后说道：夫人，怨老身无礼，我可要在台上歪歪了。您老人家要是能睡得话，不妨也睡一会儿。明天的滋味难受得很。过了一会儿，就听见老婆子的鼾声。这时忽然听见一个女孩子的声音：妈！妈！原来是她自己生的那个女儿来了。这孩子说：不听我的，后悔了吧？要不要我把你解下来？

红拂和女儿说：你上哪儿去了，一晚上都见不到。现在来干什么？女儿说：干什么？我来救您嘛。这几天到处跑，约了一大批有义气的朋友。红拂说：你把我解下来怎么办？女儿说：这我都安排好了。别看您上了几岁年纪，长得比我还好看。弄出去卖到窑子里，保证红。红拂大吃一惊：

好女儿，居然要卖妈！那女儿却说：反正您都不想活了，何不废物利用？

　　根据这种说法，红拂被她女儿称作废物，理由仅仅是自己不想活。当然她就想问：你想把我卖给谁？女儿说：说出来您又要吃一惊。就卖给我自己。我在外面开了家买卖，生意还不坏。今天把你弄出去，你就归我了。红拂说：好哇，谢谢你了。女儿却说：谢什么？我是您生的嘛。红拂说：好了，不扯淡了。你走吧。以后学点好。女儿大惊道：你不跟我去呀？

　　后来那位女儿还劝了她半天，说是绝不会亏待红拂，保证只给她好客人（"您放心！生我出来的地方，不是谁想去都去得成！"），保证待遇从优（"我要是对自己的妈都不好，别的姐儿能跟我吗？"），保证不虐待（"您要是犯了规矩，只是饿几顿，绝不打。我还能打我妈吗？"）。作为一位母亲，红拂理应对自己的女儿的言行感到诧异，但是红拂没有理她，渐渐迷糊过去了。

　　虽然被吊在半空中，红拂还是睡着了。一觉醒来，她觉得有点晕眩。在她的眼前，出现了四颗星星，耳朵里也吱吱地响。除此之外，她发现自己在旋转。所以她把魏大娘叫了起来。那婆子说，还早得很，到现在才有两颗星，耳朵也响得不厉害，看来七天七夜打不住。红拂说，她不是要说这些事。她想叫魏大娘把她的身体稳住，不要叫她转。她说她最害怕旋转。魏老婆子说，她一点办法也没有，因为在她看来，卫公夫人挂得好好的，一点也没转。红拂说，这样下去恐怕会吐。魏老婆子说，这不要紧，吐不出来。红拂说，她确实觉得恶心。魏老婆子说，每个人在这时都觉得恶心。现在是半夜，太太不妨再打打瞌睡。不要老想自己是个活人，这里不舒服，那里难受，这样没有好处。要把自己想成个挂在梁上的死人，就会好得多。

　　红拂想，假如我是死人，怎么会想？这魏老婆子真糊涂。可是魏老婆子打了个呵欠，猛地伸手过来，把红拂猥亵了一番。红拂被吊在半空，根本挣扎不得。本来她没有这类毛病（同性恋），但是现在她在亢奋时期，不由自主来了快感。事情过后，红拂说：魏婆子，你好大的胆！你就不怕我告诉别人？那魏婆子说：我一点也不怕。您自己不觉得，吊了一夜，您嗓子全变了，听起来是嘶嘶的，除了我谁也不知您说些什么。小妞，你现在是在我的掌握之中。我现在也用不着对你客气了。红拂说：我也用不着对你客气，就像你说的，反正我是要死的人。魏老婆子说：姑奶奶，我就是能治要死的人。比方说你，我拿点参汤一吊，十天八天死不了。多少嘴硬的大姑娘，最后都管我叫姥姥。红拂说：魏姥姥，我不死，你也回不了家，这对你也不好。魏老婆子说：改口了？叫姥姥我不爱听，你叫小魏吧。红拂说：我的妈，你叫什么不好！

　　魏老婆子用两腿夹住红拂的身子说：我可要审审你，这么漂亮的人，干什么要寻死？我的妈，你这对奶长得多好。这双腿直苗苗。小肚子好平呀。下边……你这个小蹄子，上吊都不老实！这时候红拂想，吊在空中和人调情，这滋味太不好了。这个故事的结局，是红拂落到了一个坏老婆子手里。

【三】

　　吊在空中，百无聊赖时，红拂开始预见自己的未来。等到人家用镜子在鼻孔上试不出气，把她放下来。那时她刚断气，还没僵硬，赶紧割开血管放血。同时，要用个漏斗插到她食道里，灌入大量的水银。一直灌到血管里全是水银，皮肤上出了水银汗才能算完。这样她的尸体可以永不腐烂。红拂活着时，体重是九十斤。灌了水银后就有八百多斤。这时候她会变成银灰色，拿手指一蹭，指尖发灰，仔细一看，指端有好多细小的水银珠，想一想自己会变得如此之重和这样的颜色，红拂心里很不舒服。然后解去缚眼的缎带，把她扶起来坐着，这时的红拂，肤色如雪，目光流盼，比活着时百倍明媚照人。她将这样在灵堂里端坐，以供万众瞻仰。这件事将轰动整个长安城，因为李卫公的夫人殉夫而死，肯定是了不得的大新闻。上至帝王，下至布衣，都要来看。这需要很长的时间，水银会从眼睛里流出来。为了防止这样的事发生，在红拂死去的第三天，要从她食道里灌入熔化的铅。铅和水银会形成合金，水银就不会从眼睛里漏掉。红拂听见这事就说，我的妈，要拿铅来灌我。可是李靖的儿子说，阿姨，您已经是死人了，怕什么？如果你不乐意，可以不喝铅。红拂说，假如必要的话，喝一点不妨。李靖的儿子说，您要喝多少？红拂说，我怎么知道？李靖的儿子说，从铅汞合金的组成来看，喝下两斗水银后，应该喝两斗铅。红拂怎么也不敢相信她能喝下那么多铅，尤其是十几条壮汉把那些铅扛来给她看了以后。她还看见了很多东西，包括裹死尸的白布，睡死尸的棺材，给死尸灌铅的大漏斗，还有粗针大线。人身上的很多口子，死了以后需要缝起来。红拂看见那些针线，觉得很不舒服。但是她必须对这些东西发表意见，如果她不点头，这些东西都不能用，而这些东西又必不可少。

　　我现在就要结束这本书了，这就像揭开一个谜底一样。李卫公已经死了，红拂则被吊在了上吊绳上，后来的事已经不重要了。这个故事已经被红拂自己画上了句号。由此就得出一个结论道：红拂殉夫正逢太平盛世，领导上碰到每一件事都把它往好里解释。这时候有一个红拂为了某种未知的理由想要死掉，领导上也能够泰然处之，并且把它看成一件吉利的事。我遇到的也是这种情形，现在有一个王二因为一种未知的理由、用一种未知的方法证明了费尔马定理，领导上也把它看成是好现象，把我的证明看成了一种成果，把我本人看成了一位人瑞。活着遇到了太平盛世，我们（我和红拂）是多么地幸福呀。

【四】

红拂寻死的事，另一些文献是这么叙述的：李靖死了以后，她非常伤心，就上表请求一死。大唐皇帝虽然嘉许她的节烈，但是又不愿一代名媛就此逝去。所以他命令，在红拂未死之时，要尽力劝说。为了防止她自行上吊，特地把她打进了天牢，赐她披枷戴锁。只有当劝说无效时，才准她死去。但是节烈夫人死志弥坚，终于在三尺白绫上西归。

当劝说无效时，皇帝只好赐她一死。他命令给红拂最大的光荣，这就是说，让她享受皇族的死刑。所以在选好的日子里，在她家里搭起了高高的绞刑架，红拂被黑纱蒙面，五花大绑，背后插着金制的亡命牌，骑上毛驴，在九城游街示众，然后由一位亲王监刑，押上了绞首台。

这种说法中最奇妙的是红拂不是自杀的，而是被处死的。这就有些不能自圆其说的地方。至于死前还被插上犯由牌到九城示众，似乎有点过分，但也不是什么不能想象的事。故此有的文献里有这样的细节：卫公夫人上表要求自杀，皇帝览表大怒说：岂有此理，要是别人也罢了，你姓张的本是个婊子嘛！他怀疑红拂是要哗众取宠，就叫人把红拂抓起来问。不但披枷戴锁，还用了几次刑。但是也没问出什么来。这时皇帝想起李卫公曾有大功于国，刚刚去世，就拷问其遗孀，似乎有点鲁莽。据说皇帝颇为懊恼地说：这事也怪红拂！要死自己死了吧，还上什么表文！俗话说，有好抓，无好放，现在怎么办？内臣们就出了这么个主意，说是珍惜贵妇生命云云。听上去有点肉麻。

当皇帝的都有一点另外的考虑，他说：咱们这样把她捉了来，又关监又用刑，就让她回家去说吗？内臣们说：这还不好办，您就赐她一死好啦。反正是她自己要死。当皇帝的又都有点幽默感，所以他说：死也不能让她好死，好好修理她，以儆后来。这种说法的实质是皇帝不觉得红拂想自杀是一件吉利的事。大唐皇帝还是非常仁慈，这要是换了大明皇帝，非把红拂打进教坊司当妓女不可。

　　这种说法里也有红拂在被吊起来之前去洗温泉的事。她是坐在囚车里，由女禁子押去的。但是那座温泉，只有贵妇人可以进去。所以她就被交代给了门口的侍女。但是侍女只能帮她脱衣服，也不能进入洗澡的地方。所以她们把她送到下一道门门前，对里面的贵妇说道：卫公夫人不方便，请大家帮帮她。这时红拂没有戴枷，只戴了一个金制的手铐，由一道金链子挂在脖子上，还戴了一副金脚镣，由另一道金链挂在腰间。她低着头小步挪了进去，马上被里面的贵妇们包围了。她们说：卫公夫人，好性感哪。你这副金链子真好看。呀，这金锁上还镶了银线的花。让我来给你擦背吧。她们谁都没有注意红拂脸色苍白，面颊消瘦，为了表明只求一死的决心，她已经绝食好几天了。胡敬德的老母亲是贵妇的领袖，已经八十多岁了。她说：把小红拂叫过来，我有话说。于是红拂走过去，在老太太面前跪下说：犯妇张氏，见过太夫人。老太太说：快别这么讲。你虽然披枷戴锁，却都是皇上的恩典。只要你改个口，这些马上就可以去掉。红拂说：回太夫人的话，皇上恩准了，明天赐犯妇一死。今天出来，主要是和大家见一见。老太太说：你叫我说什么好。说你好吧，你不听皇上的旨意；说你不好吧，你殉小李子，也是志气高。还有什么要说的吗？好吧，我不耽搁你。去吧。

　　胡老夫人头发稀疏，胸前垂着两个奶袋，脸上起了很多老人斑，眼睛已经混浊，像不新鲜的鱼。她身上的皱纹比皮都多，阴毛都花白了，纯粹是个丑八怪。而红拂则是那样地鲜嫩，皮肤洁白滑腻，身体的比例也非常好。胡老夫人坐在太师椅上，而红拂却跪在地下，别人看了觉得不公平。她们上前，把红拂扶了起来，把她架到温水里去。首先的话题，是牢里的生活怎样，伙食好不好。红拂说道：皇上的恩典，非常地好。其实根本就没有伙食，只有一些小米粥。红拂不肯吃，就用漏斗灌。灌完了以后，还用铅丝捆住她的脖子，防她呕吐。这些就是伙食。脖子上架着大枷，也不能躺下睡觉，只能坐着。禁子还说，反正你是要死的人，不要紧了。少喝点水，省得老要小便。红拂在牢里的情形就是这样的。

　　所有人都关心明天红拂死掉的细节。这情形将是这样的，他们将用绞车把她慢慢吊起来，让她死得既缓慢，又痛苦。这些细节已经向红拂宣布，问她有何意见。红拂没有说别的话，只是点了点头。但是这些细节她也不肯说出来。

　　除了这些话，别人主要是为红拂抱不平，说她年纪轻轻就要死掉，真是亏得很。这些话就用不到红拂来回答。她闭上眼睛，向后一仰，让头发漂在水上，好像一大片浮萍。明确了明天死去，好像了却了一件心事，非常轻松。

　　在等待头发干掉时，红拂在躺椅上睡了一会儿，据说她把双手捧在了胸前，腿平伸在地上，就这样睡着了。那时候有一道锁链绕着她的脖子，另一道绕在她的腰间。这些刑具只是使她更好看。虽然是四五十岁的人，她的乳头依然像处女一样又红又嫩，爱巢上的毛发依然又黑又亮。只是脖子上有一道红印，这是因为不肯吃饭，吃了又要呕，所以用铅丝勒出的痕迹。像这样漂亮的女人，明天就要死了。死是对人的唯一威胁。不想死的人怕很快地死，想死的人怕慢慢地死，所以世界上才会有那么多人。

　　人家说，皇帝有意要红拂死前见到这些贵妇，是怕她们也要干这种为夫尽节的事。他希望红拂告诉那些贵妇牢里的可怕，但是红拂什么也没说。这是因为红拂决心要再次跑掉，离开这个可怕的世界。

　　据说皇帝亲审红拂，就问她为什么要干这哗众取宠的事。红拂说道：没有哗众取宠的意思，只是有点想不开，觉得死要死个明白。皇上就说：我也有点想不开。你要死向我请示，叫我怎么办嘛。批准了也不好，不批准也不好。红拂说：就请皇上给犯妇一个恩典，叫犯妇死了吧。皇上说：那是可以的。但是要叫你死时多受些罪，怕你受不了。红拂说，皇上的恩典，有什么受不了？皇上就说：那好，我要治治你这沽名钓誉的家伙。但是明天要放你一天假，让你到处跑跑，让别的女人都看一看。根据这种说法，皇上以为红拂自杀是想沽名钓誉。此时最好顺杆爬，说那就请皇上治臣妾沽名钓誉之罪。这样很容易就能轻松地死掉。但是红拂非常地倔强，她一声也不吭。

后来红拂就出来洗澡，完成皇帝的嘱托。然后回到牢里去，等待被处死。睡了一会儿之后，她站了起来，向大家告别，走了出去。侍女们给她穿上了衣服，她就走了出去。完成了这个任务，她以为可以安心地静待死亡了，但是事情和她想象得大不一样。

红拂认为，第一次从别人眼界里逃掉，是翻墙逃走，第二次她就无墙可翻，只好死去了。这一点别人无法理解，但是她也不想让人理解。她唯一的愿望就是让别人杀了她，而不是由自己杀自己。这是因为，她不是自己把自己生了出来。

【五】

后一种说法说，红拂在死掉时不能说话。这种说法还说，她在行刑的当天早上，走到了为死囚准备的小房子里，那里有个光秃秃的人在等待，手里玩着一串钥匙。那人大概四十岁的样子。那人的脸是个大平板，几乎毫无特征。他给红拂开了锁，用聊天的口吻说：昨天玩得开心吗？

那时候这间房子里只有红拂和那个男人。红拂抬头看了看，天花板很高，窗户也很高，还有一把椅子和一张高高的桌子。那个人说：把衣服都脱掉。快一点，卫公夫人，我的活多得很！而红拂只是稍稍犹豫，就把衣服都脱光。那个人就说：长得不坏，李夫人。坐下吧。让我试试你。原来这张椅子是个拷问椅，可以把坐上去的人双手铐在扶手上。这时他拿出一叠黄裱纸，打湿了水，贴在红拂脸上。经过了反复测量，红拂停止呼吸的厚度是第七张。在此之前，红拂三次停止了呼吸，额头上的静脉凸起，脸色涨红。但是再往她脸上贴纸，她还是不躲不闪。

　　后来红拂躺在了台子上。她什么话都没说，据说她只是东张西望。那房子里终日不见直射的阳光，但是相当地明亮。四壁都是厚厚的软木板，外面的声音进不来，里面的声音出不去。她躺的台子是厚木板钉成，上面露着硕大的钉子头。在台子的四角上，有四个大铁环。那人说：这是捆你的。只要你乖，我就不捆你。红拂只是点了点头，没说什么。那人提了一大桶肥皂水叫她喝，她就喝了一口，然后往空桶里吐。那人叫她再喝，她又喝了一口，如此循环，直到把胆汁全吐光。后来那人又叫她翻过身去，拿一个大漏斗往她肛门里灌了不少肥皂水。灌的时候问了一声，疼不疼？红拂也是摇头，不说话。那人说，到墙角出清肠子吧。她就点点头去了。然后那叫她回来躺下，她又回来躺下。那人拿出一把大刷子，刷洗她的身体，好像在洗马一样，并且仔细洗了阴部、肛门、腋下、乳下等等地方，并且解释说，你的尸体皇上要看，可别有什么异味儿。他还用手指探了探肛门，闻闻手指说：灌得挺干净。卫公夫人，您不要不好意思。我是同性恋。红拂点了点头，仍然不说话。

　　那个人又说，假如我不是同性恋，你今天就糟糕了。这地方除了我，谁也不来。这句话里带有一丝淫秽的暗示。他用刷子把红拂的皮都刷出了血印子，但是她还是一声不吭。

　　后来那人又拿出了剃刀，把她的体毛全剃光，在此期间红拂还是不说话。只是在那人刮她的阴毛时哼了一声，这是因为当时他用手指撮起她的小阴唇，碰到了敏感的地方。而那人又捻了几下，她就不吭声了。然后那人又拿出很多小绳子，把她仔仔细细地捆起来，使她好像掉进了蜘蛛网，一点动弹不得。这些绳子有粗有细，粗的用来捆手臂、手腕、脚腕、膝盖、大腿、小腿；细的用来把大拇指、大脚趾捆住，并且在绳扣间连结。最后套上罩袍，袍外用丝绦勒了三道。这时他说：皇上吩咐说，叫你多受点罪，你今天可要难过了。你坐起来吧。红拂就坐了起来。据那人说，红拂坐着的样子姿仪万方。

那人拿起一根亡命牌给她看，那上面写着：奉旨殉夫人犯红拂一名。这个犯由古怪得很。名字上打了红叉。那人就把它插在红拂背上。然后他说：你说句话吧。红拂就说：谢谢你了。

刽子手说，我干了一辈子这个买卖，还没人谢过我。今天我送你上路，咱们也算有缘。能不能告诉我，你有什么毛病？但是她一声也不吭，那人就把她推倒在台子上，说道：躺躺吧。好大的毛病！

红拂就这样躺在台子上，而那人却喝起茶来。这段时间非常地长，好像永远过不完。红拂终于抬起头来问了一声，还要等多久？而那人却没有听见。这是因为她的声音太微弱。后来听见远处一声炮响，那人就拿出一截细绳子来，说道：对不住，现在要勒住您的脖子，叫你发不出声音。您有什么要说的，快说吧。但是红拂连张了几下嘴，又摇摇头。那人就把绳子套到她脖子上，慢慢绞紧，直到她呼吸微弱，才在绳子上结扣。这以后就用黑纱蒙住红拂的头，在此之前还说了一句：我就是今天的行刑刽子手。您不想多看我一眼？但是红拂把眼睛闭上了。那人就用黑纱包住了她的头，把她扛到了外面，放在驴子身上。据说红拂在驴身上侧坐，依然是姿仪万方。

据说红拂站在绞刑台时，依然是姿仪万方。然后她感觉到有人从背上拿去了犯由牌，又感到有人把绞索套在了脖子上。这时她尽力站得笔直。

但是她始终也不知道什么时候开始吊，吊了有多高。因为在她眼前的始终是一片黑暗。而且她什么也听不见。其实当她被蒙上双眼时就开始死了，但是总也死不完全。据说这就是皇上的意思。他把京城所有的刽子手都找了来，给红拂设计了一种死法，就是一直在死，但是老也死不完全。这就是用绞车把红拂慢慢吊起来，吊到她还能用脚尖坚持住为止。当然，假如吊过了头，她就会开始抽抽，那样马上就会死。故此要用黄裱纸测量她的肺部。她就这样站着，浑身笔直，脚尖酸痛，呼吸困难。但是她仍然保持了冷静。我写到这个地方，自己也感到诧异：像这样的事，我怎么能够知道？所以它就是真的吧。根据这种说法，感到死之将近时，红拂曾经长叹一声。刽子手听见了就把头凑过去说：怎么样，卫公夫人？后悔了吧。要不要我把你解下来？但是红拂只是摇了摇头。她心里想的是：不管领导上怎么想，想要死还是办得到。这也就是说，红拂这座时钟走到了这里，眼看就要弦尽摆停了。

红拂最后的时刻，眼前真的出现了九颗金星。那些星星嗡嗡地飞着，好像一些铜做的大黄蜂，所到之处都留下刺痛。这些金星有时候飞进心底，在那里向深处猛钻，有时候飞到心外，几乎消失在视野之外。这个时候她自己也变成了一根飞旋的柱子，在震耳的轰鸣中移动着。这一切都沉浸在墨一样的黑暗中。这样的死亡和一个无性、无智、无趣的人生相比，也不知哪个更可怕。

【六】

到现在为止，我们还没有说到红拂自杀的直接原因。卫公死了，生活无趣，这些都是理由，但这些还不会导致红拂马上毅然决然地死掉。卫公死掉以后，皇上念及他生前曾有大功于国，就封他的遗孀为长安城里的贵妇领袖。这就是说，红拂被任命为贵妇联（甲）的主任委员，今后从日出到日落都要主持会议，做大报告。当然，她当这个角色年轻了一点，故而要把头发剃光，装上黑白两色的假发，把牙齿拔光，装上假牙；身边还要有一位手拿记录本，准备画正字的女秘书。这样她就成了一个级别极高，但是毫无权力的大官；不做任何官该做的事，只是享受官的生活方式。而这种生活方式实在是可怕极了。像这样的任命是没法拒绝的，除非你就要死掉。红拂接到任命以后，马上就提出了殉节的申请。很显然，像这样的申请在审批中会遇到种种留难；被批准之后也会有种种实行中的困难。我觉得这样说明就够了——只要不装假，我们每个人都不天真。

有人说，红拂被吊到最后，就变得非常地苗条。她皮下的脂肪都变成汗出来了，以致贴身穿的白麻布衣服都变成了浸了油膏的绷带，她自己也成了一盒油浸沙丁鱼罐头。这时候空气里满是异香——我们知道，好多种芳香物质都是脂溶性的，所以红拂一生所用香水的有效成分都在这件麻布袍子里了。她年轻时当歌妓，中年时当卫公夫人，所用的香料当然是车载斗量，而且全都十分名贵，这件衣服简直是价值连城。这时候红拂差不多已经死了，只有一点魏老婆子才能看出的呼吸。当时正是深夜里，她就蹑手蹑脚地行动起来了：解开了捆着红拂的那些带子，把亵袍从红拂身上剥了下来。这时候红拂静静地立在那里，一丝不挂，手脚僵直，但是身材苗条，有如十七岁的少女，半睁着眼睛，紧闭着嘴巴，双臂在空中僵直着；看上去好像是一具非常美丽的死尸或者一座非常美丽的雕像，但是魏老婆子知道她是活着的。这个老婆子急于把这件亵袍送到外面去卖给香料店的人，也没给红拂披上一件衣服就走了。等她回来时，事情发生了很大的变化。红拂不见了，只剩下一条空空的绫带。于是她就大哭，把别人都叫起来，编造了一个红拂仙去的神话。总而言之，红拂的棺材里是空的。谁都不知她到哪里去了。在绳子上吊了一个星期，她的模样有很大的变化，只有魏老婆子才见过她最后的样子。但是魏老婆子抵死不肯承认红拂是溜走了或者被人劫走了。所以找到她已经是不可能的事了。后来在她女儿开的妓院里就多了一位妓女，脖子上总缠着围巾，说话的声音低沉嘶哑，有人说那就是红拂，但是无法确认。这个故事是说，虽然红拂是兴高采烈，毅然决然地想要死掉，但最后还是事与愿违。

我的书写到这里就要结束了。有人告诉我说，不能这样写书——写书这个行当我还没有入门。他们说，像这种怪诞的故事应该有一个寓意，否则就看不明白。我不能同意这种意见，虽然我一贯很虚心。在我看来，这个故事一点都不怪诞。我不过是写了我的生活——当然这个生活有真实和想象两个部分，但是别人的生活也是这样的吧。生活能有什么寓意？在它里面能有一些指望就好了。对于我来说，这个指望原来是证出费尔马，对于红拂来说，这个指望原来就是逃出洛阳城。这两件事情我们后来都做到了。再后来的情形我也说到了。我们需要的不是要逃出洛阳城或者证出费尔马，而是指望。如果需要寓意，这就是一个，明确说出来就是：根本没有指望。我们的生活是无法改变的。

【七】

红拂这一辈子干过两件重要的事：一件是在不到二十岁时从洛阳城里逃了出去，另一件是在刚过五十岁时企图自杀。这两件事里有一件成功了，另一件不成功。不管成功不成功，两件事都引起了别人的诧异。因为这两件事她都不该干出来。红拂很少想入非非，她想到了什么就干什么。

我现在依旧没有结婚，而且在和小孙同居。别人总问我为什么要这样做。说实在的，我也不知道是为什么。在我周围有一种热乎乎的气氛，像桑拿浴室一样，仿佛每个人都在关心别人。我知道绝不能拿这种气氛当真，他们这样关心别人，是因为无事可干。就是把这种气氛排除在外，大家也不能对别人漠不关心。就是我，也总在猜测别人是什么样的。这不是在猜测女人脱了衣服是什么样的，而是在猜测每个人在心底是什么样的，随时随地都在想些什么。

我现在经常想到一个人，就是那位在二次大战里躲在"边楼"的犹太小姑娘安妮。她在那里写了一本日记，说她相信每个人的心底都是善良的，然后就被纳粹抓走了，死在灭绝营里。这样她就以一种最悲惨的方式证明自己是错了。她生命的价值就是证明了再不要相信别人是善良的。最起码要等到有了证据才能信。

你不能从人群里认出我来的，尽管你知道我头发灰白，一年四季总穿灰色的衣服。现在每天我都到系里去上班，在我的办公桌上放了一个老式的墨水池，那东西看上去像个眼镜，左边的一个墨水瓶里是红墨水，右面一个是蓝墨水，中间的凹槽里放了好多蘸水笔尖。每天早上我来时，都要仔细地把笔尖挑选一遍，把磨秃了的笔尖拣出来，包在一张纸里扔进废纸篓；然后戴上老花镜批阅学生的作业。这些学生是加州伯克利教的。批完之后我把这些作业本拿到对面他的办公桌上，然后看教科书的校样，到十一点钟我到厕所去洗手准备回家——有人在洗手池上放了一撮洗衣粉，用它可以去掉手上的墨水渍。我就是这样一天天老下去了。从这个样子你决看不出我每天每夜每小时每一分钟都在想入非非，怀念着十七岁时见到的紫色天空，岸边长满绿色芦苇的河流，还有我的马兄弟。我本来不是这样，是装成这样的。你不可能从一个消瘦、憔悴的数学教师身上看到这

些。有关人随时在想些什么，我只知道一个例子，就是我自己，别人不可能把一切都告诉我。所以我只好推己及人。在统计学上可以证明，以一个例子的样本来推论无限总体，这种方法十分之坏。安妮·弗兰克就犯了这种错误，从自己是善良的推出了所有的人都是善良的，虽然这份善良被深藏在心里；这个推论简直是黑色幽默。但是在这件事上没有别的方法了。到目前为止，没有一件事能让我相信我是对的，就是人生来有趣，过去有趣，渴望有趣，内心有趣却假装无趣。也没有一件事能证明我是错的，让我相信人生来无趣，过去无趣现在也无趣，不喜欢有趣的事而且表里如一。所以到目前为止，我只能强忍着绝望活在世界上。

寻找无双·

序

　　这是我的第一部长篇小说，写完的时候，我忽然想起了《变形记》(奥维德)的最后几行：

> 吾诗已成。
> 无论大神的震怒，
> 还是山崩地裂，
> 都不能把它化为无形！

　　这篇粗陋的小说，当然不能和这位杰出诗人的诗篇相比。同时我想到的，还有逻辑学最基本的定理：A等于A，A不等于非A。这些话不是为我的小说而说，而是为智慧而说。在我看来，一种推理，一种关于事实的陈述，假如不是因为它本身的错误，或是相反的证据，就是对的。无论人的震怒，还是山崩地裂，无论善良还是邪恶，都不能使它有所改变。唯其如此，才能得到思维的快乐。而思维的快乐则是人生乐趣中最重要的一种。本书就是一本关于智慧，更确切地说，关于智慧的遭遇的书。

作　者

1993 年 7 月 14 日

有关这篇小说：

王二 1993 年夏天四十五岁。他是一所医院的电气工程师，是个脸色苍白的大个子，年轻时在山西插过队。现在他和一个姓孙的妇科大夫结了婚，在此之前他患过阳痿引起的精神病，得了个外号"小神经"。他认识一位姓李的语言学家（他叫他李先生），还认识一个叫"大嫂"的女人。他有一个表哥。他的事迹可以在别的小说里见到。

第一章

【一】

建元年间，王仙客到长安城里找无双，据他自己说，无双是这副模样：矮矮的个子，圆圆的脸，穿着半截袖子的小褂子和半截裤管的半短裤，手脚都被太阳晒得黝黑，眉毛稀稀拉拉的。头上梳了两把小刷子，脚下蹬了一双趿拉板，走到哪里都是哗啦啦地响。就这个样子而言，可以说是莫辨男女。所以别人也不知道他来找谁。王仙客只好羞羞答答地补充说，那个无双虽然是个假小子样，但是小屁股撅得很高，一望就知是个女孩子。除此之外，她的嘴很大，叫起来的声音很响，尤其是她只要见到一个心不在焉的人，就会从背后偷偷摸上去，在人家耳畔大叫一声，在这样近的距离内，她的声音足可以把人家的耳膜吼破。她还有一匹小马，经常骑在马上出来，在马背上发射弹弓。她的弹丸是用铜做的，打到人头上，足可以把皮肉都打破。假如不是那时的人都留了很厚的头发，连脑子都能打出来。就是因为她的弹弓，附近的邻居常常顶着铁锅走路。而且她总是大叉着腿骑在马上，这对于女孩子来说是大大的要不得。像这样女霸王一类的人物，一定是远近闻名。但是王仙客在宣阳坊里打听无双时，人人都说没见过。

王仙客到宣阳坊找无双，宣阳坊是个大院子，周围围着三丈高的土坯墙。本来它有四个大门，但是其中三个早已封死了。所以你只能从北门进去，这样大家都觉得安全。坊墙里面长着一围大柳树，但是柳树早就死掉了，连树皮都被人剥光了，树底下都是虫子屎。坊中间是一横一竖两条大街，大街两边都是店铺。店铺里住着各位老板。大家互相都认识。大家生意都不好。在宣阳坊里，没人关心你的事，除非你得罪了人。假如你得罪了人，被得罪的人就盼你早点死。或者走路不小心，踩到了钉板上，脚心扎上一个窟窿，然后就得了破伤风；或者被疯狗咬上一口，死于狂犬病。你要能不劳他一指之力就死了，他就会很高兴。你要是一直不肯死，他就会把你忘了。

王仙客说，以前他在宣阳坊里住过。虽然离开了三四年，宣阳坊里景物已变，他还能认出个大概。他甚至还能影影绰绰认出一些人来。比方说，他还能认出开绒线铺的侯老板，还有老坊吏王安。但是这两位先生对着王仙客看了老半天，最后说：以前没见过王仙客。不但如此，他们两位对王仙客说认识他们还感到很是不快。这是因为他们俩都有很显著的特征：老王安只有一只右眼，而侯老板的下巴很短，以至下嘴唇够不着上牙。其实说侯老板有所谓下巴，实在是很勉强，他不过是在脖子上方长了一个肉瘤罢了。因为没有下巴，所以侯老板的上牙全露在外面，被冷风吹着，经常着凉疼起来，不能吃硬东西。有人说，侯老板的牙是陈列品。因为王安老爹和侯老板都不能算是美男子，所以他们听见王仙客说"您二位的尊范非比寻常，所以事隔多年，我还能记得"时，心里全都恨得要死。和王仙客分手回到家里，侯老板还对老婆说：那个小白脸当众羞辱我！妈妈的，我是不认识他。要是认识，也说不认识。

这是晚上的事，王仙客初到宣阳坊，和坊里诸位君子见面却是早上的事。早上侯老板看见王仙客牵着一匹白马，在坊中间一所空院子前面乱转，就上前盘问。一问之下他就说出来，他是山东来的王仙客，到这里来找表妹。侯老板又问，你表妹是谁？王仙客就说：她是无双。侯老板就说，我们这里没有无双，你走吧。王仙客生起气来，说道：你连我的话都没听完，怎么知道没有呢。差一点就要和侯老板当街吵起来。幸亏这会儿王安老爹走过来，打个圆场道：侯老板，你让他把话说完也没关系，看他还能编出什么来。与此同时，还有好多人围了上来，全都板着脸，好像要向王仙客要账的样子。王仙客心里发虚，说道：你们是不是要开我的批斗会？老爹翻了翻白眼，说道：你这样理解也没关系。没做亏心事，不怕鬼叫门。假如你不是想来偷东西，自然就不怕开批斗会。王仙客，你们到底有什么东西，怕人来偷？老爹就说，这个不能告诉你。说你那个无双吧。说话之间，王安老爹掏出个小本子来，还有一支自来水的毛笔，摆出一个衙门里录口供的架势。王仙客接着讲他的无双，禁不住有点结巴了。就在这时，他想和侯老板、王安老爹套近乎，但是侯老板和老爹都说不认识他，叫他讨了个大没趣。

王仙客长了一个大个子，穿一身柞蚕丝的白袍子，粉白的面孔，飘飘然有神仙之姿。宣阳坊里的各位君子一见到他，就有似曾相识之感，但却想不起他的名字。这王仙客也确实可疑，他说来找无双，但是却找不到无双的家门口。他说坊中间的空院子就是无双原来的家，但是那个院子人人都知道，是个废了的尼姑庵。别人说"客人，你记错了"时，他就开始胡搅蛮缠：我没记错，就在这里。看来无双家是搬走了。你们只要告诉我搬哪儿去了就得。坊东头开客栈的孙老板说，请教先生，你的表妹可是个尼姑？王仙客就发起火来，说道：你表妹才是尼姑呢！你们说这院子原是个尼姑庵，我就不信。看见了没有，门前两大块上马石。哪有这样的尼姑庵？

王仙客这样说了之后，大家也就觉得这件事是有一点怪。这个院子的门前，是有两大块上马石，这两块上马石是汉白玉雕成，一米见方，呈椅子形，四面都雕有花纹，每块大概有一吨重。不要说石料、雕工，就是从城外运来也够麻烦的了。要不是官宦人家摆场面，要这东西干吗？而且谁也不记得曾经看见过一个老尼姑手捻着佛珠，从院里走出来，从这两块石头之一上面跳上马背。这种场面虽不是不可能，但是很陌生。而且这种景象也甚是古怪：佛门中人说，马是他们的弟兄，所以决不肯骑马。王仙客提出了这个问题，大家顿时为之语塞。但是大家还是明明记得，这里是个尼姑庵。有关这座尼庵的故事是这样的：过去这庵里供奉着观音菩萨，香火极盛。长安城里多少达官贵人的夫人太太，都来这里上香。后来庵里的尼姑不守清规，争风吃醋，闹出人命来，官府就把这庵封掉了。听了这些话，王仙客倒也半信半疑。大家又告诉他说，可能你记错了地方。也许令表妹不住在宣阳坊，而是在别的坊。您要知道，长安城里七十二坊，有好几个外表一模一样。听了这些话，王仙客自己也说，很可能记错了，骑上马到别的坊里去找了。王仙客初次在宣阳坊找无双，情形就是这样。宣阳坊里的各位君子后来提起这件事，是这么说的：三句话就把那小子打发走了。感觉很是痛快。只有王安老爹心有未甘，觉得那个王仙客形迹可疑，不该就这样放他走了。就算真是来找表妹，找错了地方，从他说的情况来看，那个无双也不是好东西。女孩子叉着腿骑在马上，长大了一定是个淫妇。这两个狗男女想往一块儿凑，能干出什么好事？真该把他扣住，好好地盘问一番。

【二】

王仙客到宣阳坊里找无双，来过许多次。第二次来是在初次来那一天的下午。这一回他气急败坏，打着马冲到坊里来，站到废尼庵门口大叫大嚷，口出不逊之词。据他自己说，已经在别的坊里打听过了，人家都说，这座院子不是尼姑庵。不但如此，人们还说，宣阳坊里根本就没有尼庵。假如别人这样说倒也罢了，王仙客还去问了几位老尼姑。那几位师太听了宣阳坊里尼姑不守清规的事，全都大摇其头，说道：那些施主这样信口胡编，死了要下拔舌地狱的。宣阳坊里的各位君子听了老尼姑的话，都觉得有点不好意思；同时也影影绰绰地想到，宣阳坊这座空院子，很可能真的不是座废尼庵。没准是座废道观，甚至是个喇嘛庙。但是不管它是什么，反正里面没住过当官的人，更不是无双的家。总而言之一句话，它和王仙客没有关系。

　　后来大伙是这么解释为什么说那空院子是尼庵的：这不能怪大伙不说实话，只怪王仙客问话时态度太凶恶，简直像个急色鬼。假如不把他马上打发走，怕他会干出什么恶事来。所以就骗他说，那是个空尼庵，让他早点绝了这个想头。那院子空了这么多年了，鬼才知道过去住了谁。但是大家异口同声地说是尼庵，可见英雄所见略同。要不是那些尼姑出来作梗，尼庵之说就可定论。以后再有人来问都说是尼庵，省了多少麻烦。

　　王仙客第二次到宣阳坊里来，又正好碰上了侯老板从废尼庵经过，他就把侯老板揪住了吵闹。过了一会儿，就聚了一群人，吵得整条街都能听见。这个王仙客很厉害，吵起架来嗓门大，虽然没有和他动手，但是吵急了他就捋胳臂挽袖子。这时候大家都看见了，他的胳臂很粗，手背上全是茧子，中指上还戴了个铁戒指。前面已经说到，该王仙客个头很大，而且他又生了气，所以和他打架不是个好主意。假如不和他打架，他又完全不可理喻，揪住了侯老板的领子不撒手。幸亏有人去报告了王安老爹，他拿了铁尺赶来了。

王安老爹生过天花，留下了一张坑坑洼洼的脸。如前所述，他只有一只右眼，但是这只右眼分外地大，这样就弥补了数量上的不足。这位老人家当时已经七十多岁了，但是精神极旺。虽然身材不高而且消瘦，但是一身精肉。王仙客正在撒野，老爹跑来拿铁尺在他肩上拍了一下，他登时就老实了。不但马上放了侯老板，还帮侯老板整整衣服。这都是铁尺的威力。那东西看上去没什么了不起，两尺多长，像个十字架的样子，但是只有公家人手里有这种器械，所以代表了政权，不由得王仙客不肃然起敬。然后老爹和王仙客开始了一段严肃的对话，叫宣阳坊里的人看了，觉得十分解气。

王安老爹：干什么的？

王仙客：寻亲的。

老：叫什么？

仙：王仙客。

老：从哪儿来？

仙：山东博山。

老：博山那个地方是没王法的吗？

仙：老爹，您可别这么说。都是大唐朝的地方，哪能没有王法。

老：我看不一定。也许别人守王法，但是你不守。有证明文件吗？拿来我看看！

王仙客就老老实实拿出博山府开的路引，鞠着躬双手呈上。

后来老爹说，光有证明文件，并不能证明王仙客是良民。他就把王仙客的文件收走了，要王仙客在宣阳坊里找两个保人才能把文件还他。而明摆着宣阳坊里的人都决不肯给王仙客作保。老爹后来说，他不过是想和王仙客开个玩笑，让他着一会儿急。老爹还说，他完全知道王仙客没有文件晚上住不了店，在街上有被巡夜的军士逮走的危险。假如被那些兵逮住时，身上没有证明文件，又没人给他作保，这个王仙客就得蹲黑牢，吃馊饭，每天由大兵押着到城外去筛沙子，不知哪一天才能出来。也许根本就出不来，就死在里面。这些老爹全都知道，他准备在天黑以前就把文件全还给王仙客。在此之前，要急得他像小孩子见了爸爸拿着糖一样，跟在老爹背后哭爹叫娘。但是王仙客这小子不懂得玩笑，老爹没收了他的文件，他马上就跑到长安县去告了一状。他是个读书人，又在长安城里住过，懂得门道，所以衙门就把老爹叫去臭骂了一顿。那个县官既不看老爹那一把年纪，也不看他做坊吏多年的工作成绩，就管他叫王八蛋。你这个王八蛋不过是个小吏，怎么就敢没收官府发的文件？像你这种下九流的人物，都敢和读书的相公为难，还有王法吗？那狗官还作张作势，要打老爹的屁股，逼得老爹跪下磕头如捣蒜。后来老爹说，这基层工作真没法做。风里雨里几十年，落了一个王八蛋！

后来王仙客就在宣阳坊里住下来，寻访无双的下落。他又向所有的人打听无双，并且说，那位无双不但是他的表妹，而且他们还有婚姻之约。这次他从山东来，带来了金一提，银一驮，作为聘礼，要把无双接回山东去。现在兵荒马乱，路上不太平。所以连下聘带迎亲，干脆一下都办了。他这样说，当然也没人说他不对。但是这位小姐别人都没见过，所以也就没法告诉他到哪里去找。其实大伙儿都不想理睬王仙客，知道他不是自己人；但是见他打赢了官司，也都有点害怕。除此之外，大家也觉得老爹那种做法也太绝了：咱们谁也备不住有到外地找人的时候，对不对？遇到他来打听，也只好应付一下。不但如此，见到了他，还要打听一句：王相公，找到无双了没有？见到他找不到无双急得那模样，也都会安慰他几句。

后来人家是这样安慰王仙客的：不要急，慢慢地找。照你说的这个样子，无双小姐年龄很小，你就是把她迎了回去，顶多就是做个童养媳，离圆房还早着哪。但是王仙客说，他刚开始见到无双时，她是很小，但是后来就不小了。王仙客还记得好几年前，他还在无双家里借住时，有一天看到她从外面跑回来，大叫着：不得了不得了，我流血了！一头闯到自己卧室里，倒在床上翻了白眼，以为自己必死无疑，其实是月经初潮。从那一天开始，她就长大了，皮肤变白了，个子也长高了，躲在家里很少出去。过了不很久，她就变成了一个很漂亮的大姑娘。如果不是这样，王仙客也不会那样急于娶她做老婆。从那时到现在，又过了很多年，现在无双简直就要变成个老姑娘——假如她还是姑娘的话。王仙客以为，再不娶她当老婆，恐怕就要来不及了。这些话也没有人说他讲得不对，但是人们说，不管是小姑娘、大姑娘还是老姑娘，反正叫无双的女人，宣阳坊里从未有过。而那座空院子，的确不是无双住的。虽然不是个废尼庵，却是个废道观。

　　王仙客住在宣阳坊的客栈里，这个客栈就在那所空院子对面。不管别人怎么说，他都不相信那是个空道观。因为那所院子既不像尼庵，也不像道观，就像个官宦人家住的院子。除此之外，他还千真万确地记得，无双家就住在这里，不在别的地方。那家客栈没有浴室，王仙客只好到公共浴池来洗澡。在这里大家都看到了他那杆大枪。那东西又粗又壮，简直不似人类所有。他就露出这个东西走到池子里去，丝毫不以为耻。不但如此，他还和别人说：你们的家伙都长得很秀气呀。就算他讲的都是实话，长安城里真有个漂亮大姑娘叫无双，他到这里也没安什么好心。他是要把我们长安城里的好姑娘弄回家去，用他那山东蛮子的大家伙向她进攻。以后王仙客再在坊里走动时，所有的女人都躲了起来，不管是老太太，还是小姑娘。

【三】

　　我说过，宣阳坊里的坊吏王安老爹只有一只眼，但是他这一只眼连睡觉都睁着半边。这是因为他怕把眼睛完全闭上了就会有人来找麻烦。现在他就知道有个人来找麻烦了，那就是王仙客这小子。本来坊里平安无事，这小子忽然冒了出来要找无双，他出现才一天，就和别人吵了一架，还打了一场官司。这还不算，差点累得他吃了衙门里的板子。其实说是板子还有点不确，应该说是棍子。那种棍子是白蜡杆制成，一丈多长，很有弹性，打到屁股上相当地疼。老爹当坊吏之前当过衙役，那时候他就专门打别人的屁股，前前后后打过几百个人。假如轮到他挨一顿板子，那些人一定跳着脚地高兴，说是现世报。因为这些原因，那天在衙门里挨了一顿骂之后，老爹就很不开心。幸亏衙门里的领导懂得道理，第二天就把他找了去，请他吃担担面，并且对他大加鼓励。到了这个时候，老爹当然要发些牢骚，说是坊里的工作没法搞了。本来是衙门里布置下来的，坊里聚众吵架的事要管，寻衅斗殴的事要管，最重要的是不能叫老百姓去打官司。这里面的道理很简单：长安这么大，却没有几个官。假如大家有事没事都去打官司，那就要把官老爷累死。老爹所做的一切都是按上面布置的办，结果却险些挨了一顿打，简直没了天理。那个领导说，这件事老爹办得一点也不错。只是现在这位官老爷刚上任，狗屁也不懂，所以让老爹受了委屈。但是老爹受了委屈也不能撂挑子不干，一定要盯住这个王仙客，不能让他为所欲为。听了这些话之后，老爹回了宣阳坊，每天都到王仙客住的客栈里去打听，问他有何动静。

　　老爹回到了宣阳坊，告诉大家说，虽然上回没收王仙客的证明文件的事情办得不对，但是王仙客毕竟不是个好东西，必须要把他撵出宣阳坊。他还暗示说，这是上级的布置。宣阳坊里的各位君子听了也都点头称是。

但是说到怎么撺时，大家却不肯出主意，而且都说，这是老爹的事，他们不便插嘴。

从王安老爹那一只眼里往外看，宣阳坊是这样一个地方：它是一里见方的一个大院子，里面有很多房子，住了很多人；每间房子每个人他都很熟悉。从坊东头往西头走，住着张老板、李老板、孙老板、罗老板、张老板的傻丫头、李老板的瘸腿儿子等等；从西头往东走，住着麻老板、卖担担面的老孙头；麻老板的老婆有狐臭，老孙头的儿子有偷鸡摸狗的毛病，等等。宣阳坊里人很多，但是老爹全认得。不但认得，而且知道他们在干什么、想什么。比方说，李老板的傻儿子老盯着张老板的傻丫头的屁股看，一面看，一面胯下就撅了起来。他想些什么完全一目了然。其他的事也是一目了然。但是现在多了一个王仙客，来找一个不存在的无双，这件事叫人一想都觉得麻烦。

王仙客住在空院子对面的客栈里，要了一间楼上的房子，从窗户里看那院子。这里离那院子隔了一条大街，而且空院子的房上长了很高的荒草，所以看不大的确。他就跑到波斯人的铺子里买了一架单眼望远镜来。当时的望远镜技术不过关，看到的景象是倒的。所以他就在房梁上拴上绳子，捆住了脚，头朝下地看。但是房顶上的草还是要挡住视线，所以他又去买了一些兔子，把它们扔到空院子的房上。兔子在房上下不来，就把草都吃掉了。经过了这些努力，他终于可以像看眼前的景物一样看到那个空院子了。但是那些兔子有公有母，在房顶上繁殖起来，并且始终不能下地，最后成了很大的灾害。它们在房顶上跑来跑去，吃光了瓦房上的茅草和瓦松，就吃草房上的房草，还在房上打洞筑巢。但是这些事王仙客都不管，他只顾往那空院子里看，由于总是瞪大一只眼去看望远镜，所以他变得一眼大一眼小，看上去很像王安老爹。他还找作坊印了很多告帖到处

张贴，宣布诚征一切有关无双的消息，诚征一切有关宣阳坊里空院子的消息；报信者必有重谢，绝不食言。这一切又在宣阳坊里引起了很大的骚乱，但是王安老爹对此却毫无办法，因为这个王仙客很有钱。

王安老爹说，创世之初，世间就有两种人存在。一种人是我们，另一种是奸党。到了大唐建元年间，世上还有两种人存在，一种人依旧是我们，另一种依旧是奸党。这是老爹的金玉良言。到了今天，世上仍然有两种人，一种还是我们，另一种还是奸党。老爹还说，王仙客就是个奸党，虽然他有两个臭钱，他依然是奸党。在这个世界上，冰炭不同炉，正邪不两立。一个人不是我们，就必然是奸党。所以大家千万不要和王仙客来往，以免自误。但是他的这些话别人都听不进去，反而说：老爹，你和他吵过架，所以对他有成见。得了吧老爹，冤家宜解不宜结！

老爹后来说，在这个世界上，就数钱这个东西最坏，甚至比王仙客还坏。就因为王仙客出了五两银子一条消息的赏格，所以大家都跑到他那里去，告诉他那院子的底细。原来那个院子真的不是废尼庵，而是一个废道观。过去里面住了一个女道士，叫作鱼玄机。那个道姑出了家，却不守清规，行为放荡。因为王仙客认准了这个院子，所以他要找的人不是无双，应该是鱼玄机才对。王仙客听了这些话，觉得哭笑不得。想想吧，他从山东跋山涉水来到这里，吃了无数的苦，花了无数的钱，到最后连要找的人是谁都出了问题。

【四】

王仙客抱怨说，宣阳坊里的各位君子实在是太不友好了。他到坊里来，不过是想找到表妹，然后尽早回山东，并没有别的意思。但是大家都不理解他，不仅不帮忙，反而拿他寻开心。眼前一个空院子，一会儿说是尼庵，一会儿说是道观。你就说它是无双的家又有什么关系？虽然无双小时候淘气，干过不少扰民的事，现在也过了好多年了，没有必要记恨。提供消息的罗老板却说，看来王仙客对他们有了一点误会。这座院子一直空着，大家也一直没有理会它。冷不防来个人问起来，谁也答不上来，只好顺嘴胡编。现在王仙客悬出了赏格，谁还能再瞎编？这房子过去的主人，的确叫鱼玄机。这位风流仙姑的事迹早已脍炙人口，岂能是编出来的。不但罗老板这样说，别的人也这样说。看来要确认房子的主人是谁，只好找鱼玄机去问。但是这一点办不到，因为鱼玄机已经死了。

鱼玄机的事迹是这样的：若干年前，这位道姑到宣阳坊里来，买下了几个大杂院，在这些大杂院的地皮上造起了这座院子，作为她的养气之地。她非常地有钱，所以这个院子就造得非常大，门前安了两块上马石。一般来说，道观的门前也用不到上马石，但是鱼玄机可不是一般的女道士，来往的全是公子王孙，没有上马石还真不成。自从她来到了宣阳坊，这地方就不得安生，因为她每天晚上都开 party，不闹到夜里三点钟不会收场。深更半夜的，别人正在好睡，她那里又唱又叫。或者是五更时分，大家正在恋热被窝，她家里出来一大帮纨绔子弟，灌饱了黄汤，骑着马跑到坊门口，怪叫着让老爹起来开坊门。出来得稍晚，就给老爹一马鞭。那位鱼玄机身材高大，细腰丰臀，面似桃花，眼似秋水，虽然行为不端，长得真是好看。

王仙客觉得最奇怪的是他和这位鱼玄机没有任何关系，别人却不厌其烦地把她的事讲给他听。这个故事有头有尾，却没有中段。想来讲这个故事的人都没资格做鱼玄机的入室之宾，所以她到底是怎么不守清规的谁也讲不上来。结尾的部分每个人都是知道的：这位道姑打死了自己的使女，判了死刑，被绞死在长安街口上。但是她为什么要打死那个使女，大家讲的却不一样。有人说，那个使女长得也颇有姿色，到鱼玄机这里来的王孙公子很有一些是捧她的，鱼玄机看了吃醋，所以就把她打死了。还有人说，这个使女是个冰贞玉洁的好姑娘，看不惯鱼玄机的放荡，两人争执起来，鱼玄机就把她打死了。还有人说，这鱼玄机其实是个同性恋者，和那个使女有暧昧关系，所以这事的本质乃是情杀。不管是为了什么，结果都是一样。她把那个女孩子抽得遍体鳞伤，又勒住了她的脖子，所以该女孩就死掉了。本来打死使女够不上死罪，但是鱼玄机没有报官验尸，拿了一条褥子裹了裹，就把死人埋在了院子里一棵梅树下。埋得太浅，下了一场雨，地下露出条人腿来。别人看了闹起来，衙门里就把鱼玄机抓了去，下到牢里，问成了死罪。

有关这个使女死尸的事是这样的：在地下埋藏时期，蝼蛄把她的眼睛和鼻子都吃掉了，还吃了她的一部分嘴唇，所以她的脸上只剩下了四个黑窟窿。鱼玄机见了这个景象，吓得要死，乱拔自己的头发，乱打自己的面颊，号啕大哭道，她要给死人抵命。所以到了衙门里，不等官老爷问，也没受到任何拷打，就忙不迭地承认了一切罪行。

宣阳坊里的罗老板大约有五十岁，长得很富态。年轻时读过几本书，人也很文静。他给王仙客讲这些故事时，一手托着三绺长髯，另一手用两根手指捏着茶杯的手柄，这个样子当得起四个字：不辱斯文。虽然他是个商人，但王仙客对他颇有亲近之感。也是因为这个原因，王仙客觉得他的话格外可信。除此之外，罗老板还说，我告诉你的话都是我亲眼所见，耳闻的我不说。所以王仙客很盼他能多说点什么，最好能说点无双的消息。但是罗老板却说，叫作无双的姑娘我的确没有见过，我只见过鱼玄机。

罗老板见过的鱼玄机是这样的：不分春夏秋冬，总穿着一身黑。上身是一件紧袖口的蝙蝠衫，拦腰系一条黑皮带。下身是一条瘦腿裤子，足蹬高跟马靴；那身装束，不管谁穿上都难看，只有鱼玄机穿上不同，因为她穿什么都好看的。她的腰带上总是拴着一条皮鞭子，脖子上戴个皮项圈。有人说，就是因为她老戴个皮项圈，所以最后被绞死了，那个项圈就是不吉之兆。她总穿这样的衣服，只有一次例外，就是被送上法场那次。那一天她穿着白缎子的褒衣，拦腰束一条红色的丝绦，简直妩媚之极。

罗老板还说，我开了一辈子的绸缎铺，卖了一辈子的白缎子，从没看到一个女人穿上白缎子像鱼玄机那样合适。这是因为白缎子色如亮银，假如穿到皮肤不白嫩的人身上，就衬出面如锅底，手似生姜，不管你怎样涂粉都不管用。而且缎子轻柔里又透着厚重，假如用它做内衣，穿它不但要身材好，而且要个子高，差一点就会很糟糕。而鱼玄机居然把它做褒衣穿了出来，不但有胆有识，而且确实有这么干的本钱。罗老板还说，别看他是个普通的商人，但是过去也读过圣贤之书，并且在天子脚下为民，知道对什么事都该有个正确的态度。那位鱼玄机犯了国法，将要在长安街头被处死，那是她罪有应得。我们在一边观刑，一方面是在观看法律的尊严，另一方面，也是在受教育，看到她被处死的惨状，从此后收敛一切作奸犯科之心。除此之外，不应该有其他的想法。尤其是不该同情犯人，抱怨国家法度无情。但是在刑场上看到了鱼玄机，这些道理就全忘掉了。当时罗老板不但同情鱼玄机，而且连眼泪都流出来了。

罗老板说，当时他就站在十字路口的一个角上，载着鱼玄机的刑车在很近的距离内驶了过去。别人上法场，都是坐在一辆瘦牛拉的破车里，五花大绑，愁眉苦脸，面如死灰，耷拉着脑袋灰溜溜地过去。鱼玄机上刑场却不是这样。那辆车是一队白羊拉的小四轮车，车上铺了一块鲜红的猩猩毡。鱼玄机斜躺在毡上，衣着如前所述，披散着万缕青丝，一手托腮，嘴角叼了一朵山茶花，一副若有所思的模样。脸上虽然没有血色，却更显得人如粉雕玉琢，楚楚可怜。鱼玄机上法场时就是这个模样。

罗老板还说，后来鱼玄机从车上下来，走上那座黄土筑的台子。本来长安城里杀人，在坊间的空场上随便杀杀就算了，但是杀鱼玄机的时候上面考虑这个女人很有名，应该让大家看看，都受受教育，所以从郊外运了几车黄土来，筑了这座台子，有五尺多高。后来鱼玄机就在这座台子上三绞毙命，四面八方的人不用踮脚尖都看到了。在三绞毙命之前，鱼玄机走上台子，用手向后撩起头发，让刽子手往她脖子上系绞索。那时候她还笑着对刽子手说：待会儿可别太使劲了。我的脖子是很细的哟！

罗老板说，鱼玄机的手十指纤长，指甲涂丹；长发委地，光可鉴人，十分好看。可惜这时长安的钟楼上响起了午钟，有一个刽子手拿来一根粗大的麻绳说：仙姑，人间法度。她只好叹了一口气，背过手去，让人家把她捆起来。那两个行刑刽子手开始把绞索收紧。那种绞索是牛皮条做成的，非常之长，两面连在两根绞棒上，散在地上，好像一堆废鱼网。刽子手动作很麻利，很快就弄好了，也就是说，全绕到鱼玄机脖子上了，而绕到了脖子上以后绞索就显得没有那么长了。有一个专管按人的刽子手走到鱼玄机的背后，按按她的肩膀，她就跪到了地上，抖抖头发，伸直了脖子，闭上了眼睛，好像坐到了理发椅上。在场的人都屏住了呼吸，等着鼓楼上一声鼓响。鱼玄机死前的情形就是这样。

罗老板告诉了王仙客一切事情，只有一件事没有说。那就是绞索绕到鱼玄机脖子上时，他感到的不只是同情，而且还很兴奋。这是个委婉的说法，如果直言不讳，那就是当时他勃起啦。唐时服装很松宽，所以衣服前面拱起了好大一块，很是难看。当时他很是惊惶，害怕别人看见了。幸亏都在看鱼玄机，没人来看他，但是已经惊出了一身冷汗。这是几年前的事。但是又不大对。自从过了不惑之年，罗老板就没起过坏念头，而且那东西早就开始往回抽抽，到现在已经抽到了蚕那么大。如果为了鱼玄机还直过一次，那就太不对了，简直是个老荒唐了。

【五】

罗老板给王仙客讲了鱼玄机被处死的情形之后，王仙客觉得他很亲切，每天都到他店里去转转，买几件东西，聊一会儿天。罗老板的店是绸布店，还出售各种女人用的小物件，各种化妆品等，用现代话来说，应该叫作妇女用品店。王仙客和罗老板搞得很熟，互相称兄道弟。就是这样，他也没打听出什么新东西，在望远镜里也没见到什么，后来他就搬走了。临走之前，他还找王安老爹和侯老板道了歉，说自己真是糊涂透了顶，一心以为无双住在这里，其实记错了地方。现在他准备到别的坊里去找无双，找到了一定带着她回来向大家赔罪。他走后，在房间里扔下一个包袱，里面粉盒口红等小件不说，光是乳罩裤衩就有一大堆。宣阳坊里的诸君子看了大吃一惊道：原来这家伙是个变态分子！大家不知道这些东西是他买的，还以为是他偷的哪。这都是从罗老板店里买去的，但是罗老板也不为他解释几句。因此这些东西就归开客栈的孙老板所有了，够他老婆用好几辈子。大家都以为他走了再不会回来，谁知他出尔反尔，去了半年又跑回来。不但如此，他还大发雷霆，说宣阳坊里住了一窝骗子。原来他不知从哪里打听出来，鱼玄机已经死了整整二十年了，而他和无双分手，不过是没几年的事。所以他就有了个怪念头，说是鱼玄机死了以后，无双一家才搬到那院子里去。当然他这样说，也不是全无道理。因为那院门上贴着长安县的封条，上封的日期是三年前。罗老板告诉王仙客说，原来这院子里住的是鱼玄机，后来她出了事，这院子就被封了。哪有把一个人杀了十七年再封她房子的道理？因此王仙客说罗老板是骗子。但是罗老板说得更有道理：我只告诉王仙客，原来这院子里住了鱼玄机，后来鱼玄机出了事，后来院子被封了。这些话都是事实。因此罗老板又不是骗子。而且他还暗暗高兴，原来观看鱼玄机受刑而起邪念是二十年前的事。那时他还年轻。年轻时谁没几个荒唐念头？

王仙客离开宣阳坊这段时间，他扔到房上的兔子已经繁殖了三代。现在宣阳坊的每间房子顶上都有了三只以上的兔子。兔子屎从房顶上滚下来，落得到处都是，圆滚滚的，踩上去就要摔跤。这都是因为兔子在房子顶上喝不到水，而且吃的全是干草，所以个个大便秘结，拉出的屎坚硬无比。除此之外，它们还在房上打洞，搞得无房不漏。白天这些短尾巴的啮齿动物在房上晒太阳，全不避人，十分猖狂。天一黑它们在房子之间跳来跳去，扑拉拉地在夜空里穿行，好像是闹鬼，吓得胆子小的人都不敢出门。这都是王仙客给大家带来的灾难，他应该负责赔偿。但是王仙客一分钱都不赔。他说，我搞来的兔子弄坏了你们的房子，你们害得我找不到无双，大家就算扯平了吧。

后来那些兔子继续繁殖，并且出现了一些变种。有的后腿比身子长两倍，可以跃过十米宽的大街，长安城里的人听见头顶一声响，抬头看时，正好看见兔子像出了膛的迫击炮弹一样在天上飞。有的前腿和后腿之间长了薄膜，就像蝙蝠一样，可以从高处向低处滑翔。它们不但在宣阳坊里繁殖，而且在整个长安城里蔓延开了。不论城楼庙宇，还是皇宫大内，房顶上都长满了这些东西，多得像粪缸里的蛆。

有关长安城里宣阳坊兔子成灾的故事，还有很多可以补充的地方。我有个表哥，他比我大十几岁，所以在"文革"前就参加了高考。我的表哥爱好文史，读了不少古书，知道一千年前陕西西安一带闹过兔子，还有很多其他的知识。那一年他去考大学，见到作文题是"说不怕兔"，以为命题人让说说这件事。他就此事写了两千字的论说文，力陈那种三瓣嘴短尾巴的动物并不可怕。但是那一年的考题并不是考古文，而是考时文。那一年有一位文豪写了一篇有名的文章，叫作"不怕鬼说"，牵强附会地把帝国主义和一切反动分子比作了鬼，并说要不怕他们。命题人是让考生就这篇文章发一些议论，而且考题并不是说不怕兔，而是说不怕鬼。我表哥有一千度的近视，把题看错了，因此就没考上大学，在街道办的修理部里焊焊半导体，终此一生。我表嫂是个麻脸有胡须的小学教师，没生孩子时就很胖。虽然我表哥的近视眼要对此事负一定责任，但是假如当年王仙客不把兔子放上房，也不会出这样的事。

王仙客回到宣阳坊，又住进了客栈里原来的房间里，在望远镜里盯住那个空院子。那个望远镜除了会把天地颠倒之外，还会把中央的景物放大，把边缘的地方缩小，所以镜中的世界是一个凸出来的半球形，就像里面有个大眼珠子和他对视一样。每天他都要花很多时间看那些油漆剥落的窗棂，龟裂的铺地砖，屋檐下的燕子窝。除了房顶上多了一些兔子，现在看到的景物和半年前看到的完全一样。虽然如此，他仍然保持原有的信心，相信这就是无双住过的地方。

除了盯着这家院子，王仙客还干了别的事情。他找来了笔墨，打算画出无双的模样。丹青非王仙客所长，而且他又有很多年没见过无双的面了，所以画出来之后，他也没把握说这就是无双。这张画后来用木版印了很多张，贴到了长安城里每个地方，并且有不少传诸后世。在画面上有一个小姑娘伸出手来，底下印一行字说：你看到我了吗？就王仙客来说，这意思是足够明白的了。但是对于别人来说，这意思却不明白。加之画工拙劣，刻工也拙劣，所以那些传到后世的版画被人称作"夜叉伸爪噬人图"。

我现在案头就有一张，画上的无双的眼睛嘴巴全是三角形，真不知王仙客当年是怎么画的。

王仙客成天在楼上看那个空院子的行为显得很笨，但是就我所知，其实这个行为并不像表面上那样笨。比方说，有人以为，既然他那么想知道空院子里的事情，就应该在夜里或者什么时候跳墙到院子里去看看。有这种想法的人就忘记了跳墙是犯法的行为，而且老爹就在他门前盯着，准备逮住他。按大唐的治安管理条例，任何人跳过了一堵墙，逮住了就要杖四十，而且要脱光了屁股打，以防裤裆里夹带了犁铧片子。那时候的泥水匠修墙，从来不敢到上面去修。而且那时候的人走路总是低着头，一旦看见小孩子在地上玩泥巴筑起了沙墙，登时就破口大骂：这是谁家的小王八羔子！在街上垒墙，是要害死人吗？因为这个原因，王仙客绝不能跳墙。拿望远镜看看却不妨，望远镜是外国东西。编条例的那班老古董根本就不知道世界上有这种玩意儿。

王仙客在楼上看那个空院子，自有他的道理。他说：虽然无双是他表妹，关系又不同寻常，但是毕竟有多年不见了，有些事情记得不那么准。比方说，无双的声音是什么样的，现在就记不起来。这不光是因为记忆不可靠，还因为无双变过嗓子。小时候是个公鸭嗓，后来就变成了圆润的女中音。一直到王仙客离开时还在变，谁知道最后会变成什么。无双的模样也在变，从小姑娘变成大姑娘，从没有乳房变成有乳房，王仙客也不知道最后会变成什么样。这些不固定的因素把王仙客的记忆搅成了一团糟。他所能肯定的事只是一样：无双原来住在这个地方。所以他要仔仔细细看看这院子，打算再想起点什么。他就是这么说的，据我所知，他没说实话。

我是王二而不是王仙客，但是有一件事在我们身上是一模一样的，那就是每次遇到难办的事时，用不着知道它的来龙去脉，也用不着等待事态发展，就知道这事难办。这就是第六感官吧。王仙客到了宣阳坊里，马上就知道无双很难找到。因为有了这样的思想准备，一时找不到无双不会让他气馁。与他相比，宣阳坊里的各位君子对他会旷日持久地找下去却缺少思想准备。

第二章

【一】

王仙客到长安城去找无双那一年，正好是二十五岁。人在二十五岁时，什么事情都想干，但是往往一事无成。人在二十五岁时，脑子聪明，长得也漂亮，但是有时候会胡思乱想，缺乏逻辑，并且会相信一些鬼话。我在二十五岁时是这样，王仙客也是这样。所以他就守在客栈里，用望远镜看那个空院子，打算在这样干时回忆起一点什么来。如果按他的打算，他应该在镜筒里看到无双，在夏天里穿着轻纱，从那些回廊上走过去。那个卖给他望远镜的大胡子波斯人就是这么说的。

那个波斯人头上打着缠头，说话打嘟噜。他说这个生牛皮做的镜筒叫作千里镜，不但可以看到千里以外的东西，而且可以看到过去未来的事情。这当然是顺口胡编，夸大其词，但是王仙客不知道波斯人的品行，就完全相信了。那个镜子贵得吓得死人，而且那个波斯人以为王仙客买了它是要偷看女人洗澡的，还想向他推销有壮阳作用的印度神油。据他说，涂上了印度神油，不但久战不疲，而且伟岸无比。这当然是骗人的鬼话。假如这个千里镜真能看到过去的事，那就该看到无双从走廊里走过，一边走一边攀花折柳。虽然无双在成长的过程中很多方面发生了变化，但是这个攀折的习惯一直没有改。只不过小时候是恶狠狠地把枝条撅下来，拿在手里到处乱抽，大了以后改为在走过时轻轻地从花丛上摘下一朵，戴在头上。这件事情说明在无双身上有一些东西是始终不变的，所以再见到她时还有可能把她认出来。

假如那个镜子能看到未来的事情，就该能看到无双到哪里去了。假如真是这样，就可以省了到处去找。王仙客就是这样指望的。但是那个镜子里只能看到王仙客自己的胡思乱想，这不是因为它有什么魔力，而是因为它做工粗糙，很费眼睛，看不了多久，那只眼睛就又酸又痛，金星乱冒，然后就什么都能看见了。由此可见，那波斯人话不可信。他的印度神油，涂上去很可能不仅不能壮阳，甚至连根烂掉也不一定。

其实王仙客拿望远镜看那个空院子的原因，并不像他自己说的那么复杂。他想看看那院子到底空了几年了，还想看看它到底是不是三年前自己住过，无双也住在里面的那个院子。虽然他坚信就是这个院子，但是有那么多人告诉他说，他搞错了，他也不能完全置之不理。信心这个东西，什么时候都像个高楼大厦，但是里面却会长白蚁。王仙客买望远镜时，白蚁就不少了。

王仙客找无双，除了显而易见的困难，还有一点我们容易忽略的难处：无双是个漂亮的大姑娘，而王仙客又不是很的确哪个漂亮大姑娘是她。假如你盯住一个漂亮大姑娘看，那是不行的，一定会被王安老爹当流氓抓起来。唯一的办法就是让别人不知道你在看她。因此王仙客一定要有一个望远镜。他说他只往废院子里看，其实他哪儿都看。尤其是发现女人摘花采叶时，看得更仔细。只可惜那些女人都很难看，而且她们摘的都是槐花，采的都是香椿叶。那些花和叶都是拿回家吃的。无双就是见到地下有一瓶香油倒了也不会去扶的，所以她们都不是无双。

后来王仙客说，他没想到无双会这么难找，连一点线索都没有。长安城住的好像都是些怪人，上次来的时候就没发现他们有这样怪。如果他在宣阳坊里拦住一个不认识的人打听无双，那个人就会一言不发地站着，脸上露出各种各样愤怒、不满的神色，这种神色就像我前几天乘44路公共汽车到雅宝路去时碰到的一样。因为那一带我没去过，所以我向一个小伙子打听要到哪里下车，下了车怎么走，要不要换车等等。那个小伙子站着一言不发，脸上掠过各种神色，就像王仙客曾经见过的一样。等我说完了，又过了一会儿，他忽然说道：你不觉得脚下有点硌吗？这时我才发现，我那只穿着大马靴的右脚正好踩在他的左脚上。此时我连忙把脚挪开，道歉，但是他只是抬起脚来，掸掉了鞋上的土，然后不回答我的问话，就转身走开了。众所周知，王仙客早就死掉了（用一句一语双关的话来说，他早就"作古"了）；他不可能知道我这个例子，但是他也能从别人的脸色上看出自己是个很不自觉的人。但是自己到底为什么是不自觉的人，还是个不解之谜。大唐时的长安人像现在的北京人一样，都有点神秘。参透他们言语中的哑谜，就能知道自己哪里不自觉。参透了自己的不自觉，就能够找到无双了。

王仙客在镜子里很多次看到了鱼玄机被绞死时的事，那情形就像罗老板讲得一样。鼓声响的时候，站在她背后的刽子手双手猛地抓住她的肩头，两边的刽子手把绞索绞紧。鱼玄机猛然睁开了眼睛，她的眼神凝固了。鱼玄机的眼睛很大，灰色透明，在薄薄一层缎子后面，她的腹部向后收紧，就这样僵持住了。这样过了好久，鱼玄机额头上的每一根青筋都凸了出来，那双灰色的眼睛也凸了出来，好像在眼眶里看东西不够清楚。等到刽子手松开她的绞索，松开她的肩膀时，鱼玄机向后坐到腿上，几乎要瘫软下去。仅仅一分钟的工夫，她就瘦了不少，领口也松开了，露出了锁骨和大半乳房。于是她耸耸肩膀，想把领口合上。有一个文书走上前去，问道：鱼玄机，你有什么遗言吗？后来人们传说道，鱼玄机在死前吟诗道：易求无价宝，难得有情郎。其实不是这样。鱼玄机说的是：很难受呀。就不能一次解决吗？那个文书耸耸肩膀走开了。然后鼓声又响了，又绞了她一次。这一回她咳嗽了很久，哑着嗓子说遗言道：我操你们的妈！

　　后来王仙客找到了处死鱼玄机的刽子手，请他去喝酒。那时候他还急于找到无双，忙于印刷寻人张贴，和黑社会联络，向京城的巡检司行贿，忙了个四脚朝天。像这样从百忙中抽出时间，去请个刽子手吃饭，真是够怪的啦，王仙客自己也不能解释为什么要这样干，所以就撒谎道，自己是个传奇作家，又是鱼玄机的仰慕者，想给她写一本书。当然这样说的时候，他心里也不无内疚之心。一方面，无双还没有找到，他就关心起了别人；另一方面，假如他真是鱼玄机的崇拜者，就不该和杀了她的人同桌喝酒。所以他自责道：唉，我算什么人哪。

　　刽子手说起鱼玄机丧命的事，比罗老板讲的要生动得多，那是因为他站在圈子里面，并且负有捏住她的肩头制止挣扎的任务。他说，给鱼玄机的脖子上绞索时，她撩起了自己的头发，那些头发又黑又多，长及踝部，像一顶大伞一样把她罩在底下。等到她被绞死了以后，原来柔顺的头发就像烫过一样打起卷来，因而也就缩短了。鱼玄机活着时，身上有撩人的异香，死了以后香味就没有了，变成了一种腥味，就像你在牛肉铺子里闻到的一样。每个被绞死的人身上都要发生这些变化。最后致命一绞时，鱼玄机也像别人一样两眼翻了白，眼睛、嘴角里流出血来。然后她就像别的人一样变成了一具死尸。所以死前她像别人一样骂娘也是意料中事。这些都是她和别人一样的地方。也有不一样的地方，那就是她死时穿了缎子，皮肤又滑腻，所以肩膀不好抓。虽然预先在掌心涂了松香，还是抓不住。事情办完后，双手抽筋，请了好几天假，少杀了好几个人。这是不小的损失，因为刽子手拿的是计件工资。

但是鱼玄机的事情，刽子手知道的也不多，因为她只是在临刑头天夜里才到了刽子手的手上，或者说，那一天她雇了他们；更多的时间是待在牢里。这是因为只要有一点钱，死刑犯都要雇一伙刽子手来杀自己。假如没钱，只好由公家的刽子手来杀了。那些人杀人挣不到钱，就不好好杀。有时候半天杀不死，有时候杀得乱七八糟，砍头时砍到脚面上。其实每个刽子手都是两样买卖都干的，只是干公家刽子手时，管犯人叫贼子、死囚等等，还要动手打人。当私人刽子手时，管犯人叫东家，也不动手打。有关那天夜里的事，刽子手知道的就是那位东家那天夜里要到刑讯室去和伙计们见面，吃夜餐，打开枷锁，洗掉身上的污垢，为了防止待会儿被勒得大小便失禁，还要灌灌肠。这些手续和别的犯人是一样的。但是鱼玄机在某些地方和别的犯人不一样。别的犯人到了这时，就愁眉苦脸，需要安慰：东家，就这么一会儿工夫了，您还愁什么？喝口酒吧。但是鱼玄机却兴高采烈，说道：再过一会儿就要死了。可真不容易呀。还说，活在世界上当一个人，实在倒霉得很。这样的话大家听了都觉得反动：上有天下有地，中间有圣明天子，怎么能说是倒霉呢。但是想想她马上就要被绞索勒断喉咙，也找不到话来反驳她。鱼玄机和所有的人都碰了杯，管所有的人都叫大叔。开了枷就伸胳臂伸腿做体操。给犯人灌肠是件麻烦事，总是要大家动手，按胳臂按腿，嘴里骂道：叫你一声东家就不知道自己姓什么了，贼死囚！下辈子还是挨刀的货。但是鱼玄机自己就爬上了刑床撅起了屁股，同时还和灌凉水的刽子手聊着天：

大叔，别人也是你灌吗？

是呀。

那你可见过不少屁眼啦。

所有的人都觉得这个女孩子又乖又甜，谁也没想到她也会骂操你妈。

刽子手的工资很低，杀一个人挣不了多少钱，所以每个人都兼了很多份工作。就拿这位按住鱼玄机肩膀的刽子手来说吧，他除了杀人，还在屠坊里给瘟马剥皮，在殡仪馆里兼了一份差。鱼玄机说，一客不烦二主，我的后事就都交给你们好啦。并且一次付清了杀人和埋人的款子。但是上午杀倒了她以后，他在别处还有一桩生意。于是急匆匆从她身上解下绑绳来（绑人的绳子、绞索、砍头的大刀等等工具，是刽子手私人财产），赶去杀另一个人了。等到下午他赶了一辆牛车，拉了一具棺材赶来时，鱼玄机已经被人剥光，连头发都叫人剪走了。但是她还趴在地上，双手背在后面，小腿朝后跷着，保持着受绞毙命的姿势。躺到棺材里的时候，腿还是那么跷着，好像她平时寻欢作乐的姿势一样，因此棺材盖都要盖不上了。刽子手还说，那桩买卖里他吃了不少亏，因为鱼玄机的缎子衣服和头发值不少钱，本来该归他的。刽子手没什么文化，就记得自己损失了一身衣服和一大把头发，既没有幽默感，也没有同情心。

刽子手讲到收殓鱼玄机的经过时，就不再像个刽子手，而像一般的收尸人。他说到鱼玄机背着手，跷着腿，好像一只宰完煺了毛的鸡一样。那时候正是初春，天上阴沉沉。中午下了一点雨，打湿了鱼玄机的短发。那些头发就变成一绺绺的了。被宰的鸡在开水里煺毛，烫掉的羽毛也是这样。短发底下露出白色的头皮，就像在护城河里淹死的山羊，毛被水泡掉了的模样。刽子手扯着腿把死人翻过来，把她身上最后的内裤也剥了，这时候鱼玄机翻白了的眼睛又翻了回来，死气沉沉地瞪着。脖子上致命的勒痕也已经变黑了，翻过来倒过去时，硬邦邦像个桌子，只不过比桌子略有弹性罢了。这种事情王仙客听了毛骨悚然：一个女孩子，早上你和她同桌喝酒，并且她还管你叫大叔。下午她死了，你就去剥她的三角裤。这怎么可能？有没有搞错呀？刽子手说，没搞错。那条三角裤是鲛丝做的，很值钱。剥过她的人都不识货。何况我不剥别人也要剥。只要她身上还有值一文钱的东西，就永不得安生，因为中国人有盗墓的习惯，还因为偷死人的东西最安全。就说扒短裤吧，扒活人的短裤，准会被定成强奸罪，不管实际上强奸了没有，反正不是杀就是剐。扒死人的就什么事也没了。

后来他又去找长安大牢里的人打听鱼玄机，花了不少工夫和钱。他老觉得打听鱼玄机就是寻找无双，他自己说：宣阳坊里的人肯定知道无双的下落，但是他们不告诉我真话。这不要紧，只要他们说话，就必然要透出一点线索。就说这个鱼玄机吧，她的事情必然和无双有某种关系。也许是一点相同之处，也许是一点相似之处。只要把一切都搞明白，就能知道相似之处是什么啦。

【二】

以下的情景不知是别人告诉他的，还是他自己想出来的。那天鱼玄机跟在衙门里的两个官媒背后，来到长安的大牢里。有那么一会儿，谁也不来理她，让她坐在刑讯室里，观赏那些血迹斑斑的刑具，以便她对所来到的地方有个清醒的认识。但是鱼玄机闭上眼睛，抓紧了随身的小皮箱，所以她就没有看见石头墙上悬挂着的铁链子，粗大的原木钉成的刑床。直到别人喊道：新来的死囚鱼玄机来上刑具！她就走上前去，手里还拿着小皮箱。后来她又按别人的示意坐在一张宽大的扶手椅上，把两条腿伸直，把脚伸到对面架子上那块木板的两个凹槽里去。这时候那个满脸横肉的牢头猛地一把从她脚上扯下一只镶了珠宝的皮凉鞋，扔了很远。鱼玄机小声说道：对不起。就从皮箱上拿下一只手，躬着身子把另一只凉鞋脱掉。这时牢头说道：皮箱也给我。她就把皮箱也交出去；看了看牢头的眼色，又从脖子上解下丝巾，束住头发，拔下钗子，摘下项链，褪下手腕上的玉钏，取下耳朵上的玉坠，捧在手里交给牢头。这些东西就哗啦啦地放到刑床上了。

后来那个牢头嘴里含着钉子来钉鱼玄机的脚杻，这时他觉得有必要安慰她一下，就说：你不要怕。只要你不来找麻烦，只要你乖乖地听话，我也不会来捼你，牢里也不像别人说得那么可怕，等等。但是鱼玄机不回答。于是牢头把钉子都吐出来，瞪着她说，你听见了没有？鱼玄机这才如梦方醒，答道：听见了，大叔。牢头说，听见了给我拿着钉子。于是那些沾了唾液、温暖的钉子就到了鱼玄机的掌心里。这些钉子在鱼玄机的心里引起了一阵痉挛。她等牢头转过身去，赶紧皱皱眉头。

后来牢头又给她钉手杻，这间房子里始终只有两个人。鱼玄机瞪着灰色的眼睛，看着四四方方的钉子钻进刨光了的白木板里。等到最后一根钉子钉完，她赶紧把手杻端了起来，感到重量并不很重。牢头说道：柳木的，最轻的木头。我们优待你。但是项上的枷就很重了。那是些乌黑油腻的旧木板，用榫头斗起来。等到一切都装配好，牢头说，站起来，试着走走。鱼玄机站起来，试着走了一步，又小声说：大叔，我扛着这么多大木板子，可怎么睡觉呀？那个牢头猛地大笑起来，说道：你想怎么睡就怎么睡。死刑犯戴上了刑具，待在自己号子里，怎么睡觉都可以。这是你的权利。

后来鱼玄机站在牢房中间，叉开了两条腿，脖子上又架了七十多斤的死囚枷，感到摇摇欲坠，难以站立。她就像大海里一条小船，急待靠岸。于是她艰难地转过身去，去看那张坐过的椅子。但是那个牢头拿起倚在墙上的棍子（那棍子是花椒树干制成，有一头是圆的。牢里的犯人管它叫驴鸡巴棒），说道：回你自己号子去。从牢头的角度看来，每个犯人都住在一定的号子里，偶尔出来了，就要赶快回去。但是鱼玄机感到茫然无措。因此牢头用棍子在她屁股上戳了一下。鱼玄机的臀部异常地圆滑，棍子滑开了。但是这一戳已经产生了效力，她艰难地迈开脚步，几乎是盲目地朝前走了。等到走到了走廊上，身后有了动静。那个牢子说：你自己往前走，见到开着门的号子就进去，待会儿我会来锁门的。我得走了，他们在分你的东西了！于是鱼玄机自己往前走，经过两边都是栅栏门的漫长走廊。那些栅栏门里冒出马圈的味道来。鱼玄机一点也不敢往那些栅栏里面看，也不敢听那些栅栏后面发出的声音。但是她知道那些人在说：这就是大名鼎鼎的交际花，爱情诗人，等等。可能还有些挑逗的话，淫秽的话。但是她不想听，只顾干自己的事情，低着头走路。经过了艰难的跋涉，找到了那间空号子，又在地下找到了一块干净一点的地方。她坐下来，试了几下，找到了适当的姿势，把腿蜷起来，用膝盖顶住枷的分量，就这样不动了。

其实鱼玄机在牢里感受到的不便，并不只是披枷戴锁，不能睡觉。管监的牢头们自己说，我们这里就是个仓库，装了一些待发的货物。尤其是死刑犯，那就是些待销毁的废物。当然，废物也可以利用，所以守夜无聊时，就把人提到刑房里揍上一顿，作为消遣。对于鱼玄机这样的女犯，消遣恐怕就不只是揍一顿。这一点可以从牢头们的谈话里听出来。事隔二十年，他们还这样说，鱼玄机这娘儿们可好了，又乖又甜。她住在这里时，大家都抢着上夜班。但是这些事情王仙客就不能够想象。他是个童男子，没有这样淫猥的想象力。

王仙客所能想象的极限，就是鱼玄机坐在受刑的椅子上，把洁白消瘦的手腕子伸到柳木的手杻里，然后她睁大忧郁的眼睛，看人家把这木杻钉上，然后再抬起手来，看那两片木头钉成的木框子在手腕上晃里晃荡。在监狱里的生活就是这样，坐下的时候，十指在杻前交叉，站起来的时候向前伸出，扶住枷的前沿。在监狱里手只派这两样用场。

在监狱里走动的时候，双脚好像门扇，迈着可笑的大步向前走。这时候脚下是一个接一个的半圆，臀部也不得不跟着扭动。站着的时候，大叉着腿，就像三岁的小女孩还没有学会蹲下撒尿一样。坐下的时候大腿并紧，小腿叉开，好像一个三角架。鱼玄机的腿在监狱里就派这两样用场。

王仙客又到监狱里的厨房去，买了一份囚粮拿回家去了。那是一些十五两一个的大窝头，一个就是一天的口粮。窝头是用豆面、谷糠和酒糟蒸成的，里面还有稻草和鸡毛。像这样的窝头牢里每天都要蒸很多，一半给犯人吃，另一半卖给马戏团喂狗熊。王仙客简直就不能相信，天香国色的鱼玄机会把这样的大窝头放到枷面上，一口口地啃。这事情真不该是这样。

【三】

后来王仙客对鱼玄机的旧事入了迷，好像真要给她写一本书一样。这种情况一直到了有一天晚上他梦见了一只兔子才有所改变。那只兔子大得像人一样，嘴里两颗牙龇了出来，好像一对刺刀。它说：你把我们放到房上干吗呀？这时他才想到，他把兔子放到房上是为了寻找无双，他到长安城里也是来找无双。与此同时，王安老爹每夜在楼下等着抓他跳墙。秋夜里寒气袭人，等得腿上的关节炎都犯了。但是同一夜里他也梦见了鱼玄机，披枷戴锁，细声细气地告诉他说，她并没有故意打死那个使女，当时她们正在玩着一种荒唐的游戏，她一失手就把她勒死了。虽然如此，她也不抱怨别人把她绞死了。因为她是甘心情愿地给彩萍抵命。王仙客正想问，像她这样的绝代名媛，嘴里怎么会骂出像操你妈这样的粗话，梦就醒了。梦醒了以后，他有好一阵子若有所思，觉得这个梦非同凡响。最后他想了起来，鱼玄机管她的使女叫彩萍，她的使女的确是叫彩萍。而无双的使女也叫彩萍。鱼玄机和无双的近似之处原来是这样的呀。

在王仙客的记忆里，彩萍是个长得极像无双的小姑娘，稍不留神就会搞错的。夏天里，无双穿一件土耳其式的短裤子，露着一截肚皮，彩萍也穿同样的短裤子，也露着半截肚皮。连露出的那半截肚皮都是一样地洁白细腻。她们俩穿一样的土耳其短裤，一样的凉鞋。唯一不同的地方就是无双用一段金链子，拴了一个祖母绿的坠子，遮住了肚脐眼，但是彩萍的链子是镀金的黄铜，而坠子是一块绿玻璃。祖母绿名副其实，就像祖母死了埋在地下半个月再挖出来那么绿，而绿玻璃就没有这么绿。这两者的区别就像假眼睛和真眼睛的区别一样明显，价钱也大不一样，但是使女就该和小姐有这样的区别。无双还告诉王仙客说，这个丫头就值五百钱，还比不上她那匹马哪。

在梦到鱼玄机以前，王仙客已经去访问了很多人，打听鱼玄机在监狱里怎样生活。他对每件事都有兴趣，但是最大的兴趣却在于打听，她在临死时为什么要说那句"操你妈"。别人告诉他说，所有的犯人在临死前都要说这句话。尤其是那些绞刑犯人，在被绞过了两道后，假如还能说出话来，就一定要说这句话。有的人不但说这句话，还要加上一句：我现在是不骂白不骂。这就像苹果从树上掉下来，一定要掉到地上一样。假如鱼玄机不骂这句话，那就像苹果飞到天上一样不可能。但是王仙客偏觉得这事情很古怪，因为根据鱼玄机的供词，她是很情愿被判死刑的。官老爷甚至说，我可以放你回家去，你自己上吊算了，免得吃那份苦。但是鱼玄机偏说，她愿意死于国法。除此之外，她还是模范犯人，得到了上法场免捆的殊荣。像这样的犯人上了法场还要骂，实在让人难以理解。他就这样问了又问，问得当年的狱卒牢头无不害怕，只好把没收鱼玄机的一些东西还给了他。那都是一些旧衣服，给很多人穿过，已经变成破布片了。王仙客倒没有嫌破，一件件很珍贵地收了起来。但是他还在打听鱼玄机死时为什么要骂操你妈，这叫人感到头疼万分。

有关犯人在临死时骂人的事，牢头禁子和刽子手们讲得都不对。在鱼玄机以后死掉的犯人，固然都是骂"操你妈"，而在她之前死掉的犯人，不仅不骂人，反而都说些认罪服法的话。所以鱼玄机是开操你妈之先河者。这句话现在在监狱里成了上刑场的代名词。死刑犯们互相这样说：

什么时候操你妈？

下礼拜吧。

或者说：明天我就操你妈！

鱼玄机把原来执行死刑时那种庄严肃穆而又生气勃勃的气氛完全败坏了。

后来王仙客把彩萍也列入了寻找的范围，但是彩萍也找不到。寻找彩萍的难度似乎比找无双还大，这倒不是因为找不到，而是因为太多。长安城里找不到叫无双的姑娘，叫彩萍的竟有五六千之多。虽然只有没身份的女人才叫这种俗名字，但是她们全叫这个俗名字。不到一个礼拜，他就见了一百多个彩萍。这些姑娘全是黑社会的老大找来的，有些是乡下来打工的，洗衣服洗得手很粗。有一些是街上找来的妓女，一进了门就往王仙客脖子上扑。每个都不像，哪个都有点像。这把他完全搞糊涂了。这使他很悲哀地想到，现在就是无双站到他面前，他也认不出来了。那些老大说，相公，你为什么这样挑剔呢？非要找某个彩萍，某个无双。女人脱了裤子还不是都一样。其实男人脱了裤子还不是都一样。其实我们大家还不是都一样？王仙客虽然不同意，但是他也找不到话来反驳。假如王仙客非找无双不可，那就是说，他们之间存在着叫作爱情的东西。但是王仙客根本不知道世界上有这种东西。书上没有记载，也没人告诉过他。他虽然想娶无双为妻，但是对夫妻之间要干什么却一无所知。王仙客找无双，根本就是瞎找。

　　王仙客向宣阳坊里诸君子打听彩萍，倒多少有一点收获，起码和打听无双时得到的反应不一样。有人说，见到过彩萍；也有人说，从来没见过。说见过的人中间，对她的模样也有不同的描述，有人说，她是个高个子姑娘，鸭蛋形的脸，出门时总穿着黑的长袍，由头顶到足踵，脸上还有黑色的面纱，和别人说话时才撩开，这时候才能看见她脸上毫无血色。这个姑娘是很漂亮的，甚至比鱼玄机还要漂亮，因为她的嘴唇比鱼玄机还要薄。嘴唇薄是薄命之相，所以她被勒死了。这个姑娘很少出门，偶尔到绒线店里买点化妆品，也极少说话。另一些人说，彩萍矮矮的个子圆圆的脸，爬墙上树，上房揭瓦，下水摸鱼，什么样的混事都干。这倒和王仙客记忆里的样子是一样的。但是王仙客还记得这些事是和无双一起干的。既然有人记得她的模样，就可能会找到她。找到以后无双也会出现了。就是因为这些原因，虽然彩萍难找，王仙客也不肯放弃。

【四】

　　王仙客去找无双时，只有二十五岁。人在那个年龄虽然聪明，却不能达练人情，难免要碰钉子。我在二十五岁时，请李先生教我英文。当时我闲着没事，李先生的英文又很好，所以我以为这个主意很好。李先生让我拿汤恩比的 *A Study of History* 当教科书。学了好几年，我连英文是什么都搞不清了，因为汤先生虽然是个英国人，写书却是各种文字都写的，只是不写中文。李先生告诉我说，这些全是英文；我也就拼命读通，念熟，记住。这样做的害处是显而易见的，因为学得越久，我越不知道英文有几个字母。不过我倒因此知道了文明是什么。照我看，文明就是人们告别了原始的游猎生活，搬到一起来住。从此抬头不见低头见，大家都产生了一些共同的想法。在这些想法里，最常见的是觉得别人"欠"，自己亏了。

　　所谓自己亏了，是因为自己还没发大财，老婆不漂亮而且只有一个等等；而别人都欠揍，欠走路不留神掉到井里，欠出门踩上一脚屎。我们知道大唐是盛世，长安是首善之区，当然有高度的文明。王仙客是个乡下人，又没读过汤恩比，对此当然一无所知。但是不能因此就说他没有学问。他脑子里装了一大堆原始形态的代数学、逻辑学、几何学、哲学，有了这些，就觉得自己可以解决一切难题了。但事实证明，这些东西对他没什么帮助。他到宣阳坊找无双，听别人讲了一阵鱼玄机，自己都不知道自己要找谁了。假如他达练人情，就不会轻易相信别人的话。小时候我们家里养过兔子，有一阵子我成天在端详它们，推测这种端庄、温驯的动物有没有智慧。我的结论是这种东西肯定有智慧，但却是错误的一种。说它们有智慧，是因为它们总显出一种自以为很聪明，对一切都很有把握的样子；说这智慧是错误的一种，是因为我们家养兔子可不是为了给我玩，而是要杀它们吃肉；那些兔子对这一点毫无察觉，显然是长错了智慧。王仙客在宣阳坊，所恃仗的就是自己的智慧。可惜的是，他的智慧解决不了眼前的问题。

第三章

【一】

　　王仙客到长安城里找无双，长安城是这么一个地方：从空中俯瞰，它是个四四方方的大院子。在大院子里，套着很多小院子，那就是长安七十二坊，横八竖九，大小都一样。每个坊都有四道门，每个坊都和每个坊一样，每个坊也都像缩小了的长安城一样，而且每个坊都四四方方。坊周围是三丈高的土坯墙，每块土坯都是十三斤重，上下差不了一两。坊里有一些四四方方的院子，没院子的人家房子也盖得四四方方。每座房子都朝着正南方，左右差不了一度。长安城里真正的君子，都长着四方脸，迈着四方步。真正的淑女，长的是四方的屁股，四方的乳房，给孩子喂奶时好像拿了块砖头要拍死他一样。在长安城里，谁敢说"派"，或者是 3.14，都是不赦之罪。

　　王仙客初到长安来时，正是初春时节。他骑马走进长安城里，发现长安已经发生了很大的变化。上次他来的时候，也是初春时节，路边上繁花似锦，现在那些花都不见了。原来大道两边有好多紫玉兰，现在不但花没有了，连树都不见了，只剩下了树桩子。有的地方树桩子也不见了，地上留下了一个树坑，坑里露出树根，像被蚕吃光了的叶脉一样，非常难看。原来小巷里长了很多梨树，梨花如雪，现在梨树都不见了，小巷里多了很多小棚子，是用梨树干搭的。小棚子把路堵住了，只能从边上绕过去。原来城门口的大道是用硬木砖铺成，砖上钉着黄铜的大头钉，整个路面打磨得光亮平整，好像冰糖一样；外地来的马匹走了上去，都是一副提心吊胆的样子，因为它们看见自己下面还有一匹马。现在钉子被人起去卖了废铜，木砖就像被开水烫过的蜈蚣，变成了零乱的一团。原来坊间的大道是用蒸后的黄土铺成，平整如镜，每天早上、中午、晚上三次，穿着号服的清道夫用土把洼处垫平，并且撒上纯净的海砂。现在变得凹凸不平，到处是积水，到处是猪崽子在闲逛。一切都变得又脏又破，但是一切还是那么方。王仙客还发现路上的女人都打扮得非常难看，把眉毛画得像倒放的扫帚，用白粉把嘴涂掉了一半，装出一个樱桃小嘴的模样。和别人说话时，总要拿扇子遮住半边脸，装出一个羞羞答答的样子，而且不管你问什么，她都说不知道。假如你向个男人去打听，他就皱着眉头，不停地东张西望。等到你说完了话，他根本不回答你的问题，只说一句"少陪"，就匆匆离去了。这些情形预示着无双会非常地难找。

王仙客到长安城宣阳坊里找无双，无双非常难找，这是因为大家都以为无双不存在，还因为大家都讨厌王仙客。一个大男人，跑来找一个姑娘，而且还公开说道，要娶她回家当老婆，简直一点廉耻都没有了。男女之间的事应该是羞羞答答的，哪有这样嚷嚷出来的。除此之外，大家还觉得王仙客的那玩意儿长得极为难看（是在澡堂里看见的），又粗又长，像个擀面杖；龟头又圆又大，好像大号的蘑菇；睾丸肥大，简直像驴一样；阴毛茂盛，就像一个老鸦窝。而宣阳坊里各位君子几乎都是包茎，头上尖尖的，阴毛稀疏，那地方的皮肤颜色也很浅，保持了童子的模样。像这样的生殖器，才是君子所有，才能在众人面前露出来。而像王仙客长的那种东西，只能说明他是个急色鬼。大家都对他怒目而视，王仙客也觉得有一点惭愧，就去对别人说：老兄，我这是父精母血自己长成了这样，并非有意拉长。意思说，这是遗传在起作用，他自己没有责任。别人却不搭理他的话，只是对他怒目而视，然后就一声不响地离去了。这又叫王仙客感到困惑：我的雀儿长得不好，是我的毛病。哪儿得罪你了？

王仙客到长安城里来时，骑了一匹白马。那时节出门的人需要一匹马，就像现在的北京人需要一辆自行车，洛杉矶的人需要一辆汽车一样。虽然没有它也能过，但是很不方便。他在客栈里住下以后，就关照店主要好好照看那匹马。店主人说，客官，您就在城里骑这匹马吗？王仙客说，是呀。这马有什么病吗？店主人说，没有没有。然后就下楼去了。过了一会儿，王仙客听见店主人在楼下说，那个山东蛮子要在城里骑这匹马！王仙客听了觉得不好，就跑到马房里去，把那马仔细查看了半天，看了它的蹄子和牙，发现它并没有得关节炎、气管炎、肺结核，蹄子也没有漏。他还不放心，把马送到兽医院，挂了内科号、外科号、骨科号、五官科号，每一科都看了。结果是这匹马健康状况非常地好。大夫只是说，在城里骑它，最好配个兜子。王仙客想，这大概是说，要给它配个粪兜子，省得马粪污了街面。于是他就去买了一个麻袋，拴在马屁股上了。后来他就骑着它去找无双。那马屁股上多了一个东西，就闹起脾气来，到了宽一点的街上就要横着走，但是也没踩到过人。长安城里却有一半人见了他就怒目而视，另一半人却红着脸低下了头。后来王仙客终于发现了，见了他就低头的是女人，怒目而视的是男人。而他的马和长安城里任何一匹马都不一样，别人骑的是母马、骟马，而他骑了一匹儿马。到了这时，他才知道了兜子应该套在什么地方，但是这时已经晚了。而且他还是缺少自觉性。假如自觉的话，到公共澡堂洗澡时就该给自己也戴个兜子。

不知从什么时候起，宣阳坊里所有的人都把王仙客看成了个危险人物，所有的女人见了他就要逃开，包括九十岁的老太太，三岁半的小女孩。上述女人逃走时，双手还要捂在裆下，很显然是怕王仙客犯强奸罪。至于一切十五岁到五十岁的女人，都戴起了铁裤裆。这东西后来传到了欧洲，就换了名字，叫作贞操带。但是从形象来看，叫作铁裤裆比较贴切。那东西像件甲胄，正面画了老虎头、豹子头，或者狗头，都是张着嘴要咬人的样子。铁裤裆上还有锁，钥匙在当家的手里。但是那种东西相当地冰腿，所以都在里面垫上各种保暖的东西。戴了一段之后，有点潮湿，就要摘下来晒。这时它看起来像是鸽子住的那种小房子。正面有两个大洞，好像是供鸽子出入。里面铺铺垫垫的，好像是鸽子睡的稻草。王仙客一点也没发现这些东西是在防他，只是诧异这一阵宣阳坊里养鸽子的怎么这样多。

但是怕马粪污了街面，纯粹是王仙客瞎操心，长安的市民一点也不讨厌马粪，甚至对马粪很有感情。这都是因为长安米珠薪桂，就是达官贵人也在抱怨物价太高，何况升斗小民。马粪刚屙出来时虽然湿乎乎，但是晒干了却可以烧。假如马在街上屙了粪，不但小孩子会马上扑上去，用衣服把它兜起来，就连下了班的公务员见到了，也会拿出中午带饭的饭盒，用筷子把粪蛋一个个夹进去。但是说到屙屎给人烧，给乡下人拉车进城的大肚子水牛比马还要受人欢迎，因为那种动物在街上扬起了尾巴，呼啦啦一屙就是半桶。见到了这样景象，路边上商店里的老板就猛扑出来，手里拿了写有自己姓名、籍贯、住址的牌子，猛地插在粪上。这块牌子要在粪上插很久，直到牛粪完全干燥，可以拿到家里去了，才被拔下来，擦干净备用。假如一个牌子上写着"李小二"，插到了一泡牛粪上，它干燥后就归李小二所有。我表哥博古通今，对这些事情知之甚详。牛屎的事都是他告诉我的。

我表哥还说，一泡牛屎干燥了以后，可以烧开两壶水，其热力相当于半立方米的天然气，或者两块蜂窝煤。烧牛屎还有一桩好处，就是不用和

煤气公司打交道。所以牛在门前屙屎，简直是老天爷送来的财喜。当然，
好事多磨，一块干牛屎到厨房之前，还会有很多磨难。吃牛屎的屎壳郎就
想把它偷走，然后吃掉，这时就要派孩子去把它攥走；有时还会遇上下
雨，这时候还要把斗笠戴在它上面。最讨厌的是有些人人品低下，想把别
人的牛屎偷走。邻居之间老为这事打架。王仙客不知道这些事的底细，见
到别人为牛屎打架，他就哈哈大笑，并且大言不惭地说：在我老家，从没
有人为了牛屎吵架。这叫宣阳坊里的各位君子听了很不高兴。性子急的侯
老板就反驳他道：当然了，你们山东蛮子吃生面，喝凉水，用不到烧的。
但是王仙客听了这样的抢白，还是不自觉。他争辩说，我们老家出了门就
是山，小山上密密层层，柞树条子有一房高，大山上都是千年的松柏，所
以从来就不缺柴火。但是这样的话没人爱听。有人就对他说：既然这样，
你到这里来干什么？回你的山东去吧。听了这样的话，王仙客才住嘴不讲
了。根据以上情形，宣阳坊里各位君子对王仙客有如下结论：他是个来历
不明的色鬼，流氓，丧门星。

【二】

　　王仙客到宣阳坊里来时，正是初春。转眼间，他就待了六个月了，已
经到了秋季。过去没人见过他，他要找的人也没人认识；他的生殖器像公
驴一样；他对牛粪的态度也很反常。有关第一点，人们说，谁知他是从哪
里跑来的。有关第二点，人们说，我要是有女儿，情愿打死了喂狗，也不
嫁给他。有关第三点，人们说，这家伙一看就是个油瓶子倒了也不知道
扶的公子哥儿。但是除了疾恶如仇的老爹和侯老板，大家还是要和他打交
道，因为他有钱。假如要把他攥走，开客栈的孙老板第一个不答应，这是

因为宣阳坊在长安城里既不靠城门，又不靠要道，猴年马月也不来个外乡人。除了外坊串来的土娼偶尔来开个房间，就是坊里有人结婚，嫌家里地方太小，到这里开个双人间。后一种情况下敲不了他们的竹杠，也就赚不到钱，而在前一种情况下，嫖客和妓女常常跳窗逃走，赖掉房钱。王仙客一个单身客，顶了孙老板一半还多的营业额。另外他常在坊里的铺子买点东西，雇个小孩给他跑腿，给的钱都很多。因此王安老爹几次在街坊会上提议要把王仙客撵走，总是没人附和。

王仙客到长安城里是要找无双的，但是他总是鬼鬼祟祟，不肯把自己所记得的一切有关无双的事全说出来。虽然他记得上次到长安来时（刚来时只有十六七岁）和无双打得火热，而现在已经有二十五岁了，但是要说出当年是怎么火热，颇有一点困难。比如有一天那位娇小姐别出心裁，不想从大门口出去，却要爬墙，所以要踩王仙客的肩膀。其实她不是想从墙上跳出去，而是要从墙上发射弹弓射击过路人的脑袋。那时候无双已经有十四岁了。王仙客从她两腿之间看上去，看见了两条直苗苗的腿，还有很宽敞的裤筒。在裤筒的顶端，有一件样子很古怪的东西，是灰溜溜的。当时王仙客的确心惊肉跳了一阵，但是转瞬之间就恢复了正常。时隔七八年再想起来，不但毫不兴奋，还觉得有点恶心。

像那一天无双爬墙的事，本来可以成为找到她的线索。因为他记得无双朝外放了几弹，墙外就响起几声惨叫来。墙外的事不难想象：有一位君子从这里路过，走过大门口时，为提防门里飞出的冷弹，头上顶了一个铁锅。走过了门口，觉得危险已过，就把铁锅拿下来了。谁知道无双会在墙上发弹，所以脑袋上就被打出了一到两个窟窿，鲜血淋漓。只要找到一个某年某月某日在空院子外的夹道里被打破了脑袋的人，就可以证明无双不但存在，而且在这个坊里住过；寻找工作就会有重大的进展。这原本是个很好的线索：找坊里所有头上有伤疤的人谈谈。但是王仙客又是一位君子人，他觉得这样是揭别人的伤疤，所以不肯这样干。

那天无双爬墙的事是这么结束的：她朝墙外的小胡同里放了几弹之后，忽然从王仙客头顶上跳了下来，把弹弓一撅两段扔在地下连踩了两脚，说道：没意思没意思真没意思。就跑回自己房里去了。第二天再看到她时，她已经脱掉了短褂子和短裤，穿上了长裙子，梳起了头，戴上了首饰，见到王仙客也不再大喇喇地叫他"王仙客"，而是低下头来，轻声叫他表哥。无双走动时，此脚跟再不会超过彼脚尖，坐下时也不会向后倚着椅背，跷起二郎腿来；而是挺直了脊梁，并紧了双腿，她再也不抬头看男人的眼睛。并且以后总是这样。以后她再出门去，再不是如一阵风似的跑出大门，像跳山羊一样跳上马背；而是头戴面纱，和王仙客一道出去，走到大门外，就扬起右臂，让王仙客把她抱上马背，放上侧鞍，用皮带把双腿扣好，然后才轻声说道：谢谢表哥。王仙客也骑上自己的马，两个人就并骑出坊去了。表面上看，她和王仙客规规矩矩的，其实不是这样的。因为王仙客把她抱上马去时，有一瞬间她的领口哆开了。就在这时，王仙客听见她贴着耳朵说道：往里看。于是他就看见了洁白滑腻的胸膛、乳沟和内衣的花边。过了这一瞬间，无双就一本正经地坐在马上，像所有的大家闺秀一样，把双腿并得紧紧的，像一条美人鱼。晚上那个叫彩萍的姑娘就会送来一张纸条，上面是无双狗爬体的字，写着：看见了吗？无双的情形就是这样。

像这样的事也可以成为寻找无双的线索。王仙客可以找到坊里一位君子，告诉他说：先生，无双是存在的，我记得有这么一件事……他还可以说到，在抱无双上马时，他闻见了她身上撩人的麝香气。那种香气的作用就是让男人闻了阴囊为之一紧。与此同时，他还看到了表妹乳沟里星星点点，刚刚沁出的香汗。这就是说，对于各位君子，不但可以喻之以理，还可以动之以情——我有这样这样一个表妹，你能说她不存在吗？但是王仙客虽然急于找到无双，却没失去理智。他还能够想象得到，那位君子听了这样的话，双手掩耳，满面赤红，大叫道：先生，你说的那些下流话，我可一句也没听到！

晚上王仙客睡着以后，总希望能梦见无双，因为无双是他的未婚妻。但是他一回也没有梦见过她，反而总是梦见灰眼睛、高个子、宽肩膀、细腰丰臀的鱼玄机。那个女人对他喋喋不休，因此他觉得自己对她遭遇的一切全都能够身历其境。第二天早上起来，他就觉得迷迷糊糊。久而久之，他简直就不知自己到长安是找谁，是无双还是鱼玄机。难道不是扶无双上马时，她的乳房从他肩上沉甸甸地滑过吗？难道不是无双和他在小胡同里偷吻，他把舌头伸进了无双两片厚厚的嘴唇中间？但是他怎么老会梦见鱼玄机呢？后来他总算把这个谜底给参透了。更确切地说，他什么也没参透，而是别人议论他时，被他撞见了。那些人说，他根本就不叫王仙客。他也不是来找什么无双。他的年龄也不是自己说的二十五岁，而是四十多岁。其实他就是过去和鱼玄机鬼混的狗男女之一。

假如用现在的话来说，宣阳坊里的各位君子一凑到一起，就要给王仙客编故事。像这样的故事多得很，宣阳坊里各位君子碰头的次数有多少，这样的故事就有多少。假如王仙客听到了全部这些故事，他就会一个也不相信，因为他没有分身术，不可能变成好几个人。但是他只听到了一个，就禁不住想要把它信以为真。凑这个故事的人就是客栈的孙老板、罗老板、侯老板，一共三人。那时候天色向晚，无论绒线铺，还是绸缎铺，都已经上了板。这三位君子在客栈的柜台上聊天，就说起王仙客来了。当时他们看到王仙客的房间里亮着灯，就觉得他还在房间里没出来，很安全，说什么他都不会听见。但是他们根本就不懂什么叫公子哥儿，公子哥儿还管点多少灯油吗？就算是自己买灯油，他也记不住熄灯。他们放心地编起故事来：这个王仙客，本是鱼玄机的入室之宾，鱼玄机死时，他不在长安城。过了二十年，他又找来了。这个头儿是孙老板起的，罗老板开始添油加醋。大家都是读书人，人家说起他来，也不是干巴巴的，还带有感情色彩：唉，这家伙也够痴情的了，咱们给他讲了这么多遍鱼玄机已经死了，他就是不信，现在还变着法地找哪。马上就有人顺杆爬了上来（侯老板）：这家伙真可怜。他假如知道鱼玄机已经死了，要是不疯才怪哪。所以他一露面，我就骗他说，这所空院子不是道观，是个尼庵。但是这小子虽然半疯了，却也不傻，硬是不上当。正说到这里，王仙客就一头撞出来了。他说：听你们这么一说，我真是顿开茅塞。你们说我不是王仙客，那我是谁？我们都知道，编故事最忌讳的就是这个。说曹操曹操就到，大煞风景。大家都闹了个大红脸，只有侯老板老着脸皮说，你是谁，你自己不知道吗？王仙客说：原来我是知道的，听你们说了以后，我却不知道了。听了这样的话，谁的脸上也挂不住了。三位君子一起拱手道：少陪。拔起腿都走了。

【三】

我们知道，王仙客第一次到宣阳坊来找无双是一无所获。他说无双是怎样怎样一个人，人家却说没见到。他又说，无双住在一个院子里，人家却说，那院子里住的是鱼玄机。王仙客对这些现象一直是这么解释的：宣阳坊里的人记性很坏，需要帮助。但是他们那些乱糟糟的记忆也不是毫无价值，所以他也相信鱼玄机和无双之间一定存在某种未知的关系。后来他忽然听到了另一种解释：记性很坏的原来是他，他需要帮助。他只是一个人，对方却是一大群。所以王仙客就开始不敢相信自己了。

我们现在知道，王仙客在宣阳坊里找无双时，那里有各种各样的传闻，对王仙客和那个不存在的无双给出了各种各样的解释，其中不但包括王仙客是鱼玄机的老相好，还有人说他是见了鬼，被狐狸精迷住了，等等。有的传闻一点浪漫情调也没有，根本就是一种科学假设：王仙客是个疯子，得了妄想狂。要是这些故事被王仙客听去了也好，可他偏听到了最怪诞的一种。第二天这三位君子见了面，对昨天晚上的故事也感到太过分了，所以又编出了一种新的说法：没准真有个无双，但是不住在咱们坊，王相公是一时记错了。他们故意把嗓门放得很大，想让王仙客听到。但是王仙客那时躺在自己房里，头上盖了一条棉被，一阵阵犯着晕迷，所以没有听到。

后来王仙客把自己关在房间里，像荒岛上的鲁滨孙一样，给自己列了一个问题表：

<table>
<tr><td align="center">一</td><td align="center">二</td></tr>
<tr><td>正题：我是王仙客，来找无双。</td><td>正题：我不是王仙客，也不是来找无双。</td></tr>
<tr><td>反题：没人认识我，也没人认识无双。</td><td>反题：那我是谁？</td></tr>
<tr><td>正题：其实他们认识无双，但是不想告诉我。</td><td>正题：你是鱼玄机的入室之宾。</td></tr>
<tr><td>反题：难道我们是骗子吗？我们蒙你干什么？</td><td>反题：我自己怎么不记得？</td></tr>
<tr><td>正题：很可能你们都是骗子。</td><td>正题：这种事当着人你能承认吗？</td></tr>
<tr><td>反题：小子，你说话可要注意点哪。</td><td>反题：把话说明白点，我王仙客是这种人吗？</td></tr>
</table>

王仙客把这个问题看了好几遍，搞不清哪边更有道理。更精确的分析指出，假如第一种理论成立，那就是别人要骗他。假如第二种理论成立，那就是他自己骗自己。而且不管哪一种理论成立，一正一反都会形成一个合题，每个合题都是"你是个疯子"，如果都列出来，就太重复，所以他把它们从表里省略了。王仙客一直以为别人想骗他，没想到自己也会骗自己，所以听了那几位的话，就有当头棒喝之感。渐渐地他开始淡忘了无双，把自己和鱼玄机联系起来了。

【四】

像这种被人当头棒喝的经历，我也有过。这都是二十五年前的事了。现在我是一个至诚君子，当年却是个尖刻、恶毒的中学生，阴毒有如妇人，不肯放弃任何一个叫人难过的机会。我表哥没考上大学，他就成了我施虐的对象。有一天我对他说：你真给咱四中丢人（我们都是这所中学毕业的，算是校友）。他忽然受不了啦，对我怒吼一声道：闭嘴，甭以为我不知道你的事儿！就这么没头没脑的一句，就把我蒙住了。因为我当时正单恋一个年轻的女老师，每夜自我遂情，都以她为意淫的对象。其实这事表哥根本不可能知道，但是我做了这样的亏心事，当然害怕这种没头没脑的话。相比之下，王仙客一点儿也不比我无辜，他经常淫梦缠身，梦见自己去到了长安大牢，强奸了三木束身的鱼玄机。醒来以后觉得自己简直不是个东西。可怕的是，这样的事不仅仅是梦，好像以前真的干过。

王仙客在夜里梦见过鱼玄机在牢里三木缠身，被牢头拿驴鸡巴棍赶到刑房里服劳役。她跪在地上，要把地板、刑床和墙上的污迹清洗干净。这间房子现在有一股马圈的味，这是因为有些犯人挨打时大小便失禁了。但是他们屙的粪却不像人粪，气味和形状都不像，因为他们吃的是狗熊的伙食。鱼玄机在地上跪着，双手按着刷子，一伸一屈，就像尺蠖一样。那个牢头还说，让你服劳役，并不是我们少了人手，主要是给你个机会改造思想。想想看，披枷戴锁在地上刷大粪，还需要什么思想？这种话听起来实在肉麻。那个牢头还说，再有四天，你就要伏法了。你有什么话要说吗？鱼玄机在心里对王仙客说，你替我想想，我有什么话，干吗要告诉他？但是不和他说话，他就要拿驴鸡巴棒打我屁股了。于是鱼玄机对牢头说：报告大叔，没什么话讲。牢头就说，岂有此理，怎么没有话讲？鱼玄机只好说：报告大叔，是我罪有应得。但是她在背地里对王仙客说，这个牢头身上很臭，像一泡屎一样。

后来事情就起了令人不敢相信的变化。忽然之间，王仙客就变成了那个牢头（也就是说，身上像屎一样臭的原来是他），绕到鱼玄机的背后去，把她强奸了。与此同时，鱼玄机状似浑然无所知，还在擦地板。干完了这件事，王仙客一面系裤子，一面说道：干完了活，自己回牢去吧。而鱼玄机却像什么都没发生那样答道：知道了，大叔。

王仙客调查鱼玄机的事情时，听到了一种传闻：鱼玄机犯事住监时，她认识的一大帮公子哥儿，不但不想法救她，反而花钱托人，让衙门里快点判她死刑，立即执行。不但如此，还有人花了大钱，让牢子歇班，自己顶班到牢里去。人家都说，大概是怕鱼玄机说出点什么来。从这个梦来看，王仙客也是那些公子之一。不但是其中之一，而且还在其中坏得冒了尖。王仙客为此十分内疚，恨不得把自己阉掉。但是他又不肯阉，因为他还想着自己是王仙客，不是那些公子哥儿。

在梦里鱼玄机告诉了王仙客很多事，包括了她和死去的彩萍的关系等等。这些事和王仙客无关，醒来他就忘掉了。他只记得干鱼玄机的时候，她还在一伸一屈地擦地板，这个动作给他带来了很大的快乐。鱼玄机向前挪动时，他也跟着她，于是他们就像是一只六条腿的昆虫啦。后来她说：大叔，我要去倒脏水了。您完了吗？而王仙客就恼怒起来：老实点。你要找揍吗？于是她就不动了，把屁股撅得更高，把脸更贴近地面，研究起地上的一只蜘蛛来。在很多的梦里，都有这只蜘蛛。

　　除了淫梦缠身，王仙客在白天也犯起了毛病，忽然就会掉下眼泪来。他觉得自己对鱼玄机的死负有责任。总而言之，鱼玄机本身就是个凄婉的梦，充满了色情和暴力。王仙客受到了吸引，就逐渐迷失在其中。但是这种心境我不大能体会，也就不能够把它表述出来。这是因为过去我虽然不缺少下流的想象力，但是不够多愁善感，不能长久地迷恋一个梦。而且正因为我有很强的想象力，不会被已经存在的梦吸引，总是要做新梦。好在像这样迷失在陈年老梦里的人并不少见，我们医院里就有一个，外号烂酸梨，你可以去问他这种感觉是什么。酸梨兄看《红楼梦》入了迷，硬逼着傻大黑粗的酸梨嫂改名叫林黛玉，派出所的户籍警都被他逗得差点笑死了。梨兄又写了本《红楼后梦》，是后梦系列里最可怕的一种。我看了以后浑身起鸡皮疙瘩，冷得受不了。跑到传染科一验血，验出了疟原虫，打了好多奎宁针才好。以后我就再也不敢看他写的书了。

【五】

　　王仙客到长安来时，带来了一驮银子，到了那年的秋天，那一驮银子已经花完了，连驮银子的骡子也卖了。在没听人说到他是鱼玄机的老相好之前，他已经开始盘算钱花完了怎么办，是否要捎信回去，叫老家派人带点钱来，或者抽空上凤翔州去一趟，那里有个当官的同学。可是听说自己是鱼玄机的老相好之后，他又觉得这事不着急。首先想明白了自己是谁，再干这些事不晚。他整天在房子里围着被子冥思苦想，不知不觉钱都花光了，马也卖了。等到没了钱，孙老板就叫来了王安老爹，把他撵了出去，这时候他明白了自己要找的东西是什么：既不是无双，也不是鱼玄机，而是买一碗阳春面充饥的钱。

我们北京人有句老话说，有什么都别有病，没什么都别没钱。这的确是至理名言。但是王仙客从来没有体会到这两种处境，这是因为他年轻力壮，身体非常好；还因为他是公子哥儿，只愁有钱没处花，从来不愁没有钱。但是后来这两种处境他全体会到了。先是被人说成鱼玄机的老相好，搞得精神崩溃；后来又发现一文不名，简直要饿死了。幸亏这两种悲惨处境是不兼容的：精神崩溃的人总是有一点钱，一点钱没有的人不会精神崩溃。有钱的时候，王仙客躺在床上，转着一些奇怪的念头：我怎么可能跑到牢里强奸了鱼玄机又把这事忘了呢？这不合逻辑。但是我要是干了这种坏事，又不把它忘了，也不合逻辑。为了解决心中的困惑，王仙客开始求助于先天妙数，阴阳五行，想把它算出来。但是越算越乱。然后他又怀疑自己的演算能力，打算开一个平方根来证明一下。但是他偏巧选择了 2 来开平方，结果发现开起来无穷无尽，不但把手头的纸全做了算草，还把地板、墙壁、天花板完全写满了。假如选了 4 来开平方，结果就不会这么惨。直到他被撵出客栈，他还在算，迷迷糊糊连望远镜都忘了拿，否则那东西还可以到波斯人那里换点钱来花，不至于马上就一文不名了。

王仙客被撵出宣阳坊之前，正手持一根竹竿，竹竿头上拴了一支毛笔，在天花板上写算式哪。据我所知，他是用麦克劳林级数开平方，已经算到了第五千项。这一点在现在看起来没什么，用一台 PC 机就能做到；但是在当时可是一项了不得的科学成就。但是开客栈的孙老板不懂这些，只是破口大骂，说王仙客这疯子，把他的房子写脏了。其实王仙客并没有全疯，思想还有逻辑：他想开尽了这个平方，验证了自己有运算能力；然后再演算先天妙数，算出自己是谁。这两件事都做好之后，再决定是去找无双，还是去找别的人，或者谁也不找了。

等到王仙客被撵走以后，望远镜就归孙老板所有了。他把放着望远镜的房子收拾一下，然后把房钱提了三倍。但是这房子就再没有空过。每天晚上都有些有窥阴癖的老头子来租这间房子，目的当然是要用望远镜看女人洗澡了。这东西果然不凡，全坊每个在洗澡的女人都能看见。美中不足的是影像头朝下，好像在拿大顶。还有很大的像差，中间粗两头小。不管那女人三围多么标准，看上去都是枣核形，而且肚脐眼都像小号铁锅那么大。

有关这一点，我还有一点补充：在文明社会里，人人都知道女人是一种宝贵的资源，和她们睡觉会有极大的快感，如果不能睡，看看也相当解馋。正因为如此，女人既不能随便和人睡，也不能随便让人看，要不然就太亏了。

王仙客这家伙滚蛋以后，女人们也不必再戴铁裤裆了，她们感到十分幸福。因为想屙屎撒尿时，再也不用着急管当家的要钥匙啦。内急的时候，当家的不在家里，打发孩子去找，也不知找得到找不到，那个滋味真是难受哇。但是要不戴铁裤裆，却是任何有自尊心的女人都不肯干的，因为有自尊心的女人都以为自己随时都会被强奸。卖铁裤裆的人就是这么发了财。

据我所知，人在执笔演算时，可能有两种不同的目的。其一是想要解决某个问题，在这种情况下可能有结果，就是没算出来，害处也不大，因为可以下回再算；另一种是要证明自己很聪明，这样演算永无结果，故而害处非常之大。在这种情况下你不如找人来拍你马屁，说你很聪明，是个天才。人执笔写作也有两种目的，一种是告诉别人一些事，另一种让别人以为你非常甜蜜，非常乖。我个人写作总是前一种情形。假如遇到后一种情形，我绝不会浪费纸笔，而是找到那些需要马屁的人，当面去拍；这样效率比较高。王仙客就是因为犯了演算不当的错误，故而总算不出个头绪。因为本书在谈智慧的遭遇，所以提到这些不算题外之语。

第四章

【一】

小时候我常做这样的梦，先是梦到了洪水猛兽，吓得要命。猛然想起自己是睡着了的，就从梦里惊醒。后来又遇到了洪水猛兽，又吓得要了命。仔细一想，自己还是没有真醒，或者是又睡了，就又醒一回。有时一连醒个五六回，才能回到现实世界里来。这都是因为我睡觉太死。人家说，我睡着了半睁着眼，两眼翻白，双手放到胸前，呼吸悠长，从任何角度去看，都像是死尸。当然，这种景象我自己是看不到的。但是我很相信。因为我常见死尸，觉得它们很亲切，所以像死尸也不坏。王仙客睡着了是什么样子我不知道，但是我想，他大概也像个死尸。因为他和我一样，容易迷迷糊糊就进入梦境而不自知。甚至在梦里看到了别人长着红头发、绿眼睛，鼻子长在嘴下边，也不会引起警惕。最后遇到了青面獠牙的妖怪，实在打不过了，才开始苦苦地反省：我什么时候又睡了？与此同时，妖怪早把他按倒在地，从脚下啃起，连屁股都吃掉了。

据我所知，王仙客和我是一样的人，老是不知道眼前的世界是不是梦境，因此就不知该不该拿它当真。别人要想验证自己是否在做梦，就咬自己一口。但是这对我完全不起作用。这是因为我睡着了像死尸，死人根本就不知道疼。有时候一觉醒来，发现几乎把自己的下巴吃掉了，那时才觉出疼来。我想要从梦里醒来，就要想出自己什么时候睡着了，方能跳出梦境，这是唯一的途径。

但是这方法对王仙客这家伙有时候也没用。他一睡着了就昏天黑地，根本想不起曾经入睡。对他唯一保证有效的法子，就是考查自己的头脑是否清醒，能不能算出七加五是几。这一回他选择的办法是开 2 的平方，但是这方法无比之笨。假如我现在是醒着的话（当然，也有可能我是在梦里写这篇小说，这个有待核查），我知道 2 的平方根是个无理数，既不会开尽，又不会遇上障碍开不出数来；而是永远有正确的新数涌现，无穷无尽。王仙客就掉到这个套里了。就在他努力鉴定眼前的世界时，孙老板带着老爹出现了，要他付客房的账。他却说，等我算明白了，再和你们说话。但是老爹和孙老板冲了上来，一边一个架住了他的胳臂，把他架到了宣阳坊外，并且对他说，再敢到宣阳坊，就打断他的腿。然后他们就回坊去，宣布说，王仙客不但是个色鬼、二流子，还是个疯子。现在他的问题已经解决了，大家可以安居乐业啦。

王仙客被撵出宣阳坊时，身上一文不名，而且恍恍惚惚。时值秋末冬初，天相当冷。所以很让人担心他会冻饿而死。但是他很平安地过了冬，而且到了第二年，体重还有八十多公斤。这件事情告诉我们，千万不要低估了人适应各种环境的能力。

现在可以谈到王仙客离开了宣阳坊后的行踪。宣阳坊不能住了，他就去了附近的酉阳坊。那是个声名狼藉的街区。那坊的坊门彻夜不关，甚至根本就没有门。每一家门口都挂个红灯笼，每一家里都住着妓女。那里是长安的红灯区。长安城里的诸君子根本就不承认城里有这一坊，有这一区，但是这不妨碍他们到那里去。他们还说，仅仅三年前这里还不是红灯区。但是现在为什么成了红灯区，谁也说不上来。王仙客到了酉阳坊，觉得很饿，就跑进一座房子，对里面的人说，我很饿，请给我一点东西吃。

人家就真的给了他一些东西吃。吃完了天也黑了，他就在人家屋檐下睡觉。于是人家就说，今天没客人，进来睡吧，别不好意思。从第二天起，他就给人家跑跑腿，混碗饭吃。女主人说，难得这么体面的一条汉子，要是肯来当王八就好了。她们都想嫁给他。

有关酉阳坊的情况，我们还可以补充如下：这个坊既没有坊门，也没有坊吏，旧墙上还插了好多箭头子，全锈得一塌糊涂。要是把它挖下来卖废铁，谁也不敢收，因为它是大唐的军械，收购犯死罪。坊墙上还有好多大窟窿，七十二坊里再没有一个是这样的。但是为什么会这样，谁也说不清楚。你要是问为什么说不清，长安人就会说：有些事原本就说不清楚。如果说根号2开不尽，是个无理数，酉阳坊就是个无理坊。有时候晚上睡不着，要往那坊里跑，那是个无理行动。无理之后，赶快把它忘掉就算了。

我们说过，王仙客长得很体面，飘飘然有神仙之姿。虽然穷得要饭，身上的衣服却是干干净净。除此之外，他的嘴又特别甜，见了窑子里的姑娘，不管她长得什么样，总是要说：你真漂亮！我都要晕倒了。当时不知有多少妓女要为他自杀，但是王仙客并没有当王八。虽然他觉得眼前干的事不过是在梦里客串一下，但是也不肯当王八。读书人当王八，会被革除士籍，子子孙孙不得翻身，太可怕了；所以在梦里也干不得。除了这事，别的他都肯干，包括给妓女洗内裤，到坊门口拉皮条。拉皮条的嘴也练出来了，听听他的演说词：

青春少妇，热情无比，无拘无束，家庭风格！

或者：

清纯少女形象，恬静，纯真，一枝含羞草！

坊里的妓女们说，小二（王仙客现在化名小二）可以开皮条公司了。但是王仙客却不开公司，不要钱，只要管饭，管衣服，管睡觉的地方，甚至连分红都不要。免费招待他也不干。有些妓女说，能和小二睡一觉，倒贴钱都干。但是连倒贴钱他都不干。久而久之，大家都觉得他有点问题，不是天阉，就是同性恋。有人劝他，想开点吧。人生在世，也就是这一点享受呀。但是他一声也不吭。甚至妓女们当着他的面干事，他看了也没有反应。别人还以为他道德清高，就如宋代程二先生，眼中有妓心中无妓，做梦也想不到他在算平方根。那时候他已经算出了二十多万位，纸上写不下，全记在心里。大脑袋里记了这么多事，小脑袋只能趴下啦。据我所知，操心多的人最容易得这种病。

我在梦里有时也干些坏事，比方说，杀人放火，但是绝不强奸妇女。这倒不是做梦还受了道德约束，而是因为我知道干了这种事天不亮就得起来洗内裤。做梦时脑子也不是完全糊涂，知道一些事情干不得。王仙客也是这样的。他不是洁身自好，而是怕洗裤衩。当然还有别的原因，但是这一点最重要。

后来王仙客说，在酉阳坊里这段时间，在他的生活里并不重要。因为当时他不知道是睡是醒，也不知自己在干什么事情。所以他当时干的事，现在一律不负责任。就算当时杀了人，现在也不偿命，顶多赔几个钱罢了。这种妙论我举双手赞成。我在山西插队时，也以为自己在做梦，冬天天上刮着白毛风，我们冷得要命，五六个男生钻进了一个被窝，好像同性恋者在 orgy 一样。谁能说这不像做梦？第二天早上，大衣从被顶上滚了下来，掉到撒尿的脸盆里冻住，这完完全全是个噩梦。这时外面西北风没有八级也有七级，温度不是零下30度，也有零下28度。不穿大衣谁敢出去？只好在屋里生火，把尿煮开。那气味实在可怕，把我的两只眼睛全熏坏了。因为我感觉是梦，所以偷了鸡，现在也不负责任。

王仙客在酉阳坊里过了一冬。第二年开了春，宣阳坊里的兔子大量繁殖，翻过了坊墙进入酉阳坊地界。一来就是浩浩荡荡的一大队，酉阳坊里全是女流之辈，实难抵挡。王仙客只好挺身而出，和兔子做斗争。他老家兔子很多，小孩子穿开裆裤时就开始射兔子，所以他对兔子很有办法，用弹弓打，用弓箭射，每天都能打下几箩筐。兔子肉廉价出售，兔子皮染了当假貂皮卖，挣了一些钱后，他就从妓女家里搬了出来，自己租房子住。偶尔还到妓女家里打打杂，但是不再是为了谋生，而是为了拉交情。

在酉阳坊里，王仙客经常梦见鱼玄机，梦见她坐在号子里中间那一小片阳光晒到的地方。这时候他不再觉得鱼玄机也是一个梦，而是和回忆一样的东西；或者说，对他来说，梦和回忆已经密不可分。也许根本就没有真正发生过的事，只有更深一层的梦和浅一层的梦。在深层的梦里，鱼玄机坐在阳光下面，头发已经变成了一缕缕的麻絮。稻草上有很多的苍耳子，很多荆棘，很多带刺的草。那些东西都插在衣服上面，又不能用手除去。鱼玄机要躲开草刺，只好向衣服里面缩去。她闭上了眼睛。但是这一回王仙客打开牢门走了进去，这一回他脸上戴了个面具。听见了王仙客咳嗽一声，她抬起头来，叫了一声大叔。但是看到王仙客脸上的面具以后，又叹了一口气，艰难地转过身来，脸朝着墙俯下身去，用枷和手杻支撑着地面，好像放在地上的一件家具，臀部朝着王仙客。王仙客就走上前去，把她的裤子拉下来。等到王仙客插进去时，她呃逆了一声。于是隔壁有人敲敲墙说：小鱼，干吗哪？她答道：挨操哪。听了这样的问答，王仙客也觉得很惭愧。但是马上他又想起是在梦里，就不惭愧了。

我们说过，王仙客自觉得对男女之间的事一无所知。现在他仍然觉得自己对此事一无所知。虽然他现在能记得在梦里强奸过鱼玄机很多次，但是现在也是在梦里。梦里的事一点也当不了真。也许到梦醒的时候，一切都被忘了。

【二】

王仙客在宣阳坊被人看成了色鬼、公子哥儿、来历不明的家伙，声名狼藉。但是在酉阳坊里就没人说他坏话。因为这里住的都是些坏蛋，就显得他道德清高。他在这里不但发了财，而且找到她了。

王仙客说，他找到她的经过十分离奇。有一天他起早去打兔子，走在一条小巷里，露水打湿了脚下的石板地。那时候他正走在两道篱笆墙中间。在篱笆上爬满了牵牛花藤，藤上开满紫色的花朵，花朵上落满了蓝蜻蜓。实际上，两堵篱笆墙中间只有仅够两人转肩的距离，而篱笆却有一丈多高；从墙脚到墙顶，喇叭花密密层层，在每个花蕊上，都有一只蓝蜻蜓，在早上的水汽中展开它透明的翅膀；所以好像开了两层花。王仙客在其中走过时，心脏感到了重压。而在这时候，迎着正在升起的早霞，有一个早归的妓女穿着紫色的裤子，下摆短极了，露出了洁白无疵的两条腿，脚下穿着紫棠木的木屐，正朝他走来。她的脸遮在斗笠里，完全看不见。这时候王仙客不禁怦然心动。等到和她擦肩而过的时候，王仙客就侧过脸去，于是看到了一张疲惫失神的脸和一脸的残妆，但是真的有点面熟。在她身上还能闻到一股粗肥皂的味道。这种肥皂像墨一样地黑，是用下水里的油和草木灰熬成的，里面满是沙子，在市场上卖两文钱一条。王仙客就用这种肥皂洗衣服，洗澡，还用它洗脸，洗出了一脸皮屑，好像长了桃花癣一样。

　　那个妓女走过之后，王仙客转过身来，看着她的背影。后来她也站住了，长叹一声转过脸来。王仙客就问：你是谁？她答道：你说我是谁，我就是谁。嗓音粗哑，不知像谁，而且有点压抑，不知是要笑还是要哭。所以王仙客就拿不定主意要不要和她去，直到那个女人说，你不跟我去吗？他才扔下了背上的包袱，和她一道走了。

　　再以后的事是这样的：王仙客跟着那个妓女，到了她家里。那座小房子在院子的中央，有四根柱子支撑着房顶，房顶是用裁得四四方方的树皮铺成。那间房子四面都是纸糊的拉门，像个亭子一样。那个女人叫他到房子里坐，自己不知跑到哪里去了。王仙客坐在四面拉门中间，就像午夜里站到了十字路口，有四个月亮从四条路上照来。他还发现座下的地板是惨白的榆木板，因为经常用刷子刷洗，已经起了毛，在地板的四角放了四个粗磁花瓶，里面插着已经凋谢了的凤仙花。他就这样坐着，心里忐忑不安。后来那个妓女走了进来；她不知在哪里洗了一下，去掉了脸上的残妆，披散着头发，敞开了褂子，那里面什么也没有穿。她坐到地板上，掐下了凤仙花来涂脚指甲。然后她就脱下了褂子，伸开了四肢，躺在地板上。这个女人嘴角、颌下、眼角都有了浅浅的皱纹，腋毛和阴毛都剃了个精光。她闭着眼睛，睫毛在不停地颤动，在分开的两腿中间，有个东西，看上去有点面熟。忽然之间，王仙客想咬自己一口，因为他怀疑自己见到的是真的吗。那个妓女闭着眼睛说道，你来嘛。但是王仙客一动也不动。因为他不知道她是谁。不管她是谁，她用这种方式和他打招呼，也太奇怪了。后来那个妓女说，你不来我就要睡觉了。然后她就睡着了。王仙客独自坐在地板上，透过纸背射过来的光线灰蒙蒙的。他就在这灰蒙蒙里俯下身去，看地板上的女人。这时候他对一切都起了怀疑，觉得是在梦里。但是他又觉得现在好像是醒来了。

　　我表哥告诉我王仙客的事情，说到他在亭子里怀疑自己没睡醒，我就对他大有好感，觉得他是自己人。要知道并不是每个人都像我们这样，会怀疑自己醒没醒。但是他根本记不住自己睡过去了多少次，只能从所见所闻来判断了。他俯身下去，发现那个女人已经睡着了：在薄薄的眼皮底下，她的眼球在颤动，大概是在做梦吧；伸出手指，就能感到她身上的热力。从身体的形状来看，她很年轻，大概是二十几岁。但是要看她的脸，从暗藏在皮肤下的纹路来看，她准有四十岁了。她的腹部扁平，乳头像两粒小颗的樱桃，小巧鲜嫩，乳房拱起在胸前，这一切都很年轻，很好看的。但是她就这样赤裸裸地躺着，又让人联想起夏天躺在路边草席上纳凉的老太太。那些老太太一丝不挂，干瘪的奶袋，打褶的肚皮，就像瀑布一样从身上狂泻下来。假如说，年轻姑娘的裸体被人看了，是吃了很大的亏的话，她们就没有这样的顾虑。因为她们的身体每被人看上一眼，自己就占了很大的便宜。每件事情背后都有这么多暧昧不清的地方，这真像梦里，或者说是在现实里一样——谁也不知道梦里和现实中哪一边古怪事更多一点。王仙客觉得这个女人和她那个东西都有点面熟，但是在哪里见过，就是想不起来了。

　　像这样大梦将醒的时刻，我也经历过。"文化大革命"里我在山西插队，有一年冬天从村里跑回来，在一所大学里借住，一直到开了春还不走。这个学校里当时人不多，多数人都下干校了。剩下的人里就有李先生，他是无业人员，长得秃头秃脑，一直在释读一种失传了的古文字，丢了工作，丢了生计，当时靠别人的施舍活着；还有大嫂，她是有夫之妇，那时徐娘半老，风韵犹存。我在学校里借住时，听别人说李先生不老实、荒唐、乱来等等，又听人说大嫂作风有问题、生活上不检点等等，还听到了很多暧昧不清的说法。我一直搞不清这些说法是什么意思，直到有一天我在校园里闲逛，在一座待拆的旧楼里看到了他们俩干那件简单而又快乐的事——那时候我用指节敲着额头，心里叫道：原来不老实、荒唐、乱来、有问题、不检点，就是这个意思呀！

【三】

王仙客盘腿坐在地板上，拼命回想以前的事情，想到脑袋疼，终于想到了无双，想起了以前有一次无双爬墙的事。那时候她站在他肩上，他从底下往上看，看到了一件东西，灰灰的，和现在看到的有点像，当然没有现在剃得那么光。按理说，长胡子的人刮了脸，大模样还是不变。所以就是无双刮过了毛，也应该能确认出来，不只是有点像。于是王仙客又怀疑是鱼玄机三绞未死，又从棺材里跑了出来——这可是越想越远了。想了半天想不明白，王仙客就决定当面问问她。没准是个熟识的妓女，偶尔忘了哪。你要是心里记着一个二十万位的无理数，也会觉得自己的记忆靠不住。

王仙客临终时说，他始终也没搞清楚什么是现实，什么是梦。在他看来，苦苦地思索无双去了哪里，就像是现实，因为现实总是具有一种苦涩味。而篱笆上的两层花，迎面走来的穿紫棠木屐的妓女，四面是窗户的小亭子，刺鼻子的粗肥皂味，以及在心中萦绕不去的鱼玄机，等等，就像是一个梦。梦具有一种荒诞的真实性，而真实有一种真实的荒诞性。除了这种感觉上的差异，他说不出这两者之间有什么区别。

等了一盏茶的时间，那个女人睁开眼来，说道：我好困哪，真想睡过去就不醒。这话倒是合乎情理。刚才王仙客就看到了两个黑眼窝，还以为是她涂的眼晕呢。除此之外，还发现她的脾气很不好，老熬夜的人都是这样的。那个女人爬起身来，看到了王仙客，就问：你是谁？然后她又在自己头上击了一猛掌说：瞧我这记性。你是王相公。（王仙客心中狂喜，暗道：就算她是鱼玄机，我也是王仙客！我总算搞明白了一件事！）她说着拿起那个紫花褂子来，穿到身上，说道：你和我又干了吗？王仙客说，从来没有干过，怎么说又呢。喂，你说的是干什么？那女人说道：你别假正经了。久别重逢，先干事呢，还是先聊天？王仙客说，先干事。其实他一点也不懂要干什么，只不过瞎答应一声。但是那个妓女听了这话，就猛一下分开了双腿，做出了大劈叉的姿势，两腿中间那个东西也作势欲扑。王仙客一看，忽然如梦方醒，想起了什么来。他大叫一声道：原来你是彩萍！我可找到你了。

找到了彩萍之后，他才发现了原来自己强奸过的不是鱼玄机，而是彩萍。这件事的原委是这样的：他在无双家住着的时候，有一天夜里无双派彩萍来找他，说要商量一件事情。无双说女孩子将来都要嫁人，她很可能就是要嫁给王仙客。据说夫妇之间要干某件事，不知道那件事好不好玩。所以就让丫头来试一下。要是好，将来她就嫁。要是不好，那就出家当尼姑。王仙客开头还挺不好意思的，后来就答应了。当时彩萍在一边什么也没有说，只是满脸通红。王仙客记得当天晚上的事就是这样，也许可以算小孩子荒唐，但是强奸可说不上。

但是彩萍的回忆和他的就颇有出入。开头的部分是一样的，但是有一些背景材料：彩萍并非喜欢让王仙客搞一下，是无双用几件首饰和让她戴三天祖母绿为诱饵，把她骗来了。除此之外，无双还骗她说，也就是让小鸡鸡扎一下，你就赚那么多东西，实在便宜。而彩萍也没见过成年男子的家伙，以为和小孩子的一样。所以她真以为占了便宜。无双说完了那些话，就走了，把自己的卧房让给了他们俩。彩萍还记得她对王仙客一噘嘴说，她老要摆个小姐架子。什么叫“叫丫头来试试”？投胎投得好，也用不着这么张狂嘛。这时候说得还蛮好的。等王仙客一撩衣服，扑棱一下露出了那杆大枪，彩萍登时就吓坏了，连忙把手指放到嘴里咬，好像在嚼口香糖。开头还强装镇定道：相公，别逗了。这是根大腊肠吧？后来又说，你好意思吗？后来伸手摸了一把，发现那玩意儿烫手，登时慌了手脚，夺路而逃。但是刚出了里屋的门就被人揪着小辫子拉回来，只听见无双恶狠狠地说，死丫头，我早就防着你这一手啦！

后来的事情王仙客就一点也记不起了，他只好傻笑着听彩萍讲事情的经过，她讲出一句自己就想起一点来。开始的时候彩萍向无双苦苦哀求道：小姐，这太大了！我会死的！无双说，胡扯！别人都没死，你怎么会死？这话是在外间屋说的，王仙客听了也惭愧得要命。后来彩萍回来和王仙客干了这件事，嘴里哭爹叫妈，一会儿说，嘴里发苦，可能是把苦胆捅破了。一会儿又说，嗓子眼里顶得慌。等到完了事，她已经奄奄一息了。听到这样的事王仙客自觉有芒刺在背，据说像这样的事他们还干过许多次，因为无双对这件事有这么可怕还是不大相信；每一次彩萍都拼命地哭爹叫妈。因此事情一干完，无双就从外面跑进来，很关心地问道：还是那么疼吗？一点好的感觉也没有吗？为了贿赂彩萍，她把首饰箱都掏空了。

王仙客听了彩萍的故事，出了一身冷汗：真想不到自己是这样一个强奸犯，幸亏还有一个教唆犯。但是后来故事发生了决定性的转变——彩萍打个榧子说：其实那些哭爹叫妈，完全是装出来的。这件事开头是有一点疼，也没有那么厉害。后来不但不疼，还有很大的快感。王仙客听她这么说了以后，就有如释重负之感。但他还是问了一句：你干吗要这么干？吓唬无双吗？回答不仅出乎他的意料，而且吓了他一身冷汗：

你这坏蛋真的不知道吗？我爱你呀！！

底下的话才真正使王仙客汗颜：彩萍同意和王仙客干，丝毫不是为了首饰，也不是为了那块祖母绿，而是因为她已经单恋王仙客好久了。她说越是这样，就越不能让无双知道，所以她老是哭爹叫妈。而且也不能让王仙客知道，因为王仙客心里只有无双。但是她这样装模作样，就把王仙客害苦了。这都是因为无双很多疑，根本就不相信有那么疼；而且她又很怕疼，始终不肯自己来试试。而和一个总是哭爹叫娘的小姑娘性交，也不是一件很开心的事。后来王仙客的精神就崩溃了。他的精神和我的一样，经常崩溃，又经常缓过来，我们这种人活在世界上处处艰难，所以经常这样。

【四】

在酉阳坊里的那段时间是王仙客一生最快乐的时光。这不但是因为他找到了彩萍，过上了稳定的生活，而且他也知道了自己要找的是谁，摆脱了布里丹的驴子的惨状。据说布里丹岛上有一头驴，见到了两堆草，就想同时到两个草堆上吃草，结果就在草堆之间饿死了。王仙客一会儿想找鱼玄机，一会儿想找无双，就是布里丹的驴。

王仙客虽然找到了彩萍，但是无双还是下落不明。原来就在王仙客回山东去了没多久，长安就闹了一场兵乱。无双一家人到城外躲难，走到城门口，正遇上叛军攻城，加上地痞流氓趁乱起哄，那里就乱成了一锅粥。那时候彩萍和无双家失散了，等到乱定后再去找，那一大家人就变得无影无踪。不但找不到人，连街坊都不承认有这家人。这件事真是古怪得很。彩萍衣食无着，只好干起这路营生。找到了彩萍，王仙客就和她一起过了。但他还是惦记着下落不明的无双。

有关那段时间的事，王仙客已经完全想起来了。他记得那段时间，他就像一匹配骡子的种马，经常被拉出去交配（无双说，表哥，再试一次，最后一次了）。他的主人手里还有一条鞭子（无双说，你不干，我把这事情告诉我妈！）。彩萍说，那段时间里她经常用唇语向他说话，总是说"不疼"两字。但是王仙客始终没有发现。这不光是因为他精神恍惚，还因为他没受过特工训练，不懂读唇术。

　　王仙客是这样发财的：有一天，他拿了自制的连弩在街上射兔子，那景象真是好看。他那张弩是根刻了槽的木头棍，上面叉叉丫丫张了很多充作弩弓的竹片，怪模怪样很不好看。你要是没见过他拿它射箭，一定会以为这是个衣服架子。因为王仙客不是木匠，他做出什么破烂来，也不觉得难为情。但是他的确射得很准，兔子在房子之间跳跃，他举手就能射下一个来。那时节有不少人围着看，还有人帮他撵兔子。忽然又有人拿肩膀拱了他一下，叫他到小胡同里说话。原来那人是要买他的弩。王仙客觉得其中必有误会，就说：仁兄，这个弩只有我拿着才能射中，您拿了去，只能把老婆射成独眼龙。那人却让他少操这份心。一百块钱，爱卖不卖。那家伙长得很凶恶，一看就不是好人。王仙客觉得不该得罪他；除此之外，一百块钱也不是个小数目；就把弩卖了。到晚上又有人来定做他的弩，并付了预付金。后来他就不射兔子了，专门做弩卖；并且说，眼下兔灾横行，做弩卖也是参加灭兔斗争。其实他只要打听一下就知道了，那些弩都流入了黑社会，射死了不少人。但是他就是不去打听。

　　就我所知，人多了也能成为很大的灾害，丝毫不在兔子的灾害之下；当然我这样说不是想发起什么灭人的斗争——这种斗争只有大人物才能发动起来。王仙客上次到长安来时，城里远没有这么多的人。那时候街道很干净，人穿得也体面。上一趟街，不论骑马乘车，都觉得街上很宽敞。现在可不得了啦，无论到哪里，都是万头攒动的场面。车轮撞车轮，马头撞马背，到处是一团糟。这么多的人，还都有随地大小便的毛病。看了这种情景，每个人都有个善良的愿望，就是盼天上掉下个大磨盘，把自己剩在磨眼里，把别人都砸死。人已经这样多了，大家还在拼命生。连七十岁的老太太，绝经三十年了，现在也怀上了孕。这都是因为大家见到城里人太多了，恐怕政府下道命令，从此不准生孩子，所以趁现在还让赶紧。有个善良的人发明了用上等小牛皮制的避孕套，但是谁也不肯戴。因为当时熟皮子的工艺不过关，所以那东西干瘪瘪，像个风干的小丝瓜。用时还要用带子拴在身上，不然就会掉下来。男人们说，戴上了它，女人就不像女人，像老虎钳子。女人们说，戴上了它，男人不再像男人，像个擀面棍。这说的也是实情。但是要等到发明硫化橡胶，制出柔软的避孕套，起码要一千年，实在也等不及。在这种情况之下，王仙客做射人的弩箭来卖，也算有功世道。

王仙客真正发财，是靠卖狗头箭。这种箭要提前半个月订货，一打要一万块钱。取货时间都是在半夜，买方交出一万块钱，王仙客点好了以后，就端出个大铜盘。里面鲜血淋漓盛了个大狗头，脑盖劈开，脑子里插了十二支弩箭。要是不知道，见了准以为这是一种奇怪的食品。其实只要中上一支，不管中在什么地方，不出一个月，就会两眼通红，逢人便咬，最后死于恐水症。原来这狗是疯狗，这箭传染狂犬症。这时他和彩萍住在一起，家里有很大的后院，院子里放了很多笼子，里面全是疯狗。那些狗叫得左邻右舍全不得安生。王仙客干这种事，也受到了良心的谴责。有时就问彩萍：你看我现在是不是坏了良心？彩萍就安慰他说，不坏不坏。你比小姐差远了。

要说无双有多坏，彩萍说起来才叫丰富多彩。她给无双做了这么多年的丫头，有很多的苦水要倒，随时随地都会讲出来。王仙客只要一听见她说这种事，哪怕是在做爱中间，也要把它记下来。他手里老是离不了一支

笔，往一切凑手的地方写。所以他在酉阳坊的那间房子很快就被写得像宣阳坊小客栈那间房子一样了。除此之外，彩萍还经常问他：相公，我要洗澡了。看看我身上还有什么你要保留的吗？这时候王仙客才去找小本子，对着彩萍的胸口、背部、屁股一一抄录。这些记录后来在找无双时起了很大作用，以后我还要提到。在此要说明的是虽然王仙客造这种箭来卖，我还是喜欢他，因为他是自己人。还因为那种箭射死的人，也都是些黑社会人物。那种人原本就不要命，死掉也算得其所哉。何况我知道他挣这样的钱，也是有原因的。他还要再回宣阳坊，找到无双。要干这样的事，没有很多钱是不行的。要干这样的事，没有彩萍也不成。现在虽然有了钱，又有了彩萍，还需要一个计划。而想好一个计划，就需要很多时间。

第五章

【一】

王仙客到宣阳坊里找无双，无双总是找不到。起初他想找到了无双把她带回去当老婆，后来这个目标就淡化了。后来他又急于知道是不是有一个无双，后来这个目标又淡化了。等到找到了彩萍，他已经有了一个老婆，又知道了世界上有一个无双，按说，他该不急于找到无双了。但是这件事的发展和按说很不一样，他更急于找到无双了。王仙客知道了无双开头是这样一个恶狠狠的小丫头，后来又知道了她是这样一个大姑娘，两腿之间有个灰蒙蒙的东西，乳沟里沁出了香汗等等。知道了这些以后，他更想知道她后来怎样了，正如一个故事，知道了开头，就更想知道结尾——像这样一个大姑娘，总不会忽然不见了吧。因此寻找无双就成了他的终身事业。这个故事就像李先生告诉我的他的故事一样：他年轻的时候，看过一本有关古文字释读的书，知道了世界上还有不少未释读的文字；然后他就想知道这些未读懂的文字是什么，于是就见到了西夏文。再后来他又想知道西夏文讲了些什么，于是就把一辈子都陷在里面了。像这样的事结果总是很不幸，所以人家基督徒祷告时总说：主哇，请不要使我受诱惑。这话的意思就是说：请不要使我知道任何故事的开头，除非那故事已经结束了。

王仙客到了宣阳坊，问到了无双，人家就给他讲鱼玄机。鱼玄机没有什么危害，因为她已经死掉了，尽管她到死也不是个好东西。在酉阳坊里，王仙客继续调查鱼玄机的事，终于把有关她的一切事都弄明白了。

　　据说鱼玄机临死那天晚上表现得就很反常，除了要穿一身白，想死得好看，还有很多不对的地方，但是狱官比较鲁钝，没看出来。比方说，头天夜里到号子里去提她，狱官对她说，鱼玄机，你大喜！这娘儿们就答道：同喜，同喜。这话叫人听了打个愣怔。像这样贫嘴聊舌，就该戴上嚼子反省。狱官图省事，没有那么干，就下命令把她的锁杻全打开了。一般的犯人听了这话，一定会像筛糠一样抖成一团，但是她连抖都没抖一下。一般的犯人开了锁就该马上捆起来，但是也没有捆她，只是派了两个人拧住了胳臂，把她架到刑讯室去了。走到了走廊里，别的犯人有哭鼻子掉眼泪的，她却说，哭啥，不就是那么回事嘛。这就是说，没有一点认罪服法的严肃劲儿。到了刑讯室里，人家告诉她，明儿早八点，三绞毙命。她说，好啊。人家怕她没听明白，加了一句：你啊！她就说：不是我，还是你吗？人家又说，三绞毙命就是把你勒死。她说，这个我懂。为了表示她懂，还翻了一下白眼。人家没话可讲，只好说，脱了衣服，上床待着去。她就把衣服脱光，爬上了刑床。嘴里还说，二十八个人，够我一呛。

　　那天晚上刑讯室里是有二十八个人，但不是要干那件事情，而是想从她那里榨点油水。众所周知，死刑犯的油水难敲。那些家伙想，反正就这一宿了，还不好混嘛，就抱定了死猪不怕开水烫的态度，非到把他浑身的骨节拆散了多一半，就是不吐财。明儿一早又要拉去杀，散架子是不行的，所以又要装起来，人手少了真是不行。但是鱼玄机在这方面是异常爽快，你一说她就懂：

　　鱼仙姑，你的大喜事，该庆祝一下吧。

　　是呀大叔，应该庆祝。

　　你是大财主，难道让我们凑份子？

我开支票，你们填数，好不好？

大家都有点馋肉，拿了钱买了十三口大肥猪，一下全宰了，通通吃掉。结果是全生了病。一半是吃得太多，得了肠胃病。另一半吃得太急，得了绦虫病。鱼玄机一点也没吃，所以没得病。但是她也沾了光，表现在以下方面：

大叔，这水能让我先洗洗澡吗？然后再烫猪毛。

或者：大叔，别光顾了刮猪，也刮刮我呀；身上都长虱子了。

看到别人洗猪肠子，她就说，就着手给我也洗了吧。有人见她这么不严肃，就给她加了一把大粒子盐；但是她还是继续耍贫嘴。要是别的犯人，早修理她了。可是典狱官觉得她是个财主，就没吭气儿。结果是后患无穷。到了五更天，典狱官就说：小鱼，你是个好角色。我也卖个交情，明儿你上刑场，免绑。

鱼玄机说：大叔，我不要搞特殊。还是绑上吧。

典狱官说，说不绑就不绑，你想挨驴鸡巴棒吗？告诉你，不老实的犯人上法场，我们总是用烙铁把他舌头烙掉，省得他出去胡说八道。你我们是信得过的。当然，你也不能辜负了我们的信任，到了时候得说点认罪服法的话。鱼玄机说，那当然。大叔，你让我讲点什么呢？

随便你！想怎么说就怎么说！你是有名的爱情诗人，还用我教吗？

【二】

就因为典狱官这么一说，他就犯了严重错误。结果是典狱官当不成，在伙房里烧了一辈子火。原本只有模范犯人才能不烙舌头。这些人或则是国子监的教习，或则是朝廷的言官，满脑子正确思想，用的不是地方才上法场。像这样的人进了监狱，开头思想不通，又哭又闹，要做耐心细致的思想工作。等到通了以后，表现就很好了，一天到晚闹闹嚷嚷，揭发别的犯人。挨杀那一天，早上五点就叫唤：臣罪当诛！皇上圣明！

　　要想让他省点劲到法场上喊，或者说，别现在就把嗓子喊哑，到了法场上喊不出来，就得给他戴嚼子。可这个鱼玄机，又是同性恋，又是虐待狂，起根上就不正。把这种人放出去，明摆着要找麻烦。你听听她在狱里说的那些话：

　　我是不小心才把彩萍勒死了的。像这么又挨打又挨操，对得住她了吧？

　　整天老让人说认罪服法，也不知道烦不烦！

　　像这样的觉悟，现在虽不至于勒死，反正不能让她出国进修，因为出去准要胡说八道。有经验的狱卒知道不好了，就关照刽子手说，待会刑车一出门，就让鱼玄机念认罪服法四个字，每念一遍，用棍子敲一下脑袋。要是这么干了，鱼玄机没准会说认罪的话，也可能什么也不说，因为敲傻了或者敲漏了。不管怎样，都比后来的结果好。但是刽子手想：只付了勒死她的钱，没付敲脑袋的钱，这事不能干。再说，把她敲得满头是血，别人看见了，谁还雇我们？这样阴差阳错，才出了大娄子。刽子手因为她钱给得多，对她还蛮客气的。只有管捆人按肩那位分少了，变着法想整她一下。见了面就说，仙姑，典狱长虽然说了免绑，但这事没有先例呀。这事我担待不起来。后来商量了半天，决定免绑不免捆，把手在前面捆上一道。他们就这样把她押上刑场去了。坐在车上，她还和刽子手胡聊了一路：

　　大叔，我是个大笨蛋。

　　不能够这样说。你的诗写得挺好的。

那是一个方面。其他方面的确很笨，比方说，我一辈子浪漫，居然浪到监狱里去了。谢天谢地，这回是逃出来了。

仙姑，你这话什么意思？

我的意思是说，幸亏判了三绞毙命，没判无期徒刑！

这是和掌绞索的刽子手聊的。管捆人的刽子手偏要扫她的兴：

三绞毙命也不好受，勒得直翻白眼，太阳穴上蹦青筋。

鱼玄机说，那没什么，蹦就让它蹦。你知道吗？我居然长了一窝阴虱，今早上才刮掉。早知如此厉害，起码得刮光了进来。要和无期徒刑比，我宁可千刀万剐。

掌捆人的刽子手想，这叫什么模范犯人？满脑袋自由主义观念。国家分配你什么刑，就受什么刑，容你挑挑拣拣吗？而掌绞的也批评她说，仙姑，这么讲就不对了。我们收了你的钱，怎么会勒出你的眼珠子？要讲职业道德嘛。她还大放厥词道：监狱里的伙食，吃了以后拉屎都不臭。等到法场临近，才慌了，说道：刚才典狱长大叔说，临死该说几句服法的话。您快帮我参谋一下，到时候说什么好呀？

这种话谁都不肯帮她参谋，嫌不吉利，推托说：仙姑，我们没文化，想不出来。您自己想吧。

我心里慌着呢。要不是早上灌了肠，这会儿就糟了。

掌捆人的刽子手又想：这就叫模范？一点也经不起考验，在监狱里都白学习了。什么话也不能教，让她出丑好了。堂堂的爱情诗人，临死连认罪服法都讲不好，那才叫丢人现眼。

根据以上对话，鱼玄机原来没想到刑场上捣乱。她挺珍惜模范犯人的称号，想把认罪服法一幕演好。你要知道，当时是大唐盛世，大家觉悟都高，谁都不想捣乱。但是认罪服法的话的确是很难想出来的。这一点我有切身体验。要论我的记忆力，公论是非常之好，无论是电话号码本还是辞典，看过一遍就倒背如流。但是认罪服法的话就一句也记不住。比方说，在十字路口想出了神，闯了红灯，被警察逮住，扣了我的自行车，人家启发我说：

平时学习了吗？

我就只会说：学了呀！

学了什么？

我就哑巴了。其实这时该说：十字路口，一看二等三通过。答上了这一句，一切都好说。就算他说：那你是明知故犯！你只消敲一下脑袋说道：没办法。长了猪脑壳，记吃不记打。这样说了之后，起码少罚五块钱。其实政治学习是学习什么？就是学习认罪服法那几句话。经过了学习的人都懂，应该随时准备认罪服法。这些话平时都记得，到时候一句也记不得。不但我，别人也是这样。要是这种坏毛病能改好，天下就太平了。

鱼玄机被杀时就犯这毛病。何况她心里的事情还挺多的，一会儿一桩：

在牢里饿瘦了，不够丰满。应该叫他们给买带衬垫的乳罩。

还有，大叔，您说了待会儿我要翻白眼。能给我去买副太阳镜吗？

你看看，想的叫些什么？难道不该想想自己作奸犯科，触犯了国法吗？就这么说来说去，把别人都说烦了。何况人家勒死人之前还要运运气，定定神，不能老是聊大天。有人就呵斥她说：你要是不满意，就回牢去。她听了这话，就哀告起来：

大叔！我可是付了钱的。可别扔下我不管呀！

因为有了回牢这句话，所以到了刑场上，她就只剩一件操心事了：

大叔，能保证把我勒死吗？能保证不再回牢里去吗？

【三】

鱼玄机要死掉那一回，一共雇了三个人，一个在左边绞，一个在右边绞，还有一个负责在后面按住。这三个人都必不可少。假如没了左边那一个，绞索就会朝左捋，捋到了底再拧，老远的也吃不上劲。少了右边的也不成。后边的也很重要，否则勒得要紧时，犯人会站起来跑。这时两边那两位只有跟着跑，假如没人按住，跑到城外也未必能勒死。本来是三足鼎立的事，分红时，两边两位各得二股，后面的才一股，很是吃亏。懂事的雇主就给后面的一点特别津贴。鱼玄机对此一无所知，只是给了一大笔钱，让他们三位自己分，所以就把后面的得罪了，他怎么看鱼玄机都不顺眼，想给她捣捣乱。灌肠时就是他在水里加了一大把盐。鱼玄机倒是觉出腌来了，但是她也是第一回挨灌，以为都是那么疼哪，也没敢声张，怕别人笑话；这不过是开个头。这就好像我们医院要盖汽车房，公安市政规划部门都要打点好，有一家漏掉了，盖好的汽车房还得拆掉。

鱼玄机伏法那一天，长安城里的人听说要把她勒死，就把一切都扔下跑来看。罗老板当然也在其中。后来他说鱼玄机死时视死如归等等，其实全是他在犯腻歪。鱼玄机从车上下来时两腿如筛糠，几乎站不住了。她哆哆嗦嗦地对刽子手说：怎么来了这么多人看我死！都和我有仇吗？我什么时候得罪了这么多人？

有关那一天刑场上人多，可以这样形容，真正达到了万人空巷，挥汗成雨。假如说是车载斗量呢，得假设人的体积像面粉粒。不光地面上满是人，大树上、坊墙上也全是人。黑压压的一大片，全都目不转睛盯着鱼玄机，不由她不怕。因为她虽然天香国色，又是大诗人，毕竟是二十来岁一个姑娘，胆子小。假如是我去了，不但不害怕，还会很气愤：我怎么了，你们来看我这种热闹？人家把她手解开了，她就哆哩哆嗦去拿新买的小皮包，那里面有镜子和粉盒，她打算假借化妆来掩饰心里的恐惧；但是没拿住，那些东西稀里哗啦掉了一地。当然，她没有胆子去捡，而且也捡不着。因为山呼海啸的一片大笑，早把她笑毛了。于是她张张皇皇地往土台子上爬，站在那里撩开头发让人家往脖子上绕绞索，透过了打架的牙齿对剑子手说：快点吧！都盼我早死呢。看来我是罪大恶极呀！

根据这些事实，罗老板告诉王仙客的事情不对，那天长安街头没有绞死一个视死如归的大美人，倒是勒死了一个哆哆嗦嗦的灰眼睛姑娘。那个女孩子活着时倒是蛮漂亮的，死了也就一般了。但是无论是史书，还是人的记忆，都是前一种表述；不但如此，人家把她死时遗言也改了。这到底是为什么，我也不完全明白。因为这不是我们干的事情。

现存的文献里，说到鱼玄机临死时说道，易求无价宝，难得有情郎。其实鱼玄机临死时很害怕，哪顾得上想这样的话——这就是编故事了。

那一天在刑场上，剑子手把绞索绕到了鱼玄机的脖子上，这时她往两边看看，觉得好像把脑袋插到了绕电线的线拐子里一样。后来人家告诉她，绕好了，把头发放下吧。搞好了这件事，她心里安定了一些。把头发理好以后，正打算定定神往四下看看，揣摩一下在场的观众有何要求，好好地死一回。但是这时鼓楼上就响起了第一声鼓，周围人声骚动。背后的剑子手说，把手伸过来。她背过手去，剑子手飞快地把手腕子一捆，往脖子上一吊，然后就极麻利地把她往地下一按，根本就不容她定什么神，马上就是天昏地暗，眼冒金星，这时心里真是慌乱得很。当然，其他的感觉也是坏极了。但都不如这一慌难受。后来她缓过来，眼前还是黑的，耳朵里还在嗡嗡响，就抱怨说，怎么连个招呼都不打？两边的剑子手说：我们俩不管打招呼，是你后边那位的事。后面的人却说：忘了。

有关鱼玄机这个人，我们已经说过，她是又乖又甜，人家叫她干啥就干啥，一点也不想捣乱。但是我们也说过，她有点自由主义的毛病，还喜欢发牢骚，但是这都是些小缺点。只要经常用驴鸡巴棒敲打，用嚼子勒，并且容许她有段反省的时间，这些缺点都能改好。但是现在她身在监狱之外，驴鸡巴棒和嚼子都是鞭长莫及，一绞的动作又太快，根本就没容她想好，所以就出了问题。她没命地唠唠叨叨。两边的人安慰她道：万事开头难，以后就快了。后面的人却说，这件事好受不了。死要是舒服，就都去死了。鱼玄机舔舔嘴里的血，感到自己的姿势有说不出地难受：背后的手腕子吊得特高，两肘叉开，后面的刽子手又把一只脚插到她两腿中间，所以她是叉着腿，撅着屁股，一个四面漏风的姿势。所有的年轻姑娘都喜欢死时并住，紧紧凑凑地死掉，不想死时松松垮垮，像个老太太。所以鱼玄机说：大叔，劳驾挪挪脚，让我把腿并上好吗？这姿势活像在挨操——再说我也难受哇。可是那个刽子手说：你活该。谁让你少给我钱！再说，用这种姿势死了，也是蛮好看的。她又抱怨说，捆手捆得太紧，这不是捆人，简直是捆猪。后面那位刽子手反驳她说：你以为你是什么？到了这种时候，你连猪都不如。鱼玄机一绞时的情形就是这样。虽然这样难受，她还觉得能熬过去。谁知又跑出来个文书类的人来，问她有什么话要说。她就实话实说道：还要死两回——真她妈的烦死了！在场的观众听了很不满意，就哄起她来了。

现在我们知道，长安城里的人对鱼玄机期望甚高。这都是因为像她这样被处死的名女人、大诗人，不是经常能够碰到。所以恨不得看她死一百回，谁知她才死了一回就烦了。当时又不能看电影，电影上老死人，看了可以过过瘾。虽然他们不满意，也不该强迫鱼玄机很喜欢死去。但是当时在场的人都不是很讲道理，所以大家就高叫：鱼玄机，没出息！怎么能讲这种话！！鱼玄机回嘴道：真是岂有此理！你们怎么知道该讲什么话！你们放下自己的事不干跑到这里来，原来不是恨我，而是教我怎么死的——这才叫以其昏昏，使人昭昭！难道你们都上过法场，被绞过一道吗？当然，当然，讲这些话不对。最起码是很不虚心啦。

据我表哥说，死刑犯中，原来有一些很虚心的人。有过这样一位老先生，被砍头时只恨自己为什么不是一只鸭子。鸭子这种东西我们都知道，砍掉了脑袋还能活半小时。这样他没了脑袋之后还能蹦一阵，让大伙看了够刺激。还有一位老先生，被判宫刑。当众受阉前他告诉刽子手说：我有疝气病，小的那个才是卵泡，可别割错了。他还请教刽子手说：我是像猪挨阉时一样呦呦叫比较好呢，还是像狗一样汪汪叫好？不要老想着自己是个什么，要想想别人想让咱当个什么，这种态度就叫虚心啦。

【四】

我们说到，王仙客知道了鱼玄机被处死的情形，并且感同身受，所以他也看到了面前上万人的目光，个个金光闪闪，整合起来就如一泡大粪上的无数绿豆蝇一样。这些目光直射到他心里去，那里就又麻又痒，好像中了什么毒药暗器一样。所以假如是王仙客站到了鱼玄机被绞死的地方，为万众所瞩目，他的感觉就是这样。

有关万众瞩目，我的感觉如下：假如不是你有什么事情搞砸了，出了丑，那就不会搞到万众瞩目的地步。所以就万众瞩目搞个自由联想的话，我就会想到失落感，想到画虎不成反类犬；假如不是有什么话把儿落到别人手里，他来瞩你干吗？当然也有另一种万众瞩目，比方说，我们医院一个护士嫁给了一个瑞士阔佬。我们医院的那些小护士一面瞩一面说：这个瑞士人简直就没有审美观——听说他有兽奸倾向。所以说到万众瞩目，我是一点好联想都没有的。

鱼玄机被绞死之前，眼前不但是万众瞩目，耳畔还有万众嘲骂之声。大嫂给我讲过一件事，那就是她和李先生在旧楼里干那件丑事（大嫂老了之后，把这类风流韵事一律称为丑事，比方说，见到小孙就说：今天气色很好呀，昨晚上干丑事了吧？），已经干了很长时间了。她抬起一只手（左手，我给她记着呢）撩起头发，并把冰凉的手掌贴在滚烫的脸上。她眼看着旧楼空空落落的墙壁，忽然感到如受万众瞩目——那些目光星星点点落在她赤裸的皮肤上，耳畔响起了万众嘲骂之声。就在这时，她感觉一股蚀骨铭心的快感油然而生，禁不住叫出声来。所以要是让大嫂到鱼玄机那时待的地方去被勒死，真实地听到了万众嘲骂之声，并且感觉到自己是一个干丑事的架势，她一定娇喘声声。

而鱼玄机临死那一回，无论是又麻又痒，或者想要娇喘声声的感觉都是没有的。她只是觉得身体很难受，心里麻麻烦烦的，一心想的是快点死了算了。而且她还想：我的脖子比别人细，人又瘦，也许再勒一下就死掉了，用不着再勒第三道。但是我们都知道，想怎样就怎样的自由主义观点是要不得的。上级让你被勒了几道以后死掉，你就得做那种打算，自己有别的打算都不对头。所以后来她还是活过来了。但是她对此很不满意。这一回她既看不到万众瞩目，也听不到万众嘲骂了，因为眼睛耳朵都勒出血来了。那个文书凑着她耳朵说：鱼犯，你可是模范犯人哪。想想看，我们留下你的舌头是干什么的！这时鱼玄机才说道：糟糕！我把要说认罪服法话的事整个儿忘掉了！大叔，说点什么好？那人就说：你想想，还不着急。这句话要你发自内心，别人教的就不好了。于是鱼玄机就开始认真考虑起来了。因为人家让她发自内心，所以她觉得监狱里教的都不能用。鱼玄机虽然是大诗人，却属于苦吟一派，一首五言绝句都要吟半年。更何况她一路上没想认罪服法的话，现在刚刚开始想，这就叫急来抱佛脚。最后一绞的时间早过了，大家还在等她。

我们知道，鱼玄机在说最后的遗言时和以前相比，已经发生了很大的变化。此时她丝毫也感不到自己有个身体，只剩下一点灵智浮在空中。于是监狱里牢头禁子好不容易培养出来的对驴鸡巴棒的敬畏之心就没有啦，因为她一点也不怕打了。另外，她也不怕嚼子。现在她满嘴是自己的血，吐不出来，已经很恶心，所以一点也不怕恶心。这时她要是讲出一句认罪服法，那才叫发自内心。但是我们都知道，谁的内心都觉得那话恶心。结果她就讲出一句发自内心的操你妈来。而且还说：我真是后悔死了，以前怎么早没骂。讲完了这话，她就死掉了。而王仙客则如从梦中霍然惊醒，觉得大受启发。后来拿了大刀去威胁罗老板，与此不无关系。但是他到底受了什么启发，我表哥却没有告诉我。

但是他不告诉我我也能想出来，那大概是个"都到了这会儿了，想干啥就干点啥"的意思。从前孟夫子说：人之所以异于禽兽者，几稀。几稀不是没有。在我看来，稀就稀在有认罪服法的态度这一点上。因此我认为一般来说，骂人是不对的。但是也不能一概而论，这和到了什么时候大有关系。假如到了那会儿，就真是不骂白不骂了。

第六章

【一】

建元年间，王仙客和彩萍到宣阳坊里找无双，和单独来时大不一样。这一回他来时是在六月的下午，他骑了一匹名种的大宛马，背后还跟了一队车辆。那匹马有骆驼那么大的个头，四肢粗壮，蹄子上都长了毛，脑袋像个大号水桶，恐怕有一吨重，黑得像从煤窑里钻出来的一样，而且又是一匹种马。那马的生殖器完全露在外面，大得让人都要不好意思了。王仙客骑在上面，经过什么牌坊、过街楼等等地方，就得猫腰，否则就要到牌坊上去了。在他身后，跟了好几辆骡车，车辕上掌鞭子的童仆一个个细皮嫩肉，要是食人部落的人见了，一定会口水直流。他就这样进到坊里来，径直去找王安老爹，拿出一份文书，说他已经买下了坊中央的空院子，要在此落户。老爹见了王仙客这份排场，早就被镇住了，连忙说欢迎。王仙客还告诉他说，无双已经找到了，就在后面的车上。说完了这些话，他就驱车前往那个空院子，请同来的一位官员启了封条，然后叫仆人们进去清理兔子屎。那时候院子里屋檐下的兔粪已经堆得像小山一样啦。等到院子打扫干净并且搭上了凉棚，王仙客就从马上下来，走到一辆骡车前，从里面接下一个女人来。她长了一头绿头发，绿眉毛，身上穿了黑皮子的超短裙，怪模怪样。王仙客说：无双，到家了。旁边看热闹的诸君子听了，几乎要跳起来：无双？她怎么会是无双！那么老远地瞥了一眼，就觉得不像。

傍晚时分，王仙客和那个女人在凉棚里吃了晚饭，又一块儿出来散步，她挽着王仙客手臂，走起路来扭着屁股。这一回大街上亮，铺子里黑，大家都看清楚了。那女人穿着一件摩洛哥皮的短上衣和短裙子（这种式样的衣服长安城里也有出产，但是皮子硝得不好，看上去像碎玻璃，走起来咯吱咯吱，下摆处还能闻见可怕的恶臭，不像摩洛哥皮无味无光轻软），上衣是对襟的，无领无袖，两襟之间有四寸的距离，全靠细皮条拴住。这样乳房的里侧和腹部的中央都露出来了。衣服里面有一道金链子拴了一个祖母绿坠子，遮住了肚脐。这个坠子可是有点面熟。超短裙的下摆在膝盖上三寸的地方。这种式样是长安街上拉客的妓女兴起来的，好处是内急时不用急着找女厕所，两腿一叉就可以当街撒尿；但是现在名门闺秀也有穿的了。脚下穿了一双檀木跟的高跟凉鞋。这种鞋的好处是万一遇上了色狼，可以脱下来抵挡一阵，做后跟的檀木块打到头上，可以把脑子打出来。

这个自称无双的女人走过每家店铺门口，都要站下来，转过身来，用双手勾住王仙客的脖子和他接吻。这件事我们知道底细，知道那个被叫作无双的女人是彩萍。但是宣阳坊里的各位君子不知道，更不知道她当过妓女，当街和男人接吻对她来说，就像当街撒尿一样自然，所以大家见了这种景象都觉得很刺眼。宣阳坊坊里的各位君子，到了酉阳坊也有常和妓女接吻的，就是没干过也见过，一点也不觉得别扭；但是在宣阳坊里见到了大公鸡在街上踩蛋，都要把它们撵到背静的地方去。这是因为这里是宣阳坊，看了受刺激。当然，王仙客刺激了大家，也不是没有代价。回到家里一照镜子，发现嘴唇都肿了。他的嘴唇没有经过锻炼，和彩萍的不一样。

王仙客第二次到宣阳坊找无双，他知道宣阳坊是恨人有笑人无的地方。就拿我来说吧，前不久出了一本书，拿去给朋友看。他说，你就写这种东西? 多没劲哪。我看你越来越堕落了。但是前不久之前，他还对我说：王二，老见你写东西，怎么也没见你发呀? 有什么稿子给我吧，我认识出版社的人。那时候我就觉得到了宣阳坊里了。王仙客现在阔了，但是却没人恨他。因为他太阔，恨起来恐怕要把自己气死了，只能找个软一点的来恨恨。假如我著作等身，就要得诺贝尔文学奖，也就没人来恨我。

王安老爹说过，世界上的人除了我们就是奸党。这是从政治上讲。从经济上讲就是另一样。在经济上给我钱的全是自己人，管我要钱的全是奸党。经济上的事情往往是复杂的，比方说，大街上的个体户。他们以为我们给他送钱去，是他们的自己人。但是我们总觉得他们要钱太多，纯粹是奸党。王仙客第二次到宣阳坊时，腰缠万贯，派头很大，所以大家都把他当个自己人看。越是把他当自己人，就越觉得那个绿毛的娘儿们准不是真无双。但是那些老板又对下列问题感到困惑不解：既然无双不存在，我们怎么能说她是不是真无双? 假如她是真无双，怎么一听见王仙客对那个绿毛妖怪说"无双，咱们回家去吧"，所有的人就一齐起鸡皮疙瘩?

有关老爹这个人，我们还有一点要补充的地方。一般来说，他对钱什么的并不在意，保持了公务人员那种富贵不能淫、威武不能屈的崇高气节；但是他也会看人的来头。假如没有这点眼力见儿，他也活不到七十多岁了。

【二】

王仙客搬到宣阳坊之后，房上的兔子就少了。这是因为他带了一对鹞子来。那两只食肉猛禽整天在天上飞，脚上还带了鹰哨，呜呜地发出风吹夜壶口的声音。我们知道鹞子这种东西喜欢兔子，见到了一定要把它们杀死。如果当时不饿，就带回家去，挂在树上风干，就像南方的农民兄弟喜欢把自制的香肠挂在自家门前，既是艺术品又是食物一样。这种捕猎的心理不是出于仇恨，而是出于施虐的爱心，但是它们这样干，兔子就很不幸了。它们在房顶上，很暴露，又没有躲藏的地方，于是一只只地被逮走了。王仙客的院子里有一棵枯死的枣树，很快就被鹞子挂得琳琅满目，很好看，也很悲惨。那些兔子死了之后，都蹬直了后腿，把短尾巴挂在身后，咧开了三瓣嘴，哭丧着脸，保持了如泣如诉的架势。王仙客每见到这棵树吊的兔子，就觉得在梦里见过的兔子也在其中，并且在对他说：你把我们放上房干吗呀？他觉得心里很难过，就叫一个仆人拿了竹竿守在树下，见到鹞子往树上挂兔子，就把它挑下来。于是鹞子就更努力地去抓兔子，每天都能抓到一手推车。那些兔子堆到车上被推出王仙客家后院时，就像一堆废羊毛一样。

王仙客想起了住在牢房里的鱼玄机，觉得她就是一只房顶上的兔子。这个女人不知为了什么（这一点很不重要），觉得自己应该受到国法制裁，就自愿住进了牢房，在那里被拷打和奸污，就像跳上了房一样，想下也下不来了。所幸的是，她很快就要在长安街头伏法，也就是说，她在房顶上的日子不会太长了。因为有了这样一点把握，所以她在牢里很能忍耐，对于牢头禁子的种种帮助教育也很想得开。因为她这样识大体，所以到她上刑场的前一天，狱官就去问她：鱼犯玄机，明天就要伏法了，你还有什么要求吗？我们可以尽量满足你。鱼玄机就说，报告大叔，我很满足，没有什么要求了。狱官就说，既然没话可讲，就把嚼子给你戴上。那个皮嚼子很脏，上面满是牙印，并且男犯女犯都用一个嚼子，浸满了唾液，发出恶臭来，鱼玄机对它充满了敬畏之心。所以她就说，报告大叔，我有一个要求。

据我所知，在牢房里有些话不能靠简单语言来表达，而是要通过一定

的中介。比方说，要犯人出牢房，就要使用驴鸡巴棒。仅仅说，鱼玄机，出来放风啦！这不意味着你可以出来。如果你贸然出来，就会挨上几驴鸡巴棒。只有牢头说，快出来，不出来打了啊！这才可以出来。但是有一点是肯定的，就是有关出来的信息是用驴鸡巴棒来传递，不管是准你出来，还是不准你出来。这和一切有关说话的信息都要通过嚼子来传递一样，让你说话时不说话，就会被戴上嚼子；不让你说话你说话，也要被戴上嚼子。李先生五七年当了右派，他说，逼你说话和不准你说话都叫"鸣放"。可怜他搞了一辈子语言学并且以语言天才自居，却没弄明白什么鸣放是说，什么鸣放是不说。像这样的例子还有很多，就不一一列举了。总之鱼玄机对狱官说：大叔，我这一辈子都很好看，希望死时也别太难看。狱官听了一愣，然后哈哈大笑起来："真的吗？原来你这一辈子都很好看！"然后就转身走掉了。一路走一路拿手里的驴鸡巴棒敲着木栅栏。邻号的犯人说：小鱼，不好了！明早上准是先割了你鼻子，再送你上法场！但是事情没有那么坏。狱官出去找了一帮收费最贵的刽子手，来和她接洽怎么才能死得好看。这件事用我表哥的话来说，就是辩证法的绝妙例子：不管什么事，你以为它会怎样，它就偏不怎样。所以你最好不要"以为"。但是也有其他的解释：鱼玄机很有钱，活着归她个人所有，死了国家要没收。干吗不趁她活着赚她一笔！

【三】

据说监狱里的狱官和刽子手订有协定，前者给后者介绍了生意，大家五五分成。大家都知道鱼玄机是大财主，想赚她一笔。这一点和大家对王仙客的看法是一样的。仅从他的车马来看，就知道他阔极了。比方说那匹马吧，谁都没见过那么大的马。其实那马本来是拉车的重宛马，骑起来不相宜：那么高，摔下来准是终身残废。本来他可以找一匹优秀的跑马骑了去，但是他的顾问说不可以。我们已经说过，王仙客已经和黑社会搅在一起了，所以给他出主意的有好几个流窜大江南北的老骗子。那些人说，宣阳坊那些土包子，一辈子见过几个钱？你就是骑阿拉伯名种猎马去给他看，他也不认识，反而以为你的马腿细，是饿的。所以一定要骑个大家伙去。假如你要哄一只老母狗，千万别给它戴赤金耳环（它会咬你一口），而是要拉一泡屎给它吃；这两件事虽然听起来不搭界，但是道理是一样的。所以有人建议他骑大象或是犀牛去（以黑社会的能量，不难从皇苑里借出这类动物来），但是王仙客没有骑过这两种动物，不敢骑。最后骑了一匹某亲王的种马，因为当时已是盛夏，母马都发过情了，所以可以一骑多半年不着急还。因为是专门配种的马，所以那匹马的那玩意儿大得可怕，龟头就像黑甲御林军戴的头盔，而睾丸比长安城里的老娼妇下垂的奶还要大。至于车，那倒是自己置的。但也只是样子好看，上面是黄杨雕花的车厢，神气得要命。下面要紧的车轮、轴、架子等等，全是草鸡毛，经常送去修。这说明王仙客虽然很有钱，但是没有他摆得那么阔，还要在小处省俭。就是这样，他也已拿出了全部的积蓄。假如这一次还是找不到无双，后果真是不堪设想。

　　王仙客进了这个院子，发现里面空空如也。窗户纸全破了，门窗上的油漆全剥落了，房子里的东西全都没有了。只剩下正房里孤零零一把太师椅。这件家具虽然孤单，但是寓意深远。这是因为别的家具都可以搬走，安放在其他地方，只有它不能安放在其他地方。当时的人相信，一家之主的座位，放到别的地方就会闹鬼。

　　晚上王仙客在家里，点起了所有的灯。现在他住进了正房，坐在正对着门口的太师椅上。太师椅并不舒服，坐在里面就像坐进了硬木盒子；就像这间房子不舒服一样。这间房子是他舅舅过去住的——真是奇怪，直到今天才想起自己有个舅舅来。除了舅舅，他还有个头发稀疏、虚胖惨白的舅妈，过去常在这房子里进进出出，嘴里说些不酸不凉的话，都是讽刺他的。比方说：这么个大男人，跑到长安来，不图个功名进取，算个什么东西？再比如：成天和我女儿泡，癞蛤蟆也想吃天鹅肉吗？我女儿也不能嫁给武大郎。这些话听了半明白不明白，依稀想到了大男人、癞蛤蟆是说他，但是武大郎这个名字却从来没听说过。王仙客怎么也想不到再过几百年有个宋朝，宋朝有个宋江，宋江手下有个武二郎，武二郎的哥哥叫武大郎，他被自己的老婆毒死了。因为听不懂这句话，所以这话对他也起不到吓阻作用。

王仙客的舅妈是个女奸党，她以为王仙客是白丁一个，把女儿嫁给他要吃大亏，这也是奸党的见识。无双却不是奸党，她知道王仙客智能无匹，乃是当世的千里驹，所以一心要嫁给他。唯一让她犹豫的是他的家伙太大，恐怕吃不消。一想到这件事，她就要咬指头。一咬指头就会把好容易留起的指甲咬坏。所以就在她手指上抹了些黄连水。这是大家闺秀家教的一部分：既可以防止咬手指，又可以防止吃饭时嘬手指。除此之外，还不能吃饱饭，要勒细腰，说话不准露牙齿，每天都要参加上流社会的party。无双说，这些party完全是受罪，既不能打呵欠，也不能伸懒腰，连放屁都不可以。从party上回来，无双就脱掉紧身衣，只穿一件兜肚，跑到王仙客屋里说：表哥，我实在受不了啦。你快把我娶走吧！

王仙客坐在太师椅上，想起了好多事和好多人。他甚至想起了无双家里的老司阍。那个老头子长得酷似王安老爹，也是一只眼睛，瘦干干的模样。这个老头子很会省，或者说，视钱如命。据说他有了钱就去买印花布，用蓝布包好了挂在房梁上，挂得门房里连天花板都不见了，却舍不得钱去逛窑子，躲在门房里打手铳，被人撞见了好几回。无双的母亲要把他撵走，但是老撵不成。他好像有点背景。还有无双的奶妈，长得像座大山。经常到厨房要来两个用过的面口袋，坐在前院里给自己缝乳罩，一个盛五十斤面的口袋只够一边。她老想勾搭后面的大师傅。那个大师傅红白案皆能，戴一个铁脚近视镜，头顶秃光光。还有一个老是醉醺醺的车夫，还有个姨娘，是老爷的小老婆，每天傍晚时都要在院子里高叫一声：彩萍！到厨房给我打点热水来，我要洗屁股！

　　王仙客坐到这个椅子上时，感到很累。因为他花了两年的工夫，才找到了这个空院子，而要找的人却越来越多了。原先只有一个无双，后来多了一个鱼玄机，现在却是整整的一大家人。再找下去还不知要冒出来多少。想找到一个人已经很不容易，何况是一大群。但是他别无选择，只有找下去。这是因为王仙客是个哲学家，知道这句名言：运动就是一切，目的是没有的。所以寻找就是一切，而找的是谁却无关紧要。

　　王仙客坐在这个椅子上，什么都想起来了。因为这个椅子是这所房子的中心，那些人都为它而存在。其实到宣阳坊以前，王仙客记得其中的每个人，但是宣阳坊里的人说，他们不存在，所以就淡忘了。但是坐在这个椅子上，就会对此坚信不移，因为椅子在这里。

　　王仙客坐上了这个椅子就浮想联翩还有一个原因，那就是因为这椅子也是他的座位。以下是一些背景材料，你可以相信，也可以不相信。在唐朝，人们认为舅甥关系的重要性，不下于亲子关系。所以假如一个人没有儿子的话，外甥就是他的继承人。王仙客的舅舅就没有儿子。同时在唐朝，一个男人要是有表妹的话，就一定要娶她当老婆。只有没有表妹才能娶别人。就是因为王仙客既有表妹，又有舅舅，所以他已经在山东老家被扫地出门。假如他找不到无双，他就没地方可去了。在这座宅子里，王仙客和他舅舅都是一家之主。但是他就是想不起他舅舅来。彩萍告诉他说，那是个黑胖子，面孔很粗糙，成天寡言少语的。她还说了很多细节，但是王仙客一点也不记得了。这就是说，所有的人是为了椅子上的人而存在，但是椅子上的人反而不存在。这就叫辩证法吧。

【四】

为了来找无双，彩萍把头发染绿，但是当时的染发技术不过关，上午染的发，到了下午就有返黑的倾向；晚上睡一觉，枕头染得像洒上了苦胆一样。而且那种染料会被吸收到体内，以致她的血都变绿了，整个儿像一只吃饱绿叶的槐蚕。王仙客和她做过了爱，连阴茎都会变得像临发芽的绿皮土豆。而且她还会出绿色的汗，这时候雪白的皮肤就会呈现出一片尸斑似的颜色。而且她眼睛里的世界正在变蓝，这是因为她的眼睛已经变成绿色的了。如果拿来一条雪白的手绢朝上呵一口气，手绢也会变成淡绿。这个绿莹莹的彩萍按照王仙客的嘱托，从家里出去，到侯老板的店里买一支眉笔。挑来挑去，眉笔都是黑的。彩萍就挑起眉毛来说：大叔，这颜色不对呀。有绿色的吗？侯老板说：小娘子真会开玩笑。哪有人用绿眉笔。彩萍瞪起眼来说，这怎么叫开玩笑！都是黑眉笔，绿眉毛的人怎么办？侯老板说：这就是搬杠了，哪有人长绿眉毛！彩萍就喝道：龇牙鬼，你睁开眼睛看看，老娘长着什么颜色的眉毛？侯老板听了这话，好像挨了兜心一拳。想要把这个来历不明的绿毛妖精臭骂一顿，又好像被什么人掐住了喉咙。直等到彩萍走出了店堂，他才追到门口去，大叫道：臭婊子，你不要美！我知道你是谁！早晚要你的好看！

彩萍对王仙客说过，侯老板脾气虽然坏，但却是个好人。好人都是心直口快。侯老板骂过"我知道你是谁，早晚要你的好看"，就回到柜台后坐下了。这时他对自己骂过的话将信将疑起来：到底他知不知道这绿毛婊子是谁，早晚会怎样要她的好看等等，都成了问题。顺嘴说出来的话，似乎不是全无凭据，但是他实在想不起凭据在哪里。彩萍在侯老板店里捣乱的事就是这样的。

从侯老板家出来，彩萍又进了罗老板的店。罗老板的店里除了绸缎，还卖妇女卫生用品。彩萍一进去就高声喊道：老罗，要两打最好的江西藤纸纸巾，可不能是臭男人摸过的。罗老板说，小姐，纸巾我们有，保证是干净的。彩萍说，干净？干净你娘个腿！你的事我都知道。你姐夫是国子监的采办，经常到你店里买纸张，拿回去发给那些臭书生当草稿纸。然后你再到他们手里半价买回来，来来回回地赚钱。现在你又想把它卖给我垫那个地方。你知道是哪儿吗？不知道？告诉你，你想舔都不能让你舔。罗老板听了头上见汗，连忙说，小姐，积点口德吧。我有刚从江西办回来的纸，保证干净的。价钱贵一点。彩萍说，少废话，卖给别人什么价，卖给我也什么价，不然我就给你捣乱。罗老板也不敢再说别的了。她夹着这两捆纸扬长而去，把罗老板气得目瞪口呆，顺嘴就溜出一句来：官宦人家的小姐，怎么就少了这两个钱？

这两句话出了口，罗老板忽然心里一乱：我怎么就认定了她是官宦人家小姐呢？要知道，现在人心不古，世道浇漓，什么人都有。想到这里，他又觉得刚才那句话是个绝大的错误。但是自己为什么会犯这样的错误，却还是个谜。而他说出这句话时，彩萍还没走出店门。她应声把裙子的后摆一撩，把屁股往后面一撅。我的妈，露出的不光是雪白的大腿和屁股。这娘儿们根本就没穿内裤！彩萍对王仙客说过，整个宣阳坊里，就数罗老板心理阴暗，看见了女人的屁股就像兜心挨了一拳。假如漂亮的女孩子都不穿衣服，罗老板这样的人就会全部死光了。

　　从罗老板那里出来，彩萍又遇上了王安老爹。她对王安说，老爹，我扶你一把行吗？我要提提鞋。说着就按住了老爹的肩头，弯下腰去了。她对老爹说，这种高跟鞋真难穿，一只脚站不住。可是老爹没听见。他正顺着彩萍的领口往里看，看到了一只乳房的全部和另一只的大部。但是按老爹的话说，不叫乳房，叫作奶子。老爹告诉别人说，那娘儿们的奶子真大。老爹还说，这娘儿们不要脸，里面连个奶兜兜都没戴。提完了鞋彩萍直起腰来说，老爹呀，你兄弟上哪儿去了？老爹摸不着头脑说：小娘子，认错人了吧？咱们是初会呀。彩萍就格格地笑，说道：老爹，你老糊涂了。自己双胞胎兄弟都忘了。王定！原来给我们看大门！

　　老爹听了这些话，二二乎乎地觉得自己是有个兄弟，长得和自己一模一样，在空院子里看过大门。好像是叫王定。老爹眯起眼来，右手搭个凉棚后仰着身子打量彩萍，迟疑着说：请问姑娘您是……彩萍大笑道：王仙客没跟你说？我是无双呀！王定老爹给我家看十几年大门了，也算老东老伙的啦。见到他让他来吧，别老躲着啦。

　　听了这些话，老爹发起傻来。彩萍趁势又说了一些鬼话：您老的兄弟可有点不争气，一点不像你。在我家门房里打手铳，居然呲到了蚊帐上。老爹听了大怒道：闭嘴！你是谁，我们会查出来的！告诉你，诈骗可是犯罪！犯到了衙门里，老粗的大棍子打你屁股！但是彩萍已经扬长去了。

　　彩萍告诉王仙客说，宣阳坊里，王安最傻，但是他又最自以为是。他的记性就像个筛子，对自己不利的事情都会漏过去。

　　后来彩萍又到孙老板店里去，要王仙客放在那里的望远镜。孙老板好像得了甲亢（甲状腺功能亢进），两个眼珠子全凸出来了；以前不是这样的。这是因为他一有了空，就上楼去看那个望远镜，但是那个镜子在光学上有点毛病，所以引着眼珠子往外长。据我所知，波斯人的几何光学不行。这门学问只有西方人想得出来，东方人都不行。比方说，咱们中国人里的朱子老前辈。他老人家格物致知，趴到井口往下看，看到了黑乎乎的一团。黑乎乎的一团里又有白森森的一小团。他就说，阴中有阳，此太极之象也。其实白森森的一团是井口的影子。只要再把脖子伸长一点，就能看见白森森的一团里，又有黑乎乎的一小团。那可不是阳中又有阴了，而是您自家的头。头是六阳会首，说成阴是不对的。就这么稀里糊涂，怎能画出光路图。孙老板也觉得镜子有问题，几次拆了修理，越弄越模糊。就像童谣里唱得那样，西瓜皮擦屁股，越擦越黏糊。他就没王仙客聪明，王仙客看完镜子，就用手掌把眼珠子往回按，所以眼睛不往外凸。彩萍对孙老板说，她要把王仙客落在这里的望远镜拿回去。孙老板大惊道，这东西王相公送给我了呀！彩萍就说，放屁！你又不是他舅子，这么好的东西他为什么要给你？告诉你，待会儿老老实实把镜子送到我们家，别让老娘再跑腿。要不然老娘就告你开黑店！说完了她就回家了。

【五】

第二天一早，孙老板就把望远镜送回王仙客家去了。这是因为他真的害怕彩萍去告他开黑店。按照大唐的律法，开黑店是最重的罪，要用绞车吊起来放进油锅里炸。但是大唐朝开黑店的最多了，谁也不怕被劫的告他们，这是因为开黑店的虽然要炸死，但是油钱要由苦主出，公家没这笔开支。除了油钱，还有柴火钱、绞车钱、铁锅钱等等，但是最多的开销还是油钱。要是没有一千斤上好的小磨香油，衙门根本就不接案子。其实到了炸时，锅里一滴油都没有，油全被衙门里的人和刽子手分了；只有一口烧得通红的锅，把人放到锅里干爆，爆得像饼铛上的蛐蛐，跳跳蹦蹦的。所以一般人不肯告人开黑店，一半是出不起钱，一半是觉得出了钱不值。假如被人劫在黑店里，死了就算了，没死下回注意也就是了。开黑店的也很注意，不劫太有钱的人，以免他们生了气，出上万把块钱来干爆你。孙老板虽然并未开黑店，但是也怕彩萍告他开黑店。因为你只要肯出一万块，不管告谁开黑店，都是一告一准。衙门里的老爷问这种案子，就一句话：你不开黑店，人家会出一万块来炸你吗？这件事说到头就是一句话，王仙客太有钱了，叫人害怕。

孙老板到了王仙客家门前，对看门的小伙子说，劳驾给管家通告一声，我来送王相公落在我们那里的望远镜。那小子直翻白眼，说：你放在这儿就得了。怎么，看不起我？孙老板连忙说：不不，我哪儿敢。只是这是件贵重东西，要劳管家写个收据。那小子就说：我给你看看去。谁知人家肯不肯见你。但是他进去了不一会儿，王仙客居然跑出来了，嘴里叫道：孙老板，什么风把你吹来了？有日子没见了。快进来。他还呵斥看门的，说道：这么重的东西，你就让客人抱着？一点规矩也不懂！

孙老板把望远镜给了看门的，就和王仙客到院子里去了。据他后来说，王仙客人非常好，走到每个门前，必定停下来，伸手道，孙兄请。孙老板也一伸手道，相公请。王仙客就说，好，那我前面带路了。这是我们国家待客的风俗，非常之好。因为假如让客人自己走，没准他会走进了女厕所；要是里面正好有人，就更不好了。王仙客把孙老板让进了客厅，叫仆人泡茶，然后说道：我落了那么一件小物件，您替我想着，今天又跑这么老远送了来，真不好意思呀。孙老板说道：应该的，应该的。谁知就在这当儿，里间屋响起了一个极刺耳的声音，道：他没那么好心！是我管他要的！随着这声动静，那个自称无双的绿毛妖精、大骗子、臭娘子、千人骑万人压的东西就出来了。

后来孙老板和宣阳坊里诸君子在一起时，就这样称呼彩萍。我们在

"文化革命"里也用这种口吻称呼人，比方说大叛徒、大工贼、大黑手、地主阶级的孝子贤孙某某；或是"文化革命"的旗手、伟大某某的亲密战友、我们敬爱的某某同志；说起来一点也不绕口，比单说某某还快。但是他们说彩萍时，不知她是彩萍，就没了名字，用"东西"代之。孙老板后来说到的和王仙客谈话情形是这样子的：他刚和王仙客说了两句话，那臭娘子就跑了出来，那模样真叫难看。这回她不穿皮裙子了，也没染绿头发，穿上了黄缎子的短裤短褂，脚下穿趿拉板儿，这个样子很像一个人——但是像谁就想不起来了。这个不要脸的东西说：老王，你这么抬举他干吗？王仙客就说：不可对贵客无礼！你干你的事去吧。但是彩萍却说：我不走，听听你们说什么。后来宣阳坊里诸君子谈到此事，就说：没做亏心事，不怕鬼叫门。她要是没做坏事，干吗连别人说什么都这么关心？

王仙客和孙老板的谈话里，有很重大的内容。他说到自己有个舅舅，姓刘叫作刘天德。还有个表妹叫无双。舅舅没有儿子，他就是继承人。无双没有别的表哥，当然是要嫁给他了。所以好几年前，舅舅把自己万贯家财的一半交给了他，让他到外地发展（当然，这不是对长安和朝廷没有信心，而是多了个心眼。前者是不爱国，后者是机智，这两点无论如何要分清）。这些年他在山东发了财，回来向舅舅报账，并且迎娶无双，谁知不知为了什么，也许是一路招惹了鬼魅，也许是发了高烧，等等，竟得了失心疯，糊里糊涂的，把舅舅住哪里都忘了。所以就在宣阳坊里闹了很多笑话。宣阳坊诸君子听了这些话，双挑大指道：王相公真信人也！发了大财不忘旧事，难得难得！连老爹都说他是我们的人，不是奸党了。

老爹还说，王相公刚来时，见他油头粉面，来路不明，说了他一些话，你们可别告诉他呀。现在知道他有这么多美德，知道他是自己人，这种话就再不能说了。像这种见到别人了得，就把他拉到自己一边的事，

我们现在也干。比方说那个成吉思汗，我们说他是中国人，其实鬼才知道
他是哪国人，反正不是中国人，因为他专杀中国人。他再努把力，就会把
你我的祖宗也杀了。倘若如此，少了那些代代相传的精子和卵子，我们就
会一齐化为乌有；除非咱们想出了办法，可以从土坑里拱出来。

　　孙老板还说，王仙客讲这些话时，那个女人就在一边插嘴道：表哥！
咱们家的事情，告诉这家伙干吗？王仙客就解释道：无双，你不晓得，为
了找你，我和坊里人闹了多少误会，现在不说说清楚行吗？当时那个女人
就坐在椅背上，搔首弄姿，要王仙客亲亲她。亲嘴时当然就不能讲话了。
那个女人又说：表哥，咱们补课吧。王仙客就红起脸来说：胡说，补什么
课？她又说：怎么，才说的话就忘了？要不是兵乱，咱俩五年前就该结婚
了。就算每天干一回吧，误了一千多回。所以你得加班加点。补不回来死
了多亏呀。王仙客说：岂有此理，当着贵客说这种话。孙老板听了不是话
头，就告辞了。

　　孙老板还说，后来王仙客送他出来，告诉他说：这位无双，是他从酉
阳坊里找来的。原来乱兵入城那一年，舅舅一家就全失散了。表妹沦落风
尘，吃了不少苦头，现在变得言语粗俗，言语冒犯就要请孙老板多多担待
了。不管怎么说，他这身富贵全是从舅舅那儿来。所以不管无双多赖皮，
他也只能好好爱她。这两天正为搬家的事闹矛盾，所以无双正在找碴儿打
架。闹过这一阵就好了。孙老板说，这是怎么回事呢？王仙客说，是这样
的：我知道宣阳坊里这座宅子空着，打听了价钱不贵，这儿邻居都是好
人，所以要搬来。她却说，这儿人她都不认识，宁愿住酉阳坊。孙兄，您
替我想想，那是什么地方——

【六】

孙老板讲到这里，王安老爹一拍大腿说，别讲了！这里一个老大的破绽。这女人说，不认识这儿的人。可她怎么说认识我们哪？没说的，她是个骗子。老爹的独眼里放出光芒，手指头直打哆嗦，像中了风一样，嘴唇失去了控制，口水都流出来了。

当年老爹在衙门里当差，每到要打人屁股时，就是这个模样。挨打的人见他这个样子，顿时就吓得翻起白眼来。孙老板恭维他一句说，您老人家到底是老公安，一听就明白了。这个事该怎么办，还要请老爹拿主意。王安拿了个主意，大家一听就皱眉头。他说的是到衙门里告她诈骗，把她捉去一顿板子，打不出屎来算她眼儿紧。孙老板心说，没这么容易吧？罗老板心说，动不动就打人屁股，层次太低了吧？但是这两位都不说话，只有侯老板说出来了：这不成。你凭什么说她诈骗？就凭她认识你？要是这么告，也不知会把谁捉去打板子，更不知会把谁的屎打出来。老爹一听，顿时暴跳如雷：照你这么说，就没有王法，可以随便骗人了？侯老板听了不高兴，就说，我不和您搬杠，我回家了。侯老板回家以后，孙老板也走了。剩下两个人，更想不出办法来，只好也各回各家了。

以上这些情景，完全都在王仙客的意料之中。这是因为在酉阳坊里，彩萍给他讲过很多事，其中就包括宣阳坊诸君子的为人。有关孙老板，她是这样说的：这家伙视钱如命。假如你在钱的事上得罪了他，他准要记你一辈子。唐朝没有会计学，所有的账本都是一塌糊涂。所以所有的账，都是这么记着的。

王仙客搬到宣阳坊半个月，房上的兔子已经非常少了。偶尔还能看见一只，总是蹲在房顶上最高的地方一动不动，就像白天的猫头鹰一样。那些兔子的危险来自天上，但是它们老往地下看。王仙客觉得它们是在想，地下是多么地安全，到处是可以躲藏的洞穴、树棵子、草丛。我们都知道，兔子这种东西是不喜欢登高的，更不喜欢暴露在众目睽睽之下。但是这种不喜欢登高的动物却到了高处，所以它们的心里一定在想：这就是命运吧？

　　我表哥对我说，每个人一辈子必有一件事是他一生的主题。比方说王仙客吧，他一生的主题就是寻找无双，因为他活着时在寻找无双，到死时还要说：现在我才知道，原来我是为寻找无双而生的。我在乡下时赶上了学大寨，听老乡说过：咱们活着就是为了受这份罪。我替他们想了想，觉得也算符合事实。我们院有位老先生，老在公共厕所被人逮住。他告诉我说，他活着就是为了搞同性恋。这些话的意思就是说，当他们没出世时，就注定了要找无双，受罪，当同性恋者。但是事情并不是那么绝对。王仙客找不到无双时，就会去调查鱼玄机。老乡们受完了罪，也回到热炕头上搂搂老婆。我们院里的老先生也结了婚，有两个孩子。这说明除了主题，还有副题。后来我问我表哥，什么是他一生的主题，什么是他的副题。他告诉我说：主题是考不上大学。他生出来就是为了考不上大学。没有副题。鱼玄机在临终时骂起人来，这样很不雅。但是假设有人用绳子勒你脖子，你会有何感触呢？是什么就说什么，是一件需要极大勇气的事；但是假定你生来就很乖，后来又当了模范犯人，你会说什么呢？我们经常感到有一些话早该有人讲出来，但始终不见有人讲。我想，这大概是因为少了一个合适的人去受三绞毙命之刑吧。

第七章

【一】

王仙客和彩萍在宣阳坊找无双，我认为宣阳坊是个古怪地方，这里的事情谁都说不太准，就好像爱丽丝漫游奇境，谁知走到下一步会出什么事。但是王仙客不这样想。王仙客觉得一切都有成竹在胸。他住进宣阳坊那座大宅子里，觉得日子过得飞快。寻找无双的过程，就像蚂蚁通过迷宫。开头时，仿佛有很多的岔路，每一条路都是艰巨的选择。首先，他要确定自己是不是醒着，其次要确定无双是不是存在，最后则是决定到哪里找无双。现在这些问题都解决了，只剩下了最后一个问题：无双到哪儿去了。王仙客觉得自己在冥冥中带着加速度冲向这个谜底，现在就像读一本漏了底的推理小说一样索然无味。除了一些细节，再没什么能引起王仙客的兴趣。这些细节是这样的：找到了无双以后，她是大叫一声猛扑过来呢，还是就地盘腿坐下来抹眼泪；她会怎样地对待彩萍；她愿不愿意再回宣阳坊来住，等等。这些细节背后都没有了不得的难题。无双过去头脑相当简单，除了染绿了头发戏耍罗老板，吊吊老爹的膀子，在孙老板的客栈里落下几件东西再去要回来，简直就想不出什么新花样来。

这种感觉和我相通。我没结婚时也觉得日子过得很慢，仿佛有无穷尽的时间；而现在觉得自己在向老年和死亡俯冲。以前还有时间过得更慢，甚至是很难熬的时候。比方说十七岁时，坐在数学竞赛的考场里，我对着五道古怪的题目，屏住了呼吸就像便秘，慢慢写下了五个古怪的解，正如拉出了五橛坚硬无比的屎一样。当时的时钟仿佛是不走了。现在再没有什么念头是如此缓慢地通过思索的直肠，而时钟也像大便通畅一样地快了。当你无休无止地想一件事时，时间也就无休无止地延长。这两件事是如此地相辅相成，叫人总忘不了冥冥中似有天意那句老话。

过去我以为，我们和奸党的区别就在于时钟的速度上。以前我度过了几千个思索的不眠之夜，每一夜都有一百年那么长，但是我的头发还没有白。可是奸党们却老爱这么说：时间真快呀，一晃就老了！但是现在我就不这么看了，因为现在我看起电视连续剧来，五六十集一晃就过去了。假如不推翻以前的看法，就得承认自己也是奸党了。

彩萍告诉王仙客无双耍过的把戏。无双总是这样讲的：去耍耍他们去。然后就把头发染绿跑出去了。假如这些事传到她妈耳朵里，就要受罚了。但是最叫人不能理解的是，无双惹的祸，却让彩萍受罚：大热天在太阳地里跪搓板，或者被吊在柴房里的梁上。这时候无双就跑来假惺惺地装好人。在前一种情况下，她说：我去给你端碗绿豆汤来！在后一种情况下，她说：要尿尿吗？我去给你端尿盆，拉屎我就不管了。彩萍说，跟着她可算倒了大霉了。被吊在房梁上时，她不肯接受无双的尿盆，而是像钟摆一样摇摇摆摆，飞起腿来踢她，嘴里大骂道：小娼子你害死我啦，手腕都要吊断了！我都要疼死了，你倒好受啊？但是她总踢不到无双，因为无双早就发现了，当人被吊在房梁上某一定点上时，脚能够踢到的是房内空中的一个球面，该球以吊绳子的地方为球心，绳子长度加被吊人身体的长度是该球的半径。只要你退到房角里坐下就安全了。为此无双是带着小板凳来访问彩萍的。她退到房角坐下来，说道：不要光说我害了你，你也为我想想，当小姐是好受的吗？这句问话是如下事实的概括：当一个名门闺秀，要受到种种残酷的训练，其难度不下于想中武状元的人要受的训练。比方说，每天早上盛装在闺房里笔直地坐五个小时，一声不吭一动不动，让洞里的耗子都能放心大胆地跑出来游戏。与此同时，还要吃上一肚子炒黄豆，喝几大杯凉水来练习憋屁。要做一个名门闺秀，就要有强健的肛门括约肌。长安城里的大家闺秀都能在那个部位咬碎一个胡桃，因此她们也不需要胡桃夹子了。想到了这些，彩萍觉得无双每隔一段时间就要狂性发作出去捣乱是可以理解的，自己因此被吊到房梁上也没什么可抱怨的啦。

后来彩萍就安静下来，像一个受难的圣徒一样把全身伸直，把头向前低下去，披散的头发就像一道瀑布从脸前垂下去。无双站起来说道，彩萍，你现在的样子很好看。你就这样不要动，我去叫表哥！说完她就跑了。

这件事情王仙客也记得，他来的时候看见彩萍被吊在半明不暗的柴房里，白衣如雪，乌发似漆，身上的线条很流畅，整个景象就如一幅水墨画。长安城里可以买到这样的画，三十块钱一张，是套版水印的，印在宣纸上。但是画面上的人不是彩萍，而是鱼玄机。她说了想死时好看一点之后，牢子们就把她用驴鸡巴棒撵出小号来，用井水冲了几遍，吊到天井里的亭子里啦。那些人说，在小号里蜷了这么多日子，人也蜷蜷了，吊一吊是为你好。而鱼玄机听了这样的话，只是低下了头，一声也不吭。狱卒们见她不说话，又说道：关了这么多日子，光吊着恐怕不够。我们有拷问床，一头牵手一头牵脚，连天生的驼背都能拉直。就是拉直时那一百二十分贝的尖叫叫人受不了。这些话迫使鱼玄机抬起头来说：我吊着就很好，不麻烦大叔们了。谢谢各位大叔。听了这些话，有几个牢头转身就跑，跑回房子里去狂笑。笑完了又出来。这是因为还有很多事要干。当时长安城里的人都知道这位风流道姑就要伏法了，所以都想看看她。大家在大牢门口买了一块钱一张的门票，然后排成长龙，鱼贯经过很多甬道、走廊，最后转到天井里看一眼鱼玄机，然后再转出去；所有监狱的工作人员都有维持秩序之责，不能光顾自己笑呀。就在那一天，有一位画家买到了天井里一个座位，在那里画下了这张传世之作。无须乎说，他因此发大财了。

王仙客还记得他和无双、彩萍一起到孙老板那儿住客栈的事。这些事的起因是无双要知道干那件事疼不疼，所以要拿彩萍做试验。试验的地点在家里多有不便，所以就常去孙老板的店里开房间。就是干这种事的时候，她也忘不了要耍耍孙老板，经常丢东落西让孙老板捡到，于是他就又惊又喜；然后她又跑来把它们要回去，于是他又如丧考妣。不管这种把戏耍了多少遍，孙老板还是要又惊又喜和如丧考妣。所以无双就说：我现在明白了，原来人这种东西，和猪完全一样，是天生一点记性都没有的呀！假如是在两年以前，我就会完全同意无双的意见。但是现在就不能百分之百同意了。有关人们的记性，我不能说什么，但是一定要为猪们辩护。在我还是小神经时，有一回借了一套弗洛伊德全集，仔细地读了一遍。弗先生有个说法，假如人生活在一种不能抗拒的痛苦中，就会把这种痛苦看作幸福。假如你是一只猪，生活在暗无天日的猪圈里，就会把在猪圈里吃猪食看作极大的幸福，因此忘掉早晚要挨一刀。所以猪的记性是被逼成这样子的，不能说是天生地不好。

【二】

现在我们要谈谈宣阳坊其他地方发生的事。孙老板进空宅子去了一回，看到里面的房子、花园、走廊都很熟悉，他又觉得彩萍的言语做派看上去都很面熟。这一切仿佛是一个很大的启示，因此他觉得自己将要有很伟大的发现。有了这种感觉之后，他就对无双这个名字感起兴趣来，把它一连念了二十遍，这个名字就不再是陌生空虚的，而是逐渐和某人联系起来了。据我所知，此时王安老爹、罗老板、侯老板也在喃喃地念着无双，然后就把她想起来了。假如你是他们中的一员，就会觉得这是很自然的事；如果你不是他们中的一员，就会觉得这很难理解。不管觉得某事很自然，还是觉得难理解，都是感觉领域里的事。在事实的领域这两回事是一回事，就是不知道是为什么，他们会如此一致。我还记得一件类似的事：在山西时，有一阵我养了二十只鸡，后来在一天早上它们一起发了瘟死掉了，死之前还一起扑动翅膀，我还以为是它们集体撒癔症哪。所以像这样一致的事，就算在人间少有例证，在动物界起码是无独有偶。

不管是为了什么，宣阳坊里的诸君子一起想起了的确有一个无双，是个坏得出了奇的圆脸小姑娘。夏天穿土耳其式的短裤，喜欢拿弹弓打人等等，这一切都和王仙客说过的一样。他们都认识她，并且知道现在这个绿毛娒子绝不是她。但是这一切怎么向王仙客解释呢？你怎么解释当王仙客没有住进宣阳坊中间的院子、身边没有无双时，我们就不记得有个无双；等到他住进了这个院子、身边又有了一个无双时，我们又想起以前有个无双了呢？

后来孙老板想道，不管王仙客怎么想，这个绿毛妖怪是另外一个人。具体地说，她是无双的那个侍女彩萍。以前她到客栈里开房间，和王仙客干不可告人的事，干的时候还不停地叫唤：王相公，疼！王相公，疼！王相公，疼！王相公，疼！王相公，疼！王相公，现在不疼了。喊的声音很大，在楼下都能听见。既然她是彩萍，就不会是无双。他想，这件事无论如何必须告诉王仙客。但是怎么告诉他，必须好好想想。最简单的办法是直接告诉他：你那个无双不是真的。不管你信也好，不信也罢，我说的是实话。这样讲的结果必然是招来王仙客一阵白眼：不对呀，你不是说我是鱼玄机的老相好吗？我怎么又成了无双的相好了？孙老板只好说，别信我的，我撒谎哪。这就近于著名的罗素悖论了。罗素说，假如有个人说，我说的话全是假话，那你就不知拿他怎么办好了：假如你相信他这句话，就是把他当成好人，但他分明是个骗子。假如你不相信他的话，把他当骗子，但是哪有骗子说自己是骗子的？你又只好当他是好人了。罗素他老人家建议我们出门要带手枪，见到这种人就一枪打死他。

　　我们还知道宣阳坊里的罗老板是个读书人，十分聪明。他很快也想到了这个绿毛的女孩子是谁。这是因为他想起有一回看到了真无双和彩萍一道出来逛大街，偶尔想到这两个女孩子都挺漂亮的。由此又想到，假如把她们都弄来当老婆很不错。这个念头是以虚拟语气想到的，所以现在回想起来也不内疚。以这段回忆为线索，他就想到了假无双是谁。但是罗老板并不以此为满足，还想想出那真无双到哪里去了。想来想去想不明白，于是他也怀疑起自己的脑子来了。于是他决定开一个立方来验证自己是否糊涂，到了后院里，捡起一根烧焦了头的柴火棒，用八卦的方法来开 4 的立方。先是在脚下画了个小八卦，然后绕着小八卦又画大八卦，就如一石激起千层浪，一圈又一圈的，很快就把院子画满了；而他自己站在院子的中心，活像个蜘蛛精。我知道 4 的立方根也是无理数，永远开不尽的，八卦又比麦克劳林级数占地方，要是按罗老板的画法，越画越占地方。这样下去，后果不堪设想。但是罗老板比王仙客可要聪明百倍，画了几圈就不画了。他站在院子中央看着一地的八卦，先是赞美祖宗的智慧，后是赞美自己会画八卦，后来就把要开 4 的立方这件事给忘了。随后又把真无双假无双的事也给忘了。最后把自己还要接着画八卦的事也忘了。于是他洗了洗手，回屋去吃午饭了。

　　与此同时，王安老爹正去找侯老板商量，要和他一道去揭发假无双。

虽然为这件事侯老板已经抢白过王安老爹，但是老爹知道他心直口快，不像孙罗两位那样奸，是个可以倚赖的人。但是不知为什么，侯老板却像开水烫过的菠菜一样蔫掉了。老爹要他一道去找王仙客，侯老板听了既不说去，也不说不去，只顾瞪直了眼睛往前看。当时他正趴在柜台上，那姿势就如一条大狗人立起来，前腿上了屠夫的肉案；或是一只猫耸起了肩膀，要搔后心上的痒痒；或是一个小孩看着一支鼻梁上的铅笔，要把自己改造成对眼一样。侯老板的下半身就像那条狗，上半身就像那只猫，脸就像那个孩子。老爹问他去不去，一连问了三遍，侯老板都不答话。问到第四遍，侯老板就皱着眉头说：要去你自己去！说完居然就扭过头进里屋去了。老爹气得要发疯，决心这个月一定要找个碴儿，收他三倍的卫生捐。

【三】

王安老爹说过，自打创世之初，世界上就有奸党，有我们；但是还有一种人他忘了说，就是地头蛇。地头蛇就是老爹这种角色，在坊里收收卫生捐、门牌钱、淘井钱。有时候他能起到意料不到的作用，比方说，找个碴儿不让垃圾车进坊门，这时候宣阳坊就要垃圾成山；不让掏粪的进坊，家家户户立刻水漫金山。但是这种作用达不到深宅大院里面。像王仙客这种住户，家里有自备的粪车、垃圾车、运水车，都有宣阳坊的牌照，门牌捐牌照捐都预交了一百年。别人管不了他。但是像这样的住户也都会买老爹的面子，恐怕有一天会求到他。有了这个把握，他就去找王仙客，信心十足地告诉他，这个无双是假的，样子就不对头。王仙客听了以后，大笑了一阵说：这个样子的是假的，什么样的是真的呢？这老爹就答不上来了。他只好说：我说假就假。我这么大岁数了，不定哪天就会死，还骗人

干吗？王仙客微微一笑，答道：老爹，吃橘子不吃？老爹说：待会儿再
吃。我们现在要谈的是尊夫人是个骗子。王仙客就说：好，好，是个骗
子。老爹，喝口茶吧。老爹说：既然知道她是骗子，就该送她到衙门里打
板子。王仙客忽然正色说道：老爹，你恐怕是误会了。就凭你说的事，怎
么能说我表妹是骗子呢？当然了，您老人家警惕性高，这个我理解。干的
这份工作嘛。不过有时候真叫人受不了。我刚来时，你不是差点以为我是
骗子，要没收我的文件吗？我可不是不相信您这个人。但是我更信证据。
要是您能证明她是骗子，我一定送她去打板子。打坏了不就是掏点医疗费
吗？就是把屁股打没了，要装金屁股，咱也掏得起。可是好好的没事儿，
我花这份钱干吗？老爹就是块木头，也能听出王仙客在暗示他要敲诈勒
索，但是王仙客不吃这套。于是他涨红着脸，站起来说，既然王相公这样
想，我就告辞了。王仙客把他送出了大门，一路上一直在说：我这张臭嘴
就像屁眼，讲出话来特别不中听，您老人家可千万千万别见怪呀！但是老
爹出了王仙客的门，走到了估计他听不到的地方，还是跺着脚大骂道：王
仙客小杂种，你这就叫狗眼看人低呀！

　　我们说过中午王安去约侯老板揭发假无双，侯老板没吭声。当时他正
在想事，这件事发生在三年前，和无双没关系，和彩萍没关系，和王仙客
更没有关系，不知为什么就想了起来。这件事是这样的：驻在凤翔州的军
队，大概有一个军的样子，说是他们有五年多没关饷了，就忽然造起反
来，一夜之间就杀到了长安城下。像这样的事罗老板就想不起来，就是想
了起来，马上也会忘掉。因为夫子曰，吾日三省吾身。想起了什么不对的
怎么办？还能给自己个大嘴巴吗？当然是快点把它忘了。侯老板想起这种
事，是因为他没文化。像这种事，王安老爹也想不起来，别人想起来，他
也不信会有这种事：造反？谁造反？他不怕王法吗？侯老板想这种事，是

因为他不忠诚。像这种事，孙老板也想不起来，他会说，谁给你钱了，你想这种事？所以侯老板想起了这件事，是因为他是个大傻冒。侯老板不但想起了有人造反，而且想起，那些反贼还攻进了长安城。那些家伙不杀人不放火，直奔国库，把那儿抢了个精光，然后就呼啸而去，朝西面去了。整个过程就像暴徒抢银行，来得快，去得也快；据说这帮家伙后来逃到了波斯地界，就割掉包皮，发誓这辈子绝不吃猪肉，改宗伊斯兰教，到德黑兰去做起富家翁来了。

彩萍对王仙客说，侯老板是个好人。这是出于他们俩的立场。现在我又说他是个笨蛋，这是出于宣阳坊内诸君子的立场。这两种立场是对立的。在这两种立场中，我们本应取中立的态度，以示尊重古人。但是我也要申明自己的观点：我站在王仙客一方，把他看作我们，把王安、孙老板、罗老板看作是奸党。

侯老板其实不是我们的人，可是那天他的脑子岔了气，开始像我们一样地想事情，就想起了上面那些事。像这种事情也是常有的，比方说，医院不让我们结婚，小孙又说要和我吹时，我有一阵子心情很不好，就读了半本托尔斯泰的《复活》，一面看一面想把自己阉掉，当时就是岔了气了。侯老板想起了乱军攻城时，朝廷、羽林军、政府机关等等都跑掉了，等到乱军退走后又回来。皇帝跑到了国库里一看，什么都没给他剩下，心马上就碎了。他不说叛军太坏（叛军都跑了，追不上了），也不说御林军无能（御林军也有一年多没关饷了），更不说自己图省钱，不给军队关饷有什么不对。他老人家发了一股邪火，一口咬定长安城里的市民附逆，要好好修理修理。所以他派出大队的军队，把长安七十二坊全封锁了。乱军入城时没有跑出去的人全被关在里面不准出来，就像现在我们犯了错误就会被隔离审查，听候处理一样。

　　那一年叛军逃走后，长安正是七月流火，天气很热。坊门关上以后，想到外面大路上乘凉也不可能了。外面的粮食柴草进不来，里面的垃圾粪便出不去，坊里的情形就很坏了。更糟糕的是皇上动了圣怒，要把七十二坊坊坊洗荡，男的砍头，女的为奴，家产变卖充实国库；正在酉阳坊里试点，准备取得经验在全城推广。原计划是让酉阳坊里的人男人出东门去砍头，女人出西门为娼，家产就放在家里，让政府官员从南门进去清点。但是酉阳坊里的人却不肯干。男人不肯出东门，女人不肯出西门，都缩在坊里不出来，还把坊门也堵上了。皇上大怒，下令攻占酉阳坊。开头是让战车去攻下坊门，于是出动了二十辆吕公车，那是一种木头履带的人力坦克车，由二十个人摇动。从城门进来，走到半路全都坏了，没有一辆能继续前进。然后又出动了空降兵，那是用抛射机把士兵抛上天空，让他们张开油纸伞徐徐降落。谁知长年不用，油纸伞都坏了，没一把能张开的。那些兵飞到了天上却张不开伞，只好破口大骂，掉到酉阳坊里，一个个摔得稀烂。后来又派工兵去挖地道，谁知城里地下水位很高，挖了三尺深就见了水。工兵们一面挖坑，一面淘水，结果造成了地面塌陷。最后塌成半里方圆一个漏斗口，周围的房屋、墙壁、人马、车辆全顺着漏斗掉进来了。尽管遇到了这些阻碍，军队最后终于攻进了酉阳坊，把男人都杀光了，把女人都强奸了，把财产都抢到了。他们把战利品集中起来，请皇帝去看。皇帝看了大失所望：没有金银器，有几样铜器，也被马蹄子踩得稀烂。最多的是木器家具，堆成了一座小山，但是全摔坏了，只能当柴火卖。但又不是打成捆的枣木柴、榆木柴，只能按立方卖，一立方丈几分钱，这座小山就值五六块钱。还有一些女孩子，经过大兵蹂躏之后，不但样子很难看，而且神经都失常了，个个呆头呆脑。指挥官还报告说，酉阳坊里暴徒特多，其中不乏双手持弩飞檐走壁的家伙。攻坊部队遇到了很大伤亡，但是战士们很勇敢。有很多人负伤多次，还是不下火线。其实伤亡除了摔死的空降兵之外，就是进坊时有些小孩子爬到房上扔石头，打破了一些兵的脑袋；另外酉阳坊里的人不分男女，都像挨杀的猪一样叫唤，把一些兵的耳朵吵聋了。皇帝听说了和见到了这种情况，觉得把长安七十二坊都洗荡一遍不划算。他就下了一道圣旨：其余七十一坊，只要交出占人口总数百分之五的附逆分子，就准许他们投降。但是官员不按此百分比计算。凡是城陷时身在城内的官员，有一个算一个，都是附逆分子。

【四】

长安城里叛军攻城和后来清查附逆人员的事都是我表哥告诉我的，正史上没有记载，当时的人也不知道。假如你到清朝初年去问一个旗人，什么叫扬州十日，什么叫嘉定三屠，他一定会热心向你解释：有一年扬州城里气象特异，天上出了十个太阳，引得大家都出来看；又有一年嘉定城里的人一起馋肉，先把鸡全杀了，又把羊全杀了，最后把猪全杀了；都放进一口大锅里煮熟，大家吃得要撑死。我们医院进了一台日本仪器，来了个日本技师，每天都不到食堂吃饭，坐在仪器前吃便当，大家同行，混得很熟了。有一天我问他，知道南京大屠杀吗。他把小眼镜摘下来擦了擦，又戴上说：南京是贵国江苏省省会嘛。别的就不知道了。当时我就想骂他，后来一想：咱们自己人不长记性的事也是有的，骂人家干吗。

我表哥还说，人都不爱记这种事。因为记着这种事，等于记着自己是个艾思豪。我想了想，我们俩都认识的人里没有姓艾的。后来才想道，他说的是英文 asshole。表哥这话说得有点绝对，我就知道一个例外。上礼拜有个老外专家要到我们仪修组来看看，书记拦着门不让进，要等我们把里面收拾干净才让他进来。该老外在外面直着嗓子喊：I feel like an asshole！这不是就记起来了吗？他喊这种话，是因为无论到哪里去，总有人挡着，包括想到厕所去放尿。但是不记得自己姓艾的人还是很多的，表哥自己就是一个。比方说，小时候我们俩商量要做个放大机放大相片，找不到合适的东西做机箱，他就去捡了个旧尿盆来。从形状说，那东西很合适，但是我认为它太恶心，不肯用。可是表哥却说，将来一上黑漆，谁也看不出来。我也说不过他，我们俩就藏着躲着把那东西带到了他家去啦，在他房间里给它加热，准备焊起来。你要知道，我们没有焊钣金的大烙铁，焊这种东西都是先在电炉上烤着焊，但是忽略了尿盆内壁上还附有两个铜板厚的陈年老尿碱，加热到了临界点以上，那种碱就一齐升华。当时的情景是这样的：该尿盆里好像炸了个烟雾弹，喷出了猛烈的黄烟。不但熏得我们俩夹屁而逃，而且熏得从一楼到六楼的人一起咳嗽。表哥倒是记得这件事，但是他却记得主张焊尿盆的人是我。他还说，我不记得这事是因为我姓艾。其实那个姓艾的分明是他。

王仙客住在宣阳坊，布下了疑阵，等待别人自己上门告诉他无双的事。等了半个月，只来了一个老爹。老爹只说彩萍是假无双，却没说出谁是真无双。王仙客对老爹原来就没抱很大期望，因此也没很失望。叫他失望的是侯老板老不来。他和彩萍说过，假如王安老爹有一只四脚蛇的智慧，侯老板就该有个猴子的智慧；假如老爹的记性达到了结绳记事的水平，侯老板就有画八卦的水准。无双到哪里去了，十之八九要靠侯老板说出来。但是侯老板偏偏老不来，王仙客按捺不住了，派彩萍前去打探。彩萍就穿上土耳其短装，到侯老板店里去买头油。侯老板的店里卖上好的桂花油，油里不但泡了桂花、檀香木屑，还有研细的硝酸银。我们知道，银盐是一种感光材料。所以侯老板的头油抹在了头上被太阳越晒，就越是黑油油的好看。彩萍到了侯老板的店里，学着无双的下流口吻说道：侯老板，你的油瓶怎么是棕玻璃？是不是半瓶油、半瓶茶水？要是平时，侯老板准要急了，瞪着眼说道：不放在棕瓶里，跑了光，变得像酱油，你买呀？但是那一天他神情黯淡，面容憔悴，说道：你爱买，就买。不爱买，就玩你的去。别在这里起腻。彩萍一听他这样讲，心里就没了底。她又换了一招，问道：侯大叔，你卖不卖印度神油？要是平时，他不火才怪哪：我们是正经铺子，不卖那种下流东西！但是那天他一声也没吭，只是白了彩萍一眼，就回里间屋去。彩萍见了这种模样，觉得大事不好了。她跑回家里去，报告王仙客，侯老板把她识破了。王仙客一听见是这样，连夜去找侯老板面谈。去的时候穿了一件黑袍子，戴了风帽，自己打了个灯笼，没有一个仆人跟随，但是宣阳坊里房挨房，人挤人，所以还是叫别人看见了。

第二天一早，王安老爹、孙老板、罗老板就一起到侯老板店里来。他们三位当然是气势汹汹，想问问侯老板和王仙客做了什么交易，得了他多少钱等等。但是他们发现侯老板精神振作，一扫昨天下午的萎靡之态。他坦然承认了，昨夜里王仙客曾深夜来访，他和王仙客谈了整整四个小时，天亮时王仙客才走的。他还说，王仙客告诉他说，你跟我说了这么多，别人必然要起疑，不如到我家里去避一避。但是侯老板又说，没讲别人的坏话，又没泄露了别人的隐私，我避什么？而那三位君子却想：你要是没讲我们坏话，没泄露我们隐私才怪哪。要不然王仙客怎会叫你去避一避？

侯老板说，他们整整一夜都在谈三年前官兵围坊的事。孙老板和罗老板听了以后，脸色就往下一沉，大概是想起来了。只有王安老爹说：侯老板，你别打哑谜好不好？什么官兵围坊，围了哪个坊？官兵和老百姓心连心，他们围我们干什么？今天你要是不讲清楚，我跟你没完！此时连孙老板罗老板都觉得老爹太鲁钝，就和侯老板道了别，回家去了。王安发现手下没有人了，就有点心慌。而侯老板却说道：老爹，您坐着喝点茶吧。我

要去忙生意了。老爹气急败坏，说了一句：你忙你忙！忙你娘的个腿呀！也回家去了。

有关侯老板的事，我还有如下补充：他脑子里岔气的时间，也就是一夜加上一早晨。到了上午十点钟，那口气就正了过来，觉得这事情不对了。所以他就跑到他姑妈家躲了起来，还嘱咐老婆道：不管谁来问，就说我到城外走亲戚了。城外什么地方、哪位亲戚都不交代。所以老爹后来想找他，就没法找。等到他回来时，早把这些事忘了。听说老爹找他，也不害怕，就去问老爹，你找我干吗？老爹说：我找你了吗？没有找哇。所有的事情就这样过去了。

王仙客去宣阳坊找无双，自己装成了大富翁，并把彩萍打扮得奇形怪状。这就好比我知道这次分房子没有我，就剃个大秃头，穿上旗袍出席分房会。这样也可能找到无双，也可能找不到；也可能分到了房子，也可能分不到。不管怎么说，假如事情没了指望，就可以胡搅它一下，没准搅出个指望来。王仙客的举动堪称天才，我的举动就不值这么高的评价，因为我抄袭了医学的故智。在我们医院里，假如有人死掉，心脏不跳了，就用电流刺激他的心脏。这样他可能活过来，于是刺激就收到了起死回生之效；当然他也可能继续死去，这也没什么，顶多把死因从病死改作电死。王仙客在法拉第之前就知道用强刺激法去治别人的记性，实在是全体王姓一族的光荣。

第八章

【一】

王仙客到宣阳坊来找无双，宣阳坊是孙老板住的地方。这位老板开客栈，谁都知道酒楼业有学问，所以他当然不像王安老爹那么笨。听见侯老板讲到官兵围坊，心里就是一慌，觉得该好好想想。不管是什么事，都该想明白了。假如想错了，忘了就是了。要是不想，有时就会吃大亏。比方说，忘了一笔账，就先要想清楚。要是人家欠他，就记着去要，要是自己欠人家，忘了就是了。孙老板认为有三件事是必须避人的：性交，大小便，思想。第一件事不避人，就会被人视为淫荡。第二件事不避人，就会被人看作没教养。最后这一件不避人，就会被人看作奸诈，引起别人的提防。所以他跑回家里来，关上门，堵上窗，在黑暗里想了半天，然后得出结论说，是有官军围坊那么一回事；时间、事由和我表哥告诉我的差不多。但是我表哥是从野史上看来的，孙老板是自己看见的，讲起来就有视角的不同。他待在宣阳坊内，当时急得就像热锅上的蚂蚁，隔一会儿就上坊墙去看看。我们知道，长安城里的坊墙和城墙很像，就是矮一点，窄一点，没有城楼，其他方面是差不多的。最主要的是墙上都可以站人。在坊墙上可以看到，大队的军队从城外开来，占领了坊间的中间地带。可以看到那些吕公车往城里开，开着开着忽然散了架子，变成了一地木板子，里面的兵摔了出来，就像散了串的珠子。还可以看到步兵也往城里开，排成

50×20 的千人方阵。开头是默不作声，冷不防就大喊起来了：一，二，三，四! 吓得人心里怦怦地跳。然后又默不作声地走。罗老板想，待会儿准要喊五六七八。谁知还是喊一二三四。孙老板又想，原来识数就识到四。还可以看到大队的骑兵也往城里开，有骑马的，有骑骆驼的。有些骆驼正在发情，走着走着就发了疯，把队伍冲得乱七八糟。他还看见了空降兵朝城里空降，但是他缺少军事知识，以为这是政府的炮兵缺少了炮弹，拿人来当代用品。那些兵弹到了抛物线顶端有一个短暂的停顿，那时在天上乱蹬腿，好像在跑步；而且都要高声呐喊。北方兵高叫操你妈，广东兵高叫丢老妈，江浙兵高叫娘希屁，福建兵就叫干伊娘呀；然后就一个个掉下去了。看到了这种情景，孙老板感到朝廷方面决心很大，长安城里的市民这回凶多吉少了。

孙老板现在想起这件事还感到心有余悸。不是悸朝廷要杀他们，而是悸自己到了挨杀时的心情。当时心里有一窝小耗子，百爪挠心。上小学就受的忠君爱国的教育，什么君叫臣死臣一定死，忠臣不怕死等等，一下子全忘了。坊里有一些亡命徒成立了自卫队，想要抗拒天兵，孙老板还跑去出主意。大家都把睡觉的床拆了，削木为弓，妇女们捐出了长发做弓弦。坊门里面掘下了陷坑，里面灌满了大粪（这是孙老板的主意，他说，谁要杀我们，先叫他们吃点粪），坊墙上堆满了砖头瓦块，假如大兵来爬坊墙就砸他们。家家户户都把铁器送到铁匠那里去打造兵器，连老爹也把多余的铁尺送去了。当时宣阳坊里，精壮者持刀矛，老弱者持木棍，女人戴上了铁裤裆，手里拿着剪子，人人决心死战到底。假如官军攻了进来，还有放火的计划，大伙儿一块儿做烤全羊吧。但是万幸，这些事没有发生。朝廷下了旨意，叫每坊交出百分之五的附逆分子，然后就算无事。坊里的人赶快填平陷坑，扔下了木棍，解下铁裤裆，把那些自卫队交上去了。

后来那些交上去的人都在坊中心的空场上被处死了。因为都是大逆不道的重犯，所以都是车裂之刑，八匹马分两组对着拉。前后车了五百多人，渐渐就车出学问来了。开头是用两辆木轮子大车，把犯人横拴在车后沿上。你知道吗，木轮车本身就够沉的，车了十几个，就把马累坏了。后来就把车去了，换了两个木杠子，把人横拴到杠上，让马来拉。但是这样也太费工。最后终于有了好办法，在地下打了一个桩子，把要车的人双腿拴在桩上，另用一根大绳拴住他的手，用八匹马竖着拉。这回就快多了。这里面有很大的学问，要把一个人横着拉开，那就是一个好大的横截面，里面又是肩甲，又是骨盆，好多硬东西。竖着拉就轻松多了，截面细了三分之二不说，里面就是一根脊椎骨，其他都是软的啦。孙老板和所有不被车的人全在一边看着。每车一个，都有一个官员来问一声：看到了吗？

大伙齐声答道：看见了！

你们还敢造反吗？

不敢了！

再造反怎样？

和他们一样！

车了那么多人，能没有自己的亲朋好友吗？这个就不敢想了。何况说我们造反，根本就是扯淡。叛军啥样子，孙老板根本就没看见。当然，这么想是不应该的。想起这件事原本就不该。但是既然想了起来，就想个痛快，然后再忘不迟——孙老板就想道：这个狗操的皇帝，真他妈的逼的浑蛋！

孙老板还记得车裂人的情形是这样的，被裂的人被捆好放到地上，这时还是蛮正常的。等到马一拉，就开始变细长了。忽然肚子那地方瘪了下去，然后噗的一声响，肚皮裂了两截，就像散了线轴，肠子就从那里漏出来。就听马蹄子一阵乱响，八匹马和那人的上半截，连带着一声惨叫就全不见了。只留下拉细的肠子像一道红线——这情景与放风筝有点像。那一天空场中间的木桩子边上堆满了人的下半截，上半截被拉得全坊到处都是，好在还有肠子连着，不会搞错，收尸时顺着肠子找就是了。掌刑的骑在最后一匹马上，等马队闯了出去，那人就从马上下来，把被裂的人从马上解下来。那时该人还没断气哪。两个人往往还要聊几句：

怎么，回去呀？

是呀，活忙。

那就回见。

回见，回见。

从车裂人这件事上，可以看出我们的祖先的智谋深湛。十八世纪有个欧洲人，想要验证大气的压力有多大。他做了两个黄铜空心半球，对在一起，把里面抽了真空，用八匹马对着拉，刚刚能拉开。这个实验是在马德堡做的，叫作马德堡半球实验。马德堡半球的结论是，大气的压力有八匹马拉力那么大。这个结论错了。亏了那些欧洲人还有脸把它写进了物理史。假如这实验拿到唐朝宣阳坊车裂人的现场去做，就会有正确的结论。我们的祖先会把半球的一端拴在木桩子上，另一端用四匹马拉，也能拉开，省下四匹马帮着车裂人，我们的马都要不行了。这就叫宣阳半球实验。宣阳半球实验的结论是大气的压力有四匹马的拉力大。这个结论就对了。

孙老板想起了宣阳坊里的这些事，就决定这件事最好不要让王仙客知道。这不是什么好事，知道的人越少越好。因为有了这重顾虑，彩萍这娘儿们冒充无双，就让她去冒充好了。他有一种很生动的思想方法，虽然我不这样想问题，但是我对它很了解。这就是说，凡是发生的事都是合理的，因此但凡不合理的事都没发生。这么想有时候会发生困难，到了有困难时，就用两害相权取其轻的原则来解决。比方说，宣阳坊里车裂了很多人，这件事很不合理，所以就不能让它发生。但是这件事没有发生，真假无双就搞不清，这也不合理。但是这是个小的不合理，就让它搞不清吧。该无双不清不楚，把她当真的就不合理。但是她又在大院子里吃香喝辣，作威作福。你乐意看到一个假无双在吃香喝辣，还是真的在那里吃香喝辣？当然乐意她是真的——所以就让她是真的好啦。这样倒来倒去，什么不合理的事都没了。

【二】

那一天在侯老板家里，罗老板听见说三年前官军围坊，心里也是一个激灵。他也跑回家，想起这件事来了。他没想起这件事的前半截，只想起了后半截。前半截的事太恐怖，太血腥，他不敢想。罗老板是个文人，想事都不脱斯文。他这样的人要写东西，准写什么《浮生六记》呀，《扬州梦》呀一类的文章，所谓哀而不怨，悲而不伤。用我表哥的话说，这种人顶多就长了一个卵，这个卵也只长了一半。但是一半也就够了，多了不但没用，而且会导致犯错误。

我们说了，孙老板想起了前一半的事。这事情我还没讲完哪。那一天宣阳坊里裂了那么多的人，那个桩子上拴得满满当当，好像一棵叉叉丫丫的罗汉松。从早上天刚蒙蒙亮就忙活，直到天黑透了才让回家。回家的路上看见小胡同里东一节西一节，躺着一些半截的人，真能把人吓死了。被裂的人里，孙老板还能想起几个人名来。当然，这些人都和他没有关系，有关系就想不起。这其中就有老爹的兄弟王定。这王定也有七十多了，又没参加自卫队，裂他干吗呀？于是就想了起来，这老头在无双家当差。

无双的爸爸是个很大的官。按照大唐法律，大官从逆，就要灭族。全家老小，男的杀，女的卖。别说是看门的了，连他家里的猫狗，都是公的杀，母的卖。那天晚上官府的刽子手干的最后两件事，就是把无双家里养的打鸣的大公鸡扯着腿一撕两半，然后挑了几只肥母鸡，象征性地交了几个钱，提回家去了。孙老板把这件事整个想了一遍，每件事都想明白之后，就得到一个现在的无双是真的结论。然后他就把想出这件事的过程全忘了，只记住这个结论。这和我的记忆方式完全相同。我现在能记得一切不定积分公式，不管你问哪个，只要半秒就可以写出来。如果你要过程，可就没这么快了。

现在我们应该谈到罗老板想起的事。罗老板是聪明人，他才不会想些血淋淋的事。男的杀，他一点也想不起来了。女的卖他倒记得。这件事也证明了我们的祖先智慧深湛。在畜牧学上有一条通则，就是雌性动物比之雄性有更大的饲养价值；比如母鸡比公鸡值钱，奶牛比公牛值钱。由畜牧推及人类，是中国人的大发明。我们国家古代的地方行政官，都叫某某牧（比方说，刘备当过新野牧，袁绍当过冀州牧），精通遗传学、畜牧学、饲养学等等。小孙在家里，也想当个王二牧，来牧我；我说咱们俩一公一母，谁牧谁都不对头。还是一块儿牧吧。

从畜牧的角度看，公的动物遗传价值高，母的动物饲养价值高。要使畜群品质优良，就要从控制公的入手，要使畜群数量增多，就要从控制母的入手。唐朝的人一旦看到人里面出了谋逆的恶种，就赶快把男的都杀掉。而现在的人计划生育，就要从女人入手。因此一到了计划生育宣传周，开完了大会，总有人高叫一声：育龄女同志留一下。小孙听了这话，总是要脸色煞白，右手颤抖，一副要打谁个大嘴巴的样子，因为管这个事的是郭老太太，最能唠叨，什么在家属区看到了小孩子拿避孕套当气球吹，说到国家生产这些东西，一年要花几个亿啦，国家财政很困难了等等，都不知哪儿和哪儿。只有最后一句不离谱，就是这东西要物尽其用，一定要套在丈夫的阴茎上。小孙说，老娘上了六年的医学院，要是连这个都要你来教，还算人吗？上级计生委要是发下了人票（另一种叫法是生孩子的指标），要民主评议，那就是没完没了。她要生，她也要生，就不知道抓个阄。晚上她回了家就说：像这种会还要开到五十五岁，谁受得了。咱们离婚吧。离了婚还可以通奸嘛，增加点气氛；你放心好啦，我绝不出去乱搞——我也知道外面性病很厉害。但是我不同意离婚，因为我现在也是个头头了，要注意影响。要到了房子就离婚，人家会怎么说我？再说，你们会多，是你们的光荣。你们饲养价值高嘛。

　　罗老板想起三年前的事，是从遗传价值高的家伙都处理完了以后开始。在此以前的事，只模模糊糊想起个影子。现在你对他说起三年前官兵入城，他就会说：对，有那么回事。再说起宣阳坊里处死从逆人员，他也说，是，有这回事。但是你要是问他处死了谁，他就一个也答不出，这就叫想起了个影子。

　　杀人的事罗老板想起个影子，卖东西的事他可想了个活灵活现。头天杀过人以后，第二天抄无双的家。这时门前那些零零碎碎都打扫干净了，地上还垫了一层黄土，收拾得干干净净，就开始摆摊了。早上衙门里来了人，把好东西都挑走，然后把他们不要的东西也从院子里搬出来，封上院门。以后门前的空场上就热闹了，因为这里摆满了东西：成堆的板凳、桌椅、坛坛罐罐等等。这些东西谁都用得着，因为刚刚闹过自卫队。桌椅板凳拿去做了兵器，坛坛罐罐也盛上了大粪，运到房顶上准备往下砸，所以不能用了。当然，也可以捡起来洗洗再用，但是多数都被别人捡走了。在此以后很短一段时间里，宣阳坊里的人们管长安兵乱、官兵入城、镇压从逆分子等等，叫作闹自卫队。我小时候，认识一个老头子，记得老佛爷闹义和团。正如我插队那个地方管"文化大革命"叫闹红卫兵。那个地方也有闹自卫队这个词，却是指一九三七年。当时听说日本人要来，当官的就都跑了。村里忽然冒出一伙人来，手里拿着大刀片，说他们要抗日，让村里出白面，给他们炸油条吃。等到日本人真来了，他们也跑了。据老乡们讲，时候不长，前后也就是半个月。这件事和宣阳坊里闹自卫队不但名称相仿，性质也相仿。我把这件事讲给日本技师听，他说：王二，你学问大大的有。但是不要再讲三七年的事了，我听了不舒服。还是讲唐朝比较好。

我自己也记得一些闹一级的事，比方说，五八年在学校操场上闹大炼钢铁。炼出的钢锭像牛屎，由锋利的碎锅片子黏合而成。我被钢锭划了一下，留下一个大伤疤。像这样的事历史上不记载，只存在于过来人的脑子中，属于个人的收藏品。等到我们都死了，这件事也就不存在了。

宣阳坊中心的空场上摆起摊来，拍卖抄家物资，全坊还活着的人都去了，和公家的人讲价钱。什么五文？十文！别扯淡了，仔细看货吧，等等。还有些东西是这么讲的：这多少钱？你给俩钱就拿走吧。给多少？随你便。那些东西卖得非常便宜。我要是说我去过抄家物资拍卖场，你准说我扯谎。其实我真去过。不过不是在唐朝宣阳坊，而是在七三年北京东四附近一个地方。名字叫抄家物资门市部，里面放了"文革"初期从黑帮们家里抢来的东西。开头是只接待中央首长的，等好东西挑得差不多了，小一点的首长也让去了。那里面的东西便宜得和白给一样。不管是谁办了这个抄家物资门市部，都是大损阴德，因为它害死人了。死者是我们医院一个老头，是"文化革命"前的院长。"文化革命"一来，当然，挨斗了。当然，抄家了。当然，老婆自杀了。后来恢复了工作，领导上爱他，给他一张门票，他就找我陪着去买套沙发，因为谁都知道我识货。进去以后，忽然看见了他自己家的家具，他就发了心肌梗塞，当场倒下没气了。这件事本来我可以用象征的手法写出——一个人，以为自己是活着的，走到我住过的地下室里看风景。忽然看见自己的整副下水全在一个标本缸里，就倒下去，第二次死去了——但是我觉得直接讲了比较好。

现在又该回头去讲罗老板，他在场子上转了几圈，买了把菜刀，买了一根擀面棍。转来转去，转到了卖无双的地方。其实那里不光是卖无双，还卖无双的妈，无双的姨娘，无双的奶妈；一共是四个。但是无双最显眼，她摆的地方高，坐在车裂人的木桩子顶上。

【三】

我们知道卖动物的规矩，卖鸡捆腿儿，卖骡马带缰绳，要是卖小松鼠、鸟儿一类的，就要连笼子一块儿卖。无双这种东西当然也是捆着卖了。那天下午，她就是被捆着摆到木桩子上的。那个木桩子露在地面上的部分有一丈多高，她穿着一身黑衣服坐在上面，头上戴了一朵白布花，赤着脚，脚腕子上被粗麻绳勒了一道，手背在后面，眼睛肿得像两个桃。就这个样子她还不老实，一个劲地东张西望。无双的妈在桩子底下，也是穿黑戴白花，嘴里还唠叨个没完：我们家没附逆！自卫队上门来要铁器，我们都一件没给！乱兵来时，老头子带着全家往外跑，要不是被人抢了马，我们就跑出去了！无双在桩子上说，妈，爹都叫人扯两半了，你还唠叨个啥！真叫人心烦死了！

有关这老太太唠叨的事，还有必要做一点补充。乱军来攻城时，皇上带领长安城里的御林军、禁卫军、守城军、巡城军、驻防军等等，总之，

一切军士，加上衙门里的捕快衙役、消防队员、监狱里的牢头禁子、各坊的更夫等等，总之，一切有武装有组织的人员出城迎战。但是搞错了方向，乱军从西面来，他却到东面去迎，所以越迎越远。乱军攻进长安时，他却到了山西太原。当然，像这样迎一迎也能迎上。只要继续前进，乘船到达日本，再远航到达美洲，穿过北美大陆，横渡大西洋，进地中海，在土耳其登陆，再往前走不远到德黑兰，就和叛军迎头撞上了。但是他嫌太远，又转回来了。他是皇帝，又是那支军队的最高统帅，有权选择行军路线。但是当他选择向东迎敌时，长安城就被剩在了皇军和叛军之间，城里没有一兵一卒。城里的官员明白，这是一个重大的关头。只要逃出城，向东前进，就是随君出狩，将来升官；留在城里就是附逆投敌，要被扯成两段。但是尽管心里明白，要出城却不容易。大家都想跑，就造成了前所未见的交通阻塞、混乱、抢劫等等；总之，有一些倒霉蛋没跑掉，结果是自己被车裂，官位叫那些跑出去的顶了差了。你要听这些倒霉蛋说，每个人都有自己的故事。但是这些话听不得。是随君出狩，还是留城附逆，这是个硬指标。考核干部，就是要看硬指标。

　　现在我们该接着谈卖人的事了。在这堆货中间，有个尖嘴猴腮的老太太，她是个官媒，或者说，政府里的人贩子；穿着瘦腿裤，太阳穴上贴着膏药。那女人手脚麻利，尤其是打别人嘴巴，手快极了，劈劈啪啪一串响，就给了无双的妈一串嘴巴，然后说，老婊子，你闭嘴！你这个老样儿，原本就不好卖，加上碎嘴谁要你！还有你这小婊子——说着官媒拿起一件东西——那是竹竿上绑的苍蝇拍，专门用来打无双嘴巴的——也打了无双几下，说道：你也别偷懒，帮老娘吆喝几句！无双挨了打，只好吆喝起来了：

　　卖我妈，卖我妈呀！

这么吆喝了，还要挨打：小婊子，还有呢？她只好又吆喝道：

卖我姨，卖我姨呀！我姨还挺白净的哪！还有我奶妈呀！她的奶我吃过，是甜的呀！

这么吆喝了，还是要挨打：小婊子！还有你！

我操你妈，你们谁也不准买我！我表哥会来找我的，谁敢买了，他剥你的皮！

就这么卖到了天黑，把奶妈和姨娘都卖掉了。第二天接着卖，却毫无进展。官媒领导来检查工作，官媒汇报说：像这么娘儿俩拴在一块儿卖，看着就怪凄惨，谁都不会买。干脆，这个老的政府就收购了吧。这个小的是个俏货，一定能卖个好价钱。政府定下的拍卖指标一定能超额完成。官媒头听着合情合理，就同意了。下午就把无双的娘送到了教坊司。谁知这官媒打错了算盘，光看见小姑娘长得好，却不知道她是多么地凶狠刁蛮。那时节兵荒马乱，外坊的人来不了；本坊的人干脆就不来问价。那个官媒婆守了三天，渐渐没了精神。她打个阳伞坐在桩子底下打瞌睡，偶尔想起来，也吆喝上一句：

大姑娘嘞，黄花一朵哇。

有关宣阳坊里卖人的事，还有不少可补充的地方。无双的奶妈和姨娘，是被南城一位侯爷买走了。他老人家爱买便宜货，不怕兵荒马乱，出来逛，走到了宣阳坊，一眼看到了奶妈，下马过来看了看，说道：奶子很大呀。一天出多少奶？

奶妈答道：四升。

淡吧？

不淡。我身上有比重计，您老人家挤一碗量量嘛。

于是就成交了。就像我到医疗器械公司买台设备，问过了性能参数，一切合适，我就买了。和买设备不同的只是设备不会自报参数，要别人替他说。官媒会做生意，提了一句：还有个姨娘，也挺干净的。侯爷瞅了一眼说：一块儿捆上吧。说完了，底下人牵马过来，正要认镫上马，官媒又说：还有个老太太，不要价，您老人家赐个价。侯爷回头看了一眼，说道：买回去当我妈吗？就要走了。官媒拦住道：还有一样货色，您老人家还没看哪。侯爷抬头一看，说道：官宦人家小姐，我们买不合适。卖给老百姓吧。我想这是因为兔死狐悲，物伤其类。侯爷觉得官宦人家的小姐是同类，而奶妈、姨太太则不是同类。

无双的妈是教坊司买走的。教坊司是现在中央歌舞团一类的地方。她在那里学习歌舞，穿上了轻纱做的舞蹈服。但是她那两个大奶头又大又黑，衣服遮不住，只好贴上两张白纸。至于奶袋低垂，好像两个牛舌头，那就无法可想。这老太太有摇头疯，唱着唱着歌儿，她忽然一晃脑袋，就给歌词添进一句"没附逆"来，叫人不知所云。跳舞时她左手和左脚、右手和右脚老拉顺，更是令人厌倒。教坊司的教习打她，骂她，不给她饭吃，很快她就死得直翘翘的了。

【四】

无双家的故事，王仙客已经知道了。是侯老板告诉他的。侯老板没有孙老板聪明，脑子里又岔了气，什么事都往外说。王仙客觉得这个故事很悲惨。最悲惨的一幕就是无双坐在木桩子上，还在嘴硬，小孩子来问她：无双姐姐，整天这么坐着，屁股麻不麻？无双就说：这有什么呢？我整天练这个，一练是一整天。先坐硬床板，后练坐黄豆，坐核桃。这两步我都练到了。以后还要练坐碎玻璃，练坐钉板。你知道是为什么吗？我是要嫁人的呀。现在挑媳妇，就看屁股硬不硬。屁股硬婆婆就说坐得住，是好媳妇。其实这也是扯淡。但是我要嫁给我表哥，我们俩好，我得给他挣面子。将来一进他家的门，我姑姑伸手一摸，我的屁股像块铁板；再拿一筐核桃来试试，我往上一坐，全碎了。姑妈没的说，只好双挑大指道：是个好媳妇！晚上表哥就说：无双，你够朋友，没让我妈说我。我现在坐在这里，是练屁股哪。要是有人来问：无双姐姐，别人怎么打你的嘴巴？你怎么叫人捆起来？她就说：这也是为了我表哥。将来嫁了他，我姑姑没准要打我的嘴巴。你知道吗？媳妇总要挨婆婆打的，这件事谁都没有法子。要是还像我现在这样，人家给我一下，我也给她一下，那就不好了。所以我让别人把我捆在这里打嘴巴，是练不还手的功夫。这是她嘴硬的时候。硬不下去了就哭起来，说道：我还活个什么劲哪。爸爸死了，妈妈没了。要不是等我表哥，早从这柱子上撞下去了。那个官媒听见这话，就来了精神，说道：小婊子，你这个主意好。你脑袋朝下一跳，我也就能交差了。你是早死早超生，我去报个货损。跳吧，别这么胆小。但是无双却说，大娘，我表哥会来找我的。媒婆听了生气，捡起竹竿来就打她嘴巴，骂道：胡扯！你哪有表哥？你表哥早死了。快跳吧！

王仙客想到这些事时，正是夕阳西下时节，他看到了房顶上有一只孤零零的兔子。现在宣阳坊里除了它，一只兔子也没有了。我们知道，有两种动物的雄雌是很费猜的，一种是猫，一种是兔子。所以也就不知道它是公是母，但是可以知道它很老了。原来它的毛是白的，现在变成淡黄的了。现在它每天都要爬上房顶的最高处，想让鹞子把它逮去。但是鹞子早识透了它的诡计，就是不来逮它。它们宁可飞好几十分钟到外坊去捉兔子，也不来捉它。王仙客认识它，因为它是他最初放到房顶上的兔子中的一只。经常出现在他梦里的也是它。王仙客老想安慰它几句，但是知道它也听不见，所以只好在心里默念，寄希望于这兔子懂心灵感应：

兔子呀，我知道你抱怨我把你放上房就不管了。我承认，这是我干的缺德事。但是我活得也不轻松，你让我去埋怨谁呀。

于是王仙客就狠心地扔下兔子不管，去想无双的事了。

以前我在地下室里住时，有时候感到寂寞难当，日子难熬，就想道：一定有个什么人，或者什么东西，应该对我的存在负责，所以他也该对我现在的苦恼负责任。所以我就对他（你可以叫他我的上帝，我的守护神，或者别的什么）抱怨一番：你瞧你把我放这个地方，到处都是笨蛋！叫我怎么活呀！这样想了以后，很快就得到了回应：你少唠叨两句吧。我也烦着哪。

以前希腊有个老瞎子荷马，喜欢讲特洛伊的故事。故事里特城战士一方，雅典战士一方，杀得你死我活。天上的战神爱神支持一方，神后和雅典娜支持一方，也是斗得七死八活。我们和奸党的分歧，天上地下到处都有。在那个故事里，古代的战士们身负重伤，行将毙命时，就向自己一方的神抱怨说：你怎么扔下我不管了？而神却说，这里的奸党厉害，连我自己都快保不住了，没有能力救你啊。我对荷马君的诗才深为仰慕，也有续貂之作。寄出后，又被退到办公室。领导上看了说，这是精神分裂的典型症状，就派人来电我的脑袋瓜。法拉第这家伙，发明点什么不好，偏去发明电。真是害死我了。

自从有了电，我们的人说话就小心多了。像《伊利亚特》这样的作品也再不会有了。我们知道，苏格拉底那老家伙很硬，犯了错误之后，你让他吃几根毒胡萝卜，他就吃下去了。但是你让他摸电门，他也未必敢吧。

【五】

无双坐在那根柱子上时，罗老板每天都来看她，因为他觉得无双的样子很好看。她身上穿了一身黑，头上戴一朵白花；罗老板觉得这种色调搭配得很好。无双是被五花大绑着的，有一道绳子从前面勒住了她的脖子，并且把她的手臂完全捆到了身后。因此她背着手，挺着胸，就像课堂里一个小学生，显出一副又乖又甜的样子。虽然她的双脚也是捆着的，但是她还是不时地要挪动挪动。一会儿把右脚挪到前面，一会儿把左脚挪到前面。这个景象罗老板百看不厌，简直是一会儿不看都觉得亏。一个十六七岁的小姑娘，爹死了，娘卖了，自己像一双鞋一样被摆上了货架，你老去看人家，我觉得多少是有点不合适。但是罗老板是位儒士。儒家对自己为什么会去看某个景象都有很浪漫的解释。比方说，有过这么一回事：大程先生手里老拿了一只毛茸茸刚孵出的鸭雏，盯着看个不停。你要问他看什么，他就答道：看见了小鸭子这么可爱，我就体会到先贤所言仁的真义。这个答案就出乎我的意外。我还以为他盼鸭子快点长，好烤来吃呢。罗老板老去看无双，当然有正当的理由，但具体是什么，我不知道。你就顺着大程的思路去想象吧。

不知为什么，无双见到了罗老板就要破口大骂，说他是一条蛔虫，一只蛆，并且一再威胁说，要让表哥剥了他的皮，好像王仙客是个杀羊的屠夫，很擅长剥皮；或者罗老板是一根香蕉，他的皮很好剥似的。这还说明这小姑娘感觉很敏锐，知道危险来自什么地方。只要罗老板走到了两丈之内，她就哭起来。因为她是被绑着的不能擦眼泪，所以每哭一会儿，她就要停下来，稍低一下头，让泪珠在鼻尖上聚集。然后猛一甩头，把泪水都甩掉，再接着哭。她就这样哭哭停停，停停哭哭，好像一座间歇泉。而这时罗老板走近来，一方面就近打量无双，一面和官媒聊起来：唉，这小姑

娘绑了好几天了。真可怜呀。官媒一听就明白了，马上顺杆儿往上爬：是
呀，小小的年纪，又生在富贵人家。怎么受得了哟。无双一听这个话头，
汗毛直竖，说道：我在这里挺好，你们别可怜我。官媒说，小婊子，闭
嘴！再说话我拿膏药糊住你的嘴！官人呀，我们做官媒的，都是嘴狠心
软。看着她这么受罪，心里也不落忍。您要是可怜她，就把她买去吧。罗
老板说，您老人家说笑了。都在一个坊里住，成天大叔大叔地叫，好意思
吗。无双就说，大叔，罗大叔，您老人家有良心，祖宗积德，您也积德。
等我表哥来了，我们俩一块儿去给您老人家磕头。官媒一听，拿起拍竿
来，就打了她十几个嘴巴子，说道：放屁放屁。你们家附逆谋反，干下了
灭族的勾当，谁是你大叔。你敢乱套近乎？官人，你看见了？家长谋逆，
全家都杀了，嫌她下贱，没人杀她。这是个贱货。上面有个窟窿，能透口
气，下面有个窟窿能生孩子。仅此而已。买回家，干什么都成。罗老板
就说：要是这么说的话，价钱就太贵了。官媒就说：贵？！您好意思这么
说？官宦人家小姐，千金万贵，养得这么细皮嫩肉，不卖点钱行嘛。无双
说道：官媒大娘，你怎么什么话都说呀。你把我都说晕了。

　　后来罗老板对官媒说，这件事我再考虑考虑吧。说完就到坊里串门去
了。串门就是造造舆论。做任何事情，工作量的百分之九十九就是造舆
论。比方说，我和张三、李四、王五一块儿乘车出去，我想吃根冰棍，买
来以后先要敬张三：张师傅，吃冰棍。他说，不吃不吃你吃。又敬李四：
李师傅，冰棍。他说：谢了，我不想吃。最后敬王五：王师傅？他说：你
吃了吧。于是我说：都不吃我吃了。当然，这时冰棍也化得差不多了。再
比如我前妻要和我离婚，就这么去造舆论的——她先告诉每一个人，我阳
痿。那些人都劝她离婚。然后她又说她对我有感情，舍不得。那些人都
说，有感情也该离。再后来她又说我不让离（这是撒谎），人家都说我太

不好了。后来她又去说，她一提离婚，我就打她，但是我根本就没打过她。这时大家都很恨我了。她再说她对我还有感情，别人就说王二这家伙，又阳痿又打人，你怎么还和他有感情。就这样折腾了半年，造好了舆论，才离了婚。因为我也帮她造舆论，这算离得非常快的。有人花了二十年，也没离成。

罗老板造舆论，是想把无双买回家。这件事是让人挺不好意思的，当着全坊人的面，把无双从柱子上弄下来，拉回家去，真有点叫人难以想象。但是光想象一下，就叫人觉得又甜蜜，又心慌。所以会发生这样的事，并不是因为罗老板荒唐，只是因为无双的诱惑力太大了。

在第七章里，我写道：人和猪的记性不一样，人是天生的记吃不记打，猪是被逼成记吃不记打的。现在我知道是错了。任何动物记吃不记打都是逼出来的。当然，打到了记不住的程度，必定要打得很厉害。这就是说，在惩办时，要记住适度的原则，以免过犹不及。但是中庸之道极难掌握，所以很容易打过了头，故而很多人有很古怪的记性。

第九章

【一】

　　王仙客在宣阳坊里找无双时，老看见房顶上一只兔子。这只兔子看上去很面熟，好像总在提醒他要想起谁来。后来他终于想起来了：他舅舅刘天德胖乎乎的脸，小时候是个豁嘴，后来请大夫缝过。这模样儿简直像死了那只兔子。这个老头子整天没有一句话，老是唉声叹气。偶尔说些话，也是半明白不明白的，比方说：不要当官，当官不是好事情。或者：不要以为聪明是好事，能笨点才好呢。他说话没头没尾，说了也不重复。王仙客对这位舅舅的话总是很在意听，但是从来没听懂过。除了这一句：我要是能保住自己一家人，就心满意足了。这句话虽然明白了，也只是在他死了以后明白了一半。至于他当年为什么说这些话，还是一个谜。但是我做过一个统计模型，以官员是否被车裂做因变量，以他生活其他方面做自变量，算来算去，未发现任何因果关系。听说刘天德无比聪明，所以他很可能会算线性回归。也许他算得比我好，甚至算出自己将被车裂也不一定。

　　有关刘天德的事，还有一点补充：根据最新的研究成果，中国人里智商最高的是唐朝建元年间的工部侍郎刘天德，IQ 高达 200，和英国人高尔顿并列世界第一。而白丁王仙客的 IQ 只有 185。搞这项研究的是我们医院心理科的白大夫，听说"文化大革命"时他就搞这项研究。

　　我也对这只兔子恋恋不舍，它使我想起了李先生。他有几根疏疏落落的胡子，也很像那只兔子。李先生后来当中学教师，在远郊教书。他给我、我表哥，还有几个认识的人，来过一些没头没脑的信；后来就傻掉了。傻了以后，脸色惨白，目光呆滞，更像兔子了。但是我不愿意记着他这个样子。我宁愿记住他和大嫂做爱时的神情。当时他面红耳赤地跪在大嫂屁股后面，低着头，向上斜着眼，一脑门子的抬头纹。虽然这也是很像兔子，但比后来好看多了。

　　现在应该继续讲罗老板要买无双的事。为此他到处串门，打听别人对无双的看法。坊里的人都说，这小婊子太坏了，落到现在的下场是罪有应得。这坊里死了这么多人，全是她们家害的。现在我们看得出来，这种说法毫无根据。但是当时的人刚受了重大的刺激，讲话根本就没有逻辑；或者说，讲的全是气话。既不敢气皇帝，又不敢气政府，只好逮着谁是谁，胡乱撒火。罗老板拐弯抹角地说出他的计划：应该有人把这无双买回家来，让她当丫环，服贱役。别人就说，那也应该。罗老板就觉得他的计划大家都赞成。其实大家还没他这么疯，心里都明白，这么干是发疯。别的种种不便之处不提，无双口口声声念叨的那个表哥就是实有其人，谁敢买无双，这家伙万一找来就是不得了的事。到那时你拿政府的官契和他说理，肯定没门。因为他是个山东蛮子，山东人更喜欢白刀子进红刀子出。但是你既然说了该把她买回家来，我就说应该。咱们这些人，的确有实话不多的毛病。

　　然后就该谈到罗老板的风，这个风是风马牛不相及的风。换言之，罗老板当时发了情。古书上解释说，诗曰，马牛其风。也就是说，牛和马各发各的情。现在的语言学家却解释道，一刮风牛和马就各跑各的了。但是我就不知马牛其风怎么解释。假如解释成牛和马各自都会呼风唤雨，那么作为一个人类，我感到很惭愧，因为我们不会呼风唤雨。罗老板在风头上，想的全是拿根绳子套在无双的脖子上，把她拖回家去，然后就开始剥她的衣服。这时候无双准会破口大骂，或者是哭哭啼啼。一般来说罗老板不敢干这种事，除非是在想象里。而且想象这种事时，都是在深夜，老婆睡了以后。这是因为这种事太刺激，一想就脸色煞白，干咽吐沫，别人问起来不好解释。但是一件事想多了，最后总会干出来——当然，干出来时，多少走点样。风头一起，就会从纯粹的意淫转入行动，但是大多数人还不至于强奸妇女，而是寻找另外的发泄方式。我最后终于得到了到美国接仪器的美差，到了纽约四十二街，看见 X 级的电影院前净是四五十岁的男同胞，一个个鬼头鬼脑，首鼠两端，瞅见没人就滋溜一下溜进去。等到出来时，个个好像晕了船，脸色惨白。因为里面是彩色宽银幕，晃得又太厉害了一点。

有关风头上的事我知道很多，正如大家都知道的，人和动物在这方面区别很大。动物恬不知耻，而人总是鬼鬼祟祟羞羞答答的。现在我所记得的人和动物的区别就是插队时看到的——那是在春天里，公马和母马跑到村里来。那公马直撅撅、红彤彤的，母马则湿得一塌糊涂，就这样毫不避人地搞了起来。而我们的女同学见了，大叫一声"啊呀"，就叉开五指，把手掩在大眸的眼睛上了。

我们说过，无双做小姑娘时很恶，像这样的恶丫头肯定有一帮小喽啰。现在虽然被绑到了柱子上，但还是有人给她通风报信。所以她知道罗老板在坊里串门子的事。串的次数多了，别人也知道他的意图了。也有人用隐晦的口吻来劝他：无双这丫头，恐怕不会听话吧。罗老板就鬼鬼祟祟地说：不听话可以调教哇。他说调教两字的口吻，实在暧昧，带有淫秽的意思。又有人说，就怕她的亲戚找来。罗老板就轻笑一下说：都灭族了，哪儿来的亲戚。他根本就忘了还有个王仙客，别人提醒，他也听不懂——

色令智昏嘛。

后来罗老板就常到空场上来，也不再提要买无双的事，只是围着她打转。有时候看看无双被捆在一起的小脚，看看脚腕上绳子的勒痕；有时转到无双的背后，看看被捆在一处的小手；然后和无双搭起讪来：你在这里怎么样？有没有 feel lonely[①]？因为有官媒在一边监视，无双不敢不答罗老板的话。但是她常常说着说着就呕起来了。而且不是像得了胃炎之类的毛病那种呕法，这种病人呕起来又恶心，又打嗝，折腾半天才吐出来，吐完后涕泪涟涟。无双就像得了脑瘤，或者脊椎病一类的神经系统病一样，一张嘴就喷出来，而且能喷出很远；因此也就很难防了。我们的护士接近这类病人时，手里老是拿着个病历夹子，准备在紧急时抵挡一下。罗老板没有这种知识，所以常被喷个正着。出了这种事，官媒就赶来打她嘴巴，一边打一边纳闷道：小婊子，我真不知你是不是故意的！而无双则一边挨打一边解释说：大娘，我真不是故意的！忍不住了嘛。

无双喷了罗老板一身，罗老板就回家去了。官媒就去拿个梯子，上去把无双的脚解开放下来，然后押着她到井边去洗涮。这时候边上没有人，官媒说话的口气也缓和多了：小丫头，你可别打逃跑的主意呀。告诉你，逃跑了逮回来准是割脚筋，挖眼睛！无双回答道：大娘，您放心。我绝不跑。举目无亲，往哪儿跑？我又不知道表哥住哪儿，现在唯一的指望就是等他上这儿来找我。我在柱子上坐得高，看得远，他一来我就看见了。就因为无双呕吐，她和官媒有了交流，后来感情还蛮不坏的啦。

后来王仙客想找到这个官媒，出动了黑社会的关系，终于打听到她两年前请了长假，到山东去找王仙客了。王仙客觉得这老婆子笨得很，现在

---

① 意为"感到孤独"。

路上不太平，她又不知王仙客的确切地址，怎么可能找到呢。还不如在长安城里等他来。不管怎么说，现在这个官媒是找不到了。据说她看守了无双三个多月，后来对无双是不错的。晚上她就睡在临时搭成的草棚子里，无双睡在门外的囚笼里。她还自己出钱买了草，给笼子搭了个草顶。早上天刚亮坊门没开时，她就打开笼门把无双放出来，让她在空场上跑步，做体操，她自己则回去睡懒觉。等到该开坊门时，才拿着捆人的绳子到空场上叫：无双儿！快回来，上班了！无双回来以后，她就帮她梳理头发，把她捆起来，嘴里这么说道：儿呀，今天最好遇上个好主儿，把你卖出去。这官媒就像母亲一样，母亲就是这样爱我们的。

而无双答道：大娘，把我卖了，谁跟您老人家做伴哪。她就像个女儿一样。我们也是这样爱母亲的。但是官媒心里烦了也要打她个嘴巴：小婊子，谁稀罕你做伴！再卖不出去，又要降我工资了。而无双就哭道：您老人家就耐心等等不成吗？我表哥就要来了，让他多多地给您老人家钱。虽然有这些现象，总的来说，还是一副母女情深的场面。官媒虽然打无双，其实是爱她的，但是这种爱受到了一些限制，因为她们的关系毕竟是属于店员和商品的范畴。何况她还救了无双一命哪。这个景象侯老板看见了，他已经告诉了王仙客，并且把罗老板给出卖了。

【二】

侯老板告诉王仙客的事是这样的：那一年秋天，大概是中秋节左右吧，有一天，天快黑时，他经过那个空场子，见到那儿有几个陌生人，穿着公务人员的黑衣服，赶来了一辆带笼子的囚车，看来是要把无双带到什么地方去。其中一个已经爬上了梯子，想把无双弄下来。但是无双使出了操练多年的铁臀功，以及从小爬树登高的功夫，赖住了就是不下来。而那个官媒在下面劝慰道：儿呀，下来吧。现在天凉了，你耗得了，你大娘这两根老骨头可耗不了哇。而无双却在尖声哀号：大娘，您再忍几天。我表哥就要来了！再忍一天好不好？明儿他再不来，我一定去。我要不去是小狗哇！

侯老板讲到这里时，王仙客一把捏住了他的手腕子，说道：到哪儿去了？我就要知道这个！王仙客这家伙的握力也不知有多大，反正他吃核桃吃杏仁都是用手捏的。这一捏就把侯老板的手腕捏坏了，后来给了人家好多虎骨膏、活络丹作为赔偿。侯老板吃不完，就摆出来卖。这些药非常值钱。这一捏又把侯老板的小便捏失禁了，要用针灸来治。王仙客预付了一千个疗程的针灸费，足够侯老板治到二百岁。但是侯老板还是没告诉他无双去哪儿了，因为他确实不知道。但是他说了个人名，说那人知道（那人就是罗老板）。所以王仙客又付了很多钱，这笔钱的用途是让侯老板以为他没把这个人的名字说出来。

侯老板说道，当时无双哭哭啼啼，撒泼打赖，别人拿她没了办法。那官媒就说：小婊子，我还没告诉你哪。黄河发大水，东边全淹了。你表哥就是没淹死，一年半年的他也过不来了。无双听了一愣，说道：大娘，真的吗？官媒叹口气说：孩呀，这是命，你认了吧。但是她要是肯认，就不是无双了。所以她就一头撞下来了，满以为能把脑袋撞进腔子里，就算死不了，眼睛藏在脖子里也是个眼不见为净；但是官媒手疾眼快，抄过了一个箩筐往下一垫，让她一头撞到筐底上，晕过去了。

据侯老板说，这件事除了他，还有这样一些人看见了。首先是无双，无双醒过来就给官媒磕头，说：大娘，这阵子您挺疼我的。能找点耗子药给我带上吗？其次是那个官媒，官媒对无双说：傻孩子，说的这叫啥。

年纪轻轻，以后的日子多着呢。后来她又求官媒告诉王仙客一声，官媒答应了，而且也真去给她办（很可能是图赏钱吧），但是没有办到。有可能是被人打了闷棍，也可能是叫拐子拐跑了。山东那地方，拐卖妇女一向很流行。王仙客有一家邻居，一个八十多岁的老祖母，和四十多岁的孙子一块儿过。出去走个亲戚就叫人拐跑了，过了一年多才回来。还带回了十五六岁一个爷爷，和才满月的叔叔。根据这些情况，王仙客认为那个官媒是找不到了。还有那几个赶牛车的，王仙客认为，那几个赶牛车的也找不到，因为不知道是谁，也不知住在哪里，长安七十二坊，三百多万人，上哪儿找去。最后一个人，就是罗老板。用侯老板的话说，那些日子，他一直腻腻歪歪地围着无双转。那天晚上他也在那里，摆出一副"看有什么事能帮上手"，想学雷锋做好事的样子。而那天晚上他的确是做了很多好事。比方说，他跑回家拿来了铜盆和白毛巾，给无双洗脸。这件事情他还记着哪。但是想要让他把这些事情完整地说一遍就不大容易了。他的记忆好有一比，就像我过生日那天小孙给我下的那碗长寿面。那碗面里断头很多，虽然吃起来是面的味道，看上去却像炒蒜苗。还有个比方，他的记忆很像十月革命节时让我们去看的那些黑白电影；一会儿黑得像是进了地狱，一会儿白得好像炸了原子弹。想要从他嘴里掏出点有用的消息，简直比登天还难。虽然我对王仙客那 185 的 IQ 不大服气，想在各个方面都和他比一比，但是我一点也不想经受他受的这个考验。"文化大革命"前，我们中学生去清洁队里劳动锻炼，学习掏茅坑，师傅教过我干、稀、深、浅各种情况下使用长把勺子的不同手法，我都记住了。我师傅还夸奖我说，你简直天生一块掏大粪的材料嘛！虽然如此，对罗老板这个茅坑，我还是没有把握。

【三】

罗老板这个人有点鬼鬼祟祟，这就是说，他有话不明说，拐着弯往外说；心里面有点坏，但是老想装好人等等。坦白地说，过去我也有过这种毛病。这都是少年时的积习。那时候半夜起来手淫，心里想着白天见到的美貌少女；事情干完了，心里很疑惑：到底是全世界的人都像我这么坏呢，还是只有我一个人这么坏？所以到了白天，我就拼命地装好人。当然，我现在已经四十多了，这种毛病也好了。全世界的美貌少女们，见到我尽管放心吧。罗老板的另一种毛病我是绝没有的，就是有点腻腻歪歪的毛病。明明是你的事，他偏要觉得是自己的事。别人娶媳妇，吹吹打打的，他在一边看着眉开眼笑；大天白日的，他就看到了满天的星斗，稀里糊涂自己就变成了新郎，进了洞房，骑在新娘身上。当然，这些想象只限于好事情。而无双被卖掉了，他还在一边恋恋不舍，跑前跑后地帮忙，这到底是为什么，我就不懂了。

罗老板丝毫也不记得自己要买无双，倒记得那个小姑娘坐在柱子上含情脉脉地看着他，仿佛是求着他把她买走的样子。这件事当然就很难说了。我们认为他要买无双，只有些间接的证据，比方说，他造了舆论，他在无双身边腻歪，而他毕竟没有掏出钱来把无双买走。但是我们的确知道，无双标价三百时，他身上就总是揣着三百，无双标价二百，他身上就有二百。而且他老是把钱攥在手里，那些钱最后就变了色发了黑，放在地上能把方圆二十米内的蟑螂全招来。这到底是为了什么还很难说。而且那段时间里他经常打老婆，管他老婆叫黄脸婆。但是说无双对他含情脉脉，恐怕是没有的事，除非你把呕吐叫作含情脉脉。

夏末秋初的时候，官媒在宣阳坊里已经待得很烦了，就把无双从柱子上放下来，解开她脚上的绳子，牵着她逛商店。这是个很古怪的行列。前面走着官媒婆，手里牵根绳子；后面跟着无双，绳子套在她脖子上。再后面还跟着一位罗老板。这三个人三位一体，不即不离，走到了食品街上，有人就和官媒婆打招呼：大娘，差事办得怎么样？

唉，别提了。小婊子卖不掉。

还有小孩子和无双打招呼：无双姐姐，你表哥来了吗？

马上就来。我估计他明天准到。

就是没人和罗老板打招呼，都觉得他不尴不尬，不像个东西。他就去买了一串烤羊肉串来，说道：

无双妹妹，我买了一串羊肉，喂给你吃好不好？

无双说道：大叔，千万别喂。你一喂我准吐。

后来罗老板就自己把那串羊肉吃掉了。像无双这样以呕吐为武器的人可说是绝无仅有，在动物界里，也只有那种喷水呲蚊子的射水鱼稍可比拟。这件事大家都看见了，侯老板还替他记着，但是他自己早忘了。

还有这件事罗老板也记不住。有一天中午，当着全坊人的面，无双对罗老板大叫大喊：罗大叔，我求求你，别缠着我。这坊里不管哪位大叔把我买了去，我还有救。将来我表哥来了，哪怕我和别人睡过，他肯定会把我接走，因为他爱我。但是只要我跟你过了一天，他准不要我了。他那个人怕恶心呀！

这么嚷了一回，罗老板就不大敢买无双了。但他还是围着无双腻歪，向她提出各种建议，或者给她打气：无双妹妹，坚持住！你表哥王仙客很快就来！

或者是：无双，活动一下手指。别落下残疾。

或者是：苍蝇来了，你就用气吹它！

或者是：不要老坐着不动，要换换姿势。一会儿用左边屁股坐，一会儿用右边屁股坐！

正当他用表情在脸上表演最后一条建议时，无双就吐了，喷了他一头一脸。我们知道，官媒曾经想把无双卖给罗老板（那是和无双建立了感情以前的事），后来很快绝望了。因为他根本不像个买主。假设官媒是个卖梨的，来了一个人，问道：

掌柜的，梨怎么卖？

两毛一斤嘛。

给你五分钱，我把这个拿走，行吗？

这就是个买主了。虽然那个梨有半斤重，五分钱就让他拿走是不行的，但是可以继续讨论。要是来了一个人，不问摊主，却去问梨：

梨呀，我想吃了你。你同意吗？

这就不是来买梨，纯粹是起腻。等到官媒和无双有了感情，有时她就撺掇罗老板：

罗掌柜的，忙你自己的去吧。这小姑娘吐得也怪可怜的啦。要是真有好心，就把她买下来放生。

放生？什么话。我的钱也是挣来的，不能瞎花。

像这样的事情发生过，但是罗老板终生不会想起来了。不管你用电击他，用水淹他，还是买王八炖了给他补脑子，请大气功师对他发功，都不管用。他只记得无双对他有过感情，哀求他把她买走，但是他没答应。他不但会忘事，脑子里还会产生这样奇怪的想法，所以我说他是个臭茅坑。

有关无双被卖掉的事，罗老板看到的比侯老板多。侯老板看到无双从柱子上撞下来就走了，而罗老板一直在旁边看着。她管官媒要耗子药，没有要到，又让官媒传话给王仙客。干完了这两件事，她就在地下打了一阵滚，一边滚一边哭，搞得如泥猪疥狗一样。等她哭完了，罗老板就拿来了脸盆手巾，给她洗脸。洗完了脸，罗老板还是不走。赶牛车的人里有一位就对他说：喂，毛巾什么的都还你了，你还待在这儿干吗？罗老板说道：这小姑娘是我们坊里的，我要送送她。要是平时，无双就该呕了。但是那晚上却没呕出来。官媒说：现在该上车走了。赶牛车的说：不行，得换换衣服。一身土怎么行。说着就推了罗老板一把，说：人家换衣服，你也看着吗？但是无双说：算了，别撵他。我现在还害什么臊哇，他爱看就叫他看吧。她就换了衣服，钻进囚车里，被拉走了。罗老板其实什么都没看见，只看到了黑地里一片白乎乎，因为天黑了，罗老板几乎瞪出了眼珠子，也就看到了一片白。而这片白里哪儿是乳房，哪儿是屁股，都是他自己的想象。那些赶牛车的人是哪里来的，他也一点记不得。而人家是对他说过的。不但说了从哪儿来的，还说了这么一句：你离我们远点儿。但是他还是跟着那辆牛车，跟出了宣阳坊方归。

【四】

我们还是来谈谈老爹吧。据我所知，宣阳坊里有两个直性子人，一个是侯老板，另一个是王安老爹。但是他们有区别，前者是直得把什么都想了起来，后者是直得什么都想不起来。据我所知，直性子人就这两条出路。王安老爹就知道彩萍是个骗子，而无双是谁，王仙客又是谁等等，一概想不起来。就这个样子，他还想把彩萍送去打板子。失败后还不死心，又到衙门里去打听：想打一个人的屁股，需要办哪些手续，具备哪些条件。其实他吃了好几十年公门饭，这些都懂得。但是他直性发作，一下子全忘了。人家告诉他说，有些人的屁股很好打，比方说，想打一个叫花子，只消把他拉进衙门，按到地下就可以打，什么手续都不要；唯一必备的条件是他要有屁股。有些人的屁股就很难打。比如这假无双的屁股，就要人证物证齐备，方才打得。老爹说，我要是人证物证都没有，也想打呢？人家说，你只有一个办法，就是到堂上去告，说有如此一个假无双，人证物证都没有，我要告她。老爷听了大怒，叫把你拉下去打。挨打时你想着：这不是我的屁股，是假无双的屁股。这样也就打到了。老爹觉得这办法不好，就回宣阳坊去找人证了。

据我所知，王仙客有一段时间心情很苦闷，这段时间也就是王安老爹想打彩萍打不着的时间。这段时间里，他知道罗老板听说过无双的下落，这就是说，他有了无双的线索。但是他又知道，罗老板肯定记不得无双的事了，所以他又没有了无双的线索。现在他必须设法挖掘罗老板的记忆，这就相当于去掏个臭茅坑，这个活他又没学过。所以他坐在太师椅上愁眉苦脸。彩萍在一边看了，也很替他发愁，帮他出了很多主意，其中有一些很巧妙。比方说，去勾引罗老板，引他上床，然后叫王仙客来捉奸。还有，去给罗老板做 head job，听他乐极忘形时说些什么。王仙客听了只是摇头，对彩萍的计谋一条也不肯考虑。其实这些计策都是妓女业数千年积累的智慧，并不是完全不可行。但是每个人都有自己的领域，王仙客是个读书人，对妓女的智慧，有时候就不能领会。

除此之外，王仙客对罗老板其人，虽然觉得他恶心，还有一点亲切感。这是因为大家都读过圣贤之书，后来又都做生意，王仙客会算麦克劳林级数，罗老板会算八卦，而且都对自己的智慧很自信；这些地方很相像。王仙客又想折服他，又不打算用太下流的手段，所以自缚手脚，走到了死胡同里。他一连想了三个多小时，水都没喝一口，眼也没眨一下，险些把脑子想炸了。

【五】

虽然史书上没有记载，我表哥也不知道王仙客是怎么死的，但是我断定他死于老年痴呆，因为他想问题的方法和李先生太像了。他们俩都是盯着一个不大的问题死想，有时一想几个小时，有时一想几天，有时经年累月。这就像是把自己的思维能力看作一只骆驼，在它屁股上猛打，强迫它钻过一个针眼。我问过大嫂，为什么和李先生好了一段就不好了。她告诉我说，毛病出在李先生身上。这老家伙后来老是心不在焉，和你说着说着话，眼珠子就定住了，这种毛病不仅是让人讨厌，而且是叫人害怕。连做爱时也是这样。除了第一次在破楼里算是全神贯注，后来没一次他不出神的，经常需要在脑袋上敲一下才知道应该继续，所以后来的感觉就像和木鱼做爱一样。大嫂说这些话时，毫不脸红，真如诗经所云：彼妇人之奔奔，如鹑之昏昏也！

现在小孙和大嫂也认识了，这两个女人很说得来，我真怕小孙受大嫂影响。大嫂告诉小孙说，她既爱丈夫，也疼孩子，但是一见了李先生这种呆头鹅一样的东西，就忍不住要教训一下他：世界上最美好的东西，是女人，而不是西夏文。她老去给人上这种大课，学生老是听不进。但是她老不死心，直到老得一塌糊涂，丧失了持教的资格，博得了一个很不好听的名声。这又应了夫子的古训：人之患，在于好为人师也。

虽然我还不知道自己是何种死法，但是我已经确知，自己将要死于老年痴呆症。所以我郑重地嘱托小孙说，将来你看到我两个眼珠发了直，再也不会转了，就赶快拿个斧子来，把我这个脑袋劈开，省得我把很多宝贵的粮食化成大粪。她答应了，但是我不大敢相信她，因为女人都靠不大住。我相信这个，因为我和李先生有一样的毛病。人活在世界上，就如站在一个迷宫面前，有很多的线索，很多岔路，别人东看看，西望望，就都走过去了。但是我们就一定要迷失在里面。这是因为我们渺小的心灵里，容不下一个谜，一点悬而未决的东西。所以我们就把一切疑难放进自己心里，把自己给难死了。大嫂和小孙为了挽救我们，不惜分开双腿来给我们上课，也没有用；因为我们太自以为是了。就是进入了生出我们的器官，我们也不肯相信，它比我们聪明。这还是因为，女人是我们的朋友，但不是我们，不管她们怎么努力，我们也不会变到她们那样。

在我看来，世界上的一切疑难都是属于我们的，所以我们常常现出不胜重负的样子，状似呆傻。就是因为这个缘故，单从外表来看，我们就和别人很不一样，看着都让人硌硬；所以把自己想傻了也得不到同情，就像李先生，谁也不同情他。后来我见到李先生，发现他真的像一只呆头鹅，伸着脖子，两眼发直，整个儿像个停了摆的钟。就像钟表会停在一个时间上，这个白痴的脑袋里，肯定停住了一个没想完的念头，没回忆完的回忆。但是当时他已经不能回答问题了，所以停了个什么就再也搞不清楚。我倒希望他停在了和大嫂做爱那一回，千万别停在西夏文上。等到他死后，医院会把他脑袋切下来泡到福尔马林里。未来的科学技术必定能够从泡糟了的脑子里解析出凝固了的思想，这颗脑袋就像琥珀一样了。琥珀就是远古的松脂，里面凝固了一只美丽的蝴蝶，一滴雨水，一个甲虫。当时大嫂跪在地下，右手撑地，左手把披散的头发向后撩，故此是三足鼎立之势。眼睛是水汪汪的，从前额到脖子一片通红。虽然她的皮肤已经松弛，乳房向下垂时头上都有点尖了，但是还是蛮好看的。当时的天是阴惨惨的，虽然这是一个色情的场面，但是我从其中看到了悲惨之意，也许是料到了李先生将来要当白痴吧。好吧，就让这景象这样地保存起来吧。

第十章

【一】

我不说你就知道，在我们身边有好多人，他们的生活就是编一个故事。不管真的假的，完全编在一起，讲来娓娓动听，除了这个故事，他再不知道别的了。这就是说，在他看来，自己总是这一个故事，但是别人看来却不是这样。在宣阳坊诸君子的故事里，无双一会儿不存在，一会儿和鱼玄机混为一体，一会儿又变成了一位官宦小姐。如此颠三倒四，他们自己不觉得有什么困难。但是听故事的王仙客却头疼无比，因为他想不出怎么能让别人讲下去。假如去找一位君子说，先生，告诉我无双的事吧，谁知人家记得记不得；或者记得的是谁。王仙客总是为此搜索枯肠。谁知有时不用他费脑子，人家就自己找上门来，告诉他无双的事了。那一天早上，王安老爹把罗老板、孙老板都拉到他那里去，要告诉他彩萍是个骗子，真无双实有其人。

王安老爹虽然七十多了，尚有廉颇之勇；过去在衙们里打别人的屁股，那也是重体力劳动，练得很有劲儿；不像孙罗二位，虽然年轻几岁，但是成天站柜台，都站虚了。他们拉拉扯扯地进了王仙客的客厅，让他看了很意外。王安老爹对王仙客说：你那个无双是假的，你听孙老板对你说。而孙老板却说：谁说是假的？是真的嘛。这话一出口，连在里面染头发的彩萍都觉得意外，连忙跑了出来，想听听还要说点什么。当时她正要把头发染蓝，把眉毛睫毛也染蓝；而且用的还是荧光染料。虽然没染完，但是我们都知道，荧光物质湿的时候最亮，除了荧光还有反光，所以她跑到半明半暗的客厅里时，毛发闪闪发光。罗老板以前没见过这样的女孩子，见了就发起傻来。

彩萍这个姑娘并不聪明，但是她很爱王仙客，见到他愁眉苦脸，唉声叹气，心里就很难过。因此她想起自己刚到坊里来，打扮得奇形怪状，到街上一走，就搞到了很多消息，现在何不打扮得加倍地古怪，再到街上试一回。像这样旧瓶盛新酒的俗招，王仙客是决不使的。但是他也懒得去劝彩萍别这么干。这就是彩萍想把自己染蓝的原委。除了染头发，她还涂了个蓝嘴唇，蓝眼晕，袒胸露背，并且用蓝纸剪了很多唇形小片贴在身上，看上去就像有人朝她泼了一壶蓝墨水。这身装扮不但怪诞，而且有迷彩效果，使你看不出她有多高，有多胖，长得怎么样等等，甚至连她站在哪里都有点模糊。老爹见了这副景象，大怒道：这就是无双吗？而孙老板闭上了眼睛说道：谁说不是？就是她。

王安老爹听见孙老板管那蓝荧荧的女人叫无双，简直气坏了，就问孙老板说：你说她是无双，你怎么认识她？孙老板也说不清楚，拍着脑袋说：我也不知道。大概她原来就是咱们坊里的人吧。王安说，好，就算她是咱们坊里的人。她叫什么？孙老板说，您这不是开玩笑嘛。叫无双呀。好，就算叫无双。也不能从小叫无双。小名叫什么？谁他妈的知道？二丫头？二姐子？也别光问我一个人哪。

老爹去问孙老板时，罗老板已经犯起了腻歪。他看出彩萍那身迷彩打扮的好处了：你不仔细看，就看不见她，仔细一看呢，就发现她腰细腿长，乳沟深深，真是好看得很。尤其是那副憋不住笑的样子，真是好看死了。老爹问他这娘儿们的小名叫什么，他就说道：叫什么都可以的，叫什

么都可以的。而老爹简直要气死了，就去问彩萍：你小名叫什么？彩萍却说：你们乐意叫我什么，就叫我什么。老爹说：这就是胡扯。哪能想叫什么就叫什么！王相公，看到了吧？她是个骗子呀。而王仙客却皱起眉头来说：老爹，您说她是骗子，可是一点凭据都没有哇。

王安老爹说，我这一辈子，就没这么犯难过。咱们办了多少案子，都是跟着感觉走。怎么这回不行了呢？是乾坤颠倒了呢，还是我该死了？看他的样子，好像是真难过。王仙客就安慰他说：老爹，我不是信不过您。可是这回您要办的是我老婆，要点真凭实据不为过。老爹就拢住了火，好好想了半天，终于想出个好主意来：这样子好了。咱们打她一顿，她会招的。

王仙客听了却皱起眉头来，问彩萍道，你说呢？彩萍说，岂有此理，怎能揍我！你要是把这糟老头子揍一顿，他也会说，他不是真王安。把你揍一顿，你也不是王仙客。把孙老板揍一顿，他也不是孙老板。把罗老板揍一顿，他也不是罗老板。把谁揍一顿，他都不是谁了。王仙客听了点头说，有道理。王安听见这说，就更愤怒了。他忽然想了起来：这都是侯老板搞的鬼。本来都说这娘儿们是假的，被他一搅都改口了。他对孙老板和罗老板说，你们两个不准走。就奔出去找侯老板啦。

王安老爹去找侯老板，但是他不在家。他老婆说，他去走亲戚，这件事一听就明白，其实他是躲了。王安一个人往王仙客家走，渐渐快快不乐起来。在此之前老爹一想起假无双还没被揭发出来，就气得不得了。他也感到这件事的风头不对了。看来这个女人就是无双；同时又想到，自己这么发怒也不对。怒能伤肝，怒能乱性，会诱发心肌梗塞。俗话说得好，气是无烟火药。总之，生气是和自己过不去。所以他决定再也不生气了。

老爹决定了绝不发火，就这样回到王仙客府上。而且他还想，假如王仙客乐意受骗，那是他的事，我管那么多干吗？当然，这是一时万念俱灰的想法。别人问他，侯老板呢？他就说，没找到。又问他，现在怎么证明无双是假的呢？王安就说，不证了。既然你们都说她是真的，那她就是真的好了。我没有意见。王仙客又说，您还可以好好问问孙老板，没准他能想起无双是假的呢。老爹摇摇头说，甭问了。看来是我记错了。彩萍又说，您老人家可别泄气呀。这么办吧，我去拿根棍子来，您来打我一顿，没准能打出我是假的来。老爹现在明白生气是多么不好了。生气时做事不理智，后来就要吃不了兜着走。以后要避免生气，是以后的事，眼前这一关却非过不可。他只好低声下气地说：姑娘，大人不记小人过。您跟我这种老货一般见识干吗？我说的话您就当放屁好了。

有关老爹改口承认假无双的事，我有如下补充。他老人家活到了七十岁上，一直是跟着感觉走，而且感觉良好，换言之，一直站在了正确路线上；而在七十岁上的这一回感觉错了，换言之，站错队了。后来他又改了口，把感觉找了回来，换言之，勇敢地改正了错误；以后的感觉就相当良好，换言之，回到了正确的路线上。这说明他老人家是懂辩证法的。

有关老爹的感觉，我还有一点补充。老爹在这一天以前，一直站在正确路线上，心里充满了正义的愤怒。他觉得这种感觉很舒服，别人一见了他发怒就怕他。所以他就有点倚老卖老，借酒撒疯的意思。但是过了这一天，老爹这种毛病就好得多了。

【二】

其实老爹揭发彩萍，也是因为心里痒痒。看到别人不合他的心意，就要把他收拾得哭爹叫娘，这是奸党的天性。但是老爹这回失手了，不但没有拿下彩萍，反而吃一大瘪，心里不但不痒，还有点发凉。后来他就想回家去，但王仙客却说，要留所有的人吃饭。还特别挽留老爹说，您要是不留，就是记我们的仇。彩萍也来留他，给他鞠了好几个大躬，并且说，假如不是穿着的裙子太紧，就给您老人家磕头。现在这个裙子，跪下就再也站不起来了。这些使老爹感到自己毕竟是个老的，别人尊重他，就是他干了缺德事，也不敢不尊重。他觉得很有面子。而且他又觉得，这无双懂礼貌，肯定是真的——换言之，真的也没她好。所以他就留下了。

中午时分，王仙客叫开上饭来。他是真心请客，既不是成心摆阔，弄些个猩猩脸、豹胎盘往上一摆，叫你看了恶心，一口也吃不下；也不是偷着省，弄些个小碟小碗假装斯文，让你空吃一场，最后空着肚子走。他上的都是实实在在的山珍海味，并且每个菜都做了很多，用朱漆饭盒给每人另盛一份，以便带回家给孩子们吃。孙老板对此很喜欢，并且觉得没理由记住还饭盒。王仙客叫彩萍给每个人敬酒，罗老板对此很欣赏，因为彩萍躬身时，他就可以从她领口往里看，大饱眼福了。王仙客又说了老爹不少好话，说他德高望重，劳苦功高，现在坊里太平无事，完全是老爹的功劳。这些都是老爹最爱听的。除此之外，王仙客的心情非常好，这也不是装的。所以大家都很高兴。这顿饭一直吃到了天傍黑，王仙客才叫人撤去了杯盘，端上茶水。他打个哈哈说，现在咱们接着聊吧。孙老板，你说以前就认识拙荆，这是怎么回事呀？孙老板一听这话头，登时头疼。他就哼哼哈哈地说，是呀，是呀，认识的呀。但是他心里说，你怎么还问这件事？真是要命！这件事只有回了家，堵上门想一下午才能弄清。所以他就想溜了。

然后王仙客就去问罗老板，罗兄，你说认识拙荆，这是怎么回事？罗老板说，就是认识的呀。虽然一时说不明白，但是他自负聪明，不像孙老板，老想往家跑，就想在桌面上摆个明白。孙老板看他两眼发直，一副拼命想事的架势，觉得有他吸引了王仙客注意，现在溜正好，就托词上厕所。出来以后，见到个下人，就对他说：老兄，我有事先要回家。屋里有个饭盒，你们老爷已经送给我了。劳驾给我拿一下，我就到门外等着。谁知那个人直着脖子就吼起来了：

这姓孙的想溜呀！你们是怎么看着的！

他这一喊不要紧，从旁边钻出好几个人，架住孙老板的胳臂说：孙老板，这就是您的不对了。您没喝多少哇，干吗要逃酒？说完了几乎是又着脖子把孙老板叉回客厅了。这时孙老板才开始觉得今天这宴席吃的有点不对头。就说主人留客，不准逃席吧，也不兴说"看着"（这个看读作堪，和看守的看同样读法），多么难听。而且他被叉回来后，门口就多了好几条彪形大汉，一个个满脸横肉，都像是地痞流氓的样子。孙老板确实记得自己没开过黑店，但是又影影绰绰觉得自己在这方面有点经验，他觉得自己有可能会成为包子馅。我们国家开黑店的人，不但杀人劫财，连尸体都要加以利用。事到如今，不能想这些。一切只能往好处想了。

【三】

现在我们来谈王仙客吧。我们说到，孙老板去上厕所时，王仙客和罗老板在谈话，等到孙老板被叉了回来，还在谈着。王安老爹吃饱喝足，打起瞌睡来，歪在了椅子上，口水正源源不断流出来滴到他裤裆上，造成了一个小便失禁的形象。孙老板虽然觉得不对头，眼色也不知使给谁。后来他就咳嗽起来，但是马上就招来一个下人，往他嘴里塞了一大块治咳嗽的薄荷糖，并且附着他耳朵说：您是不是喉咙里卡驴毛了？要不要我给你掏掏？孙老板只好闷不作声，虽然他已经看到门口的那些汉子假装伺候，正陆陆续续往客厅里进,而且互相在挤眉弄眼,样子很不对头。这时候他想道:这屋里又不是只我一个人,而是三个人,又不是只我这两只眼睛,而是五只眼睛。干吗非我看着不可呀?孙老板的情形就是这样的。

而罗老板一直在与王仙客聊天,眼睛却在彩萍身上。彩萍坐在王仙客那张太师椅的扶手上,一直朝他媚笑,抛媚眼,有时候弓腰给他看看胸部,有时抬腿让他看看大腿;这些事她搞起来驾轻就熟,因为她当过妓女。但是她也没想到这些手段起到了这样的效果,因为罗老板忘乎所以,嘴上没了闸,开始胡说八道了。他说无双(实际是指彩萍)原本是坊里一个小家碧玉,虽然羞花闭月,但是养在深闺无人识。所幸和王仙客是姨表亲,两人青梅竹马,订下了婚约。所以总算是名花有主了吧。后来王仙客回了老家,无双家里忽然遭到不幸,双亲都染上了时疫一病不起,换言之,瘟死了。无双只好卖身葬亲,等等。这一套故事虽然受到彩萍的媚笑、酒窝以及在某些时候含泪欲滴等等表情的启发,总算是他自己想出来的。但是他不以为自己在编故事,还以为是回忆起来的哪。而且我们还知道,编故事和回忆旧事,在罗老板脑子里根本分不清楚。

关于王仙客来寻无双时他们为什么不告诉他,罗老板有很好的解释——无双小姐当时正操贱业,我们说不出口哇。编得完全像真的一样;他有如此成就,固然是因为他以为王仙客那个得了健忘症的脑袋相当于一个抽水马桶,往里面尿也成,屙也成,很让人放心大胆——这好有一比,就像我们大学里的近代史老师,今天这么讲,明天那么讲。有时候讲义都不作准,以讲授为准,有时候上一讲不作准,这一讲为准。你要是去问,他就问你,到底是我懂近代史,还是你懂近代史?这种说法十足不要脸,因为我们要从他手里拿学分,他就把我们当抽水马桶了——还因为他越编越来劲,颇有点白乐天得了杨玉环托梦,给她编长恨歌的感觉。王仙客听了一遍，还有点不懂的地方，所以让他再讲一遍（王仙客不懂：既然是臭编，何不把地点编得远一点，干吗非说在宣阳坊，这样很容易穿帮），但是听到第二遍，也就品出了味道。原来说在宣阳坊里，好把自己也往里编。罗老板逐渐把自己说成水浒里的王婆那样的角色，西厢记里红娘那样的角色。和以上两位稍有不同的是，罗老板给自己安排的角色总是控制在王仙客和无双的一切恋爱事件的目击距离内，所以又隐隐含有点观淫癖的意思。这个故事编到了这一步，你也该发现罗老板根本就不知什么真的假的，一切都是触景生情，或者说，触情生景，因为他那酸梨劲一上来，就能让天地为之改变。而王仙客听着听着，牙齿开始打架了，就像我看烂酸梨那本红楼后梦时一样。同时他还觉得自己已把罗老板的一切坏心眼都看见了，这道难题已经解出来了，就奋力一拍桌子，喝道：够了！编出这种狗屁故事，你不害臊吗！

　　王仙客这一拍使出了吃奶的力气，把桌面都拍坏了。当然他自己也有代价，后来得了腱鞘炎。老爹被拍醒了，孙老板也一抬头，都看见了王仙客那副恶鬼嘴脸。这两个人就本能地要站起来，但是被人按住了。老爹是个老公安，比较勇猛，还要挣扎，又被人打了一闷棍，正好打到半晕不晕，能说话又站不起来的程度。这都是王仙客那些下人干的。我们知道，王仙客并不是太阔，处处要节省，所以他来宣阳坊时，没有到职业介绍所雇男仆，而是找黑社会老大借了一些手下。这些人做起服务员来很不像样，就像现在我们国家饭店（合资饭店除外）里的那些工作人员，打闷棍却很在行。而且他们最喜欢打老爹的闷棍，因为老爹原本就是他们的对头。孙老板看到这个样子，就老实了。罗老板却不明白，问道：仙客兄，王孙二位怎么得罪你了？我讲个情好吗？王仙客却不理他，对王孙二位喊道：你们俩老实待着，问完了姓罗的再问你们。要是不老实，哼！想被砍成几截你自己说吧。彩萍在一边鼓掌跳高道：要砍先砍那老货，他上午还要打我哪。罗老板听到这会儿才觉得不对了。现在彩萍虽然还是笑眯眯的样子，他却再不觉得可爱了。

罗老板那时的感觉告诉我们一个道理，不要说话，语多必然有失。就以这件事为例，一会儿让他说，彩萍不是无双。一会儿又让他说彩萍就是无双。再过一会儿，又得说彩萍就是无双。不管自己怎么努力学习、改造思想，总是赶不上形势。最好的态度就是虚心一点，等着你告诉我她是谁，我甚至绝不随声附和。在这种事上，我总是追随希腊先哲苏格拉底的态度："我只知道我一无所知。"既然苏格拉底不怕，我也不怕别人说我是个傻子。

【四】

王仙客最后还是从罗老板那里问出话来了，这是因为他拿出了一把大刀，有三尺多长，半尺宽，寒光闪闪。这把刀拿出来以后，宣阳坊诸君子的脸都有点变。谁都能看出来，这刀砍到人头上可以把脑袋砍成两半。要按小孙的话说，这是他黔驴技穷。拔出刀来，就证明他 IQ 不到一百八。这是因为 IQ 六七十的人也会拔刀子。但是我认为，永远不拔刀的人 IQ 也到不了一百八。罗老板大叫一声，王兄，你不能耍流氓！我们是孔子门徒，不可舞刀弄杖。但是王仙客却说，老子就要舞刀弄杖，看你有何法可想？他用刀把桌上的碗碟一扫而光，就把罗老板一把提到了桌面上，并且说：彩萍，脱了他的裤子。咱们先割他的小脑袋，再割他大脑袋。彩萍干这个最为内行，一把就把罗老板裤子扯下来，下半截身子露出来了。罗老板的那东西看起来，既可怜，又无害。彩萍鼓掌跳跃道：小鸡鸡好可爱呀。割下来给我好吗？但是罗老板见了明晃晃的大刀奔它去了，就吓得魂飞天外，顺嘴叫了出来：去了掖庭宫，去了掖廷宫！那掖庭宫是宫女习礼的地方。原来无双是进宫去了。

无双进宫前，除了托官媒去找王仙客，还想给王仙客在坊里也留个话。但是当时无人可托，只好托到了罗老板身上。她还把自己的汗巾解下来，印了一个唇印，交给罗老板，让他转交王仙客。但是罗老板的腻歪劲一上来，就以为这是无双给他的定情礼物了。他把这汗巾贴肉揣着，等王仙客把它搜出来时，已经沤得又酸又臭，连鲜红的唇印也沤黄了。至于无双叫他带的话，王仙客没来时，他不记得有王仙客这个人，等王仙客来了，他又不记得有无双这个人，当然也就无法带到。现在想了起来，这话是这样的：告诉我表哥，到掖庭宫找我。这汗巾是真的，王仙客一看就认得。这话也不像假的。所以王仙客总算知道无双在哪里了。

后来王仙客就带着他的人离开了宣阳坊，继续去找无双。到底找到了没有，我表哥还没告诉我。但是他说，掖庭宫是皇宫大内，王仙客虽然 IQ185，也很难进去。但是无双在那里，不管她想得开想不开，生命是有保障的。假如宫里的女人想死就死得了，皇帝身边就没人了。除了这一点好处，其他都是不好处。何况尘世嚣嚣，我们不管干什么，都是困难重重。所以我估计王仙客找不到无双。